DOC
920.93656
5192c

2495

D1280384

Confidences d'un homme innocent

WILLIAM SAMPSON
CONFIDENCES D'UN HOMME INNOCENT

Traduit de l'anglais par Mario Pelletier

LES INTOUCHABLES

Les Éditions des Intouchables bénéficient du soutien financier de la SODEC, du Programme de crédits d'impôt du gouvernement du Québec et sont inscrites au Programme de subvention globale du Conseil des Arts du Canada.

Nous reconnaissons l'aide financière du gouvernement du Canada par l'entremise du Programme d'aide au développement de l'industrie de l'édition (PADIÉ) pour nos activités d'édition.

LES ÉDITIONS DES INTOUCHABLES
2316, avenue du Mont-Royal Est
Montréal, Québec
H2H 1K8
Téléphone : (514) 526-0770
Télécopieur : (514) 529-7780
www.lesintouchables.com

DISTRIBUTION : PROLOGUE
1650, boulevard Lionel-Bertrand
Boisbriand, Québec
J7H 1N7
Téléphone : (450) 434-0306
Télécopieur : (450) 434-2627

Impression : Transcontinental
Infographie et conception de la couverture : Benoît Desroches
Infographie : Mélanie Deschênes
Photographie de la couverture : Sang Tan / WPN

Dépôt légal : 2006
Bibliothèque nationale du Québec
Bibliothèque nationale du Canada

ISBN 2-89549-220-4

REMERCIEMENTS

En faisant le point aujourd'hui, songeant à la fois aux événements que j'ai vécus et au livre que j'en ai fait, il y a nombre de personnes envers qui je suis redevable et dont je voudrais mentionner la contribution.

D'abord, je veux remercier les membres de ma famille, en particulier mon père James, ma belle-mère Nelia, ainsi que William, Martin et Cecily pour tout ce qu'ils ont fait, spécialement durant les jours les plus sombres de mon incarcération. J'y ajouterai Mary Lou et Sarah, pour m'avoir aidé à reprendre pied pendant la première année suivant ma libération, et Helga, pour m'avoir gardé les pieds sur terre et la tête sur les épaules.

De nombreux amis m'ont apporté leur soutien quand j'étais en prison et depuis ma libération, me fournissant tout ce qui était possible, du réconfort moral jusqu'à une cuisinière à gaz. Je ne serais pas revenu dans la civilisation aussi bien sans leurs prévenances. Et, par-dessus tout, je veux exprimer toute ma gratitude et mon affection à Siobhan.

Je sais gré aussi aux personnes suivantes :

Mes codétenus, en particulier Les Walker, Raf Schyvens et James Lee, qui ont bien voulu endosser une contestation lancée sans qu'ils aient eu l'occasion d'y donner leur aval, et qui m'ont fourni toute l'aide et l'information nécessaires.

Les journalistes Francine Dubé et Annemie Bulte : la première m'ayant fait penser à écrire ce livre après avoir m'avoir entendu raconter le pire de mes mésaventures et m'avoir donné ses encouragements.

9

Les avocats Geoffrey Bindman, Tamsin Allen et Mark Emery, de Bindman and Partners, ainsi que Richard Hermer et Edward Fitzgerald, de Doughty Street Chambers, pour avoir porté mon cas devant les tribunaux et pour m'aider à obtenir justice. Je sais que mon impatience ne rend pas toujours les choses faciles.

L'équipe de soutien médicale, notamment l'infirmier psychiatrique, qui m'a tenu compagnie dans le retour au pays et a entrepris de me faire sortir de mon état d'esprit carcéral.

Les docteurs Peter Mills, William Mitchell et Stuart Morgenstein ainsi que les autres professionnels de la santé qui m'ont aidé à me rétablir. Les docteurs Kirstine Amris et Soren Torp-Pedersen, du Parker Institute au Danemark, dont on souhaiterait que le travail ne soit pas nécessaire, mais qui l'accomplissent avec un dévouement dont je leur suis reconnaissant au nom des survivants de la torture.

Les gens comme Rosanna Mesquita, Kevin Laue, et Carla, de REDRESS[1], Houshang Bouzari, de InCAT[2], Win Wahrer et Reuben Carter, de AIDWYC[3], qui, à travers leurs organismes, m'ont aidé comme ils aident toutes les victimes d'emprisonnement injustifié et de mauvais traitements.

Parmi les politiciens qui se sont souciés de mon sort, je voudrais souligner particulièrement l'apport de Stéphane Bergeron, député de Verchères — Les Patriotes, dont le soutien donné à ma famille a été grandement apprécié, et celui de John Maples, député de Stratford-on-Avon, qui a fourni une aide précieuse et nécessaire pour porter mon cas devant le Parlement britannique.

Parmi ceux que j'ai appris à connaître dans ma nouvelle vie, je voudrais remercier particulièrement John, au Eden Foyer, pour son aide précieuse en informatique, ainsi que Sandra et Bob, de Lowther Park, pour l'ambiance calme et conviviale dans laquelle j'ai écrit une grande partie du livre, et les habitués de l'établissement pour les heures nécessaires de divertissement.

---

1. Organisation humanitaire, établie à Londres pour aider les survivants de la torture à obtenir réparation. (N.D.T.)

2. International Committee Against Torture. Organisation non gouvernementale, vouée à aider les victimes de la torture et dont le siège est à Toronto. (N.D.T.)

3. Association in Defence of the Wrongly Convicted. Organisation canadienne, à base de bénévolat, qui se consacre à la défense des personnes injustement condamnées. (N.D.T.)

Merci aussi à mon agent littéraire, Robert Mackwood, qui a dû s'arracher les cheveux parfois à travers les méandres de l'écriture du bouquin ; à Stacey McNutt, ma réviseure, dont la patience a été plus que du stoïcisme ; à Doug Pepper, Bruce Walsh, Marilyn Biderman et tous les autres de l'équipe éditoriale de McClelland & Stewart.

Enfin, je voudrais reconnaître ici la contribution du prince Nayef, du brigadier général (ex-colonel) Mohammed Saïd, du lieutenant-colonel (ex-capitaine) Ibrahim Al Dali et du capitaine (ex-lieutenant) Khaled Al Saleh. Par leur manque d'humanité, ils m'ont aidé à trouver la mienne.

À mon père et à ma belle-mère, James et Nelia,
pour le simple fait d'être ce qu'ils sont.

À Geoffrey Bindman,
pour sa patience et pour ses cinquante ans de dévouement
à la cause des droits de l'homme
et à la protection des libertés civiles.

PRÉFACE

Je n'ai guère de souvenirs de ce jour de l'année 2001 où l'une de mes commettantes, par l'intermédiaire d'une amie commune, m'a sensibilisé pour la première fois à la situation pathétique dans laquelle se trouvait un dénommé William Sampson, dont je n'avais encore jamais entendu parler. J'étais alors député de Verchères — Les Patriotes à la Chambre des communes du Canada. Cette commettante me fit transmettre, pour mon information, quelques coupures de presse de médias anglophones relatant les grandes lignes de cette affaire qui était alors largement méconnue du public.

Cela ne fit qu'ajouter au sentiment de détachement que m'inspirait initialement toute cette histoire. Cet homme, dont on me parlait avec insistance, me semblait avoir vécu une vie de bohême, accumulant les diplômes universitaires et roulant sa bosse par monts et par vaux, sans objectif apparent. À la fois citoyen canadien et britannique, natif de la Nouvelle-Écosse, ayant passé quelque temps à Montréal et résidant officiellement en Colombie-Britannique, William Sampson avait finalement abouti dans les geôles saoudiennes. À mes yeux, il devait assurément y avoir anguille sous roche.

Je m'interrogeais sur l'à-propos d'investir du temps et de l'énergie pour tenter de faire libérer un homme dont je ne savais absolument rien et qui avait peut-être été incarcéré, me disais-je, pour des motifs tout à fait légitimes, et ce, au détriment des intérêts de mes commettants, qui s'attendaient, à juste titre de ma part, à ce que je me penche prioritairement sur les problèmes auxquels ils doivent eux-mêmes faire face.

15

Par ailleurs, je me demandais sous quel prétexte j'allais bien pouvoir aborder les fonctionnaires et agents consulaires dans ce dossier, sachant que l'homme en question n'est pas de ma circonscription.

Je me résignai finalement à entreprendre la démarche initiale habituellement prévue dans ce genre de circonstances, c'est-à-dire loger un appel de routine auprès des services consulaires du ministère des Affaires étrangères. De fil en aiguille, je me suis laissé prendre au jeu…

Telle que prévue, la réaction des fonctionnaires à mon égard fut d'abord extrêmement mystérieuse et même hostile, ce qui n'a pas été sans attiser ma détermination à aller au fond des choses. Par ailleurs, j'ai vite réalisé que, contrairement à tous les cas auxquels j'avais jusque-là été confronté, c'était de la vie d'un être humain dont il était question. Quel que soit le crime qu'ait pu commettre cet homme, rien ne pouvait justifier qu'on l'exécute et surtout pas de la façon barbare dont on entendait s'y prendre.

Dès lors, mes interventions devinrent de plus en plus pressantes. Plus j'en apprenais sur cette nébuleuse affaire, plus j'en venais à me convaincre de l'innocence de William Sampson. Puis, après un échange téléphonique hermétique, lapidaire et cassant avec l'ambassadeur du Canada à Riyad (ce qui, après en avoir glissé mot au ministre des Affaires étrangères, ne devait jamais plus se reproduire), je conçus le projet fou de me rendre en Arabie Saoudite, afin de visiter William Sampson.

Il était déjà prévu que j'aille au Maroc, à la fin du mois de mars 2002, afin de prendre part à la 107e Conférence de l'Union interparlementaire. Par la suite, je devais me rendre dans le golfe Persique, dans le cadre du Programme parlementaire des Forces armées canadiennes. J'ai simplement organisé mes déplacements, de sorte de pouvoir faire escale à Riyad !

Lorsque je confiai mes intentions à Jean Gauthier, qui devint ultérieurement mon contact privilégié et un allié précieux à l'ambassade canadienne, celui-ci tenta de m'en dissuader, prétextant que les autorités saoudiennes n'accepteraient vraisemblablement jamais de me permettre de voir William Sampson. Je lui répondis que, si tel devait être le cas, il ne lui resterait plus qu'à m'organiser une visite touristique de Riyad, puisque j'étais désormais résolu à m'y rendre.

16

Contre toute attente, les autorités saoudiennes accédèrent à ma requête et c'est ainsi que je me rendis en Arabie Saoudite pour la première fois. J'étais anxieux à l'idée de débarquer dans ce pays somme toute mystérieux. Je crois être une personne assez ouverte d'esprit et qui prend plaisir à s'initier aux nouvelles expériences touristiques et culturelles. Mais rien n'aurait vraiment pu me préparer à ce qui se passe en Arabie Saoudite. Le choc culturel est brutal et déroutant. Heureusement que Jean Gauthier, sa femme et son fils ont eu la bonne idée et la gentillesse de m'inviter chez eux pour un repas à la bonne franquette, sans quoi j'aurais fort bien pu être interpellé en pleine rue sans même savoir pourquoi !

Peu à peu, l'anxiété fit place à l'inquiétude. Je devais rencontrer William Sampson le lendemain et je me mis à appréhender ce moment. En plus de l'atmosphère étouffante qui transpire de la société saoudienne, je devais composer avec les rumeurs les plus folles circulant autour de celui pour lequel je venais de traverser la moitié du globe. L'attitude pour le moins erratique qu'on lui attribuait laissait entendre que le bonhomme avait peut-être craqué sous la pression et les conditions pitoyables de détention qui prévalent au Royaume saoudien. Qu'avais-je donc besoin de faire tout ce chemin pour rencontrer un fou furieux ?

Pourtant, j'entretenais, dans mon for intérieur, la conviction que le comportement, en apparence anormal, de cet homme devait répondre à un plan délibéré de sa part, suivant une logique qui nous échappait totalement. Il nous est facile à nous, qui vivons dans un cadre soi-disant normal, de pontifier sur un comportement qui s'écarterait de la «normalité». Mais qui est en mesure de dire comment un homme, qui se voit soudainement privé de ses schèmes de référence habituels, peut réagir dans des circonstances tout à fait inconcevables pour un esprit dit «normal» ?

Je me préparai donc à l'inéluctable rencontre. Le lendemain, on me conduisit, en compagnie de trois employés de l'ambassade canadienne, à l'hôpital militaire où, sous de faux prétextes, on avait amené William Sampson afin que s'y tienne le rendez-vous. Je réalisai qu'on voulait à tout prix éviter que je puisse voir la prison dans laquelle il était incarcéré et porter un jugement sur le traitement qui lui était réservé.

On nous fit asseoir dans une petite salle attenante à la chambre dans laquelle se trouvait William. Pendant un court instant, qui me parut une éternité, on nous laissa seuls dans cette pièce. Au bout d'un moment, le silence s'installa. L'inquiétude fit place à la panique. J'étais terrorisé à l'idée de ce que j'allais bientôt découvrir de l'autre côté du couloir. Les idées les plus saugrenues se bousculaient dans ma tête. J'échafaudais des scénarios tout aussi improbables les uns que les autres. J'étais envahi par le désir irrépressible de me lever sur-le-champ et de quitter cet endroit qui m'apparaissait désormais sinistre.

Je dus lutter pour tenter de me raisonner. Finalement, tout un aréopage de Saoudiens en tenue traditionnelle fit irruption dans la pièce pour nous entretenir des règles strictes entourant la rencontre qui devait se tenir quelques instants plus tard. On nous enjoignait tout particulièrement à ne nous exprimer qu'en anglais et à ne jamais aborder, avec William Sampson, la question de ses conditions de détention.

Je compris tout à coup la vive frustration qu'avait probablement dû ressentir William chaque fois que des agents consulaires canadiens étaient venus le visiter pour ne lui parler que de la pluie et du beau temps! Quant à l'obligation qui nous était imposée de ne parler qu'en anglais, elle s'expliquait aisément: personne, du côté saoudien, ne parlait ni ne comprenait le français. La première règle était donc tributaire de la seconde. Comme les Saoudiens voulaient contrôler le contenu de nos échanges, il leur était absolument nécessaire de bien les comprendre.

Je finis par apprendre que l'un des Saoudiens présents dans la pièce était un psychiatre ayant fait une partie de ses études au Canada. Je voulais en avoir le cœur net et lui posai sans détour la question qui, au Canada, traversait inévitablement l'esprit de toute personne s'intéressant au cas de William Sampson: « Cet homme est-il fou? »

Le psychiatre répondit que le détenu, bien qu'ayant adopté un comportement étrange, ne présentait aucun signe de psychose. Il illustra son propos par deux exemples bien concrets. On m'expliqua d'abord que William prenait bien soin de ne pas uriner ou déféquer aux endroits où il mangeait et dormait, alors qu'il avait pris l'habitude de répandre ses déjections un peu partout dans sa cellule. Selon le psychiatre, une personne psychotique ne ferait pas ce genre de distinction spatiale. Par ailleurs, William Sampson mangeait et buvait seulement ce dont il avait besoin pour survivre, se servant allègrement de ses restes de nourriture comme «moyens de pression». Je laisse à William le soin de vous décrire plus loin ce à quoi je fais ici référence…

Une fois cet exposé complété et les dernières règles clairement expliquées, nous fîmes notre entrée dans la chambre dans laquelle se trouvait William. Je ne voudrais pas anticiper sur le récit qu'il fait lui-même de notre rencontre. Qu'il me suffise de dire que je fus d'abord surpris de constater l'aspect spartiate de cette grande chambre, dans laquelle ne prenait place qu'un simple lit, sur lequel était couché un homme vieilli, au visage émacié et au teint cireux.

Ce pauvre bougre avait la barbe et les cheveux longs. Il était nu, une couverture recouvrant le bas de son pubis jusqu'à ses pieds, dont l'un était manifestement entravé par des chaînes. Il était sale et dégageait une très mauvaise odeur. Les murs et le plancher de la chambre étaient eux-mêmes maculés de quelques saletés, ce qui ne faisait qu'ajouter aux effluves désagréables qui se dégageaient de l'endroit.

Malgré sa piètre condition physique, William avait l'œil vif, la voix claire et le ton assuré. Une discussion hautement technique entre lui et le cardiologue de l'hôpital finit de me conforter dans ma conviction que William était en parfait contrôle de lui-même. L'entretien, incluant une brève mais soudaine interruption au cours de laquelle il nous fallut négocier furieusement afin qu'il puisse se poursuivre, dura un peu plus d'une heure.

Au sortir de la chambre, j'étais littéralement exténué. Ce fut l'une des expériences humaines les plus intenses qu'il m'ait été donné de vivre. Ma gorge se noua et mes yeux s'emplirent de larmes. Alors que j'allais retourner chez moi retrouver le confort de mon foyer et l'amour de mes proches, cet homme allait continuer de vivre seul son calvaire. Cette idée m'était insupportable. Un intense sentiment d'impuissance m'envahit, sentiment contre lequel j'étais résolu à me battre.

Dès mon retour à Ottawa, j'entrepris d'écrire à chacun des membres du Majlis al Choura, le conseil consultatif saoudien.

19

Le hasard voulut que l'Arabie Saoudite entreprît des pourparlers dans le but d'être admise au sein de l'Union interparlementaire au moment même où m'était soumis le cas de William Sampson. Or, je faisais à ce moment partie du comité exécutif du groupe canadien de l'Union interparlementaire.

Pour une raison quelconque (et le différend opposant les deux pays au sujet de William Sampson n'y était peut-être pas étranger), les Saoudiens avaient fini par se convaincre que le Canada, qui jouissait d'une certaine crédibilité au sein de l'Union interparlementaire, s'opposait à l'admission de leur Royaume au sein de cette organisation. Après avoir prêté l'oreille à leur lobby insistant à Marrakech, je n'allais certainement pas me priver de l'opportunité de signaler à mes collègues saoudiens que, si nous ne nous opposions pas d'emblée à l'intensification des relations parlementaires avec l'Arabie Saoudite, ils ne devaient pas s'attendre à ce que nous plaidions leur cause avec grand enthousiasme tant et aussi longtemps qu'un de nos ressortissants croupirait dans leurs prisons.

Par ailleurs, je rencontrai de nouveau l'ambassadeur du Royaume d'Arabie Saoudite au Canada, qui avait hâte d'entendre mes commentaires, suite à ma visite dans son pays. Il me déclara que, à sa connaissance, c'était la toute première fois que le gouvernement saoudien autorisait un parlementaire étranger à rencontrer un détenu de même nationalité, cherchant probablement à bien me faire mesurer la grande magnanimité dont on avait fait preuve à mon égard. Je réalisai, au fil de la discussion, qu'on l'avait soigneusement informé des détails de ma rencontre avec William Sampson. Il conclut poliment notre échange par une déclaration qui m'estomaqua : Allah étant miséricordieux, il ne permettrait pas l'exécution d'un innocent et ne permettrait pas davantage que des mensonges soient proférés pour que cet innocent soit tué. Cela n'eut pas eu l'heur de me rassurer, bien au contraire...

Ne voulant pas être en reste, le gouvernement libéral dépêcha finalement le ministre Don Boudria en Arabie Saoudite afin qu'il rende également visite à William Sampson. Dès son retour, je contactai le père de William Sampson, avec lequel j'entretenais, directement ou indirectement, une relation soutenue, pour lui proposer d'organiser une rencontre avec

M. Boudria, histoire de lui permettre d'avoir accès aux dernières nouvelles concernant son fils. Cette rencontre me laissa béat d'admiration devant la dignité de cet homme qui, souvent au mépris de sa propre sécurité, mettait en jeu l'ensemble des ressources dont il disposait, n'hésitant pas, quelquefois de façon maladroite, à tenir tête à la machine froide et bureaucratique de l'État pour sauver la vie de son enfant.

Au cours de l'automne, je retournai en Arabie Saoudite, accompagnant, cette fois, le secrétaire d'État Gar Knutson dans le cadre d'une mission économique qui, une fois à Riyad, n'eut guère plus d'économique que le nom. Nous rencontrâmes de nombreux dirigeants saoudiens, de Son Altesse royale le ministre des Transports au très conservateur président du Majlis al Choura, plaidant, chaque fois, la cause de William Sampson. À ma grande déception, il s'avéra cependant impossible de lui rendre de nouveau visite.

Au printemps 2003, je voulus me rendre au Chili pour prendre part à la Conférence de l'Union interparlementaire, au cours de laquelle il devait être question de l'admission de l'Arabie Saoudite, mais des questions de régie interne, dans les rangs de ma formation politique, m'en empêchèrent. La mort dans l'âme, je dus me résoudre à l'idée que je ne pourrais recourir à cette tribune privilégiée pour faire pression sur les Saoudiens et poursuivre, par conséquent, mes démarches et représentations dans les coulisses.

Les choses devaient se poursuivre ainsi jusqu'au jour de l'annonce inattendue de la libération de William Sampson. Nous ne devions nous revoir que quelques semaines plus tard, à Ottawa. J'anticipais avec nervosité cette nouvelle rencontre. Lorsque William fit son entrée dans mon bureau, il s'approcha de moi sans dire un mot et m'étreignit affectueusement, ce qui m'émut au plus haut point. Je ne reconnus pas, dans cet homme alerte, celui que j'avais vu, prostré dans des conditions misérables, en Arabie Saoudite, sinon par ses yeux vifs et le ton assuré de sa voix.

Voulant à tout prix éviter d'aggraver les conditions de détention de William, je m'étais astreint au silence, pendant plus de deux ans, ne m'ouvrant de mes interventions dans ce dossier qu'auprès de mes proches, de mon personnel ou des

21

personnes y étant associées. Compte tenu du curieux et fragile équilibre prévalant dans le Royaume, les autorités saoudiennes deviennent, en effet, extrêmement chatouilleuses lorsqu'elles sont soumises à des pressions médiatiques ou politiques provenant de l'Ouest.

C'est qu'en Arabie Saoudite, le pouvoir de la famille royale repose sur un compromis historique passé avec le courant fondamentaliste wahhabite. Aussi, la relation très étroite qu'entretient naturellement le Royaume avec l'Occident apparaît-elle suspecte et indécente aux yeux des fondamentalistes, dont l'influence est omniprésente à travers le pays. Il devient donc périlleux, pour la famille royale, de gouverner dans cet environnement hostile et précaire. Le pouvoir saoudien ne peut se permettre d'avoir l'air de céder à des pressions occidentales sans que cela ne provoque l'indignation et la colère des fondamentalistes.

Dans ces circonstances, j'estimais qu'une intervention publique et médiatique de ma part n'aurait fait que jeter de l'huile sur le feu. Il s'agit d'un raisonnement qui peut nous apparaître bien étrange, puisque les gouvernements occidentaux sont, pour leur part, très sensibles aux pressions médiatiques. Il me fallait pourtant composer avec cette autre singularité saoudienne.

Je fus donc très honoré et reconnaissant d'avoir été approché pour écrire la préface de cet ouvrage. J'ai interprété ce geste comme un témoignage de considération qui m'a beaucoup touché. Par ailleurs, cela me permettait enfin de partager le récit de cette folle équipée dans laquelle William m'avait entraîné bien malgré lui. Mais, par-dessus tout, cette préface me donnait l'occasion de rendre hommage au courage et à la détermination de cet homme hors du commun que j'ai eu l'occasion de connaître et de découvrir à travers cette histoire invraisemblable. Je peux, par ailleurs, lui exprimer publiquement ma gratitude pour les amitiés sincères qu'il m'aura permis de développer. C'est, je crois, l'une des plus belles choses que je retire de cette expérience.

L'ouvrage dont vous vous apprêtez à entreprendre la lecture est la description crue et véridique d'une erreur judiciaire délibérée, d'un système politique corrompu et rongé par les luttes intestines, d'une structure sociale rigide et débilitante, d'un cadre religieux intolérant s'articulant autour de la notion de châtiment, d'un environnement carcéral suranné où la dignité et la vie humaines n'ont absolument aucune valeur. Aucun détail, même le plus éprouvant, ne vous sera épargné.

Il s'agit donc d'une histoire triste à pleurer; du récit tragique d'une supercherie d'État, dont ont fait les frais d'innocentes victimes, précipitées brutalement dans les bas-fonds de la misère et de la souffrance humaine. Mais il s'agit également d'une histoire dont la fin se veut heureuse. C'est le récit d'étincelles d'humanité qui irradient à travers l'obscurité ambiante de la barbarie. Il s'agit d'une brutale prise de conscience, mais aussi d'une source inestimable d'espoir.

Je me suis souvent demandé pourquoi William, une fois sa liberté recouvrée, n'essayait pas de rattraper le temps perdu, de profiter des beautés qu'offre cette vie, dont on avait menacé de le déposséder. Pourquoi avait-il plutôt choisi d'entreprendre cette croisade? Pourquoi cette comparution devant le Comité permanent des Affaires étrangères et du Commerce international? Pourquoi cette conférence de presse à laquelle nous avions pris part, lui et moi, en compagnie de mon collègue Dan McTeague? Pourquoi ces innombrables entrevues médiatiques? Pourquoi cet ouvrage? Pourquoi ces démarches judiciaires?

C'est William qui répondit à ces questions. Il veut bien sûr obtenir réparation pour cette liberté dont on l'a indûment privé, de même que pour les sévices endurés et les séquelles qui subsistent. Mais il veut surtout se faire le porte-voix de toutes ces malheureux qui, partout à travers le monde, ne peuvent se faire entendre, malgré leurs déchirants cris de douleur. Il parle au nom de ceux qui ont disparu dans l'anonymat le plus complet et qui sont à jamais silencieux.

Il semble que l'humanité n'ait toujours rien appris d'Auschwitz, du Rwanda et du Kosovo. Le cas des prisons de Guantanamo et d'Abou Ghraïb défraient bien sûr les manchettes, mais il ne s'agit-là que d'épiphénomènes. Combien d'êtres humains sont encore aujourd'hui livrés à l'arbitraire de leurs geôliers, tortionnaires et bourreaux? C'est pourquoi il importe que tous les William Sampson de ce monde, que celles et ceux qui peuvent témoigner de l'indicible, prennent la plume et la parole pour ébranler notre indifférence, de telle sorte que l'humanité puisse toujours faire une place à l'espoir.

Stéphane Bergeron
Député de Verchères — Les Patriotes
Février 2006

Stone walls do not a prison make,
Nor iron bars a cage;
Minds innocent and quiet take
That for an hermitage;
If I have freedom in my love,
And in my soul am free;
Angels alone, that soar above,
Enjoy such liberty.

« To Althea from Prison »
RICHARD LOVELACE (1618-1658)

Des murs de pierre ne font pas une prison,
Ni des barreaux de fer une cage;
Les cœurs purs et sereins vont
Les transformer en ermitage.
Si j'ai la liberté que l'amour donne
Et si je suis libre au fond de l'âme,
Seuls les anges de l'éternité
Jouissent d'une telle liberté.

RICHARD LOVELACE (1618-1658),
extrait du poème « To Althea from Prison »
(À Althea, du fond de la prison)[1].

---

1. Traduction libre. (N.D.T.)

INTRODUCTION

En commençant ce livre, j'ai entrepris un voyage qui s'ajoute aux nombreux autres que j'ai faits dans ma vie. Un voyage poursuivi non pas tant dans l'espace et le temps physiques que dans les régions de ma conscience. Il aurait dû être facile de savoir par où commencer et comment procéder, mais ce ne fut pas le cas. Plus je pensais à ce qui était arrivé au cours des trois années de mon emprisonnement et à ce qui s'est passé depuis, plus me paraissait compliqué le puzzle des événements qui ont entouré ma détention et ma libération. Il restait de nombreuses questions auxquelles il me fallait trouver réponse.

Ma quête pour obtenir réparation a commencé par des « comment ? » et des « pourquoi ? ». Les questions étaient simples, les réponses ne l'étaient pas. Les explications que m'apportèrent mes enquêtes dessinèrent finalement un tableau moins clair et plus étrange que je n'avais pensé. Tant de choses m'avaient frappé d'emblée à ma libération, à cause de la séquestration que j'avais subie, et tant d'autres survinrent par la suite, que ce qui m'avait paru clair en prison l'était devenu moins. Je me suis retrouvé incapable de mettre de l'ordre dans mes pensées alors que j'étais encore sous le choc d'une liberté inattendue. Avec le temps, j'ai pu redonner un sens à tout cela, bien que plusieurs détails soient restés vagues et nébuleux.

Les autres questions importantes que je me suis posées – et que m'ont posées ceux qui ont parlé avec moi du temps que j'ai passé enfermé comme une bête en cage – touchent à l'essence même de mon être. Qu'ai-je fait pour survivre ? D'où me sont venues les initiatives que j'ai prises ? Comment ai-je trouvé la détermination nécessaire pour les mettre à exécution ? Au moment de ma libération, je n'aurais pas su quoi répondre exactement. Sans y réfléchir, il me semblait avoir fait ce qui était naturel et nécessaire à ce moment-là. Mais en y pensant bien, je me suis rendu compte que certains traits de ma personnalité m'ont aidé à adopter des stratégies efficaces pour sauvegarder mon identité et mon intégrité quand j'étais aux mains des barbares. Ce que j'ai fait n'a rien de remarquable ou de courageux, ni rien qui soit au-delà des capacités de toute personne se trouvant dans pareille situation.

J'en suis venu à croire qu'existe en chacun de nous la force de résister, de lutter et de se redresser. Tout ce qu'il faut, c'est comprendre le mécanisme de la violence et y trouver une voie de sortie personnelle. J'ai parlé à un certain nombre de survivants de la torture, qui ont réagi à peu près comme moi, même si nous représentons un échantillon assez disparate de personnalités provenant de divers horizons. Pour chacun de nous, il y a eu des moments de conscience, des épiphanies personnelles qui ont fini par nous libérer de l'état de victime. Cette liberté mentale nous a forgé une capacité de résister qui, subtile ou non, s'est avérée fort opportune. Elle nous a permis d'endurer la souffrance, de nous en remettre et d'en témoigner d'une façon qui aurait été impossible autrement.

Il ne m'appartient pas de raconter les expériences des autres. Je ne peux que témoigner de ce que j'ai moi-même éprouvé et appris, dans l'espoir de jeter un peu de lumière sur la barbarie de la torture et sur la capacité de résilience de l'être humain. Voici donc mon histoire. Aussi horrible qu'elle puisse paraître, c'est l'histoire d'un parcours qui m'a été salutaire, malgré tous les efforts déployés par l'appareil de sécurité d'un État souverain pour me détruire, et par d'autres États pour m'empêcher d'obtenir justice.

William James Sampson
30 juillet 2005

CHAPITRE 1

L'ARRESTATION

À sept heures, mes réveille-matin commencèrent à sonner aux divers intervalles où je les avais programmés pour me tirer du sommeil. Je me sentais fatigué et peu requinqué. Les semaines précédentes avaient été fort actives et stressantes, ne me laissant guère de temps pour le repos ou la détente. Quand je me levai finalement, j'étais déjà en retard. C'était le dimanche 17 décembre 2000.

Je pris une douche, me rasai et m'habillai avant de descendre à la cuisine. Tout en préparant mon expresso très corsé du matin, une mixture qui me faisait l'effet d'un carburant de fusée, je remettais peu à peu de l'ordre dans mes idées. J'étais en train de préparer un rapport sur le traitement et la purification de l'eau en Arabie Saoudite, rapport que je devais remettre à la fin de la semaine. Et j'avais de la difficulté à m'y concentrer. Une vague d'explosions à la voiture piégée avait commencé en novembre 2000. J'étais convaincu que mon ami Raf Schyvens, qui avait failli être victime d'une de ces explosions, était l'objet d'un coup monté en rapport avec ces événements. Il avait été arrêté sept jours auparavant. Je ne savais pas encore où il était détenu et je n'arrêtais pas de penser à ce qui pouvait lui arrivaer. Je repassais dans mon esprit la liste des personnes que je verrais ce jour-là : le premier consul de l'ambassade belge, quelques amis saoudiens et quelques-unes de nos connaissances communes. Certains étaient des sources d'information, d'autres des amis que

29

j'avais promis de tenir informés à mesure que mes recherches pour trouver Ralph progressaient.

En marchant de la cuisine au salon, je commençai à boire mon café et allumai une cigarette. C'était là mon petit-déjeuner : une infusion de stimulants non prohibés qui m'était nécessaire pour remettre en mode opérationnel mes fonctions supérieures. J'allumai le téléviseur pour attraper le bulletin de nouvelles de Sky News par satellite. Il était huit heures et je me demandais si la dernière explosion en Arabie Saoudite serait rapportée. L'explosion la plus récente s'était produite le vendredi précédent, à Al-Khobar, sur la côte est du pays. Un ami m'avait appelé pour m'en informer, mais il ne m'avait guère donné de détails, car le service de nouvelles locales avait été avare d'informations. Il s'agissait de la troisième explosion dans cette récente vague d'attaques contre des travailleurs étrangers.

Les autres explosions s'étaient produites à Riyad. La première bombe avait explosé le 17 novembre. Elle avait tué Christopher Rodway et blessé sa femme Jean. La seconde s'était produite le 22 novembre. Elle avait blessé gravement Mark Payne. Trois de ses amis, qui étaient dans la même voiture, avaient subi des blessures plus légères. Chacune de ces attaques avait visé des ressortissants britanniques. Raf avait été témoin de la deuxième explosion et avait fourni une assistance médicale d'urgence – raison pour laquelle il avait été arrêté.

Dire que j'étais inquiet serait un euphémisme. En Arabie Saoudite, quand un crime important se produit, les autorités recherchent immédiatement des boucs émissaires dans la communauté étrangère. Il existe là-bas une culture du déni, où tous les méfaits sont mis sur le compte d'étrangers ou d'une influence extérieure. C'est le pays le plus culturellement et politiquement xénophobe où j'ai vécu. J'étais convaincu que la police locale et les services de renseignements étaient en train de chercher un *khawaja* (étranger) pour jeter le blâme sur lui. L'arrestation et la disparition de Raf étaient les signes d'une telle conspiration. Comme nous étions des amis intimes et que nous nous voyions fréquemment, je craignais d'être impliqué à mon tour, du seul fait de mes relations avec lui. Je songeais que mon temps de liberté était probablement limité. Je m'inquiétais de mon sort, mais aussi de celui d'autres amis qui pourraient être impliqués dans ce coup monté simplement parce qu'ils étaient mes amis. J'espérais qu'ils avaient écouté mes avertissements, mais je craignais qu'ils ne suivent pas mes conseils.

Avec ces inquiétudes en tête, je regardais l'émission de télévision qui rapportait le plus récent attentat à la bombe. Un autre Britannique, David Brown, avait été blessé par l'explosion. Les autorités seraient-elles forcées d'admettre la nature du problème maintenant qu'il s'était produit trois incidents du genre dans le Royaume? À la fin du bulletin de nouvelles, j'appelai mon père pour l'informer de la nouvelle tournure des événements. Nous parlâmes de mes plans pour la période des Fêtes et de mon envie de faire une pause dans ma vie au Royaume. Je ne lui confiai pas mes inquiétudes.

Je pris ma mallette et sortis dans l'air matinal. Il était huit heures quinze. Le temps était clair et frais, mais pas encore assez chaud pour ne porter qu'une chemise à manches longues et une cravate sans veste. Je longeai la piscine jusqu'à la porte centrale, résigné à subir une autre journée de frustration et de stress. En traversant la porte centrale, j'aperçus ma Nissan Patrol 4 x 4. Elle semblait bizarre, et il me fallut à peu près une seconde pour m'apercevoir qu'elle avait un pneu crevé. Cela n'améliora guère mon humeur. Jurant entre mes dents, je me dirigeai vers une des rues principales à proximité pour héler un taxi. Il n'était pas question que je change un pneu, vêtu comme j'étais pour le travail. D'autant plus que j'étais en retard. J'aurais dû être au bureau à huit heures mais, à vrai dire, je m'étais organisé pour arriver à huit heures trente ou à peu près.

Comme je détournais les yeux de ma voiture, quelque chose attira mon attention au carrefour, à cinquante mètres. C'était une voiture américaine gris beige à quatre portes. Je ne sais pourquoi ce modèle Intrepid avait attiré mon attention ni pourquoi j'allais me rappeler ce détail. Mais ce que mon œil capta fut un mouvement. Quand la voiture sortit de sa place de stationnement et tourna rapidement dans ma rue, je vis l'expression sur la figure du conducteur. Et je sus. Je sus, à l'instant même, qu'il venait vers moi. Je n'avais nulle part où me diriger, nulle part où me cacher, et peu de temps pour réagir. La voiture s'arrêta à quelques centimètres de moi, ce qui me fit bondir en arrière. Beaucoup plus tard, j'ai songé qu'un cadavre, à cette étape, aurait ruiné leur scénario planifié de façon machiavélique.

31

À ce moment-là, je crus que j'allais être renversé par la voiture. Deux Saoudiens en kamis (tunique arabe) et coiffés du keffieh (couvre-chef traditionnel) jaillirent des portières arrière. Le premier à m'atteindre était un homme dans la vingtaine, qui avait à peu près ma taille en plus trapu. Il avait une large figure au teint cireux et des petits yeux bridés. Sa fine moustache rappelait le Frank Sinatra des années 1940.

Il attrapa ma mallette d'une main et mon poignet de l'autre. Le conducteur, un homme svelte et plus grand que moi, au visage sombre et grêlé et à la barbe clairsemée, avait rapidement contourné la voiture pour attraper mon autre bras, et il entreprit de me dépouiller du reste de mes possessions. Le troisième individu, court et trapu, portant une barbe et une moustache soigneusement taillées, exhibait un mandat d'arrêt dans sa main gauche en pointant un revolver dans sa droite. Ces trois hommes, j'en viendrais à les connaître intimement, plus intimement que je ne l'aurais jamais pensé.

D'un ton de voix aussi mesuré qu'il m'était possible, je leur demandai ce qu'ils faisaient et pourquoi ils étaient aussi agressifs. On me dit de la fermer. Les deux hommes, qui m'avaient pris de force, commencèrent à me frapper en me faisant les poches. Je n'opposai aucune résistance, pensant que cela ne ferait qu'empirer les choses. En y réfléchissant après coup, j'avais à la fois tort et raison. Si j'avais résisté, on m'aurait tiré dessus et probablement tué, mais comme j'allais être plus tard condamné à mort, cela n'aurait guère importé. Ma mort aurait pu entraîner une crise diplomatique qui aurait épargné bien des tourments à mes amis. C'est ce qu'on pense après coup, mais dans la situation où j'étais, la sagesse m'indiqua que la résistance était une réaction à la fois dangereuse et inappropriée. Il ne faut rien faire pour susciter la colère, l'insécurité ou la nervosité de ses ravisseurs. J'essayais de garder mon calme, de ne leur donner aucun prétexte pour me maltraiter : en somme, de paraître coopératif. Après tout, il était possible que mon arrestation soit une erreur.

Je restai donc immobile, les laissant placer mes mains derrière mon dos et les menotter serrées, trop serrées. Ils continuèrent à me taper dessus en me poussant sur la banquette arrière de la voiture. J'essayai de dire quelque chose, mais avant de pouvoir prononcer le moindre mot, je reçus un coup de poing sur la nuque et un autre sur la mâchoire avec la crosse d'un revolver. Je sentis quelque chose craquer dans ma bouche. Mes poignets et mes mains étaient déjà en feu sous la pression des menottes et maintenant je me demandais si ma mâchoire n'était pas cassée (en fait, ce n'était pas ma mâchoire mais mes dents qui l'étaient). J'étais assis, les jambes en équilibre instable sur la saillie du longeron de la voiture. La peur m'envahissait, mais je m'efforçais de maintenir une apparence de calme. C'était difficile, la chose la plus difficile de ma vie jusque-là. Pendant ce temps, la brute à la moustache fine prenait place à côté de moi et les autres reprenaient leur place initiale. Puis on referma violemment les portières de la voiture.

Tandis que la voiture repartait, la brute à ma droite écarta mes jambes et le policier assis en avant se tourna vers moi. Avec un sourire, il me frappa entre les jambes avec son revolver. La douleur fut foudroyante. D'instinct, je refermai les jambes et les larmes me montèrent aux yeux. Des exclamations en arabe fusèrent rapidement, suivies d'éclats de rire de mes ravisseurs. La voiture s'arrêta devant un immeuble administratif, à huit cent mètres de chez moi. Un quatrième individu en kamis prit place sur la banquette arrière, à ma gauche. Après une brève conversation tumultueuse dont je ne compris pas un mot, il plaça sur ma tête un turban qui me couvrait les yeux. On prit je ne sais quoi pour maintenir le turban, ce qui comprima mes yeux et donna un halo rouge à la lumière qui passait à travers ce bandeau improvisé. La voiture repartit et mes jambes furent à nouveau écartées, mais plus efficacement, car le nouvel arrivant s'était mis de la partie. Le salaud à l'avant recommença à frapper mes parties génitales avec la crosse de son revolver. Je présume que c'était le revolver, parce que les coups étaient portés avec quelque chose de dur, de cylindrique et de métallique. La douleur était indicible.

La voiture roula durant ce qui me sembla une éternité, mais ce ne fut probablement guère plus de trente minutes. Même cela était d'une durée excessive, compte tenu de notre destination finale. Pendant que la voiture zigzaguait et tournait et que les coups pleuvaient, les questions se succédaient. Quel était mon nom? Quelle était ma religion? Est-ce que je parlais arabe? Où est-ce que je travaillais? Toutes ces questions étaient une mise en scène pour m'empêcher de deviner, d'une façon ou d'une autre, où on m'emmenait. Le parcours jusqu'au point de destination ultime aurait dû prendre moins de vingt minutes, comme j'allais le calculer plus tard.

Enfin, la voiture s'arrêta. J'entendis la vitre de la portière avant s'abaisser et quelque chose d'incompréhensible qu'on criait. Le claquement d'une barrière de sécurité métallique qui s'ouvrait me confirma que nous étions arrivés. La voiture avança lentement de quelques mètres et la barrière claqua à nouveau en se refermant. Les portières de la voiture s'ouvrirent et on me tira à l'extérieur par ma cravate au milieu des ricanements de mes ravisseurs. Tiré comme un chien au bout d'une laisse, je trébuchai en sortant de la voiture. À l'entrée d'un vestibule, on m'enleva mon bandeau et je pus voir ce qui serait ma nouvelle résidence.

Le poste de contrôle était à gauche, rempli de rangées d'écrans de télévision en circuit fermé, que surveillait un individu en uniforme débraillé, sirotant son thé d'un air ennuyé. À peu de distance devant moi, à gauche, il y avait un couloir et un escalier. Et à droite, un autre couloir où on m'amena. Celui-ci débouchait sur un vestibule, au centre duquel se trouvait un comptoir. On me poussa vers ce comptoir, où on me demanda mon nom et m'assigna un numéro : 23. Puis on m'enleva ma cravate et ma ceinture, mais on me laissa mes lacets. Je fus ensuite conduit dans un autre couloir à gauche, derrière le comptoir, où se trouvait une rangée de portes en métal. Ce couloir, peint d'une couleur jaunâtre débilitante et illuminé par des lampes phospho-rescentes, transpirait la peur et l'avilissement.

Mes gardiens, maintenant une bande de larbins boutonneux en uniforme, me poussèrent dans la cellule, dont le numéro 23 était marqué à la craie sur le linteau de la porte. On détacha les menottes, pour en boucler une à nouveau sur mon poignet droit et fixer l'autre à l'un des barreaux de la porte qui se trouvaient à environ un mètre cinquante du plancher. Puis on referma la porte, me projetant ainsi dans ma cellule. Attaché là en position debout, j'examinai mon nouvel habitat.

La cellule était de la même couleur que le couloir : un jaune nauséeux et défraîchi. Elle mesurait deux mètres sur trois, avec une hauteur de trois mètres. Dans le coin supérieur gauche du mur du fond se trouvait une caméra de surveillance. Et, au centre de ce mur, on avait installé un climatiseur. Comme il avait été mal fixé, la lumière du jour pénétrait sur les côtés. Le plancher était en béton gris, poussiéreux et froid. On y avait jeté un misérable matelas mince, à motifs floraux criards. Au pied du matelas, près de la porte, il y avait une mince couverture grise. Comme je tremblais de peur et de froid, j'étirai le pied pour atteindre la couverture et la tirer vers moi. Avec ma main gauche libre, je réussis à l'attraper et à l'enrouler autour de moi. Elle sentait la sueur et l'urine, une fétide odeur de phéromones provenant d'innombrables inconnus.

Je ne sais combien de temps je restai là, enchaîné debout, prostré dans un état proche du choc nerveux. Alors que j'étais encore aux prises avec la peur et que j'essayais de calmer le tumulte de mon esprit, j'entendis les gardes s'approcher. On déverrouilla la porte et, comme on l'ouvrait, je fus projeté dehors. Un seul mot anglais avait été lancé férocement: «Number!» En un instant, on m'avait réduit à une non-entité, à un numéro. On détacha les menottes et on me les remit une fois mes mains ramenées derrière le dos. On fixa des chaînes à mes chevilles et on noua un bandeau rectangulaire noir autour de mes yeux. Puis on me tira brutalement dans le couloir. En comptant mes pas, pour mesurer la distance parcourue, je compris qu'on me ramenait au poste de contrôle et à l'escalier situé en face. On me fit monter des marches. Je trébuchais, j'avais peine à garder mon équilibre. En haut, après avoir gravi deux séries de dix marches, on tourna à droite et on avança d'environ huit à dix mètres le long d'un couloir. Encore là, je présume qu'il s'agissait d'un couloir. Au début, chaque fois que je me retrouvais dans cette partie de l'immeuble, j'avais les yeux bandés et je devais compter sur mes autres sens pour me fournir les détails nécessaires. Mais les pas résonnaient comme dans un couloir.

On me poussa dans une pièce à droite et je butai contre un bureau, ce qui m'empêcha d'aller plus loin. Je sentis et entendis la présence d'au moins trois ou quatre autres personnes. À peine eus-je le temps de sentir quelqu'un bouger derrière moi qu'un poing s'abattait sur ma nuque, me faisant tomber sur le bureau. On m'ordonna de me redresser, ce que je réussis à faire tant bien que mal. On retira mon bandeau et j'aperçus devant moi les trois barbouzes qui m'avaient arrêté. Derrière moi se trouvait un garde en uniforme, qui m'avait servi de guide dans ce monde souterrain.

Nous nous trouvions dans une petite pièce avec un bureau et quatre chaises de métal. Les murs étaient d'un blanc terne et le plancher recouvert d'un tapis synthétique bon marché, qui avait déjà été brun (probablement) mais qui était maintenant sale et noirâtre. Le mur du fond était percé d'une fenêtre par laquelle on pouvait entrevoir un autre bâtiment et une barrière en métal blanc, par laquelle j'étais passé à peine une heure auparavant.

On me dit de m'asseoir. Et comme j'essayais de le faire, le garde-chiourme à droite m'agrippa à la chevelure et me poussa violemment sur la chaise, puis il s'assit à son tour. C'était celui qui portait la fine moustache. Je lui avais déjà donné un nom, mon seul point de référence. Dans mon for intérieur, je l'appelais « le Spiv[2] ». Jamais il ne m'a adressé la parole durant tout le temps qu'on a passé ensemble. Il ne parlait pas anglais et je ne parlais pas arabe, mais, qu'importe, il ne m'a jamais dit un seul mot dans aucune langue. Il restait assis à côté de moi, s'amusant à me passer la main dans les cheveux et, à l'occasion, à me caresser la cuisse droite. Il ne cessait de me renifler comme un charognard qui subodore la chair d'une proie en décomposition. C'était inquiétant et je savais que c'était voulu ainsi.

Les autres étaient assis de l'autre côté du bureau. À gauche se trouvait le courtaud qui se lissait le poil et ajustait sans cesse son keffieh. Je l'avais surnommé « le Midget ». Son regard avait quelque chose de platement stupide et son intelligence était limitée, mais non son identification au pouvoir qu'il représentait. Il rappelait ce personnage de bandes dessinées, le nain Dopey[3], qui avait l'habitude de faire sans cesse des signes de tête affirmatifs tout en gardant un regard figé dans le vague. Son nom, comme je finis par le découvrir, était Ibrahim. Depuis ma libération, j'ai appris que son nom complet était Ibrahim al-Dali. Il était alors capitaine, mais sa dévotion au régime lui a valu une promotion au rang de major, et il est maintenant lieutenant-colonel. À droite, se trouvait l'homme à la peau sombre ravagée par l'acné. Je l'ai surnommé « Acné », mais son nom réel était Khaled al-Saleh. Il avait le regard dur,

---

2. Le lieu des exécutions publiques, à Riyad. (N.D.C.)

3. Personnage comique, créé à la télévision américaine par le comédien Paul Reubens, pour l'émission pour enfants *Pee-wee's Playhouse*. (N.D.T.)

agressif et brûlant de haine d'un vrai fanatique. Bien que parfois il fût le moins brutal de la bande, il semblait jouir plus que les autres de la souffrance, de l'humiliation et des tourments de ses victimes. Des trois, il semblait le plus intelligent et comme tel le plus dangereux. Ces sbires étaient alors membres de la terrifiante Mabaheth, la police secrète d'Arabie Saoudite, qui faisait la loi au sein du Royaume. Tous la craignaient, à part ses maîtres, quoique je soupçonne que ses maîtres n'y ont jamais regardé de près.

Acné me demanda si je savais pourquoi j'avais été arrêté. Je ne pouvais guère répondre que je me doutais qu'ils voulaient se servir de moi comme bouc émissaire pour les explosions à la voiture piégée. Aussi répondis-je non. Ce qui amena le Spiv à enfoncer vigoureusement les doigts dans ma cuisse, en pouffant de rire. Acné reposa sa question et je répondis non à nouveau. Le Midget lança alors un regard au Spiv, qui se leva et me gifla puis me mit debout en me tirant par les cheveux.

On me poussa au centre de la pièce où les trois brutes vinrent m'entourer. Je fus mitraillé de questions par Acné. Je constatai qu'il était le seul des trois qui parlait anglais. Ils réagirent à mes réponses négatives par une avalanche de coups portés à l'estomac, dans le bas du dos, à l'entrejambe et au côté du visage. Ils semblaient alors – comme ils allaient le faire constamment plus tard – prendre un soin particulier à ne pas me frapper en pleine figure. Chose étrange, vu le degré de violence avec lequel ils frappaient ailleurs. Cela m'intrigua au départ, mais je me rendis bientôt compte qu'ils étaient bien entraînés à ne pas laisser des marques trop évidentes de leurs basses œuvres.

Dans un accès de rage, le Midget me jeta par terre et me donna des coups de pied dans le dos, alors que j'étais étendu sur le sol. On me criait de me relever, ce que je tâchais péniblement de faire, gêné par les menottes qui me liaient les mains dans le dos et les chaînes qui m'entravaient les pieds. Je fus tiré jusqu'à ma chaise et replacé dessus par le Spiv, qui reprit ses attentions affectueuses alors qu'Acné commençait à réciter la litanie de mes crimes. Il me dit qu'ils savaient tout, que c'était moi qui avais posé et fait exploser les trois bombes qui avaient récemment perturbé la paix dans le Royaume et la communauté des expatriés. Il me dit que je finirais par avouer parce que tout le monde le faisait : ce n'était qu'une question de temps. Il ajouta qu'ils me feraient les supplier de passer aux aveux. Car ils avaient le pouvoir de faire tout ce qu'ils voulaient. Les souffrances qu'ils me feraient endurer étaient au-delà de tout ce que je pouvais imaginer. Je ne sais pourquoi je répondis alors avec désinvolture.

Je dis que, en effet, j'avais une assez bonne imagination et que cela devait être vraiment quelque chose d'impressionnant.

Le Midget explosa de colère de l'autre côté du bureau. Ses poings s'abattirent sur moi, me projetant à terre avec ma chaise. Puis il me donna des coups de pied à l'estomac et à l'entrejambe. Je hurlai quand son pied atteignit mes testicules. Mes tortionnaires riaient et s'amusaient ferme : ils prenaient plaisir à jouer avec moi.

La brutalité finit par diminuer en même temps que leur amusement. Étendu par terre, il me vint à l'esprit que cela devenait un peu répétitif et ennuyeux. Je m'efforçai de ne pas sourire à travers ma douleur. Ma bravade m'avait déjà causé assez de problème. La scène terminée, on me remit rudement debout et on me replaça sur ma chaise. Les trois sbires revinrent à leur place. On me demanda de décrire en détail mes déplacements les jours des trois explosions : le vendredi 17 novembre, le samedi 22 novembre et le vendredi 15 décembre. Lentement et prudemment, avec autant de détails que je pouvais donner, je décrivis ce que j'avais fait ces jours-là. Sauf pour le vendredi 15 décembre, mes allées et venues n'étaient vérifiables qu'auprès d'un ou deux amis intimes, et Raf était l'un d'eux. Mes ravisseurs n'auraient guère de difficulté à faire disparaître mes alibis en arrêtant les quelques personnes en compagnie desquelles je m'étais trouvé. Je savais qu'ils étaient bien capables d'en arrêter d'autres afin de détruire toute preuve de mon innocence, et que leur arrestation et leur torture étaient maintenant probables sinon certaines (et je crois que c'était la raison des arrestations récentes de mes amis Les Walker et Carlos Duran). C'était là une perspective terrifiante.

Je répétai encore et encore les mêmes déclarations. Chaque fois je protestais de mon innocence. Et chaque fois j'étais accusé de mensonges et menacé de violence accrue, mais cette violence n'était pas appliquée. Un espoir naïf commençait à se faire jour. Peut-être n'iraient-ils pas plus loin? Peut-être se rendaient-ils compte qu'ils se trompaient dans ce qu'ils avaient manigancé? Juste à ce moment-là, j'entendis le plaintif appel à la prière du muezzin. À mon grand soulagement, on me remit mon bandeau et me mena dans une autre pièce située plus loin dans le couloir, au-delà de la cage d'escalier.

Une fois dans ce nouveau bureau, on m'enleva le bandeau et les menottes, mais non les chaînes. Ce bureau ressemblait à l'autre, les fenêtres en moins. Je vis là un homme d'âge mûr, avec une barbe grisonnante. Il était assis dans un fauteuil et m'invita poliment à m'asseoir en face de lui. Nous restâmes ainsi à nous dévisager pendant un moment, chacun essayant de jauger l'autre. Je retenais un désir impulsif de rompre le silence et de m'expliquer. C'était une lutte intérieure. Le désir de parler et de se faire comprendre en des moments comme ceux-là est très fort. Je pense qu'il est inspiré par la peur et une sorte d'instinct de survie, mais il n'est pas de mise.

Il finit par parler:

– Comment vous appelez-vous?

Son anglais était excellent, avec une pointe d'accent britannique. Je répondis laconiquement.

– Pourquoi êtes-vous ici? demanda-t-il.

– Parce qu'une erreur a été commise, répondis-je.

Il sourit.

– Mais nos agents ne commettent jamais d'erreurs.

Bien sûr, et les singes ne montent jamais dans les arbres: les mots se pressaient sur ma langue. Je dis plutôt:

– Il y a toujours une première fois.

Sa réponse fut celle d'un sphinx, comme son sourire:

– Dites-moi pourquoi vous vous croyez innocent.

Dites-moi pourquoi vous vous croyez innocent, me répétais-je mentalement. Quelle idée! Je ne croyais pas que j'étais innocent: je savais que je l'étais. Pour lui, cependant, ma présence en ces lieux était une preuve de ma culpabilité ou, du moins, de ce qu'il concevait comme ma culpabilité. C'était un scénario à la Kafka, à la seule différence qu'il était mal écrit. Je recommençai mon histoire une fois de plus, racontant pourquoi je n'avais rien à voir avec les événements en question ni n'étais impliqué dans les crimes dont j'étais accusé. Sûrement il en conviendrait. Il continuait de sourire béatement, puis il finit par répondre :

– Allah, dans son infinie sagesse, protège les innocents. Eux seuls n'ont pas à souffrir. Vous dites que vous êtes innocent, alors Allah vous protégera.

C'était le genre de déclaration, inspirée du fanatisme, qui accompagne les épreuves par l'eau et le feu et les moyens semblables de contrôle de la dévotion et de la conformité. Cela me glaçait jusqu'à la moelle des os. Si jamais déclaration était faite pour me terrifier, c'était bien celle-là. Mon corps était à la merci de zélotes pervers ; mon âme était la prochaine proie qu'ils convoitaient. J'étais entré dans un véritable enfer temporel et j'étais terrifié. Le seul souvenir de cette terreur suffit encore aujourd'hui à faire courir un frisson le long de mon échine et à me donner la chair de poule. J'en ai même, à l'occasion, les larmes aux yeux.

Cette sentence tombée, nous restâmes l'un en face de l'autre en silence : moi empêtré dans la confusion de mes pensées et de mes peurs, lui imbu de la suffisance de son pouvoir et de son bon droit. Finalement, la porte s'ouvrit et mes tortionnaires revinrent me chercher. De nouveau menotté, enchaîné et les yeux bandés, je fus reconduit dans le premier bureau. On m'enleva seulement le bandeau et on me laissa là debout.

Le Spiv resta adossé au mur tandis que Khaled et Ibrahim s'amusèrent à mes dépens. Ils me donnèrent des coups de poing et de pied en me projetant à droite et à gauche. J'étais un objet qu'ils jouaient à se renvoyer l'un l'autre, comme un vulgaire paquet. Cela continua pendant quelques heures, sans un mot proféré par mes tortionnaires, jusqu'à ce qu'ils soient interrompus par un deuxième appel à la prière. Alors, des gardes en uniforme entrèrent dans la pièce. Mes yeux furent bandés à nouveau et je fus reconduit à ma cellule.

Dans la cellule, on m'enleva les chaînes ainsi que le bandeau, mais les menottes furent utilisées de nouveau pour m'enchaîner à la porte. Alors, la peur s'empara de moi. Je sentis mon estomac se contracter en boule. Mes jambes tremblèrent et je sentis mon pouls battre dans mes oreilles. J'essayai de me calmer. J'avais été arrêté à huit heures quinze, ce matin-là, et il était maintenant entre trois et quatre heures de l'après-midi, d'après ce que j'estimais à la suite des deux appels à la prière. Je me répétais sans cesse que tout cela était une erreur qui pourrait facilement être dissipée. Mais la froide raison de mon esprit analytique me disait que ce n'était pas une erreur et que Raf était probablement détenu ici aussi. Comme mes ravisseurs étaient déjà engagés dans ce processus d'inculpation, il y avait peu de chance de solution rapide. Je me disais qu'il me fallait résister et me prémunir contre toute la violence à venir, aussi longtemps que possible. Mais l'aboutissement de tout cela était inévitable, je le savais bien. Alors, l'espoir naïf et le froid réalisme s'affrontèrent dans mon cœur et dans mon esprit.

Et le réalisme l'emporta.

CHAPITRE 2

L'INSTALLATION AU ROYAUME

Je n'avais aucun pressentiment ni souci particulier quand j'ai jeté pour la première fois les yeux sur le Royaume désert d'Arabie à travers le hublot de l'avion des Emirates Airbus. J'étais curieux de voir à quoi ressemblait Riyad exactement, car j'avais voyagé partout au Proche-Orient, mais je n'avais jamais eu l'occasion de venir en Arabie Saoudite.

La terre au-dessous de moi était d'un brun clair, poussiéreuse et crénelée d'oueds, comme un pantalon de coutil froissé. Quelques routes droites y couraient comme des coutures à plat. On ne voyait guère autre chose : aucune végétation et seulement quelques aires dispersées de peuplement ou d'habitations. C'était la province centrale de l'Arabie Saoudite, vue du ciel. Comme l'appareil amorçait sa descente, je pus apercevoir Riyad, la capitale, qui émergeait des plaines désertiques environnantes. Les tours qui signalaient la ville et l'étendue de sa périphérie contrastaient radicalement avec la désolation des environs. Il n'y avait rien pour annoncer cette ville qui semblait surgie de nulle part, parachutée au milieu du désert.

L'Arabie Saoudite était un pays que je voulais visiter. Son côté désertique et renfermé m'intriguait, et la seule façon pour moi d'y voir de près était de m'y rendre pour affaires. J'arrivais de Vancouver où j'étais parti la veille, via Londres et Dubaï, et j'éprouvais le regain habituel d'intérêt et de hâte à mesure que j'approchais de ce nouvel horizon. Je me demandais si toutes les rumeurs que j'avais entendues étaient vraies.

J'avais ouï dire que le Royaume saoudien était à deux faces. La face publique était celle d'un pays dirigé par une famille royale qui gouvernait selon une interprétation stricte du Coran et de la charia, et où toutes les activités qui allaient de soi dans les sociétés occidentales ou plus libérales étaient interdites. La face cachée était celle d'un gouvernement corrompu où, en privé, tout était permis, ou presque. J'avais rencontré des «travailleurs expatriés» (comme on les appelait) qui aimaient leur séjour en Arabie Saoudite, et d'autres qui le détestaient. Je n'avais jamais rencontré personne qui soit indifférent, et tout le monde y allait de ses commentaires sur l'inconséquence et la corruption de ceux qui régnaient sur le pays.

J'allais occuper un poste de consultant en marketing auprès du Fonds de développement industriel saoudien. Ce Fonds est une banque de développement chargée d'offrir des prêts privilégiés pour des projets manufacturiers en démarrage afin de diversifier la base industrielle du pays. Mes responsabilités consistaient à examiner les plans d'affaires et de marketing des entreprises candidates et d'analyser la viabilité des projets à l'étude. On m'avait assigné au secteur médico-vétérinaire et pharmaceutique et à certains secteurs chimiques spécialisés, à cause de mes antécédents en recherche biomédicale et en marketing pharmaceutique (je détenais un doctorat en biochimie et un M.B.A.).

En traversant la salle voûtée des arrivées, je notai la grandeur empruntée du décor ainsi que le manque évident d'attention pour les services de maintenance essentiels. Je passai sans problème les contrôles du passeport et de l'immigration jusqu'à la salle de remise des bagages, où je constatai que ma valise n'était pas arrivée. Heureusement, j'avais acheté des sous-vêtements et des chemises à manches courtes à Londres, au cours de l'escale.

J'allai enregistrer ma plainte au comptoir des bagages perdus et passai les douanes, où j'expliquai la perte de ma valise à un fonctionnaire qui m'écouta d'un air distrait. Dans le hall principal de l'aéroport, il m'apparut vite que personne n'avait été dépêché pour m'accueillir. En cherchant un comptoir d'information, je fus abordé par un chauffeur de limousine. Il avait présumé, avec justesse, que j'étais la personne qu'il devait prendre, parce que j'étais le seul Occidental qui déambulait dans cette partie de l'aéroport. Quand nous fûmes sortis de l'atmosphère climatisée de l'aéroport, dans le parking couvert, je sentis immédiatement l'intensité de la chaleur et la sécheresse de l'air. J'étais arrivé en Arabie Saoudite à la mi-juillet 1998, au beau milieu de la chaleur de l'été. Je savais que la température dans ce pays pouvait aisément dépasser les 45°, voire les 50° C.

Le parcours, à partir de l'aéroport, laissait voir de chaque côté de la route un paysage brunâtre et plat. Des palmiers et des buissons d'acacia étaient plantés le long de l'autoroute, mais on ne voyait guère d'autre végétation ailleurs, et je me demandais pourquoi on avait fait ces efforts de plantation dans un pays qui manquait autant d'eau.

Quand j'arrivai à l'hôtel Hyatt, une lettre m'attendait de la part du Fonds, me souhaitant la bienvenue et m'invitant à me présenter sur les lieux. Je découvris que mon bureau était à quelques pas de l'hôtel. Je pris une douche pour me rafraîchir et me refaire une apparence avant de sortir à nouveau dans la chaleur, pour franchir les cinquante et quelques mètres jusqu'à mon nouveau bureau.

En une heure à peine, on m'avait trouvé un appartement et alloué une voiture de fonction temporaire. Je remis mon passeport, remplis une demande pour un *iqama* (carte d'identité) et soumis une réclamation pour mes frais de voyage. On me conduisit à la division où je devais travailler pour me présenter mon futur chef, un Saoudien que j'avais rencontré lors de l'entretien d'embauche. Celui-ci, à son tour, me présenta aux autres consultants de la division du marketing. Puis on me désigna mon compartiment de travail et on me donna mon premier projet à examiner.

Je constatais un manque général d'activités ainsi qu'une pénurie de personnel dans ma division. Un collègue consultant, un ressortissant des Pays-Bas, m'apprit ce dont j'aurais dû me rendre compte par moi-même: une grande partie du personnel était en congé annuel estival à ce moment-là. Il me donna les conseils habituels de l'expatrié qui avait l'expérience du travail au Fonds et de la vie en Arabie Saoudite, puis conclut par un dicton sur les seuls vrais avantages du pays: «Le soleil brille toujours, il n'y a pas d'impôt et les femmes ne conduisent pas.»

Plus tard dans l'après-midi, un Saoudien de la section des services généraux du Fonds me conduisit au centre de récréation

45

et de loisirs de l'entreprise, puis à mon appartement, qui était très spacieux, avec deux chambres et quelques meubles. Comme j'étais engagé en vertu de ce qu'on appelait un «bachelor contract» (contrat de célibataire), on m'avait fourni le strict minimum en fait de mobilier. Cela sentait le statut de seconde classe. Dans la logique de mes employeurs, il n'était pas nécessaire de me fournir un mobilier complet parce que je n'avais ni femme ni enfant. Ce fut ma première initiation au soupçon général qui pesait sur les célibataires en Arabie Saoudite. Dans la culture du pays, pour quelqu'un de mon âge et de ma formation, il était impensable de ne pas être marié.

Ainsi donc, à la fin de ma première journée, je me retrouvai seul dans un des logements que l'entreprise fournissait aux célibataires, sans téléphone, ni télévision, ni quelque autre forme de divertissement que ce soit, me demandant ce que je ferais pour me divertir. Alors pourquoi étais-je donc là?

C'est la question que doivent se poser des milliers de travailleurs étrangers qui séjournent ici. L'Arabie Saoudite compte le plus grand nombre de travailleurs immigrés par rapport à sa population locale, les estimations variant d'un à quatre millions sur une population totale de vingt et un millions de personnes. Pour la plupart de ceux qui se retrouvent dans le Royaume saoudien, la principale réponse à cette question est «l'argent». Je m'étais retrouvé sans emploi après avoir échoué à mettre sur pied une entreprise, projet pour lequel j'avais abandonné un bon emploi en gestion dans l'industrie pharmaceutique. Le travail pour le Fonds semblait intéressant, même s'il n'était pas nécessairement passionnant, et il était assez bien payé, avec des allocations pour l'hébergement, la voiture, les vacances et une assurance médicale complète.

Je m'étais arrangé pour arriver en Arabie Saoudite un lundi, au début de la semaine de travail. Je découvris sur place que les jours ouvrables allaient du samedi au mercredi, le vendredi étant le sabbat, chose que j'aurais dû savoir. Je n'eus donc que quelques jours de travail avant l'arrivée du weekend. Je pus accepter l'offre d'un de mes collègues expatriés de me faire découvrir Riyad, et je pus aussi commencer à explorer par moi-même la campagne environnante.

C'est ainsi que je me retrouvai, ce premier jeudi soir, à manger de la pizza et à boire de la bière faite maison, en écoutant les histoires qu'on me débitait sur les problèmes et les complexités de la vie en Arabie pour un expatrié. Le contrôle social rigoureux que le gouvernement exerçait, en plus d'une application très stricte de la charia, signifiait que presque tout ce qui était usuel en Occident était absent ici. Il n'y avait ni cinéma, ni théâtre, ni salle de concert, ni cabaret. On trouvait une grande variété de restaurants, mais on y imposait une ségrégation selon le sexe et le statut marital : les hommes étaient installés dans une section, les femmes et les familles dans une autre. Les hommes et les femmes ne pouvaient être ensemble que s'ils étaient mariés ou s'ils appartenaient à une même famille. La pratique de toute religion autre que l'islam était interdite. Des descentes, au milieu de cérémonies religieuses clandestines, organisées par des groupes d'Indiens ou de Philippins, étaient rapportées triomphalement dans la presse locale. Et l'alcool faisait l'objet d'une interdiction générale, interdiction que j'enfreignais au moment où on m'en informait.

À l'époque où je suis arrivé dans le pays, les autorités fermaient les yeux sur un tas d'activités qui avaient cours dans la communauté des expatriés occidentaux, et une vie sociale active s'était développée autour des principaux complexes d'habitation où vivaient ces expatriés. On y trouvait une troupe de théâtre, divers groupes amateurs de musique et de nombreux pubs et bars. Le plus fameux se trouvait dans le complexe Izdihar, où habitaient les employés de British Aerospace, et il y avait là des spectacles disco hebdomadaires. La plupart de ces bars n'étaient accessibles qu'aux résidents du complexe et à leurs amis. Comme je travaillais pour un employeur saoudien et que j'habitais dans un des logements de l'entreprise, je n'ai pas participé immédiatement à cette vie sociale qui avait cours dans les principaux complexes d'habitation des expatriés.

Au moment de mon arrivée dans le Royaume, un certain nombre de bars fonctionnaient plus ou moins discrètement hors du circuit habituel, à partir de complexes d'habitation moins sûrs ou de villas ou maisons dans les beaux quartiers.

Parmi ces bars hors circuit qu'on fréquentait quand j'étais encore un homme libre en Arabie Saoudite, il y avait le Dewdrop Inn (tenu par des Américains travaillant pour la Vinnell Corporation), le Tudor Rose (tenu par un ingénieur concepteur britannique, ouvert depuis la fin des années 1980. Il servait officieusement de mess d'officiers pour divers groupes de l'aviation britannique et de l'armée américaine au cours de la guerre du Golfe, en 1991), le White Elephant (tenu par les employés de la Câblodistribution et du Sans fil, Cable & Wireless), le Melrose Place (tenu par des employés de Lucent), et le Dog's Bollocks (tenu par un ressortissant irlandais qui travaillait pour le Fonds de développement industriel saoudien). Il y avait aussi d'autres bars et cabarets comme le Leg's Arms, le Celtic Corner, le Consulate et le Shenanigans.

Ces bars servaient surtout de la bière artisanale et de l'alcool de fabrication domestique (connu sous le nom de *sid* ou *sidiqi*, du mot arabe pour « ami »). Cette bière était faite généralement d'un curieux mélange de levure (souvent de la levure de boulangerie), de sucre et de bières sans alcool qui avaient dépassé la date de péremption et qui étaient offertes au rabais dans les boutiques et supermarchés. La qualité de l'eau-de-vie était variable. Certains arrivaient à produire des succédanés appréciables de gin ou de bourbon, mais la plupart produisaient quelque chose qui était à la limite du buvable. Certaines marques d'alcool commercial étaient disponibles, mais à un prix prohibitif (cinq cents riyals saoudiens pour une bouteille d'un litre, soit environ 100 $USD) et le choix se limitait généralement à la marque Johnnie Walker Black Label. En outre, l'approvisionnement n'était guère régulier, car il dépendait des livraisons plutôt chaotiques des divers réseaux souterrains.

J'ai été étonné de rencontrer plus d'alcooliques en Arabie Saoudite – autant dans la population locale que parmi les étrangers – que n'importe où ailleurs où j'ai vécu. C'était une réalité de la vie là-bas. À plus d'une occasion au travail, souvent après l'heure du lunch, je m'étais trouvé dans un ascenseur rempli d'effluves d'alcool émanant de l'un ou de l'autre des cadres saoudiens de l'entreprise. Par ailleurs, le pays semblait attirer particulièrement les étrangers alcooliques. Peut-être venaient-ils en Arabie en espérant que l'absence supposée d'alcool les guérirait de leur problème; ou peut-être leur problème ne leur permettait-il plus de garder un emploi en Occident et l'Arabie Saoudite était leur dernière chance d'obtenir un travail rémunérateur. Quelle qu'en soit la raison, je ne m'étais jamais auparavant, ni depuis lors, retrouvé dans un milieu social où l'alcoolisme semblait aussi omniprésent.

Les invitations aux soirées et réceptions organisées par les diverses ambassades occidentales étaient sans doute les plus recherchées, surtout à cause de l'alcool offert gratuitement. (Il est intéressant de noter que, dans un pays qui était censé être exempt d'alcool, les ambassades semblaient disposer de provisions plus que suffisantes. Il ne fait pas de doute qu'il y avait là un arrangement qui faisait l'affaire des ambassades et des Saoudiens eux-mêmes.) Développer ses contacts pour franchir les échelons donnant accès à ces réceptions était une forme d'activité courante parmi les travailleurs expatriés. Pour ceux qui faisaient partie de la colonie britannique ou américaine à Riyad, cela pouvait prendre un certain temps, étant donné le nombre élevé de leurs compatriotes dans le pays (en 1998, on y comptait environ trente-cinq mille Britanniques et cinquante mille Américains). Pour d'autres, comme les ressortissants de Finlande, d'Italie ou de Belgique, dont les communautés ne comptaient guère plus d'une centaine de personnes, l'accès à la vie sociale de l'ambassade était presque automatique.

Une croyance répandue parmi mes collègues saoudiens, inspirée par ce que chacun savait de l'alcool qui coulait dans les ambassades, était que les représentations diplomatiques fournissaient à leurs ressortissants une ration mensuelle d'une bouteille de whisky (de même que des antennes GPS et des vidéos pornographiques). Le plus drôle est que mes ravisseurs y croyaient dur comme fer. Chercher à démentir cette fable auprès des Saoudiens était peine perdue, même en soulignant qu'une telle générosité aurait coûté à l'ambassade britannique dans la région pas moins d'un million de livres sterling par année, en whisky seulement. Il est difficile d'imaginer qu'une ambassade quelconque aurait pu maintenir une politique aussi folle et dispendieuse. Néanmoins, c'était là une rumeur persistante, à laquelle accordaient foi plusieurs même de mes collègues saoudiens qui avaient reçu une éducation occidentale.

Les bruits qui circulaient parmi les Saoudiens et les étrangers, au sujet de l'accès que les Occidentaux avaient à l'alcool importé, n'étaient que des rumeurs. Le contrôle ultime de la contrebande était aux mains de Saoudiens, tandis que des

49

étrangers (à la fois occidentaux et non occidentaux) servaient d'intermédiaires pour le transport et la distribution. Et sans qu'il faille s'en étonner, des entreprises saoudiennes étaient impliquées dans la logistique. Un contrebandier d'alcool que j'ai connu travaillait comme directeur du transport chez Zahid Tractors, un concessionnaire de camions lourds et d'usines mobiles qui s'occupait aussi de transport.

Outre les bars, des organisations comme le Paradise Group tenaient des soirées (pour lesquelles il fallait se procurer des billets) dans de plus larges complexes accessibles aussi aux non-résidents. Durant un certain temps, il y eut un cinéma dans un des complexes d'Al-Ramazan, ouvert par un contrebandier américain entreprenant, qui voulait diversifier ses sources de revenus. Les horaires des films étaient envoyés par courriel parmi la communauté des travailleurs étrangers. Ce cinéma fut fermé après qu'un expatrié eut affiché l'horaire sur le babillard de l'entreprise où il travaillait, et que le propriétaire saoudien du complexe eut été interpellé par les autorités.

Toutes ces boîtes n'étaient accessibles qu'aux détenteurs de passeports occidentaux, sauf quelques exceptions pour des amis des clients réguliers de ces établissements ou des clubs sociaux. Cette exclusivité tenait surtout à la nature de la ségrégation qui existait partout en Arabie Saoudite. Elle n'était pas une forme de racisme de la part des Occidentaux, même si une telle attitude était courante chez eux.

Quiconque arrivait en Arabie Saoudite était identifié, payé et logé selon sa nationalité. Les appellations générales utilisées dans les milieux de travail étaient ressortissants saoudiens, travailleurs expatriés occidentaux (Américains, Britanniques, Australiens, Canadiens, etc.), autres nationalités arabes et ressortissants des pays du tiers-monde (Philippins, Bengalis, Sri-Lankais, Indonésiens, Africains, etc.). Les salaires étaient en fonction de ces désignations, les Occidentaux se trouvant au sommet de l'échelle et les ressortissants du tiers-monde au bas. Les allocations pour le logement et autres services suivaient la même logique, chaque groupe national étant logé séparément, selon une échelle de qualité décroissante. Là où les qualifications étaient tout à fait identiques d'un groupe à l'autre, comme c'était le cas, disons, pour les électriciens ou les infirmières, un travailleur occidental était payé plus du tiers d'un ressortissant du tiers-monde. Et même à l'intérieur des groupes, il y avait différence de traitement pour des emplois équivalents, les Philippins étant les mieux rémunérés parmi les ressortissants du tiers-monde, et les Américains parmi les Occidentaux.

Ce système était à peu près identique à celui du régime d'apartheid en Afrique du Sud et tout aussi rigide. Chacun vivait et fonctionnait au sein de véritables ghettos imposés par l'État, ce qui créait une atmosphère de méfiance parmi les divers groupes nationaux, chacun soupçonnant les autres d'être des informateurs au service des autorités saoudiennes. Que ce fût intentionnel ou non de la part du gouvernement, cela reste à voir, mais c'était, en tout cas, l'effet obtenu, et la ségrégation s'en trouvait renforcée à tous les niveaux, et particulièrement au niveau social.

Tout juste après avoir reçu mon *iqama*, moins d'un mois après mon arrivée, je fis l'expérience du traitement que les fanatiques du Mutawa réservaient aux groupes nationaux de troisième zone. Le Mutawa, dont le nom complet est Conseil pour la promotion de la vertu et la prévention du vice, est une police religieuse relevant du ministère de l'Intérieur, lequel est responsable de la police en Arabie Saoudite. Le rôle de ces policiers, qui sont formés essentiellement comme des fanatiques religieux, est d'appliquer strictement les lois religieuses imposées dans le Royaume.

Je me trouvais dans l'un des grands centres commerciaux modernes, à la sortie de Oleya Road, lors de l'appel à la prière du soir, et les magasins se mirent à fermer leurs portes pour le temps de la prière, comme il est requis. Juste au moment où on commençait à fermer boutique, un groupe du Mutawa survint. Ils se distinguaient des autres Saoudiens par leurs tuniques courtes à mi-mollets, leurs sandales, leurs turbans blancs sans agal et leur barbe touffue. Ils se mirent diligemment à vérifier la participation à la prière de tous les musulmans présents dans le centre commercial, et ils entreprirent d'encercler tous les Indiens et les Philippins sur place, les poussant et frappant à l'occasion ceux qui protestaient, en exigeant qu'ils montrent leur *iqama* pour prouver leur appartenance religieuse.

Les quelques Occidentaux présents ne s'occupaient nullement de ce qui se passait, et on les ignorait tout autant.

51

Mais comme j'observais de trop près ces sbires à l'œuvre, deux des plus jeunes remarquèrent l'intérêt que j'y portais et fondirent aussitôt sur moi pour me demander mes papiers. Après avoir examiné mon *iqama*, ils me demandèrent, dans un mélange d'arabe et d'anglais, si j'étais indien. J'étais fort étonné de la question, car j'ai la double citoyenneté britannique et canadienne. J'expliquai du mieux que je pus que j'étais canadien, car c'était la nationalité sous laquelle j'avais été enregistré en Arabie. Les cris et les exclamations de mes deux interrogateurs attirèrent l'attention d'autres policiers, qui convergèrent vers moi. La situation commençait à devenir assez embarrassante et je soupçonnais que quelque chose devait clocher dans mes papiers d'identité. Le plus frappant, c'était le changement de comportement des barbouzes à l'idée que je pouvais être indien. Leur attitude avait été jusque-là revêche et arrogante, elle devenait maintenant agressive et menaçante. J'appris que c'était chose courante. Les agents du Mutawa traitaient avec brutalité les ressortissants d'Asie et d'Afrique, comme si cela allait de soi. Les Occidentaux étaient rarement traités de la sorte.

Heureusement pour moi, un Saoudien qui parlait anglais intervint dans la discussion et prit mon *iqama*. Il n'avait pas la même apparence que les Mutawas, car il était rasé de près, portait une tunique de longueur normale, ainsi qu'un keffieh à carreaux rouges avec agal. Je pensai alors qu'il s'agissait seulement d'un citoyen prévenant. J'ai compris beaucoup plus tard que c'était un policier de la force régulière, qui accompagnait les Mutawas dans leurs rondes. Quelques minutes après que je lui eus tendu ma carte professionnelle du Fonds, il finit par déclarer qu'effectivement je n'étais pas un Indien mais un Canadien, et que mon *iqama* avait été émis avec une erreur sur ma nationalité. Grâce au ciel, cela mit fin à l'algarade, mais on m'avertit que je devais demander à mon employeur de retourner l'*iqama* pour le faire corriger.

Curieusement, quand je soulevai la question au service du personnel le lendemain, on accueillit ma demande avec un haussement d'épaules, en me donnant l'assurance que l'erreur serait rectifiée quand mon *iqama* serait renouvelé deux ans plus tard. (Au moment de mon arrestation, deux ans après, mon nouvel *iqama* indiquait toujours que j'étais de nationalité indienne.). D'ailleurs, l'*iqama* n'était pas le seul document d'identité du gouvernement à comporter des erreurs.

Quelques semaines plus tard, en revenant chez moi en voiture, j'ai été pris dans un de ces barrages routiers, qui servent à l'occasion à vérifier les identités et à attraper des immigrants illégaux. J'ai tendu mon permis de conduire à un jeune policier en uniforme, qui l'a regardé et s'est dirigé ensuite vers une des voitures de police qui formaient le barrage routier. Il est revenu avec un sergent qui m'a fait signe de ranger ma voiture sur le côté de la route. Je me suis exécuté et suis sorti de l'auto, pour me retrouver dans une étrange discussion au sujet de la validité de mon permis, discussion qui devint encore plus confuse quand je montrai mon *iqama*. Le sergent et son jeune auxiliaire avaient maintenant en main un permis de conduire invalide, indiquant que ma nationalité était canadienne, et un *iqama* indiquant que ma nationalité était indienne.

Au moment où notre dialogue limité tirait à sa fin et que j'allais être probablement arrêté, un policier en civil survint pour démêler l'affaire. Le problème est que j'avais un permis périmé depuis cinq ans, c'est-à-dire qu'il portait une date d'expiration précédant de longtemps mon arrivée dans le pays. Heureusement, le policier en civil observa que la date d'émission qui était la bonne, devançait la date d'expiration, ce qui rendait la chose paradoxale. Il découvrit aussi que je n'avais pas habité en Arabie auparavant. Aussi était-il évident que ce permis avait été émis avec cette erreur. J'eus la chance aussi que l'erreur sur mon *iqama* l'eût plus amusé que dérangé. Donc, encore une fois, je dus porter plainte au service du personnel, et, cette fois, je pus obtenir un nouveau permis de conduire.

J'explorais les divers souks et marchés dans la périphérie de Riyad, même ceux qui n'étaient pas fréquentés par les Occidentaux. Au cours de ces pérégrinations, j'appris vite que si la présence des étrangers était tolérée (du moins, pour la forme) par les couches riches et instruites de la société saoudienne, elle était ouvertement détestée dans d'autres couches de la population. Un jeudi matin, quelques semaines après mon arrivée dans le Royaume, je me promenais seul dans l'un des marchés du quartier Baatha à Riyad, lorsque deux hommes, qui pouvaient être des Mutawas à en juger par leur apparence, s'approchèrent de moi. Quand ils furent tout près, ils me crachèrent à la figure et me lancèrent des imprécations de colère dont je ne compris pas un mot. Je serrai les poings, m'attendant à une bagarre, mais ils décampèrent vite en jetant des regards inquiets derrière eux de peur que je les suivisse. J'étais furieux, mais je laissai faire, essuyant les crachats sur ma figure. Ce ne fut pas la seule manifestation du genre à laquelle je dus faire face. Mais à ce moment-là, en 1998, de tels incidents étaient peu fréquents, sinon rares.

Tandis que je raffinais mon évaluation personnelle de la stabilité du régime, naïvement confiant de mon aptitude à esquiver les problèmes, je parvins à m'introduire dans le milieu des bars de Riyad. Cela se produisit le jour du Souvenir de 1998, quand je rencontrai Sandy Mitchell et Gerry McGeoch lors d'une réception à l'ambassade britannique. Ils m'apprirent qu'ils avaient ouvert un bar appelé Celtic Corner dans le complexe d'Al-Fallah, situé près du rond-point Coffee Pot (nommé ainsi à cause d'une sculpture représentant une cafetière qui avait autrefois orné cet îlot routier), tout juste en face de l'ancien aéroport de Riyad (devenu une base de l'armée de l'air saoudienne). Je devins bientôt un habitué de ce bar, en vins ainsi à connaître les autres bars du circuit et à y être invité.

Durant la période où je fréquentais ces lieux, il m'apparut clairement que les ressortissants étrangers se confortaient dans l'idée que le régime tolérait cette entorse à la loi du pays et qu'il fallait être bien malchanceux pour être arrêté à cause de cela. Je finis par m'apercevoir que les risques que se produisît une descente dans un bar ou un cabaret n'étaient pas une question de chance mais simplement de *wasta* (d'influence) du propriétaire du bar ou du complexe d'habitation. Quand une descente avait lieu dans un bar, elle était menée par les Mutawas, sous la supervision de la police en uniforme, qui restait à l'arrière-plan. C'était un peu comme si ces descentes servaient à soutenir le zèle religieux des Mutawas, leur permettant de diriger leur colère sur les ressortissants étrangers qui, après tout, étaient la source de toute corruption dans le Royaume saoudien.

Dans les premiers temps de mon arrivée, c'était toujours les bars situés dans les plus petits complexes d'habitation ou dans des villas particulières qui étaient visés. C'était là que l'influence des propriétaires des complexes entrait en jeu. Tous les grands complexes d'habitation avaient reçu la consigne de servir les besoins de la communauté des ressortissants occidentaux, dont les membres travaillaient à de grands projets d'infrastructure ou reliés à la défense pour le gouvernement saoudien. Dans pareil cas, le complexe d'habitation était la propriété d'entreprises ou de personnes reliées aux princes de la famille royale saoudienne, ce qui l'immunisait effectivement contre la surveillance vigilante des Mutawas, même si les services de renseignements du ministère de l'Intérieur étaient sûrement bien au fait des activités qui y avaient cours. Car plus grande était l'entreprise pour laquelle vous travailliez et plus important était le contrat, plus vous étiez à l'abri du harcèlement ou des arrestations.

Des complexes comme Eid villas, Jedawal, Al-Nikhail, Najj, Seder ou Izdihar abritaient un personnel d'entreprises nombreux ayant obtenu des contrats reliés à la défense, comme Raytheon et British Aerospace, et les autorités évitaient de faire quoi que ce soit pour ennuyer ces travailleurs. Ces complexes d'habitation permettaient aussi, du fait de leurs loyers exorbitants, de canaliser les fonds de l'État vers des serviteurs des divers ministères du gouvernement. Les contrats signés par des entreprises occidentales obligeaient celles-ci à loger leurs employés dans des endroits autorisés, ce qui signifiait d'habitude un complexe d'habitation appartenant, directement ou indirectement, à la famille ou aux obligés du ministre concerné. C'était là l'un des frais cachés pour faire des affaires en Arabie Saoudite; cependant, cela semblait ne pas être un véritable obstacle quand les contrats impliqués étaient assez lucratifs.

C'est en me plongeant de plus en plus dans cette réalité que je devins un client régulier du Celtic Corner, et que mes liens d'amitié et de complicité se développèrent avec Sandy Mitchell. Au moment où nous nous sommes rencontrés, sa femme Noy était enceinte de leur premier enfant et Sandy, qui travaillait comme technicien anesthésiste principal à l'hôpital des Forces de sécurité (administré par le ministère de l'Intérieur, au bénéfice de son personnel), se demandait s'il allait continuer de tenir le bar. Quand leur fils vint au monde,

Sandy se retira de la direction du Celtic Corner, engageant Les Walker pour le gérer à sa place. Celui-ci cherchait un nouvel emploi parce que son employeur saoudien à l'époque ne l'avait pas payé depuis huit mois (ce qui n'était pas si rare dans le pays). Il prit donc ce poste officieux (et illégal) temporairement, jusqu'au moment où il fut engagé comme gérant du complexe d'habitation d'Izdihar où les employés de British Aerospace étaient logés.

Les Walker résidait en Arabie Saoudite depuis plus de 20 ans et il avait vu tous les changements que la richesse pétrolière avait apportés dans le pays ainsi que les changements dans la communauté des ressortissants étrangers. Il comprenait également les complexités de la vie saoudienne. Si une histoire ou une rumeur circulait, il était au courant, et il possédait à la fois l'expérience et la connaissance nécessaires pour en juger le bien-fondé. Je me retrouvais souvent chez lui les fins de semaine.

Graduellement, au cours des premiers mois de mon installation en Arabie, je commençai à m'adapter aux travers classiques de la bureaucratie et à m'ajuster à une routine de travail, qui comportait une visite quotidienne au Desert Inn à l'heure du lunch. Cet établissement était situé dans un complexe administré par les forces aériennes américaines et d'autres entrepreneurs américains du domaine de la défense (quoique le lieu fût en voie d'être remis aux forces aériennes saoudiennes). C'était un endroit où on pouvait trouver du bacon et autre viande de porc illégale en Arabie. Les brunches servis en buffet en fin de semaine, c'est-à-dire les jeudis et vendredis, étaient toujours très fréquentés.

Quant aux aspects techniques de mon travail, je ne les trouvai pas exagérément difficiles, quoique je dusse en apprendre pas mal au sujet des règles du jeu. Je me fis bientôt à l'idée, assez répandue parmi mes collègues étrangers, que si certains projets qui passaient par la filière du Fonds étaient assez raisonnables, nombre d'autres n'étaient guère plus qu'un moyen subtil de fournir des fonds de l'État aux nantis et aux amis du régime. Plusieurs projets étaient fondés sur la fabrication de produits vendus à prix fort aux organismes du gouvernement saoudien, en vertu d'une politique de substitution des produits d'importation.

La raison d'être du Fonds – offrir des prêts privilégiés pour des projets de fabrication en Arabie Saoudite – était tout à fait valable. Cependant, l'application de ce principe s'avérait une autre histoire. Trop de projets que j'eus à examiner n'étaient que des tentatives déguisées d'obtenir du financement en faisant passer des opérations de réemballage pour de la fabrication afin d'être exempté des taxes d'importation. Des frais de douane étaient imposés sur des produits finis, qui entraient dans le pays, mais non sur des articles classés comme des matériaux bruts. Naturellement, on cherchait à trouver le moyen de contourner ces frais de douane. L'un des projets qui me vient à l'esprit concernait la production d'un produit chimique de désentartrage, utilisé dans les usines de dessalement de l'eau. À l'époque où j'examinai la demande, ce produit chimique était expédié en vrac dans le pays par l'intermédiaire d'un agent saoudien. Le stade final de production de l'agent chimique actif comportait le mélange de deux précurseurs chimiques, aussi un projet fut-il établi en vue d'importer les deux précurseurs et de réaliser le mélange final sur le sol saoudien.

Le projet exigeait un investissement minimal et la plupart des profits réalisés sur la vente du produit final provenaient de l'exemption des frais de douane sur l'importation des deux précurseurs (classés comme produits bruts). Je me rappelle avoir mentionné dans mon rapport que ce projet serait viable étant donné que l'entreprise saoudienne concernée fournirait le même produit final aux mêmes clients dont la demande était bien connue et facile à prévoir; mais je remettais en question le fait qu'il s'agisse là de véritable développement. Le projet ne pouvait guère être décrit comme une opération de transformation, et je sais qu'il fut approuvé, probablement en partie à cause des relations – de la *wasta* – des promoteurs saoudiens du projet.

Pour ce qui était du pouvoir de la *wasta* dans le pays, j'en eus une nouvelle confirmation par un projet de production de produits pharmaceutiques vétérinaires. Alors qu'il s'agissait manifestement d'une autre opération de réemballage, le projet comportait des investissements dans une usine de fabrication, ce qui allait plus loin que quelques réservoirs pour le mélange et l'entreposage du produit comme dans le cas précédent. Or, ce projet connut des difficultés à cause des rapports entre le promoteur saoudien et le ministère de l'Agriculture, qui avait autorité sur ces produits pharmaceutiques vétérinaires. Le promoteur s'était mis à dos les autorités en important certains composants antiparasitaires probihés qui servaient à l'industrie avicole. La viabilité du projet dépendait de la résolution de ce conflit. En outre, mon examen du secteur industriel m'indiquait que les projections de ventes mentionnées dans le projet étaient trop élevées. Cependant, même à partir d'estimations plus prudentes des ventes, le projet aurait été probablement viable si l'autre problème avait été résolu.

J'eus moi-même maille à partir avec les manigances politiques qui entouraient le projet quand je l'évaluai sur la base de chiffres de ventes plus bas et mentionnai les problèmes politiques qu'il comportait. Le jour où le rapport final fut soumis au fonctionnaire principal chargé des prêts, je reçus la visite inattendue du promoteur saoudien en furie. Mais, comme je le découvris plus tard, ce projet intéressait certains responsables importants de l'administration du Fonds, qui essayaient de cacher leur implication. Durant l'année qui suivit, je fus soumis à diverses pressions pour réviser mon analyse afin de la rendre plus favorable au projet et pour biffer toute référence aux problèmes avec le ministère de l'Agriculture. En fin de compte, le projet fut retiré, ce qui m'épargna d'autres visites impromptues du promoteur saoudien, qui d'ailleurs se retrouva en prison à la suite d'accusations portées par le ministère de l'Agriculture. Ce promoteur n'était pas nécessairement coupable d'un crime quelconque : il n'avait tout simplement pas l'influence qu'il fallait au ministère, même s'il avait l'influence nécessaire au Fonds. De fait, il semblait que certaines personnes hauts placées au ministère avaient plutôt intérêt à favoriser des concurrents de cet entrepreneur.

Quant à ma vie sociale, elle n'était guère trépidante. La plupart des activités étaient associées à l'alcool, au moins en partie, donc de ce fait illicites. D'autres activités, comme celles qui étaient rattachées à la société d'histoire naturelle ou aux divers clubs de randonnée dans la nature et qui étaient tout à fait inoffensives, étaient surveillées à tel point que cela ne faisait que confirmer la paranoïa des autorités du pays. Je me souviens notamment des arrangements sous le manteau qui avaient été pris pour organiser un voyage dans le désert pour le week-end.

Si la police avait repéré un groupe d'Occidentaux en véhicules 4 x 4 (VUS), elle l'aurait dispersé et aurait procédé sans doute à quelques arrestations. Les autorités regardaient d'un mauvais œil tout groupe un peu nombreux qui partait en excursion dans l'arrière-pays. L'idée qu'on puisse s'adonner à une telle activité par pur divertissement leur était tout à fait étrangère. Elles y voyaient une menace éventuelle à la sécurité du Royaume.

Je trouvai le moyen de me procurer régulièrement des livres et des magazines en me faisant expédier ceux qu'on ne trouvait pas au pays. Certains cependant ne franchissaient pas la barrière de la censure, mais c'était à cause d'esprits obtus et censeurs plutôt qu'à cause du sujet des livres. J'ai donc noué quelques bonnes amitiés à cette époque, mais je restais la plupart du temps seul comme je l'ai toujours fait.

Je passais les fins de semaine au loin dans le désert, ce que j'aimais de plus en plus à mesure que se développaient mon habileté et ma confiance à conduire dans des endroits isolés. Je visitai ainsi le Hijaz, Empty Quarter, les Red Sands et les montagnes d'Asir. La plupart de ces excursions étaient assez dangereuses, car je les faisais en solitaire. Je pense avec nostalgie aux moments que j'ai passés emmitouflé dans un sac de couchage ou un burnous, à lire un livre avec une lampe frontale, au milieu des solitudes, sous un ciel étoilé. De temps à autre, mes voyages les plus éloignés m'amenaient à rencontrer des Bédouins avec leurs chèvres et leurs chameaux, et je bénéficiais de leur hospitalité sincère et généreuse. Somme toute, la vie était bonne alors.

Comme la plupart des travailleurs expatriés, je ne me suis guère inquiété quand les premiers petits bars des complexes d'habitation ou hors complexes ont été visités par la police et fermés. Le premier à fermer fut le Tricky Dicky, en décembre 1998. Il était tenu par un chef cuisinier irlandais. On a supposé qu'il avait été visé parce que le propriétaire avait eu la malchance de choisir un lieu situé à quelques pas seulement de villas utilisées comme dortoirs par les Mutawas locaux. En 1999, un bar appelé K2 fut lui aussi l'objet d'une descente, suivie, à la fin de l'été de la même année, d'une autre au Dewdrop Inn.

De temps à autre, les ambassades lançaient des avertissements, mais elles ne fournissaient pas d'information sur les incidents qui motivaient leurs mises en garde. Comme les médias locaux étaient contrôlés de près par le ministère de l'Intérieur, ils ne rapportaient pas grand-chose sur les descentes visant des expatriés. Dans ce contexte où on ne pouvait rien savoir de précis, les informations les plus débridées circulaient. La machine à rumeurs fonctionnait à plein au sein de la communauté étrangère.

On entendait parler de cars remplis d'infirmières attaquées dans des centres commerciaux, d'Américains battus dans des cafés dans un quartier de Jeddah, ou de Britanniques attaqués dans des postes d'essence, mais ce n'était souvent que des on-dit qu'il était impossible de vérifier. Cependant, si on ne tenait pas compte de l'exagération inhérente à ces rumeurs et prêtait foi uniquement aux témoignages directs, l'hostilité envers les étrangers en général et les Occidentaux en particulier, dont j'avais fait l'expérience en explorant Riyad lors de mon arrivée, semblait croissante.

Je ne m'en inquiétais pas outre mesure, car personne n'avait été tué, et tout cela semblait plutôt le fait du hasard. La plupart des expatriés semblaient accepter l'image officielle d'un pays exempt de criminalité, sauf celle causée par le mode de vie immoral des diverses communautés étrangères. Les journaux locaux signalaient à l'occasion des descentes dans des bars, des cabarets ou des distilleries appartenant à des Indiens ou des Philippins, ou encore les sanctions du gouvernement contre ceux qui outrepassaient le délai de leur visa, ou bien les campagnes contre la vitesse au volant ou d'autres infractions au code de la route. Il n'y avait à peu près aucune nouvelle sur des crimes importants comme on en rapporte dans les médias occidentaux, et le ministère de l'Intérieur ne publiait pas de statistiques sur la criminalité. En outre, comme la plupart des Occidentaux vivaient dans des complexes d'habitation situés dans les quartiers les plus riches des villes où il y avait une forte présence policière, nous avions collectivement une perspective quelque peu faussée. Je me faisais moins d'illusions que la plupart des étrangers. Mes soupçons m'avaient été confirmés par quelques amis qui travaillaient à l'hôpital Shamasi, un établissement plutôt délabré, administré par le ministère de la Santé et dont une aile était utilisée par le ministère de l'Intérieur. Ils m'avaient parlé d'une succession régulière de morts et de blessés résultant d'actes de violence ou de crimes comme il s'en produit en Europe du Nord, mais à une fréquence moindre qu'en Amérique du Nord.

En somme, la vie au Royaume saoudien était plutôt sûre. Pas autant que la plupart des travailleurs étrangers le croyaient, mais certainement pas pire que dans n'importe quelle grande ville occidentale. En 2000, à la fin de ma deuxième année dans le pays, deux incidents attirèrent sur moi l'attention du ministère de l'Intérieur. Le premier survint à cause des décentes d'avril, cette année-là, dans deux bars tenus par Gary O'Nions: le Shenanigans et le Consulate. À ce moment-là, je n'étais pas inquiet outre mesure. J'aurais dû l'être sans doute, mais je le dis après coup.

J'étais au travail quand, juste avant l'heure du lunch, je reçus un appel de Sandy Mitchell qui m'informait que le Shenanigans et le Consulate avaient subi une descente de police et que plusieurs personnes, dont le propriétaire Gary O'Nions, avaient été arrêtées.

Sandy avait longtemps agi à titre de visiteur officieux des prisons pour aider des étrangers qui avaient enfreint la loi du pays pour diverses raisons, allant d'infractions routières à l'usage d'alcool. En maintes occasions, Sandy avait réussi à obtenir la libération des personnes arrêtées, sans autre forme de procès et sans que leur employeur ou leur ambassade n'ait besoin de s'en mêler, à la satisfaction de toutes les parties concernées. Il se servait des contacts qu'il avait tissés en travaillant à l'hôpital des Forces de sécurité, qui était administré par le ministère de l'Intérieur au bénéfice de ses employés: tout cela afin d'éviter les complications typiques qui se produisent quand la bureaucratie se met de la partie. Pour réussir, il devait d'habitude intervenir dans les heures qui suivaient l'arrestation et il fallait en outre que l'infraction soit mineure.

Donc, comme O'Nions avait lui-même été arrêté la nuit précédente lors d'une descente dans son bar, le succès dans ce cas semblait peu probable. Cependant, Sandy espérait trouver les autres personnes qui avaient été arrêtées. On pouvait au moins accélérer le processus d'information des ambassades et des employeurs dans l'espoir de diminuer le temps passé en prison. Dans ces situations, les individus pouvaient être libérés sur parole et remis aux bons soins de leur employeur en attendant l'examen de leur cas. Si l'infraction était mineure, comme une infraction au code de la route, ou si elle concernait des problèmes de papiers d'identité ou le fait d'avoir été surpris en compagnie d'une personne de sexe opposé avec laquelle l'accusé n'avait pas de lien de parenté, l'affaire n'allait pas plus loin, bien qu'une des conséquences pouvait être le non-renouvellement du contrat de travail.

Tenir un bar était une infraction grave. Elle était sanctionnée par une peine de prison, suivie d'une déportation. Les sentences officielles typiques comprenaient deux ans de prison, une amende et deux à quatre cents coups de fouet, peines qui étaient appliquées rigoureusement aux contrevenants qui venaient de pays du tiers-monde. Les Occidentaux, eux, avaient droit à une certaine clémence. Ils pouvaient s'attendre à rester en prison jusqu'au ramadan suivant, moment où le pardon était accordé; le contrevenant était ensuite expulsé du pays sans payer d'amende ou être soumis à la flagellation publique.

Sandy m'appela parce que j'avais commencé récemment à l'aider dans cette tâche. Au cours de nos heures de lunch, nous pûmes localiser la prison où chacun était détenu. Nous pûmes aussi convaincre le principal officier responsable de nous permettre de parler à Gary, qui nous raconta en détail ce qui s'était produit et les noms de ceux qui avaient été arrêtés avec lui. Chacun d'eux, y compris Gary O'Nions, fut finalement relâché quelques jours plus tard, à la suite de garanties formelles données par leurs employeurs. Officiellement, Gary travaillait pour Eurocatering, une petite entreprise détenue par un membre de la famille Al-Aidan, qui connaissait fort bien la nature de ses activités. Il est étonnant que quelqu'un comme Gary, dont la seule occupation en Arabie Saoudite était de tenir des bars illicites, ait eu un employeur saoudien, mais c'est ainsi que les choses se passaient. Ce fut, sans aucun doute, la *wasta* de son employeur qui permit la libération de Gary.

Ce n'était pas la première fois qu'un bar illicite tenu par Gary était découvert. À la fin des années 1980, il avait ouvert l'Empire Club, qui était devenu un centre de la vie sociale à Riyad. Au début de 1998, alors qu'il se trouvait temporairement à l'extérieur du pays, une descente avait eu lieu à l'Empire Club. Sa femme avait été arrêtée et détenue pendant trois mois avant d'être expulsée. Pour des raisons connues de lui seul, Gary avait décidé de revenir en Arabie Saoudite en 1999 sous un nouveau

62

nom, Gary Dixon, pour ouvrir une fois encore des bars clandestins. À cause de la chance qu'il avait eue de sortir à temps du pays, et de son autre chance d'y revenir, «la saga de Gary O'Nions» faisait partie intégrante du folklore des expatriés.

Gary projetait l'image d'une sorte de Scarlet Pimpernel. Malheureusement, ce Pimpernel était maintenant coincé. Il ne faudrait guère de temps pour que les autorités s'aperçussent de la véritable identité de Gary Dixon, et je me doutais qu'elles n'apprécieraient guère d'avoir été jouées de la sorte. Gary était inquiet de ce qui l'attendait. Il savait que son arrestation et sa détention s'avéreraient embarrassantes pour l'ambassade britannique, pour le ministère de l'Intérieur et pour son commanditaire saoudien. La perspective d'une sentence sévère, en plus des dommages causés à son établissement par les Mutawas, incitait Gary à fuir alors qu'il était encore en liberté.

Gary apprit à Sandy que Frank Murray, l'ancien directeur du transport de Zahid Tractors, un homme qu'il connaissait à travers le réseau de contrebande d'alcool, lui avait offert l'occasion de s'enfuir à Dubaï. En apprenant la chose, Sandy en parla à Ian Wilson, alors consul à l'ambassade britannique, pour voir si ça posait des difficultés et pour savoir si Gary recevrait l'aide de l'ambassade en s'enfuyant à Dubaï. Sandy crut que Wilson donnait une approbation tacite à ce plan en convenant que la disparition de Gary était la meilleure chose qui pût arriver. Le message fut passé à Gary qui, par l'intermédiaire de Frank, prit ses dispositions pour quitter Riyad en direction de Dammam, sur la côte est.

Le vendredi où Gary devait partir, Sandy Mitchell vint me voir chez moi. Il avait prévu conduire Gary jusqu'à Dammam, mais sa voiture était en panne. Et comme il avait travaillé toute la nuit à l'hôpital, j'offris d'aller chercher Gary et d'entreprendre le voyage de trois jours et demi pour l'amener à son rendez-vous à Dammam. Ainsi commença un malheureux enchaînement de situation.

À soixante kilomètres environ de Dammam, un des pneus creva. Et comme si cela ne suffisait pas, je constatai que mon pneu de secours était aussi à plat. Cela signifiait que tout ce que nous avions à faire était d'attendre un bon Samaritain ou que passe la patrouille de l'autoroute, cette dernière perspective rendant Gary particulièrement nerveux. Quand une voiture de police arriva finalement, le policier fit signe à un camion à remorque d'arrêter et demanda au conducteur d'utiliser sa pompe à air pour gonfler mon pneu en espérant que la fissure dans le pneu était mineure. Puis, le policier repartit et nous fonçâmes en direction de Dammam. Mais, cinq minutes plus tard, le pneu était encore dégonflé et nous dûmes attendre l'arrivée d'une autre voiture de police.

Cette fois, les policiers placèrent une de mes roues dans le coffre de leur voiture et m'amenèrent à une station-service le long de l'autoroute, où une réparation d'urgence fut faite. On me reconduisit alors à ma voiture. Avant de partir, les policiers prirent mes papiers (heureusement, ils ne regardèrent pas ceux de Gary) pour faire un rapport sur l'incident. C'était la première fois que je me trouvais face à des représentants de l'autorité dans une situation où je n'étais pas parfaitement dans mon bon droit. Ce qui aurait dû n'être qu'une simple excursion en voiture aurait pu aboutir à une arrestation.

Nous étions en retard et nous avons manqué le rendez-vous. Nous passâmes l'après-midi, Gary et moi, à lire des journaux et à boire du café dans le hall de l'hôtel Méridien, en attendant qu'un Américain nommé John Koukawski, qui travaillait pour Saudi Aramco (entreprise pétrolière d'État, qui est aussi une coentreprise américano-saoudienne) vînt chercher Gary. Vers dix-huit heures, Koukawski arriva enfin. Il m'aida à acheter un nouveau pneu et à faire réparer l'autre. Nous étions soulagés, Gary et moi, qu'il n'y eût pas d'autre incident. Je repris le chemin de Riyad et Gary alla se réfugier dans l'un des complexes d'habitation de Saudi Aramco.

J'espérais que ce serait la fin de l'affaire, mais hélas non. Gary resta bloqué à Dammam quelques mois tandis que les dispositions étaient prises pour son voyage clandestin à Dubaï. Avec Sandy, j'allai le voir dans son refuge au complexe de l'Aramco, la veille de son départ. Sandy lui apportait un petit sac à dos contenant des vêtements de rechange et divers articles de voyage. Le lendemain matin, nous repartîmes pour Riyad alors que John Koukawski, l'hôte de Gary, prenait avec lui la direction du désert. D'après ce que je compris, Gary fut conduit à un poste sans surveillance à la frontière entre l'Arabie Saoudite et les Émirats, puis il marcha quelques kilomètres vers l'est pour entrer dans Dubaï où l'attendaient des contacts de Koukawski. Mais, quelques semaines plus tard, j'appris qu'il avait été arrêté en essayant de quitter Dubaï.

Je ne me sentais pas trop préoccupé personnellement. C'était cependant un événement malheureux et embarrassant, que j'aurais voulu empêcher. Je me demandais quand Gary serait ramené en Arabie Saoudite et si je serais impliqué dans l'affaire.

Vers la fin de l'été, en août, une descente eut lieu au Tudor Rose et un autre groupe d'expatriés se retrouva au poste de police de Malaz, à Riyad. Le Tudor Rose était le plus ancien et le plus petit des bars. Son propriétaire l'exploitait plus pour son plaisir que pour en tirer des revenus. Il était content de couvrir le coût du loyer (ce qui n'arrivait pas toujours). Là encore, la plupart de ses clients furent relâchés le lendemain. Malheureusement, le propriétaire lui-même et un résident du complexe d'habitation, qui exploitait une distillerie clandestine, n'eurent pas autant de veine et passèrent plus d'un an en prison avant d'être expulsés. Mais à ce moment-là j'étais déjà en prison moi-même, purgeant une peine plus grave.

En un court laps de temps donc, le Consulate, le Shenanigans et le Tudor Rose avaient été fermés. En parallèle, on avait arrêté quelques contrebandiers d'alcool et fermé deux ou trois distilleries. Aucun raid ni intervention n'avait visé des cabarets situés dans les principaux complexes d'habitation; mais les autorités semblaient finalement prendre des mesures énergiques pour éliminer les bars et les cabarets clandestins.

Personne d'autre ne semblait trop s'en inquiéter. Tout le monde avait l'air de penser que les bars situés dans le complexe d'Al-Fallah (le Celtic Corner et le Leg's Arms) n'étaient pas en danger parce qu'ils étaient à proximité de la base des Forces aériennes saoudiennes. Je pensais, pour ma part, que les autorités connaissaient fort bien ce qui se passait dans la plupart de ces cabarets, comme dans tous les autres, et qu'elles pouvaient les fermer à leur gré, ce qui voulait dire qu'aucun d'entre eux n'était en sécurité.

J'avais aussi conscience de la recrudescence de manifestations anti-occidentales. La deuxième intifada avait commencé et on condamnait de plus en plus la politique des États-Unis, et incidemment de l'Occident, à l'égard de la Palestine. Les affrontements se multipliaient entre les Occidentaux et la population locale, et il fallait être sur ses gardes en s'aventurant dans certains quartiers. Je commençais à penser que ce n'était qu'une question de temps avant qu'un affrontement meurtrier se produisît, et je devins de plus en plus circonspect, à l'instar de nombreux membres de la communauté étrangère. Je savais qu'une menace couvait en Arabie Saoudite. Néanmoins, je n'aurais pu prédire que des personnes innocentes, notamment moi-même et mon ami Les Walker, seraient prises comme boucs émissaires pour une série d'attaques meurtrières contre des Occidentaux afin de perpétuer la culture du déni entretenu par le gouvernement saoudien.

Le 12 octobre, le deuxième incident se produisit. À la fin du dernier jour ouvrable, le mercredi, au début du week-end, je partis en voiture pour aller voir des amis, Peter et Annie Goldsmith, et je tombai sur un raid mené par les Mutawas. Les barbouzes avaient pris d'assaut la villa voisine des Goldsmith, à la recherche d'un contrebandier qui y opérait un alambic clandestin. Ne l'ayant pas trouvé, ils avaient tourné leur attention sur la propriété voisine. Malheureusement, Peter avait une grande quantité de vin en fermentation chez lui, ce qui faisait de lui et de sa femme des prises intéressantes pour les Mutawas. Et je fus arrêté avec eux.

Le couple Goldsmith était en Arabie Saoudite depuis de nombreuses années. Peter était ingénieur en électricité, employé par l'hôpital militaire King Khaled. Je les avais rencontrés presque un an auparavant, quand ils s'étaient occupés de la petite amie du tenancier du Dewdrop Inn. Celle-ci avait été arrêtée avec ce tenancier, un Américain qui travaillait pour Vinnell, lors de la fermeture du Dewdrop Inn. Elle s'appelait Marie, et Sandy était allé la visiter en prison. Puis on lui avait permis d'habiter chez Peter et Annie jusqu'à son expulsion du pays. Son ami, lui, était en liberté conditionnelle sous la caution morale de son employeur, et il était assigné à résidence en attendant lui aussi son expulsion.

Je me mis à fréquenter régulièrement Peter et Annie, les retrouvant souvent pour siroter l'apéro au crépuscule avec eux, au bord de la piscine ou dans le jardin. J'étais donc en route vers leur villa, comme d'habitude, ce mercredi soir.

Au moment où j'arrivais chez les Goldsmith, les Mutawas surgirent du jardin, encerclèrent ma voiture et me tirèrent à l'extérieur. Puis ils s'empressèrent de me passer les menottes tandis que d'autres barbouzes piétinaient autour de moi, me frappant allègrement à coups de poing et de pied. Heureusement pour moi, ils étaient peu aguerris et n'y allaient pas trop fort. Ils finirent par se lasser et me firent rejoindre Peter et Annie, qui se trouvaient déjà dans une voiture de police.

Puis on se hâta de nous conduire dans l'allée couverte de la villa visée à l'origine par le raid, pour nous installer sur la banquette arrière d'une spacieuse voiture GMC Suburban. Les Mutawas interceptèrent un autre couple occidental dans la rue, un employé américain de Raytheon et sa femme philippine, les arrêtant pour les mêmes motifs que nous. Enfin, ils nous firent pénétrer à l'intérieur de la villa et asseoir au salon, autour d'une table basse, sur laquelle des verres furent posés. Un policier en civil vint se joindre à nous et des photographies furent prises. Ensuite notre groupe, qui se composait maintenant de six personnes, fut déposé au local des Mutawas, dans la partie sud de mon quartier, avant d'être conduit au poste de police de Sulimaneh/Oleya.

Là, les Mutawas déposèrent nos papiers d'identité et nous enfermèrent dans une cellule commune, avec une douzaine d'autres personnes de diverses nationalités: Saoudiens, Yéménites, Égyptiens et Pakistanais. Nous étions nombreux et à l'étroit dans cette pièce remplie de misérables lits superposés. Heureusement, il y avait, à part, des toilettes et une salle de douche de condition passable, de sorte que nous pouvions maintenir un minimum de propreté. Mais ce n'était pas le Ritz.

L'un de nos compagnons de cellule, un Saoudien arrêté pour possession d'alcool, me prêta son téléphone cellulaire. Je savais que je pouvais joindre Raf, qui travaillait comme coordonnateur aux urgences de l'hôpital de la Garde nationale du roi Fahd, le principal établissement médical pour la garde nationale saoudienne. Je lui appris où nous étions et lui demandai de transmettre le message à Sandy.

Raf et Sandy passèrent la soirée à chercher le poste de police où nous étions détenus. Sans succès d'ailleurs, car ce poste n'était pas ouvert depuis longtemps et n'avait guère reçu de prisonniers occidentaux, de sorte qu'il était en dehors de notre zone de reconnaissance. En fin de compte, ils réussirent à prendre contact avec les fonctionnaires de service aux ambassades britannique, américaine et canadienne, à qui ils donnèrent des informations sur les personnes qui avaient été arrêtées. Ils purent aussi joindre quelqu'un chez Raytheon, de la part de notre codétenu américain.

J'étais un peu perturbé et me demandais si on ajouterait foi aux allégations des Mutawas. Comme je travaillais pour un organisme gouvernemental saoudien, je craignais qu'on ne soit guère heureux de mon arrestation, même en admettant qu'il s'agissait d'une erreur. Peter, qui travaillait aussi pour le gouvernement saoudien, était dans une situation plus délicate parce que c'était chez lui qu'on avait trouvé de l'alcool. Je craignais donc que lui et Annie ne fussent davantage dans le pétrin que moi. Quant au sort de notre nouveau copain américain, il était beaucoup moins problématique. Il travaillait pour une entreprise américaine du secteur de la défense, qui avait un contrat avec le ministère de la Défense et de l'Aviation. Cet incident n'aurait guère de conséquences pour lui. Néanmoins, durant tout le week-end et jusqu'à sa libération, il fut dans un état d'esprit alternant entre le désespoir et des épisodes de quasi-hystérie.

Le lendemain matin, je reçus la visite de Raf et Sandy, qui n'étaient guère inquiets pour moi, mais ils craignaient fort pour le sort de Peter et Annie. Un fonctionnaire de l'ambassade canadienne, Omar el-Soury, un Égyptien qui y travaillait comme agent de gestion de la propriété, vint me voir. Il était poli et prévenant. Il s'informa du traitement que j'avais reçu, promettant de prendre contact avec mes employeurs. J'avais espéré que cela ne serait pas nécessaire, mais je compris que la complexité de la situation pourrait exiger leur intervention. L'Américain reçut la visite de personnes de son ambassade et de son entreprise : son supérieur immédiat, accompagné du préposé aux affaires gouvernementales de l'entreprise, un Saoudien dont le travail était de gérer ce genre de problèmes. Plus tard, ce matin-là, nous fûmes tous regroupés pour remplir des déclarations, ce que nous fîmes docilement. Je sais gré au préposé aux affaires gouvernementales de Raytheon, qui resta avec nous non seulement pour prêter main-forte à son collègue mais aussi pour nous aider, Peter et moi, à répondre aux questions. Nous revînmes enfin à notre cellule pour un charmant week-end à maudire notre déveine.

Je fis part d'une inquiétude particulière à Sandy, à Raf et à Omar el-Soury sur la sécurité de mon logement. Les Mutawas s'étaient en effet emparés de mes clés au moment de mon arrestation et ils ne les avaient pas remises à la police. Ma crainte ne portait pas seulement sur des dommages ou des vols éventuels. Les Mutawas étaient fort capables de semer des indices compromettants dans mon logis en mon absence. J'en avais pris conscience avec une vive appréhension.

J'avais déménagé dans cette villa quinze mois auparavant, las d'habiter dans un logement d'entreprise conçu pour des célibataires. J'avais décidé de me servir de l'allocation de logement versée par mon entreprise pour me trouver un logement par moi-même. J'avais fini par dénicher une petite villa de trois chambres, avec piscine. C'était plus que spacieux pour moi. La villa était située commodément dans la partie nord du quartier Sulimaneh de Riyad, qui était le quartier des ambassades avant que celles-ci ne s'installent en banlieue de Riyad. J'étais mieux à même de recevoir des amis dans ce nouveau logis, y donnant à l'occasion des barbecues et des dîners, ce qui était strictement interdit. Cette villa m'avait apporté un changement notable par rapport à mon appartement de célibataire, elle m'avait permis d'être mieux établi et à l'aise en Arabie, quoique maintenant ma situation semblât devoir changer une fois encore.

Ce soir-là donc, un autre immigrant occidental vint se joindre à nous dans la cellule. Son arrestation prouvait que la répression des Mutawas s'intensifiait. C'était un Canadien d'origine libanaise qui travaillait pour Nortel. Il avait été arrêté à la sortie d'un restaurant où il était allé dîner avec un couple marié, des amis qu'il n'avait pas vus depuis des années. En prenant congé de ses amis, il avait fait l'erreur d'embrasser la femme sur la joue, ce qui lui avait valu d'être arrêté par les Mutawas et de se retrouver maintenant avec nous en prison. Il était dans une fureur indescriptible, mais par chance son entreprise réussit à obtenir sa libération l'après-midi suivant sans autre conséquence. Ce genre d'arrestation ne se serait jamais produit lors de mon arrivée à Riyad, mais l'intolérance augmentait de jour en jour. Les expatriés étaient de plus en plus en butte à l'hostilité des Mutawas, telle que je l'avais connue deux ans auparavant quand on m'avait pris pour un Indien. Ce qui signifiait que les Occidentaux devaient apprendre à faire ce que les natifs du pays et les ressortissants du tiers-monde faisaient depuis des années : s'éclipser dès que les Mutawas se montraient dans la rue.

Le vendredi, l'Américain et le Canadien au service de Nortel furent relâchés vers la fin de l'après-midi, ce qui ne laissait comme Occidentaux derrière les barreaux que Peter et moi. Nos codétenus formaient un groupe hétérogène, la plupart arrêtés pour des infractions mineures. Ils essayaient d'en rire, acceptant avec équanimité le fait que ce temps passé en prison n'était guère inusité en Arabie. Malgré l'entassement, leur attitude rendit notre séjour en prison amusant, sinon plaisant.

Quand j'avais été arrêté, les Mutawas avaient tenté d'insinuer que la villa visée par la descente m'appartenait. Comme ils ne réussirent pas à confirmer ce fait, ils prétendirent que j'avais été arrêté alors que j'étais en train de boire avec mes amis et qu'une caisse d'alcool avait été retrouvée dans le coffre de ma voiture. Le jeune policier en uniforme qui les accompagnait avait déposé un rapport plus exact, qui mentionnait que j'avais été arrêté dans la rue et qu'il y avait deux caisses dans ma voiture, l'une contenant un téléviseur et l'autre un magnétoscope. Sa déposition confirmait les renseignements que j'avais donnés à la police lors de mon interrogatoire le lendemain de l'arrestation.

On me remit en liberté le samedi, juste après midi, grâce à l'intercession du Fonds. Les accusations portées contre moi furent rejetées, quoique je soupçonnasse n'être pas complètement blanchi. Il y avait certainement une coche à côté de mon nom au ministère de l'Intérieur, aussi bien que chez mon employeur. Je repris la routine de mon existence avec la plupart de ceux que je connaissais, considérant cet incident comme un parmi d'autres. Peter n'eut pas autant de veine que moi. Les accusations portées contre lui étaient plus graves, et son employeur, l'hôpital militaire, ne se montra guère compréhensif, ne recommandant pas sa libération.

Raf et moi entreprîmes d'aller voir Peter tous les deux jours. Les autres jours, d'autres amis allaient le visiter. Nous lui apportions tous des vêtements de rechange, de l'argent liquide et des livres amusants pour tenter d'alléger un peu sa détention. Il était plus difficile de voir Annie. Elle était détenue à la prison des femmes de Malaz et recevait peu de visites.

Nous avons réussi à entrer en contact avec les filles d'Annie qui vivaient en Grande-Bretagne, pour les informer de la situation et tenter de coordonner toutes les démarches pour libérer le couple, en n'alertant pas la presse dans un premier temps. Raf et moi avons même réussi à obtenir l'autorisation pour Peter de parler à sa famille en Grande-Bretagne. Nous espérions qu'avec le ramadan, qui arrivait dans quelques semaines – et même si les accusations ne seraient pas retirées selon toute probabilité –, le couple pourrait quand même obtenir la clémence des autorités et être expulsé du pays sans avoir à subir une longue détention.

Au cours de mes visites à Peter en prison, je croisai un certain nombre de Mutawas qui nous avaient arrêtés. À leur expression, je voyais qu'ils étaient mécontents de me voir aller et venir en toute liberté, mais je ne fus l'objet d'aucun harcèlement. Rétrospectivement, je pense que ce ne fut sans doute pas la meilleure des idées de me montrer aussi souvent devant eux. Les agents de police n'avaient cure que je visite Peter, acceptant comme une chose naturelle mes préventions pour un ami et ne prenant pas mon arrestation au sérieux. Mais ce n'était pas le cas pour les Mutawas.

Le vendredi 17 novembre, comme convenu, Raf vint me prendre à la villa et nous allâmes visiter Peter. Nous n'avions rien de nouveau à lui dire, nous sommes restés seulement quelques minutes et convînmes de faire passer un message à un autre de ses amis que nous avions l'intention d'aller voir, de toute façon. Après la visite, Raf et moi nous rendîmes au complexe Rosa pour nous concerter avec des amis de Peter. Ce fût là que nous entendîmes pour la première fois des rumeurs au sujet d'explosions à la bombe. Celui chez qui nous étions reçut un appel d'un ami travaillant chez British Aerospace, qui lui apprit qu'une voiture piégée avait explosé sur Ouraba Road aux environs de midi. Cette nouvelle me laissa un peu perplexe, car j'étais non loin d'une des extrémités de cette rue et je supposais, à tort, que j'aurais pu entendre quelque chose. Quand Raf et moi revînmes vers ma villa, nous passâmes par un chemin détourné qui nous fit longer Ouraba Road. Tout juste passée l'intersection d'Oleya Road, nous remarquâmes tous deux une foule assez dense et quelques voitures de police, mais nous ne vîmes rien qui indiquait l'explosion d'une voiture piégée: nous supposions que ce genre d'explosion aurait laissé des traces plus importantes.

Plus tard au cours de la soirée, à la librairie Jareer, nous reçumes confirmation de l'événement. Raf avait reçu un appel sur son cellulaire de la part d'une collègue infirmière qui avait appris l'incident par un bulletin de nouvelles diffusé sur la BBC et qui, à son tour, nous en faisait part. Mais ce fut seulement quelques jours plus tard que nous avons appris l'identité des victimes: Christopher Rodway, qui avait été tué sur le coup, et sa femme Jean, qui avait été blessée. Nous apprîmes aussi que Christopher Rodway était un collègue de travail de Peter Goldsmith, ce qui voulait dire que nous devions apprendre cette mauvaise nouvelle à Peter.

Dans la communauté des expatriés, la nouvelle de la mort de Christopher Rodway fut accueillie avec stupéfaction et angoisse. Comme peu d'informations précises étaient disponibles, à part la brève nouvelle diffusée sur BBC et Sky News, la machine à rumeurs fonctionna à plein. De fait, la plupart des gens étaient anxieux et se demandaient ce que cela présageait.

Le mercredi 22 novembre, je m'étais arrangé avec Raf pour le rencontrer après le travail afin d'aller voir Peter en prison. Malheureusement, je quittai mon bureau plus tard que prévu et fus pris dans un embouteillage. J'allais arriver trop tard pour rendre visite à Peter; aussi appelai-je Raf pour annuler notre rendez-vous. Nous décidâmes tous deux d'aller voir Peter le lendemain et nous nous organisâmes pour nous retrouver à la maison de Sandy. Arrivés là, nous restâmes un moment près de la piscine de son petit complexe d'habitation, question de faire relâche au début de cet autre week-end. Vers dix-huit heures, je pris congé en souhaitant bonne soirée à Sandy et à Raf. Je leur dis que je devais passer chez Les Walker et que je verrais peut-être Raf au Celtic Corner plus tard.

Je n'allai au Celtic Corner ce soir-là. Revenu chez moi, je pris une douche et me changeai avant de me rendre chez Les, comme je l'avais dit. Une fois là-bas, je passai tout simplement la soirée avec lui, le quittant aux premières lueurs de l'aube.

Je ne savais nullement qu'une bombe avait explosé plus tôt au cours de la soirée et que Raf avait été témoin de l'explosion. J'appris ces événements lorsque Sandy me réveilla le lendemain matin en frappant à la porte avant de ma villa. Il me demanda de l'accompagner pour voir Raf. En cours de route, Sandy me raconta ce qu'il avait appris par les appels de Raf.

Quand nous arrivâmes, Sandy et moi, à la villa partagée de Raf, dans le secteur résidentiel de l'hôpital de la Garde nationale, en banlieue est de la ville, Raf était déjà réveillé et semblait en état de choc. Voir une explosion d'aussi près peut donner à quelqu'un un sentiment de vulnérabilité et d'insécurité ; et Raf ne faisait pas exception à la règle. Il prit la décision de passer la fin de semaine chez moi. Nous revîmes donc au centre de Riyad, regardâmes longtemps la télévision et causâmes. J'obtins de lui une version plus complète des événements, version que je ne cessai de ressasser dans ma tête les semaines suivantes.

Il était arrivé au Celtic Corner, dans le complexe d'Al-Fallah, vers dix-neuf heures et y avait passé son temps en compagnie d'un ami qui venait de guérir d'un cancer. Au cours de la soirée, Raf avait vu plusieurs autres amis, dont deux infirmières qui l'avaient invité à une surprise-partie au complexe d'Al-Salaam où logeaient les employés d'une entreprise d'entretien d'avions. À vingt-trois heures quinze, juste après la fermeture du bar, Raf avait quitté les lieux avec un groupe se rendant à la fête. Ils avaient pris place dans trois voitures, celle de Raf étant au milieu de ce petit cortège impromptu. La voiture devant était une GMC Blazer qui avait été garée à côté de la voiture de Raf, au pied du mur du complexe d'habitation, à vingt ou trente mètres à peine du poste de contrôle à l'entrée de la base des Forces aériennes saoudiennes, situées tout près de là.

À un kilomètre environ du pub, moins de cinq minutes après le départ des voitures, une bombe explosa sur le côté droit, au-dessus de la roue avant du véhicule de tête, au moment où il traversait la première rangée des feux de circulation sur la route de l'ancien aéroport. La voiture s'arrêta sur le côté de la route et d'autres véhicules passèrent. Le conducteur, Steve Coghlan, était légèrement blessé et avait les tympans perforés. Malheureusement, Mark Payne, qui était du côté du passager à l'avant de la voiture, avait été blessé grièvement à la jambe droite et saignait abondamment. Les deux autres passagers, à l'arrière, n'étaient que légèrement blessés, leurs tympans ayant été perforés par le bruit de l'explosion. Ils étaient surtout en état de choc.

Raf sortit de sa voiture et s'approcha de l'auto. Tous ceux qui l'accompagnaient l'aidèrent à sortir les deux passagers assis sur la banquette arrière. Raf et l'un des autres passagers restèrent sur les lieux de l'accident, avec le conducteur de la voiture endommagée, ainsi que Mark Payne qui, blessé, était incapable de bouger. Tous les autres montèrent dans la troisième voiture et quittèrent les lieux, se dirigeant directement vers le complexe d'Al-Salaam. En y pensant après coup, c'était une erreur, car leur voiture aurait pu aussi être piégée et, en quittant les lieux comme ça, ils s'attiraient les foudres des autorités.

Sur les lieux de l'accident, Raf inspecta rapidement les blessures de Mark Payne avant d'aller téléphoner aux services ambulanciers. Alors qu'il recomposait le numéro parce qu'il s'était trompé la première fois, il se retrouva face à deux Saoudiens portant kamis et keffiehs. C'était des membres de la police secrète, la Mabaheth. Ils étaient accompagnés d'un officier en uniforme qui avait le rang de major. De fait, l'un d'eux n'était autre qu'Ibrahim al-Dali qui allait jouer un rôle marquant dans nos vies au cours des prochaines années. Ils étaient arrivés sur les lieux à peine cinq à dix minutes après l'explosion et furent suivis, quelques instants plus tard, des policiers et des ambulanciers que Raf aida à donner les premiers soins aux blessés, ce qui le laissa couvert de sang.

Raf fut interrogé sommairement par des policiers en civil qui le menèrent au complexe d'Al-Fallah pour qu'il leur montre où les voitures avaient été garées. S'ensuivit alors une inspection minutieuse par la police du seul véhicule qui restait sur le terrain à l'extérieur du complexe. Ils demandèrent à Raf de rester là pendant que la police retournait sur les lieux de l'accident, où sa voiture était toujours. Il dut attendre trois heures avant que les policiers ne revinssent et l'autorisassent à retourner prendre sa voiture et s'en aller.

Raf avait essayé de m'appeler cette nuit-là après l'explosion, mais n'avait pu me joindre parce que j'avais éteint mon téléphone cellulaire pour en recharger la pile. Compte tenu de l'heure de l'explosion, je devais être encore avec Les à ce moment-là, et pour arriver chez lui, j'étais nécessairement passé près du lieu de l'explosion. Mais lorsque je revins chez moi, à l'aube, je ne remarquai rien d'anormal, car les lieux avaient déjà été soigneusement nettoyés.

Plus je songeais à la version des événements que m'avait donnée Raf, plus quelque chose me semblait anormal dans ce qui s'était produit ce soir-là. Il était tout à fait inusité de voir un important officier de police dans la rue aussi tard le soir, et il était encore plus inhabituel qu'un tel personnage se présentât sur les lieux du crime avec la police secrète dans un si court délai. Bien que leur prompte arrivée eût pu être une coïncidence, il me semble plus probable qu'ils avaient prévu l'explosion qui s'était produite ou en avaient eu vent au préalable. Par ailleurs, il y avait un fait inquiétant: la bombe avait fort probablement été installée à l'extérieur même du complexe d'Al-Fallah.

Comme je l'ai mentionné, le complexe d'Al-Fallah se trouvait près des bâtiments des Forces aériennes saoudiennes et en face d'un grand terrain vague utilisé comme espace de stationnement pour les voitures. Près de là s'élevait un bâtiment de trois étages au sommet duquel on pouvait apercevoir les deux complexes. Et compte tenu de la présence des gardiens du terrain d'aviation, tout près de l'entrée du complexe d'Al-Fallah, et de l'horizon dégagé alentour, il m'avait toujours semblé que c'était un lieu peu indiqué pour faire quelque chose comme poser une bombe sans être vu. C'étaient là des pensées troublantes.

La première explosion avait inquiété la communauté des expatriés, mais la seconde suscita la paranoïa. Des consignes de sécurité circulèrent dans les ambassades, notamment sur la façon d'inspecter sa voiture. Toutes les conversations tournaient autour de ces explosions, chacun cherchant à se rassurer sur le fait que cela ne pouvait lui arriver parce que son complexe d'habitation ou son lieu de travail était tout à fait sûr.

Au cours des semaines qui suivirent, tous les témoins et victimes de la deuxième explosion furent interrogés. Le problème pour chacun n'était pas d'avoir failli être tué par une bombe, car personne ne pouvait soupçonner que la police chercherait à se servir de certains d'entre eux comme boucs émissaires pour le crime. Le problème était la nature de leur activité au début de cette soirée-là, notamment la consommation d'alcool et leur présence dans un bar clandestin. Tout le monde avait peur d'être arrêté.

Raf fut le dernier interrogé. L'interrogatoire était prévu dans la soirée du mercredi 6 décembre. Cet interrogatoire préliminaire dura toute la nuit. Raf ne fut pas libéré avant les premières heures du matin, après avoir subi son premier interrogatoire de la part d'Ibrahim et de Khaled. Il vint aussitôt me voir. Il était désemparé par les accusations qui étaient portées contre lui. Ses interrogateurs avaient été très agressifs en paroles, l'accusant d'avoir posé la bombe et de l'avoir fait exploser. Il devait se présenter pour un nouvel interrogatoire dans l'après-midi, quelques heures seulement après le premier. J'essayai d'apaiser les craintes de Raf en lui disant qu'ils essayaient de le confondre et de le déstabiliser. Si c'était leur objectif, ils l'avaient atteint. Mais ce n'était pas le seul, je le craignais. Ils songeaient sans doute à sacrifier un bouc émissaire pour en faire un exemple. Et je redoutais que Raf et les autres fussent ainsi menacés par les accusations de la police secrète.

Il apparaissait crucial que Raf prisse contact avec son ambassade pour raconter ce qui s'était passé, mais il n'avait pas le temps avant son deuxième interrogatoire. Je téléphonai à l'ambassadeur de Belgique, Franz Michiels, que j'avais rencontré à une réception à l'ambassade environ une semaine auparavant, pour lui faire part de mes craintes au sujet de Raf. Je me rendis à l'ambassade tôt dans l'après-midi de ce jeudi, alors que Raf allait à son interrogatoire.

Je rencontrai l'ambassadeur de Belgique et le premier consul, Olivier Quineaux. Nous examinâmes tous trois la situation fâcheuse dans laquelle se trouvait Raf, et aussi les conditions de sécurité générale qui se détérioraient. J'appris par eux que toutes les ambassades avaient remarqué une augmentation des attaques et des arrestations d'Occidentaux. Le premier consul me remit une liste d'avocats susceptibles d'assurer la défense de Raf, si cela s'avérait nécessaire, car nous présumions tous les trois, à tort, que le gouvernement saoudien accorderait aux Occidentaux un peu plus de possibilités de recours juridiques que d'habitude.

Ce ne fut qu'à la fin de l'après-midi du lendemain que le deuxième interrogatoire de Raf prit fin. Il se précipita à l'ambassade de Belgique pour rendre compte lui-même de ce qui s'était passé. Il était dans un tel état de tension que l'ambassadeur le fit asseoir et lui versa un verre de cognac avant d'écouter son histoire. Le deuxième interrogatoire s'était passé à peu près de la même façon que le premier, assorti des mêmes menaces et accusations. Après avoir débité son récit à l'ambassadeur, Raf se calma un peu, mais il demeurait inquiet. Il vint nous voir, Les, Sandy et moi, avant de retourner chez lui.

Le samedi 9 décembre, Ibrahim et Khaled, accompagnés de nombreux policiers en uniforme, se présentèrent sans crier gare à la villa partagée de Raf. Ils se mirent à fouiller les lieux. Ils ne trouvèrent pas d'alcool dans le logement de Raf. Malheureusement, ils découvrirent de la bière dans la pièce où logeait un autre colocataire, un infirmier australien. Pour cette infraction, Raf et lui furent arrêtés. J'appris la chose un peu par hasard, en appelant Raf après le travail. Il me répondit sur son cellulaire, mais eut à peine le temps de me dire que les policiers étaient chez lui et qu'ils avaient trouvé de l'alcool dans la partie de la villa appartenant à son colocataire. Je sus dès lors que Raf était en difficulté, mais je n'étais pas encore certain de la gravité de la situation.

Au milieu de ces événements troublants, un article parut dans les journaux locaux signalant qu'un Américain du nom de Mike Sedlak avait été arrêté pour les explosions à la bombe. J'avais déjà croisé Sedlak, un ancien officier de l'armée américaine qui travaillait pour Vinnell, dans le circuit des bars clandestins. Je le considérais comme un personnage assez douteux, mais il était la plupart du temps trop soûl pour se tenir debout. J'étais donc d'avis qu'il avait été désigné comme bouc émissaire. De fait, il se trouvait au Celtic Corner la nuit de la deuxième explosion et était dans un tel état d'ébriété que s'il avait transporté le moindre explosif, il aurait sauté avec l'engin. Il avait habité un certain temps dans le même petit complexe résidentiel que celui des Rodway, ce qui faisait de lui le parfait accusé. Son nom s'était donc retrouvé dans les journaux, et les crimes graves dont on l'accusait étaient plus révélateurs de l'audace croissante des dissidents intérieurs dans

77

le Royaume que de toute conspiration byzantine que les services de sécurité essayaient d'ourdir.

Le lien téléphonique avec Raf fut rompu. Je téléphonai à James et Moira, un couple marié qui travaillait comme infirmier et infirmière à l'hôpital de la Garde nationale et vivait à proximité. En quelques minutes, ils purent me confirmer que Raf et son colocataire avaient été arrêtés sous des accusations de possession d'alcool, sans savoir cependant où ils avaient été emmenés. J'appelai aussitôt le premier consul de l'ambassade de Belgique pour l'informer de ce qui venait de se produire. Jusqu'au moment de mon arrestation, nous fûmes ainsi en contact chaque jour pour échanger les quelques informations que nous glanions ici et là. Aucune recherche n'aboutit au sujet de Raf, pas même celles entreprises par son ambassade. Du jour au lendemain, Raf avait disparu de la circulation, comme cela n'arrive que dans un État policier.

Il ne fut cependant pas le seul à disparaître à ce moment-là. Durant les semaines précédant son arrestation, Kelvin Hawkins et David Mornin, les propriétaires du Celtic Corner, avaient aussi été arrêtés. Personne ne sut ce qu'il leur était arrivé. On arrêta en même temps qu'eux trois trafiquants d'alcool, dont le sort aussi resta inconnu. Les explosions paraissaient avoir déclenché une campagne éclair de purge dans les milieux des bars clandestins. Une rumeur inquiétante commença à se répandre, qui rendit l'arrestation de Raf encore plus effrayante.

En substance, selon cette rumeur, les explosions avaient été déclenchées par deux personnes, un Belge et un Irlandais, qui passaient pour des espions. Alors que Raf était encore en liberté, lui et moi avions réussi à remonter à la source de cette rumeur chez une infirmière irlandaise et son mari d'origine saoudienne et sud-américaine. Jusqu'à maintenant, je ne m'explique pas pourquoi cette femme ou son mari ont commencé à colporter cette rumeur. Des soupçons pesaient depuis longtemps sur ce couple au sein de la communauté des expatriés, et j'admets avoir été au nombre de ceux qui pensaient qu'ils pouvaient être des informateurs. Quel objectif pensaient-ils pouvoir atteindre ainsi ? Agissaient-ils sur les instructions de quelqu'un ? Cependant, de telles pensées nous amenaient dans le domaine des conspirations occultes. Mais étant donné ce qui arriva par la suite à mes amis et à moi, de telles pensées ne sont peut-être pas sans fondement.

Dans les semaines précédant mon arrestation, j'eus deux entretiens qui augmentèrent encore plus mes soupçons. Peu de mois après mon arrivée en Arabie Saoudite, j'avais fait la connaissance d'un agent de police. Cela s'était produit par hasard, dans un petit café sympathique près du Specialist Hospital. J'y allais souvent pour prendre un café et un strudel en lisant le journal. Ce fut là que je rencontrai Moussa. Nous nouâmes une amitié qui se résumait à des conversations portant la plupart du temps sur le rugby et le football. Il m'apprit qu'il travaillait au ministère de l'Intérieur. Il m'apparut donc une source d'information utile à l'occasion. Il n'y avait pas de bars, semble-t-il, dont il n'ait déjà entendu parler. Ce fut de lui d'ailleurs que j'appris l'existence et le nom de ces bars longtemps avant de les fréquenter. De lui aussi j'appris les procédures d'arrestation et les noms des prisons où les gens étaient détenus habituellement. Je sus aussi qu'il y avait des prisons dans lesquelles il n'était pas souhaitable d'être enfermé.

Moussa m'avait d'abord prévenu qu'un certain nombre de descentes allaient se produire sous le prétexte du risque qu'entraînaient les explosions. Comme le Celtic Corner avait été l'objet d'une descente tout juste avant cet avertissement, je me demandais ce qui restait à fermer à part les bars situés dans les grands complexes d'habitation, qui n'étaient pas visés par les descentes. Cependant, vu le nombre d'arrestations qui eurent lieu ensuite parmi les trafiquants d'alcool, l'avertissement donné par Moussa n'était pas vain. Il m'apprit aussi que certaines personnes avaient été arrêtées en rapport avec les explosions, pour la plupart étant des Saoudiens ayant des liens avec les Mutawas. Mais il me dit que cela ne serait pas reconnu, du moins publiquement. La chose m'apparut particulièrement redoutable, car elle signifiait que le gouvernement devrait trouver des boucs émissaires.

Tout juste après l'arrestation de Raf, j'eus un dernier entretien avec Moussa : il m'affirma lui-même que ce serait la dernière fois. Je lui avais demandé de m'aider à retrouver mon ami et il m'avait répondu que c'était quelque chose qu'il ne pouvait faire. Il m'avait dit alors que si j'avais les moyens de quitter l'Arabie, je devrais le faire tout de suite. Il confirmait ainsi ce que l'arrestation de Raf m'avait fait comprendre. Aucun de nous dans le milieu des bars clandestins n'était à l'abri, et tous ceux qui étaient proches des témoins ou des victimes étaient encore plus en danger que les autres. J'étais sûr d'être arrêté. Et je savais aussi sûrement que je n'essaierais pas de m'esquiver avant qu'ils m'appréhendassent. C'était quelque chose que je n'aurais pu faire, car je me disais qu'en quittant le pays de cette façon je ne ferais qu'empirer les choses pour mes amis. En réalité, je m'abusais moi-même là-dessus, car rien n'aurait pu rendre les choses pires pour aucun de ceux qui avaient été arrêtés.

Il me restait de moins en moins de marge de manœuvre. Je commençais à réaliser que le temps m'était compté, mais je ne savais exactement quand je serais appréhendé. Le jeudi 14 décembre, dans la soirée, j'allai voir James et Moira, à leur logement à proximité de l'hôpital de la Garde nationale. Je n'avais pas grand-chose à leur dire. Raf n'était dans aucun poste de police que je connaissais, sinon j'aurais pu le retrouver. Il m'apparaissait clairement que la police secrète le détenait quelque part. Une infirmière belge qui était là m'apprit que l'ambassade n'avait pas prévenu la famille, et je rétorquai qu'il était temps qu'elle le fasse. Je leur fis part de mes craintes sur le fait que le ministère de l'Intérieur allait essayer de l'impliquer et jetterait le filet plus largement encore pour impliquer ses amis dans une présumée conspiration. Je leur dis aussi que si je devais être arrêté à mon tour, il ne fallait pas qu'ils essaient de me retrouver. Pour leur propre sécurité, je leur recommandai de ne pas attirer l'attention sur eux à cause de moi, en tout cas pas tant qu'ils demeureraient en Arabie. Et surtout, je prévins James et Moira qu'étant donné leurs relations étroites avec Raf ils devraient songer à quitter le pays.

De fait, il s'avéra que, quelques semaines plus tard, au moment où James était en congé à l'extérieur du Royaume, la Mabaheth vint l'arrêter. Son nom figurait, semble-t-il, sur un grand nombre de courriels présents dans l'ordinateur de Raf, qui avait été confisqué au cours de la perquisition de sa villa. On prévint James de ne pas revenir en Arabie. Heureusement, Moira put sortir du pays sans difficulté, de sorte qu'ils échappèrent aux événements dramatiques qui s'ensuivirent.

Le vendredi 15 décembre, il se produisit un événement qui devait me servir d'alibi pour contrer au moins une des accusations portées contre moi. Vers midi, Sandy conduisit un médecin égyptien à ma villa pour que je lui montrasse la voiture de Peter Goldsmith. À mon grand soulagement, Peter et Annie avaient été remis en liberté et renvoyés en Grande-Bretagne peu de temps après les deux premières explosions. Je m'étais chargé de vendre la voiture de Peter.

Nous avions convenu de nous rencontrer à vingt heures ce soir-là au souk des voitures, où j'avais garé l'automobile de Peter pour l'inspection. La rencontre se produisit comme prévu, mais la vente de la voiture n'eut pas lieu. Par contre, cette rencontre prouvait ma présence à Riyad à ce moment-là et invalidait l'accusation selon laquelle je me serais rendu à Dammam pour placer et faire exploser une bombe, avant de revenir à Riyad. Cela ne servit en rien contre deux des accusations portées contre moi, mais cela annulait la troisième. Ce n'étaient que de petites consolations, après tout, et celle-là était bien petite, en effet.

CHAPITRE 3

L'INQUISITION

J'étais donc là, debout, le bras enchaîné aux barreaux, souffrant dans tout mon corps des coups reçus. Je ne savais trop quelle heure il était et j'ignorais tout du lieu où je me trouvais. Des pensées enchevêtrées, disparates, se bousculaient dans ma tête, sous l'aiguillon de la peur. D'un côté, je m'accrochais désespérément à l'espoir que tout cela était une erreur qui se résoudrait d'elle-même. De l'autre, je voyais bien que, erreur ou non, mes interrogateurs avaient pris une direction bien précise. Et ils plieraient les événements à leur guise dans cette logique inexorable. Le scénario était bien en place. Ils me forceraient de confesser des crimes que je n'avais pas commis afin de répondre aux besoins de leur gouvernement et de leur culture de maintenir la façade d'ordre social qui prévalait dans le pays.

J'étais terrifié. Des vagues d'appréhension et de peur me submergeaient malgré mes efforts pour rester calme et lucide. Pour ne pas succomber à la panique, je m'efforçais de penser aussi clairement que les circonstances le permettaient. J'évaluais la situation, aussi déprimante fût-elle. J'essayais de retrouver des repères dans le temps et l'espace. Je considérais divers scénarios, en me concentrant sur le pire. Je devais trouver le moyen de me préparer à ce qui m'attendait. En réalité, il n'y a pas de préparation qui vaille, mais le fait même d'essayer donne une impression de contrôle, ce qui était précisément ce que mes geôliers voulaient anéantir.

J'estimais être entre leurs mains depuis huit heures, tout au plus. La succession des appels à la prière me l'indiquait. Par ailleurs, leur trajet erratique en voiture me disait que leur objectif était de me confondre. Il avait fallu de vingt à trente minutes, tout au plus, pour me conduire au centre des interrogatoires. Mais le parcours m'avait semblé deux fois plus long. Dans ma tête, je me représentais le plan de Riyad, essayant de deviner l'endroit où je pouvais être. En fait, j'étais dans l'un des centres de détention et d'interrogatoire du service de renseignements (le Mabaheth) du ministère de l'Intérieur. Il s'agissait du centre Al-Ulaysha, situé sur le chemin des banlieues de Riyad, ce qui coïncidait assez bien avec mes estimations. La pertinence de mes évaluations me réconforta quelque peu. Dans la détresse où j'étais, mon cerveau au moins fonctionnait bien.

Je cherchais dans ma tête tout mot ou nom entendu pouvant me donner un indice sur l'identité de mes tortionnaires. Je pensais à des façons de garder mes repères temporels, de conserver et de renforcer mes souvenirs. Il importait que je le fisse pour contrer la peur et le désespoir croissants que les mauvais traitements avaient semés en moi, avec la désorientation qui s'ensuivait. De fait, on pouvait qualifier de désorientation cette première phase par laquelle je passais.

Durant cette période initiale, vos ravisseurs coupent tous vos liens avec la réalité courante. Ils vous bandent les yeux ou vous couvrent la tête pour vous priver de repères. Ils vous enlèvent toute possibilité d'information sur le temps et le lieu afin d'induire un sentiment d'aliénation. Au départ, ils font un usage modéré de la violence physique pour deux raisons : inspirer un sentiment immédiat de peur qui contribue à la désorientation et susciter une sorte d'anticipation du pire. En franchissant la ligne mince et invisible qui sépare l'interrogatoire légitime de l'interrogatoire coercitif, vos ravisseurs indiquent qu'ils sont prêts à exercer une plus grande violence encore. Ils montrent qu'ils ne respecteront aucune des règles de l'interrogatoire normal.

Cette désorientation initiale et la façon de vous traiter en détention, le fait de vous assigner un numéro et l'éradication effective de votre nom, visent à vous dépouiller de votre identité, de votre place dans le monde. La victime perd alors ses notions de temps, de lieu, d'identité, et tout moyen de communiquer avec le monde extérieur ou de se référer aux signes de la vie courante. Il est important que la victime trouve de quoi remplacer ce qui lui a été enlevé, qu'elle discerne des irrégularités dans le processus qui lui permettent de s'ancrer dans le temps et dans l'espace, d'analyser ce qui l'entoure et d'enregistrer mentalement tout ce qui se produit. La désorientation initiale a pour effet de susciter la peur et la perte de contrôle. On ne peut éradiquer la peur ni la perte de contrôle sur les événements, mais on peut arriver tant bien que mal à atténuer la peur et à trouver d'autres moyens de contrôle. Il est fondamental de garder l'œil et l'oreille attentifs au moindre événement, si insignifiant soit-il, car cela aide l'esprit à créer une apparence de structure intelligible au milieu du chaos délibérément entretenu.

Je restais là, attentif au moindre bruit, examinant mon environnement : le plancher de béton froid, les caméras de surveillance braquées sur moi, le matelas de mousse sale, avec son motif floral bon marché et la couverture sale également. Elle se trouvait au pied du matelas où je l'avais laissée pour aller à mon premier interrogatoire. Je l'atteignis avec mon pied, la tirai vers moi pour l'enrouler à nouveau autour de moi. L'atmosphère de la cellule était si froide et si humide que j'appréciais le peu de chaleur que cette chose dégoûtante m'apportait. Je jetai un regard vers la caméra et m'interrogeai sur son efficacité. Je tirai la couverture au-dessus de ma tête. Ce geste serait-il remarqué ? J'entendis des pas s'approcher de ma cellule dans le corridor. Le guichet de la porte s'ouvrit et un gardien posa son regard sur moi. Il était assez proche pour que je sentisse son haleine. Puis sans un mot, son travail accompli, il ferma le guichet, le verrouilla et s'éloigna. J'avais la réponse à ma question : la caméra fonctionnait. Le moindre de mes gestes était observé. Même dans la misère où j'étais, on ne me laissait aucune intimité : un autre moyen troublant pour me déstabiliser et me rendre vulnérable.

Je gardai la couverture enroulée autour de ma tête et me perdis en conjectures sur ce qui allait survenir. Un autre appel à la prière passa (les minutes s'écoulaient lentement, comme des heures), suivi peu après par des bruits d'activité à l'extérieur de ma cellule. Des portes s'ouvrirent et se refermèrent, de brèves interpellations fusèrent en arabe. J'entendis une voix que je reconnus, celle de David Mornin, le propriétaire du Celtic Corner. Il s'exprimait en anglais, mêlé de quelques termes rudimentaires en arabe, pour demander plus de pain. Le guichet de ma porte s'ouvrit, puis la porte elle-même. On me libéra de mes menottes et on me donna un plateau en plastique contenant du poulet, du riz, du pain pita, une petite bouteille d'eau et un gobelet de papier rempli de thé. Comme c'était le ramadan, je sus que le soleil était couché et qu'on me servait mon repas principal. On me permit de m'asseoir au bout du matelas pour manger ce festin.

Je goûtai au poulet, mais sa texture graisseuse et caoutchouteuse fit vite passer ce que l'adrénaline m'avait laissé d'appétit. Je me contentai donc de boire l'eau et le thé sans toucher à la nourriture. Dans leur anglais sommaire, les gardiens m'avaient donné une consigne claire: «Pas dormir!» À ce moment-là, de toute façon, le sommeil aurait été impossible pour moi étant donné la tension et le stress que j'éprouvais. Je m'adossai au mur et me mis à réfléchir, tirant la couverture sur mes genoux et buvant l'eau à petites gorgées pour faire durer ce répit. Dans cette position, j'explorai un peu mon environnement, cherchant le moindre détail que je pourrais tourner à mon avantage. Je découvris un petit accroc à la couture de mon matelas et l'élargis un peu, car cela pourrait servir de cachette. Une cachette pour je ne savais quel objet encore. Comme je remuais le riz en faisant semblant de manger, il me vint à l'idée que je pourrais me servir des grains pour compter les jours. Avec précaution, je pris un long grain de riz et le glissai dans le trou du matelas. C'était le premier geste qui n'avait pas été observé depuis mon arrestation: il constituait une petite victoire qui avait son importance.

Trop tôt, on vint reprendre le plateau et me remit en position enchaînée, me laissant à mes sombres appréhensions. Le dernier appel à la prière du jour retentit. Je pouvais voir par les fissures dans la brique autour du système d'air conditionné que la nuit était maintenant tombée. Il me restait encore des repères temporels: je pouvais voir s'il faisait jour ou nuit et, grâce aux appels à la prière, je pouvais évaluer le temps à une heure près, du moins durant la journée. Pour la nuit, c'était autre chose, puisque l'intervalle entre le dernier appel à la prière du jour et la prière de l'aube était de neuf heures, période durant laquelle il serait difficile d'évaluer le temps avec quelque précision. Cependant, comme j'allais le constater, évaluer le temps au cours de la nuit n'allait pas être mon principal souci.

Peu après avoir été enchaîné de nouveau à la porte, j'entendis d'autres portes de cellule s'ouvrir et les bruits caractéristiques des pas traînants et des cliquetis de chaînes d'autres prisonniers. Puis le guichet de ma porte s'ouvrit et un gardien me demanda mon matricule. Je répondis, la porte s'ouvrit, puis on me détacha pour me menotter les mains derrière le dos, me placer un bandeau sur les yeux et me river les chaînes aux pieds. Ce sera la façon de procéder habituelle pour me conduire aux séances d'interrogatoire dans ce lieu de torture.

On me fit monter encore dans les «bureaux», qu'il faudrait plutôt appeler chambres de torture, et on me fit asseoir sur une chaise pliante en métal. Je restai là à attendre, penché légèrement vers l'avant à cause de mes mains menottées derrière le dos. Le temps s'écoulait lentement tandis que mon esprit passait par divers niveaux d'appréhension. Le fait d'être retenu là dans une sorte de suspense, attendant l'arrivée des tortionnaires, ajoutait à la tension. Cela faisait partie du processus normal d'interrogatoire et de torture. L'otage que j'étais savait dans une certaine mesure ce qui allait arriver et, plutôt que de lui permettre de développer sa résistance face à l'inévitable, ce délai prolongé ne faisait qu'augmenter son angoisse et sa peur. Cet état émotionnel est tel qu'il vous rend encore plus influençable, plus susceptible de vous conformer aux exigences des tortionnaires, plus enclin à faire des concessions pour que cesse la torture, et je pense aussi qu'il augmente la douleur des coups reçus. Ce n'est pas que les coups eux-mêmes soient plus féroces ou les blessures plus graves, mais simplement que l'effet de la violence qui s'ensuit est plus nocif pour votre état émotionnel que ne l'aurait été une attaque immédiate; et, à cause de sa plus grande répercussion émotionnelle, la douleur est ressentie plus intensément. J'apprenais donc qu'il y avait un système cohérent dans leurs méthodes de destruction.

La porte s'ouvrit derrière moi, le bandeau me fut arraché des yeux, et un ordre bref éructé: «Debout!» Me levant et me retournant vers la voix, j'aperçus de nouveau mes tortionnaires : Dopey (que j'appellais aussi le Midget), Acné et le Spiv. Je finis par connaître les noms des deux premiers, mais celui du troisième me resta inconnu. Le Spiv me saisit par le bras et me poussa contre le mur. Ibrahim, dit Dopey, s'avança et me frappa sur le côté de la tête à plusieurs reprises en prenant encore soin de ne pas m'atteindre en plein visage. Les coups étaient donnés avec assez de force pour être très douloureux, mais, dans les premiers temps, ils causèrent peu de blessures. Cela devait changer dans les jours et les semaines à venir, à mesure que cette violence répétée ferait sentir ses effets.

Pendant cette partie de la séance, pas un mot ne fut prononcé. Tout ce qu'on pouvait entendre était mes gémissements et cris de douleur occasionnels, suivis des aboiements de Khaled : « Ferme-la ! » Les bruits dominants étaient les claquements des coups de poing d'Ibrahim sur ma tête et mon corps, accompagnés des rires puérils des trois hommes s'amusant de la souffrance et de l'humiliation qu'ils m'infligeaient. Encore une fois, cela devait faire partie intégrante du système mis au point pour l'interrogatoire et la façon de le mener. Ces assauts livrés presque en silence étaient caractéristiques de la deuxième phase de chaque période d'interrogatoire.

Je dois dire ici que l'emploi du mot « interrogatoire » pour décrire ces séances est plutôt inopportun. Les termes « contrainte », « coercition » et « torture » seraient bien plus appropriés. À part des questions sur mes faits et gestes durant les journées où se produisirent les trois premières explosions à la voiture piégée, peu d'informations me furent demandées au cours de ces séances. Tout ce qui était lié aux explosions était porté à ma charge à partir d'une série de déclarations, souvent contradictoires, que mes tortionnaires m'attribuaient. Les « aveux » que j'aurais éventuellement à faire ne seraient que la transcription des scénarios qu'ils m'avaient répétés *ad nauseam*.

S'étant lassé de me frapper, Ibrahim m'attrapa brutalement par le bras et me tira vers le centre de la pièce. Entravé par mes chaînes, je trébuchai et tombai sur le sol, où je reçus une volée de coups de pied aux jambes, au ventre et aux reins. « Lève-toi ! », me criait-on. Je tâchai tant bien que mal de me mettre debout. L'action apparemment simple de se lever n'est pas un mince exploit quand on a les bras retenus derrière le dos et les pieds entravés par des chaînes ne laissant que quinze centimètres d'écart entre les pieds. Comme j'allais me relever en roulant contre le mur pour trouver un appui, Ibrahim et Khaled me frappèrent derrière la tête, ce qui rendit l'effort plus pénible à leur grand amusement. Quand je parvins enfin à me relever, Khaled me poussa par-derrière sur le Spiv qui me gifla et me poussa à son tour vers Ibrahim. Une fois encore, on me soumit à un jeu violent de passage à tabac, où on me laissait de temps à autre tomber par terre, pour me donner de cruels coups de pied au bas du ventre.

Finalement, on me ramena à la chaise pour m'y rasseoir. Le Spiv s'assit à ma gauche, Ibrahim et Khaled derrière le bureau. La « séance d'instruction » commençait. Ibrahim parlait en arabe, Khaled traduisait. Ils me dirent en termes on ne peut plus clairs ce qu'ils pourraient me faire. Ils décrivirent en détail les nombreux sévices qu'ils pourraient m'infliger. Ils évoquèrent même la possibilité d'appliquer des électrochocs. Pendant ce temps, le Spiv tapotait et caressait ma jambe gauche du genou à l'entrejambe, appliquant de temps à autre une forte pression sur mes testicules et ricanant du spasme de douleur qui me coupait le souffle.

Acné avait commencé à utiliser deux euphémismes pour désigner cette torture systématique, qui dans leur esprit était un outil légitime pour arriver aux buts qu'on leur avait assignés. Les expressions « remettre sur la bonne voie » et « redresser l'esprit » furent répétées à maintes reprises au cours de ces séances et pendant les mois suivants. Ils se servaient de ces euphémismes à leur avantage plus qu'au mien. Si je disais que leur violence était de la torture, on me répliquait avec colère que le fait de « me remettre sur la bonne voie » n'était pas de la torture. Et quand, dans les rares moments où j'osais les défier, je leur demandais comment ils conciliaient leurs prétendues piété et dévotion religieuse avec la violence qu'ils employaient, ils me rétorquaient par des arguments fallacieux.

Ce qu'ils faisaient n'était que me corriger et me « redresser l'esprit ». Ce n'était pas de la torture. Autrement dit, tout geste qu'ils pouvaient justifier comme un moyen de purger leurs victimes de la corruption dans laquelle elles trempaient n'était pas considéré comme mauvais. Leur conception de la corruption était tout ce qui s'écartait de leur cadre de référence convenu. La culpabilité ou l'innocence n'avait rien à y voir. Seuls les ordres reçus comptaient, et si ces ordres exigeaient que quelqu'un soit «remis sur la bonne voie», alors tous les moyens utilisés s'en trouvaient justifiés.

Sans doute imprudemment, quand j'entendis l'expression «te redresser l'esprit», je ris.

Cette expression me rappelait quelque chose de précis. Elle me remémorait le film *Luke la main froide*, qui se déroule dans un camp de travail en Géorgie. Dans une scène, en particulier, le brutal et sadique gouverneur décrit aux prisonniers la punition infligée à l'un d'eux. J'entendais la voix grinçante et haut perchée de l'acteur répéter la même chose que Khaled venait de dire.

Quand je ris, Khaled se leva et me donna par-dessus le bureau un coup de poing sur la joue gauche, l'une des rares fois où un coup me fut porté à la figure.

Le Spiv alors me remit debout et, une fois de plus, je fus projeté de part et d'autre de la pièce, jeté par terre et frappé à coups de poing et de pied sur tout le corps, à l'exception du visage. À ce moment-là, le choc de la brutalité initiale s'émoussait, même si je tremblais de peur et d'un excès d'adrénaline. Aussi souffrant et contusionné que j'étais, j'en étais venu à penser que, s'ils se limitaient à ce niveau de violence, je serais capable de le supporter et de ne pas leur donner ce qu'ils voulaient. Une petite lueur d'espoir, bien inopportune, s'était allumée dans mon esprit. Était-ce qu'ils voulaient? En me menaçant d'une violence épouvantable et en ne l'appliquant pas véritablement, ils me berçaient (si on peut appeler cela «bercer») d'une illusion de sécurité. Et m'en priver fut d'autant plus dévastateur quand le tabassage se fit plus violent.

On me ramena sur mon siège et je m'attendis à une autre séance de questions. Mais les trois brutes sortirent et un garde en uniforme vint se planter près de moi. J'essayais de comprendre ce qui venait de se passer, car j'avais été aux mains de mes interrogateurs pendant au moins une heure et aucune demande ou question précise n'avait été formulée, si ce n'était la simple affirmation que je pourrais tout arrêter si je me conformais à leur volonté. En fait, c'était à peu près le déroulement habituel de toutes les séances auxquelles je serais soumis. La période d'attente, l'arrivée des tortionnaires et leur accès de violence dans un silence délibéré, puis l'exposé des sévices qu'ils pourraient me faire subir et de la nécessité de me soumettre pour y échapper, suivi d'une violence accrue, enfin leur départ, qui me laissait dans la perplexité et l'appréhension. Tout cela faisait partie du système. Il s'agissait, en fait, de la deuxième phase, qu'on pourrait qualifier de phase d'affaiblissement. Elle passait par les cinq sous-phases distinctes décrites ci-dessus, les deux dernières étant répétées au cours des séances. Manifestement, mes tourmenteurs saoudiens n'auraient pas dû opérer selon un mode aussi prévisible, mais tout cela était une preuve de leur relâchement et de leur échec à assimiler tout ce qu'on leur avait sûrement appris. Cela concordait aussi avec mon expérience de l'Arabie Saoudite où, indépendamment de la qualité de la formation ou de l'éducation donnée, rien n'était jamais appliqué comme il le fallait ou avec grande efficacité. Il ne faisait pas de doute que mes tortionnaires avaient été formés par des spécialistes (les services secrets britanniques, américains et israéliens avaient tous donné des conseils et de la formation aux agents saoudiens, à divers moments). Mais maintenant que j'ai étudié les différentes techniques de torture et d'interrogation coercitive, je me rends compte des failles qu'il y avait dans leur façon d'opérer avec moi, car ils ont suivi un protocole trop conventionnel. Il y eut parfois des écarts, mais ceux-ci étaient rares et seulement pour des raisons ou des buts spécifiques. Cette prévisibilité, même si le traitement appliqué était terrifiant, a été une chose à laquelle mon esprit pouvait s'ancrer, ce qui a atténué quelque peu la désorientation et l'affaiblissement.

J'ignorais où mes tortionnaires étaient allés pendant cette interruption. Je présumais qu'ils étaient en « pause-thé ». L'hypothèse était vraisemblable, mais je sus bientôt, d'après les cris perçants qui me parvinrent à travers la porte du bureau, qu'ils appliquaient leur savoir-faire à un autre détenu. Je compris, à ce moment-là, que Raf devait être l'une de leurs victimes, mais j'ignorais qui d'autre était détenu et torturé en ces lieux, bien que j'en eusse une petite idée. Je connaissais un certain nombre d'étrangers qui avaient été arrêtés et avaient disparu dans les semaines précédant mon enlèvement, et je me demandais lequel d'entre eux était forcé d'avouer des crimes qu'il n'avait pas commis. Avec le temps, l'identité de certains de mes codétenus m'apparaîtrait plus clairement, à mesure que j'associerais des bribes d'informations qui me permettraient d'identifier ceux qui partageaient cette prison avec moi. Mais ce ne serait qu'après ma libération que je prendrais toute la mesure des arrestations effectuées. En écrivant ce témoignage aujourd'hui, deux ans après avoir retrouvé ma liberté, je viens seulement de terminer le relevé de tous ceux qui furent arrêtés, accusés d'attentats à l'explosif, incarcérés et soumis à la coercition ou à la torture. Cette liste impressionne par son ampleur. Elle montre jusqu'où le ministère saoudien de l'Intérieur était prêt à aller pour cacher l'existence de cellules terroristes indigènes dans le pays.

Après ce qui me sembla une heure, la porte s'ouvrit et mes trois tortionnaires réapparurent. Ils se livrèrent, dans le silence habituel, à une autre série d'agressions sur moi, sauf que la fréquence et la portée des coups me semblaient plus grandes qu'auparavant. Enfin, ils me rassirent sur la chaise et entreprirent de repasser tout ce que j'avais dit, en me signifiant que c'était insuffisant. Ce que disait Ibrahim et que traduisait Khaled ne portait que sur l'attentat du 17 novembre, dans lequel Christopher Rodway avait été tué. Aucune mention n'était faite des deux autres explosions, ce que je trouvais curieux.

J'en vins à penser que mes alibis pour les deux autres incidents avaient réussi à déjouer leurs tentatives de coup monté. Mais mon alibi pour le matin du 17 novembre était mince, car je ne me souvenais de rien de particulier que j'avais fait ce matin-là. Je savais que c'était un vendredi matin – journée de fin de semaine en Arabie Saoudite –, que j'avais fait la grasse matinée et qu'entre quinze heures trente et seize heures trente j'étais allé, avec Raf, voir Peter Goldsmith au commissariat de police Sulimaneh/Oleya, près de la sortie cinq du périphérique nord. Il leur serait donc facile d'inventer quelque chose de compromettant pour le temps où j'avais été seul. Et c'est bien ce qu'ils firent en parlant de complots, l'un impliquant Sandy Mitchell et moi conspirant pour poser une bombe et la faire exploser, et d'autres où j'agissais seul. Aucune raison n'était donnée, aucun mobile avancé. Ils se contentaient de m'exposer le déroulement des prétendus complots puis de dire que je finirais par avouer, car ils prendraient le temps et les moyens nécessaires pour m'y amener.

Le sujet des attentats revenait sans cesse sur le tapis. Mes bourreaux racontaient ce que j'avais fait en changeant chaque fois le récit, et je démentais tout, clamant mon innocence. Si j'étais coupable, leur disais-je, pourquoi avait-on autorisé l'agence Arab News à annoncer, une semaine auparavant, que Michael Sedlak, un Américain, avait été arrêté à la suite des explosions et reconnu coupable?

Ils me rétorquaient d'un air amusé qu'il s'agissait d'une petite plaisanterie de leur cru : drôle, n'est-ce pas?

Drôle? Elle était tordante, car elle indiquait qu'ils avaient été forcés de changer leurs plans et de trouver un autre bouc émissaire. Quand j'avais lu l'article, je m'étais dit que le gouvernement américain (ou, au moins, l'ambassadeur) ne tolérerait pas que le ministère de l'Intérieur prenne un de ses citoyens comme bouc émissaire, et que les États-Unis useraient de toute leur influence pour l'empêcher. Je voyais confirmer la justesse de mes prévisions. Était-je donc la doublure qu'ils avaient trouvée à Sedlak pour le scénario que ces imbéciles avaient construit afin de dissimuler l'existence d'une menace terroriste interne? Ce n'était pas la première fois que le gouvernement américain intervenait avec succès en faveur d'un de ses ressortissants, mais son intervention avait probablement entraîné l'arrestation d'un autre malheureux, de nationalité différente, qui servirait de substitut.

Mes protestations étaient ponctuées de temps à autre par les spasmes de douleur que le Spiv m'arrachait en me pressant les couilles. Parfois, il me tapotait les joues et les cheveux. Ces attentions particulières et son rapprochement physique quand il se penchait vers moi m'inspiraient un autre sentiment distinct de peur. Il avait l'air d'aimer particulièrement son rôle, car ses caresses et l'expression de son visage semblaient empreintes d'une sorte de désir trouble. C'était manifestement une forme d'intimidation sexuelle, conçue pour déconcerter la victime d'une façon différente de la simple violence. Cela fonctionnait assurément, car mon malaise évident ne faisait que l'encourager et amusait ses compagnons.

Ibrahim et Khaled orientèrent alors leurs questions vers des domaines plus personnels. Ils m'interrogèrent sur ma famille, mes parents : des questions qui semblaient inoffensives en soi mais qui servaient à sonder des points de vulnérabilité

93

affective pouvant être utilisés contre moi. Ils demandèrent toutes sortes de détails sur mes parents, les membres de ma famille, mes liaisons féminines, mon éducation, mes champs d'intérêt, mes loisirs, les raisons pour lesquelles j'étais célibataire et d'autres sujets personnels. Ils passèrent beaucoup de temps à m'interroger sur mes compétences professionnelles et sur mes relations les plus intimes, particulièrement les plus récentes. J'étais sur mes gardes, leur disant qu'il n'y avait personne en particulier dans ma vie à ce moment-là et que ma dernière liaison avait été avec une femme qui avait déjà quitté l'Arabie. C'était vrai jusqu'à un certain point. Je savais que le simple fait d'avoir une liaison en pays saoudien était illégal. Donc, en mentionnant le nom d'une femme qui se trouvait actuellement dans le pays, je la mettais en danger d'accusation d'adultère ou de fornication. Car toute relation, même platonique, entre hommes et femmes célibataires est illégale en Arabie Saoudite, et cela pouvait être utilisé contre cette femme tout autant que contre moi.

Ils se penchèrent sur les raisons de ma venue en Arabie Saoudite. Je leur répondis simplement que j'avais besoin d'un travail et que la rémunération offerte était bonne. C'est une chose qu'ils parurent avaler de travers et leur ressentiment transpira à l'endroit de l'étranger, le *khawaja*, que j'étais. Ibrahim et Khaled se lancèrent dans des imprécations contre notre présence dans leur pays, car tout ce que nous faisions, selon eux, c'était leur voler de l'argent et ne leur laisser en retour que notre corruption occidentale. Cet accès d'indignation, comme d'autres qui ponctuèrent mes interrogatoires, s'écartait du processus habituel. Il était fait avec une telle virulence qu'il me fit mieux comprendre les gens avec qui je traitais, ce qui n'aurait pas dû m'être donné à connaître.

Ils me haïssaient, moi et tout ce que je représentais. Ils étaient jaloux des salaires payés aux Occidentaux. Ils en voulaient à notre présence et à notre existence même. Inutile de dire que ma présence dans leur pays, comme c'était le cas de nombreux Occidentaux, répondait à la volonté du même gouvernement qui les employait, mais de telles vérités étaient ignorées dans la distorsion cognitive engendrée par leur haine et leur jalousie. Ainsi, leur insécurité personnelle, culturelle et sociale perçait, malgré leurs efforts pour mener les interrogatoires avec professionnalisme. Cela ne m'était pas d'un grand secours dans l'immédiat, mais me permettait de me faire une idée de mes tortionnaires.

Ils mirent un terme à la discussion par une série de déclarations visant à me montrer de nouveau le pouvoir qu'ils avaient sur moi. Comme d'habitude, ils menacèrent d'utiliser une plus grande violence et répétèrent que le gouvernement britannique (à ce moment-là, ils me considéraient comme un Britannique) ne pourrait rien faire pour m'aider et ne ferait rien. Mais ce qui m'estomaqua, ce fut leur présupposition que j'étais homosexuel. Dans leur logique, un homme de quarante et un an non marié était nécessairement un homosexuel. On m'informa que la mort était la punition prévue par la justice saoudienne pour les gens ayant cette orientation sexuelle ou même ceux qui risquant de la manifester. À cet égard, il importait peu que j'avoue d'autres crimes. J'étais bien au fait des attitudes et des lois qui cherchaient à contrôler de façon draconienne les comportements sexuels en Arabie, et je connaissais assez les punitions prévues pour ces supposés crimes sans qu'il me fallût les entendre exposer leur version de la morale sexuelle. En dépit des tentatives de leur gouvernement et de leur société de nier l'existence de l'homosexualité et de légiférer pour la contrer, elle était assez répandue dans le Royaume, cachée derrière des portes closes comme tant d'autres choses dans ce pays.

À bien des égards, même s'ils n'avaient aucune preuve d'une telle orientation sexuelle chez moi, leurs préjugés sociaux et culturels les auraient poussés à pareille conclusion. Mon statut de célibataire était, pour eux, la preuve de leur assertion. Il leur fournissait un levier commode à utiliser contre moi, particulièrement quand ils affirmèrent qu'ils trouveraient tous mes « petits amis » qui seraient heureux de témoigner contre moi. J'eus la vision effarante d'une cohorte de Bangladais, d'Indiens ou de Srilankais défilant devant moi sur l'ordre d'Ibrahim, après avoir été forcés aux aveux comme je l'étais. C'était une vision cauchemardesque qui s'ajoutait à toutes celles qu'ils avaient déjà instillées dans mon esprit. S'ils pouvaient fabriquer des preuves et falsifier des aveux pour des faits qu'ils savaient faux (ma participation aux attentats à la voiture piégée), ils seraient certainement heureux de procéder à d'autres falsifications pour une chose qu'ils croyaient d'instinct vraie, bien qu'à tort.

Au début, l'accusation m'a choqué, mais elle m'a ensuite bien amusé. J'imaginais la police saoudienne ou ses tribunaux portant cette accusation contre moi avec la publicité grotesque qui s'ensuivrait. Ce ne serait pas la première fois de ma vie qu'une telle supposition serait faite, mais ce serait la première fois qu'on l'annoncerait publiquement. Des rumeurs de tous genres, souvent contradictoires, avaient déjà circulé à mon sujet dans divers cercles sociaux et professionnels. Dans une entreprise où je travaillais, on avait chuchoté que j'accumulais les marques sur les colonnes de mon lit au fur et à mesure de mes conquêtes féminines parmi le personnel. Pourtant, durant tout le temps où j'avais travaillé dans cette communauté des plus fermées, je ne m'étais permis aucune liaison.

Dans un groupe d'alpinistes que je fréquentais, on avait présumé que j'étais gay parce qu'apparemment je n'avais jamais essayé de courtiser l'une ou l'autre des femmes du club. Je protégeais toujours mon intimité. J'avais mis beaucoup de distance entre ma vie professionnelle et ma vie privée. Ce qu'on n'a jamais compris à mon sujet, c'est ma tendance à ne rien mélanger : le bureau était un lieu pour le travail, et la montagne pour l'alpinisme. La diversité de mes champs d'intérêt et mon aptitude à m'adapter à divers milieux m'avaient permis de connaître un grand nombre de personnes, et au sein de chaque groupe je m'étais fait de bons amis, mais cela rendait difficile pour certains de m'accoler une étiquette. Aussi faisait-on flèche de tout bois pour expliquer mon naturel réservé et souvent solitaire. Il faut dire que je n'avais pas cherché à décourager ou à contredire certaines extrapolations, en partie parce qu'il s'agissait d'une entreprise vaine, à moins de vouloir se conformer à une conduite acceptée par le groupe, et en partie parce qu'une fois l'étiquette voulue appliquée, on cessait de m'importuner, me laissant la vie privée que je souhaitais.

J'étais de plus en plus amusé en pensant à l'incrédulité à laquelle se heurteraient ces accusations, si elles étaient rendues publiques, chez mes anciennes amantes et chez ceux de mes amis qui me connaissaient bien derrière ma réserve habituelle. Il va sans dire que ces accusations ne furent jamais rendues publiques ni ne firent l'objet d'aucun des aveux qu'on me força à faire par écrit. Cependant, pendant les semaines suivantes, mes tortionnaires ne cessèrent de les brandir. Puis, ils laissèrent tomber quand les scénarios qu'ils échafaudaient changèrent.

Comme je refusais d'avouer, ils mirent fin à leurs exposés pour me soumettre à une nouvelle séance de violences. Khaled continuait de réciter la litanie de mes crimes tandis qu'on me projetait sur les murs, qu'on me jetait par terre et que je m'efforçais de me relever sous les coups de pied et de poing.

Si vous trouvez la chose répétitive en lisant ces lignes, dites-vous bien qu'elle l'était. La répétition est l'une des clés de l'efficacité de la torture. Votre corps et votre esprit sont soumis de façon cyclique à des niveaux de souffrance physique et morale qui finiront par briser vos forces et votre volonté, vous livrant tout rompu et docile à vos tortionnaires. Ce n'est qu'une question de temps.

Bien que l'obscurité régnait toujours d'après ce qu'on voyait par la fenêtre du bureau, l'appel à la prière de l'aube se fit entendre. Cet appel du muezzin était le bienvenu, car il mit fin aussitôt à la séance. Sauvé par la cloche, pensai-je en me gardant bien de le faire voir, car je ne voulais pas retarder leur rituel religieux. Le Spiv me poussa sur la chaise tandis que Khaled ouvrait la porte pour appeler un garde. De nouveau, on me banda les yeux pour me ramener à ma cellule.

J'entrais dans mon troisième jour de captivité et j'avais passé deux nuits sans dormir. Je me retrouvais dans ma cellule, enchaîné debout à la porte et privé d'un sommeil que je souhaitais par-dessus tout. Peu de temps après être revenu à la cellule et m'être recouvert de la couverture, j'éprouvai une autre sensation qui augmenta mon stress. Je ressentis un besoin irrépressible de fumer une cigarette. Si jamais il y eut un temps où j'aurais voulu ne pas être un fumeur, ce fut à ce moment-là. Les sensations éprouvées par le manque de nicotine n'aidaient en rien mon état émotionnel. On servit alors le petit-déjeuner, ce qui me permit de m'asseoir et de soulager un peu mes jambes endolories. Ce répit fut de courte durée, car le gardien revint bientôt chercher le plateau. Je n'avais pris que l'eau et le thé, mais j'avais gardé l'orange, et je fus agréablement surpris de découvrir qu'on me le permettait. Je me rendis compte aussi que la dernière fois où j'étais allé aux toilettes, c'était tout juste avant mon arrestation, presque quarante-huit heures auparavant. Je prononçai un seul mot à l'intention du gardien – « Toilettes » – et lui indiquai en même temps mon bas-ventre, espérant qu'il comprendrait. Il comprit, Dieu merci, car il hocha la tête. Il me détacha et me conduisit hors de la cellule, vers la sortie du bloc cellulaire.

Il s'avéra que la porte située juste avant la sortie, du même côté du couloir que ma cellule, était la porte des toilettes du bloc cellulaire. Après avoir été débarrassé des menottes, j'entrai dans la pièce, refermant la porte derrière moi et remarquant qu'on pouvait la verrouiller de l'intérieur. Je remarquai aussi l'absence de caméra en circuit fermé, ce qui me fournissait mon premier instant d'intimité depuis mon arrestation. Autour de la douche, à droite, se trouvaient étendus un certain nombre de kamis et de djellabas, qui montraient que la pièce était aussi utilisée comme blanchisserie de fortune. Ces vêtements appartenaient probablement à des détenus arabes qui étaient là depuis quelque temps. À gauche, il y avait un lavabo surplombé d'un grand miroir dont une grande partie manquait dans un coin. Devant moi se trouvait une autre porte qui menait au cabinet d'aisances. Un coup d'œil à mon reflet dans la glace me permit de voir l'air épouvantable que j'affichais. Ma peau avait une pâleur inhabituelle et mes yeux étaient gonflés et noircis. Ce n'était pas une mine qui m'aurait valu un prix de beauté.

Dans ce répit au milieu de l'observation permanente à laquelle j'étais soumis, j'en profitai pour me déshabiller et faire un brin de toilette. Cela me rafraîchit plus que je ne croyais. Me trouvant debout et nu, j'examinai mon corps du mieux que je pus. J'avais des marques rouges aux jambes, aux bras, à la poitrine et aux fesses. Je serais bientôt couvert d'une tapisserie de bleus et d'ecchymoses. J'allai au cabinet d'aisances et fus étonné par le peu d'urine que j'évacuai et par mon incapacité à déféquer. Étant donné tout le temps qui s'était écoulé depuis que je n'avais pas fait mes besoins, je me demandai ce qui se passait dans mon organisme. Jusque-là, les coups n'avaient pas été assez violents pour causer des lésions aux organe internes, mais le stress des deux derniers jours faisait sentir ses conséquences, apportant des changements notables dans ma physiologie.

L'idée me vint qu'en entrant dans les toilettes j'avais tiré le verrou de la porte, me retrouvant ainsi verrouillé de l'intérieur. Comme la porte était en métal, probablement en acier léger, si je décidais de rester là, il faudrait un effort considérable à mes geôliers pour y pénétrer. L'idée était tentante, car dans le temps qu'il leur faudrait pour découvrir mes intentions, je pourrais me taper un sommeil des plus réparateurs. Mais je savais bien qu'un tel geste amènerait les gardiens ou mes bourreaux à augmenter leur niveau de violence. Donc je me levai, finis de me nettoyer et me rhabillai avant de rouvrir la porte.

Comme je l'ouvrais, j'entendis le gardien se lever du bureau à l'entrée de bloc cellulaire. Une fois dans le couloir, je refermai la porte et il me passa les menottes, mais cette fois, avec quelque hésitation, il me plaça un bandeau sur les yeux. Comme il ne l'avait pas fait en me conduisant aux toilettes, j'en déduisis que, malgré son poste officiel, il n'avait probablement pas été bien formé de son rôle de gardien de prison. Ce soupçon se trouva confirmé les jours suivants. Chaque fois qu'on me permettait d'aller aux toilettes, les mesures de sécurité variaient selon le degré d'irritation que ma demande causait au gardien. Cependant, quand on me conduisait à l'interrogatoire, les mesures étaient toujours les mêmes. On m'y amenait menottes aux poings, chaînes aux pieds et les yeux bandés. Ce qui différait entre les deux situations était que l'interrogatoire rassemblait d'habitude deux à trois agents, dont l'un était vêtu d'un kamis (probablement parce qu'il était officier ou d'un grade supérieur). Les gardiens du bloc cellulaire étaient de grades inférieurs, donc mes allers-retours aux toilettes ne se faisaient que sous la surveillance d'un simple garde ou d'un sous-officier. Ce petit détail d'apparence anodine avait son importance, car il indiquait que, malgré la nature apparemment professionnelle de l'interrogatoire, l'organisation et la formation de mes geôliers étaient typiques de tout ce qui concernait le gouvernement saoudien, c'est-à-dire assez lamentables.

Un peu plus tard ce matin-là, un autre élément vint s'ajouter à la routine. Je ne saurais dire au juste à quel moment, mais cela se produisit bien avant la prière du midi. Je fus tiré de ma cellule de la façon usuelle, conduit cette fois par un homme mince et bavard, en kamis et keffieh, qui ne cessa tout le long de me tenir un discours en arabe. Je m'attendais avec inquiétude à une autre séance de torture. En avançant péniblement avec mes chaînes, je m'aperçus que nous étions passés par l'escalier menant au secteur des premiers inter-rogatoires. Mon imagination commença à s'emballer, évoquant des visions de cauchemar à la Bosch. Nous suivîmes ce couloir du rez-de-chaussée, puis je sentis que nous entrions dans une salle juste au moment où mon guide m'arrêta. Il m'enleva le bandeau des yeux et je vis que nous étions dans ce qui servait d'infirmerie au centre de détention. En face de moi se trouvait une table d'examen verte; à droite, un bureau et une rangée d'armoires. À gauche, il y avait une série de balances, et plus loin une autre porte menant à une pièce remplie de boîtes de médicaments empilées pêle-mêle le long des murs.

Un homme était là, à moitié assis sur le bord du bureau, en chemise blanche, pantalon brun et sandales. Aux traits de sa figure et à son accent anglais, je présumai qu'il était pakistanais. La bordure verte de son *iqama* dépassait de la pochette de sa chemise, ce qui indiquait qu'il était musulman et que ma première hypothèse était probablement la bonne. Il était celui qui faisait office de médecin du centre de détention. Il entreprit de me poser une série de questions sur ma santé et sur mes antécédents médicaux. J'avais peu de choses à rapporter, sinon une allergie saisonnière – le rhume des foins – bien que j'eusse eu des blessures de sport plus ou moins graves. Il commença à m'examiner, constatant les bleus et autres contusions mais sans les noter.

Tout cela était fait de façon superficielle, comme je m'en doutais bien. Je manquais terriblement de sommeil, je souffrais des nombreux coups reçus et j'étais en état de stress; et pourtant, ma pression artérielle et mon pouls étaient inexplicablement normaux (pression à 125/80 et 78 pulsations par minute, si je me souviens bien). Malheureusement, ces résultats indiquaient une robustesse que je ne ressentais pas à l'époque, et il en fut de même pour tous mes examens médicaux jusqu'au moment où je fus victime d'une crise cardiaque.

Je fus donc déclaré en bonne condition physique. Pour quoi donc, pourrait-on demander?

En bonne condition pour la torture. Car la seule raison de ces examens médicaux était de me déclarer apte à subir plus de violence. De ma santé on n'avait cure, sauf si je risquais de mourir aux mains de mes tortionnaires. Malheureusement, j'étais alors de santé trop robuste, même si au moment de mon arrestation je fumais à la chaîne et avais pris beaucoup trop de poids.

Après cet examen, on me rebanda les yeux, me remit les menottes et les chaînes et je fus reconduit à ma cellule pour y passer une autre journée enchaîné debout à la porte. À ce moment-là, le manque de sommeil se faisait particulièrement sentir et je devais lutter pour maintenir la cohérence de mes pensées. Même quand j'essayais de m'adonner à la rêverie pour me distraire, il fallait un effort pour orienter mon imagination. L'inconfort physique et le besoin intense de sommeil me poussaient vers l'hystérie. De toute évidence, cet état de confusion et de vulnérabilité émotive était exactement ce que mes tortionnaires voulaient et ce que leurs méthodes visaient à induire. La lutte contre cette pression ne pouvait finir que par la soumission ou l'effondrement psychologique et émotionnel. Je n'en étais pas encore là, mais je me demandais combien de temps j'allais encore pouvoir tenir.

Les appels à la prière s'étaient succédé et la lumière qui s'infiltrait autour du climatiseur finit par s'estomper dans l'obscurité de la nuit tandis que je continuais d'attendre la nouvelle séance. Des bruits de pas résonnèrent dans le couloir peu après la tombée de la nuit, sans doute après que mes gardiens et tortionnaires eurent rompu le jeûne de la journée. Il était aux environs de dix-huit heures trente, mais mon estimation était très approximative. En tout cas, le guichet s'ouvrit, on procéda à l'appel de mon numéro, on ouvrit la porte et on me remit les entraves habituelles. Mais cette fois-ci, en me conduisant dans le hall d'entrée de l'immeuble, mes gardes tournèrent à gauche et nous débouchâmes en plein air en ce début de soirée.

Je pouvais entendre des moteurs de véhicules en marche et des portières s'ouvrir et se refermer. Il y avait une résonance de tôle caractéristique dans ces portières, qui me faisait penser à des camionnettes plutôt qu'à des voitures. Puis, mêlés à ces bruits, des accents pressés de voix arabes, parmi lesquelles émergea la voix de Khaled parlant en anglais. Il commença par me dire qu'on partait en voyage. L'idée me traversa qu'on allait m'éliminer. Peut-être leurs plans de m'impliquer dans leur coup monté, moi ainsi que d'autres qui avaient été arrêtés, venaient-ils d'être découverts, et il leur fallait se débarrasser d'une preuve gênante : moi, en l'occurrence. Dans cet état de paranoïa, je me demandais si j'allais survivre à ce voyage.

On m'enleva mes chaînes et Khaled me dit de monter dans le camion devant lequel on m'avait fait attendre. Mal assuré, je levai la jambe, cherchant la marche où poser le pied. En montant, je sentis une main toucher mon front et presser doucement ma tête vers le bas. Une autre main saisit mon épaule et je fus ainsi dirigé vers un siège à l'arrière d'un car de police. On me remit les chaînes et, de l'extérieur du car, au moment où l'on fermait et verrouillait les portières, la voix de Khaled me répéta de me tenir tranquille. J'entendis s'ouvrir la barrière du centre de détention et le car se mit à avancer. Au bout d'une minute à peu près, nous étions déjà engagés sur une grande voie urbaine, à en juger par la vitesse du véhicule et la conduite erratique du chauffeur. J'étais sûr d'avoir un compagnon avec moi dans l'espace confiné où j'étais, mais il n'y avait pas moyen de le savoir avec certitude. J'avais déjà assez de peine à me maintenir sur mon siège, je ne pouvais guère explorer le véhicule. Mes soupçons sur la présence d'un compagnon furent confirmés quand le car fit brusquement halte et que je tombai de mon siège. Une paire de mains me ramenèrent gentiment à ma position initiale. Et pour le reste du voyage une main resta sur mon épaule pour m'empêcher de tomber.

Le car s'arrêta enfin, et je pus entendre des cris assourdis ainsi que l'ouverture et la fermeture de portières. Mon compagnon défit mes chaînes alors qu'on ouvrait les portières du car. Descendu du fourgon, on me remit les chaînes et on me tint par le bras de chaque côté. Comme je me demandais où j'étais, puisque l'endroit était rempli de bruits qui n'évoquaient rien d'une prison, on m'enleva mon bandeau. Je reconnus aussitôt la rue devant laquelle se trouvait ma maison. Tout juste en face de moi, j'aperçus ma voiture et, à droite, la barrière à demi ouverte de la cour. Dans la rue, en plus du car de police, il y avait trois voitures de patrouille Nissan blanches marquées des insignes du ministère de l'Intérieur, ainsi que l'Intrepid grise qui avait servi à mon arrestation. Je trouvais étrange qu'il n'y eût pas d'autres voitures garées dans la rue, parce qu'il y en avait d'habitude un bon nombre. En outre, je ne voyais pas de lumière dans aucune des maisons voisines. Tout cela m'apparaissait fort curieux, mais étant donné le pouvoir et l'autorité de la Mabaheth dans le pays, il n'était nullement improbable que le secteur eût été évacué sur l'ordre de la police. Khaled et Ibrahim se tenaient sur un côté de l'entrée, parlant à divers agents en uniforme, dont l'un était major, comme l'indiquaient les épaulettes de sa chemise.

Khaled fit un signe de la main et les gardes qui me tenaient de chaque côté m'entraînèrent vers l'entrée de ma maison. En entrant dans la cour, je remarquai près de l'abri de la pompe à eau la bicyclette appartenant à Sultan, le préposé au ménage de la maison. Mon cœur se serra en pensant qu'il avait dû être arrêté lui aussi en venant faire son travail habituel. Il y avait partout des policiers, en uniforme ou en civil (de fait, il s'agissait souvent d'un autre type d'uniforme avec kamis, keffieh et agal). Nous entrâmes par la porte donnant accès à la piscine et l'on m'amena dans la première pièce à droite, où se trouvait mon bureau équipé d'un ordinateur. Khaled s'approcha et m'enjoignit de rester tranquille. À travers le vestibule, je pouvais voir et entendre ses collègues mettre ma maison sens dessus dessous.

À un moment donné, un jeune policier en civil entra dans le bureau, exhibant un pot de bière, dans lequel une cannette de Pepsi était coincée, et proclamant agressivement :

– Regardez ! On a trouvé de l'alcool !

– Depuis quand le Pepsi est-il illégal ? m'exclamai-je.

– Tu dois avoir fait la contrebande de ce pot de bière dans le pays, car c'est un produit illégal, répondit Khaled.

En m'efforçant de ne pas rire, je lui indiquai que ce pot, avec cinq autres du même genre, avait été acheté au Greenhouse Garden Centre, sur la Route 747, et qu'il aurait pu être acheté dans nombre d'autres endroits à Riyad.

La réaction du jeune agent de police fut de me frapper sur le côté du visage avec le pot.

– C'est illégal ! Et vous dites que je mens ? criait-il. Khaled éructa quelque chose en arabe et le jeune imbécile s'éloigna dans un accès de rage. Comme ce dernier quittait la pièce, j'aperçus un autre agent en civil apportant une vieille boîte de carton dans le salon. C'était bizarre. Je me demandais ce qu'il pouvait y avoir dans cette boîte. Khaled voulut savoir pourquoi j'avais installé un bureau chez moi. Il insinuait que c'était la preuve que j'étais impliqué dans des activités illégales. Sinon, pourquoi aurais-je eu une pièce équipée d'un ordinateur, avec des étagères de livres et un bureau ? En suivant cette logique, la plupart des travailleurs occidentaux seraient impliqués dans des activités illégales. Dans l'esprit tordu de Khaled, tout pouvait servir, même l'argument le plus ténu, à échafauder ses scénarios ridicules.

Quand il eut terminé son baratin, il m'amena dans la pièce principale qui servait à la fois de salon et de salle à manger. Je vis, assis sur le sofa, en train de regarder la télévision, des agents en civil et un autre en kamis, qui se tenait debout seul dans un coin et que je reconnus. Il s'était tourné vers moi et je me rappelai l'avoir déjà vu auparavant. En octobre, en effet, soit quelques mois plus tôt, je l'avais rencontré au bureau local de la Mutawa où j'avais été détenu brièvement. Apparemment, il était le chef du groupe local de barbouzes responsables de l'observance religieuse (ou, plus exactement, de l'intolérance). Pour je ne sais quelle raison, le fait que j'aie un téléviseur, un magnétoscope et un lecteur DVD semblait le mettre au paroxysme de la colère.

Il voulait savoir comment j'avais obtenu ces appareils. Comment avais-je pu me les procurer alors que ses concitoyens ne le pouvaient pas ? Des gens comme moi les volaient, lui et les siens, leur enlevaient ce qui leur était dû. Il n'arrivait pas à concevoir, dans son esprit étroit, que j'avais été invité à travailler dans son pays par un organisme du gouvernement saoudien.

Je lui suggérai d'adresser ses questions au ministère des Finances, dont relevait le Fonds où je travaillais. Avant qu'il ne me répondisse, Ibrahim, qui se tenait tout juste devant moi, me frappa au cou.

– *Shut up !* (Ferme-la !)

C'était la première fois qu'Ibrahim me parlait en anglais.

Même s'il n'irait jamais plus loin que quelques phrases de deux ou trois mots, j'en vins à réaliser qu'il comprenait l'anglais assez bien, et que seul un manque de confiance l'empêchait de s'en servir. C'était assez étonnant de la part de quelqu'un qui affichait autant d'arrogance.

Khaled dirigea mon attention vers la table de la salle à manger, m'informant que le fait de posséder un meuble de ce genre était aussi la preuve de mon crime, car c'était autour de cette table que je pouvais réunir mes acolytes terroristes. J'essayai de ne pas rire, mais je ne pus me retenir de sourire. Cela fit enrager Ibrahim qui me frappa de nouveau sur le côté du cou. Ayant ravalé mon sourire, je regardai de nouveau la table. J'y vis, à côté d'une pile de mes feuilles d'analyse d'un rapport sur la purification de l'eau, une bouteille sale en plastique portant l'étiquette Al-Ansar et un objet mince de forme ovoïde qui n'avait guère plus d'un centimètre d'épaisseur, vingt centimètres de long et dix centimètres à peu près au plus large de sa forme. Cet objet était enrobé dans du papier d'aluminium et du plastique. Le jeune agent qui m'avait frappé avec le pot à bière saisit la bouteille et l'ouvrit. En me la passant sous le nez, il m'informa qu'elle avait été trouvée dans ma maison. L'odeur âpre de l'alcool de bouilleur de cru (distillé clandestinement) m'assaillit les narines.

Je savais qu'il n'y avait pas d'alcool chez moi. La bouteille y avait donc été placée exprès. Je regardai de nouveau la table et remarquai, à droite sur le plancher, la vieille boîte de carton que j'avais aperçue plus tôt. Manifestement, elle avait servi à transporter les pièces à conviction dont ils avaient besoin pour justifier mon arrestation et ma détention. Alors Khaled prit l'autre objet sur la table. En le brandissant devant mon visage, il me dit qu'il contenait du haschisch et que celui-ci avait aussi été trouvé dans la maison. C'était absurde, car je n'avais jamais touché à du haschisch en Arabie Saoudite, même si cette drogue y était plus facile à obtenir que l'alcool.

À ce moment, un autre jeune agent en kamis entra dans la pièce avec deux minuteries électriques que j'utilisais pour les commutateurs des lampes de la maison et pour mon percolateur.

– Des dispositifs à retardement pour des bombes, annonça Khaled.

Comme ces appareils devaient être branchés sur une prise électrique pour fonctionner, ils n'auraient guère été utiles pour une explosion à distance, à moins, bien sûr, d'avoir un fil de rallonge extrêmement long. L'absurdité de la chose était évidente, mais je laissai passer sans commentaire.

105

Leur manège était clair : faire en sorte que, quel que soit l'aboutissement de l'affaire, ils puissent justifier mon arrestation en produisant de fausses preuves. Ce qui m'étonnait vraiment, c'est qu'ils n'eussent pas placé du vrai matériel de fabrication de bombes, comme des minuteurs, des mèches d'allumage ou des explosifs. Quand j'y repense, placer de tels engins aurait pu compliquer les choses pour eux. La menace concernant les minuteries qu'ils avaient trouvées n'était que de la frime pour me déstabiliser. Cependant, en plaçant chez moi des indices de possession d'alcool et de drogue, ils se donnaient les moyens de me détenir indéfiniment en vertu de leurs lois. Avec ces seules pièces à conviction, je pouvais être reconnu coupable et, pour ce qui était de la drogue, condamné à mort. Cela pouvait être utilisé pour faire pression sur moi, ce qui serait le cas d'ailleurs lors des interrogatoires qui suivraient. Et si jamais ils devaient renoncer à l'accusation de terrorisme, ils pourraient aisément se rabattre sur la possession illégale d'alcool et de drogue. Ce serait une façon plus acceptable pour eux d'arriver à leurs fins, car elle leur offrait une flexibilité que la preuve directe de fabrication de bombes ne donnait pas.

À ce moment, Khaled m'amena hors de la pièce et me conduisit à l'étage où se trouvaient les chambres. Au seuil de ma chambre à coucher, j'aperçus plusieurs agents qui fouillaient partout, dans les coffres, les tiroirs et les garde-robes, dont le contenu avait été en grande partie jeté par terre et foulé aux pieds par ces forcenés. Cette façon de procéder, tout à fait gratuite, n'était rien d'autre que du vandalisme délibéré. En y pensant bien, je savais qu'il n'y avait rien à trouver là qui pût m'incriminer, et si les perquisitions étaient faites en ma présence c'était pour me montrer les pièces à conviction qu'ils y avaient placées et pour me déstabiliser encore davantage en me forçant à voir la façon méprisante avec laquelle ils traitaient mes biens. Mais c'étaient les preuves fabriquées qui me dérangeaient, non leur saccage barbare.

Dans une autre chambre, quelqu'un avait trouvé une grande boîte de carton qui avait contenu mon téléviseur. Il l'avait déposée sur le palier et y avait mis certains de mes vêtements. Comme je regardais ce qu'on y avait mis, Khaled me laissa un instant aux soins de l'agent en civil qui avait été mon compagnon dans le car de police. Celui-ci alla prendre sur mon lit le pull de molleton noir qu'on y avait posé et me le tendit. Il avait dû remarquer que je frissonnais, car l'air frais du soir s'ajoutant à la peur me faisaient trembler par intermittence. Je hochai la tête et haussai les épaules pour lui indiquer que je ne pouvais saisir le vêtement avec mes mains retenues dans le dos. Il enleva les menottes pour me permettre d'enfiler le pull. Puis il les remit, en prenant bien soin de ne pas trop les serrer. C'était le premier geste de bonté qui m'était adressé depuis mon arrestation. Dans mon état de fatigue et de tension extrêmes, je sentis des larmes me monter aux yeux, par suite de cette gentillesse. Manifestement embarrassé par mon émotion, l'homme détourna le regard. Je murmurai à voix basse « *choukran* », le mot arabe pour dire merci.

Quand Khaled revint, il remarqua le pull sur mon dos et engueula vertement le garde. À ma grande surprise, celui-ci lui répliqua sur un ton encore plus colérique. Je n'ai aucune idée de ce qu'ils ont pu se dire, mais le fait que cet homme ait tenu tête à celui qui était censé être son supérieur me procura un bref moment de plaisir. J'espérai alors, et je l'espère toujours, que ce garde ne serait pas puni pour sa bonté.

Quand la dispute cessa entre eux, Khaled me ramena au rez-de-chaussée tandis qu'un agent en kamis portant la boîte du téléviseur nous suivait. De retour dans mon bureau, je les vis démonter mon équipement informatique et tout mettre en vrac dans la boîte. Puis ils prirent des livres apparemment au hasard sur mes étagères et les jetèrent dans la boîte, par-dessus l'ordinateur. Le contenu des tiroirs de mon bureau prit la même direction, de même que tout ce qu'il y avait dans mon classeur de papiers personnels, factures et registres financiers. Tout ce qui pouvait contenir de l'information personnelle fut confisqué.

Khaled jeta un regard au hasard sur les livres restants. Il en choisit un ou deux, qu'il ouvrit et rejeta, puis il prit un cahier à reliure noire et me demanda ce que c'était. Je lui répondis que c'était ma thèse de doctorat, ce qui lui tira un sourire idiot. Il feignit de l'examiner sérieusement et se tapota les lèvres en proférant quelques « tut-tut » faussement respectueux.

En me regardant droit dans les yeux, il dit :

– C'est la preuve de ta formation dans la fabrication de bombes.

Je gardai le silence, me demandant comment un ouvrage intitulé *Le contrôle intracellulaire de la métabolisation du cholestérol dans les couches monomoléculaires des hépatocytes du rat* pouvait bien me qualifier comme spécialiste des explosifs. On pouvait toujours arguer que cela prouvait un niveau élémentaire d'intelligence, d'application et d'attention aux détails, qui pouvait servir à développer l'expertise dont on m'accusait. On pouvait avancer aussi que ma formation en biochimie me donnait la connaissance requise de la chimie pour fabriquer des explosifs. Mais il faut souligner que quiconque a étudié la chimie au lycée possède une telle connaissance. En outre, la quantité de bombes montées et installées par des individus qui n'ont pas ce niveau d'instruction indique bien que la fabrication d'explosifs élémentaires n'est guère un domaine réservé à des savants diplômés. Ce n'était là qu'un autre des misérables arguments sur lesquels ils essayaient de fonder les accusations et les scénarios ridicules qu'ils avançaient.

Khaled plaça la thèse dans la boîte et alla derrière moi prendre quelque chose qu'on lui tendait. Il revint en tenant une veste de sport à poches multiples que je portais lors de mes expéditions dans le désert. Il prit dans les poches deux des objets qui s'y trouvaient d'habitude. Le premier était une longue-vue monoculaire Zeiss x 10 que j'avais trouvée sur le glacier Cheakamus quinze ans auparavant. Je l'ai toujours portée sur moi depuis lors, dans mes expéditions dans la brousse. L'autre objet était une boussole Silva, un instrument nécessaire quand on s'aventure hors des sentiers battus. Khaled examina soigneusement ces objets avant de déclarer : « Voilà ce que tu utilisais pour espionner. »

C'était là une autre escalade dans les accusations et, en accusant le choc, je ne pus me contenir de dire :

– Espionner ? J'utilise ces instruments depuis des années dans mes activités d'alpinisme et de randonnée dans la nature. Je ne suis pas un espion.

– Seuls des espions font ce genre de choses, répondit-il.

En une seule phrase brève, il avait réduit les activités de tous ceux qui aiment les défis que présentent des environnements éloignés et difficiles en quelque chose de machiavélique. Il le pensait sans doute vraiment, ce qui lui permettait d'élaborer plus aisément ses suppositions farfelues.

Je n'en revenais pas. S'il y a quelqu'un de peu doué pour l'espionnage, c'est bien moi. Tout en étant très jaloux de ma vie privée, je suis trop direct et expressif avec ceux que je connais pour pouvoir maintenir l'opacité nécessaire à un agent secret. Je pensais que ce devait être là une autre ruse pour me déstabiliser. Je me trompais.

Khaled fouilla parmi les autres objets dans la boîte et en retira des photos que mon père avait prises lors d'une expédition dans le désert en 1999. Il me les montra, disant:

– Ça prouve aussi que tu es un espion.

Je restai coi devant ces absurdes tentatives de transformer les choses les plus ordinaires en pièces à conviction, mais je voyais bien qu'il leur fallait le faire à la fois pour me déstabiliser et pour justifier leur pouvoir sur moi.

Il laissa tomber les photos et reprit la boussole en déclarant:

– Ces objets sont interdits en Arabie Saoudite, et seuls les gens qui sont des espions savent s'en servir. Où est ton récepteur GPS? Où est ton appareil-photo?

Je lui dis en toute sincérité que je ne possédais aucun de ces objets. Il réitéra sa demande. Il me demanda où étaient toutes mes autres photos. Je répondis en toute franchise que je n'en avais pas d'autres que celles que mon père m'avait données. Encore une fois, il demanda où se trouvait mon appareil-photo et je lui redis que je n'en avais jamais eu. Je doute encore aujourd'hui qu'il m'ait jamais cru, car dans les interrogatoires subséquents et dans d'autres échanges moins violents, il reviendrait sur le fait qu'il était étrange que je n'aie pas d'appareil-photo.

Le fait est que je n'en ai jamais possédé parce que je ne voulais pas m'embarrasser à prendre des photos. J'ai toujours été embêté d'avoir à poser devant un appareil-photo, surtout au milieu de mes activités de plein air. Plus d'une fois mes amis se sont fait répondre par des jurons quand ils m'ont demandé de le faire. Même mon père a essuyé mes invectives lors d'expéditions d'alpinisme, notamment quand il a voulu prendre des photos en pleine traversée d'un passage difficile à flanc de rocher au-dessus d'un précipice de milliers de mètres. Il était absurde et dangereux de s'arrêter là, et je le lui ai dit sans mâcher mes mots.

Ce n'est pas que j'aie la phobie des appareils-photo, mais je déteste m'interrompre ou m'arrêter pour les besoins d'un cliché. Je ne vois pas la raison d'enregistrer les moindres détails de sa vie sur pellicule ou en pixels numériques. Pourquoi devrait-on s'arrêter et poser pour un album-photo au milieu d'une activité intéressante ou passionnante?

Khaled me demanda encore mon récepteur GPS. Je présumai qu'il ne m'avait pas cru quand je lui avais dit que je n'en possédais pas. Ma boussole était tout ce que j'utilisais au cours de mes randonnées. À l'époque, comme maintenant, une boussole pourrait sembler inutile face à une grande disponibilité de systèmes de repérage GPS portatifs, mais non pour moi. Mon instrument de navigation peu sophistiqué m'avait bien servi et n'avait pas besoin de piles. Mais Khaled ne se satisfaisait pas de mes réponses.

Le compas que je possédais de même que les systèmes de repérage GPS portatifs étaient facilement accessibles à Riyad à qui voulait en acheter. Les systèmes GPS venaient tout juste de faire leur apparition sur le marché en Arabie Saoudite étant donné que le gouvernement avait toujours restreint l'accès à toute technologie qu'il redoutait comme instrument possible d'information. Le fait est que même si de tels appareils étaient accessibles, cela ne signifiait pas que leur possession était légale. En principe, les antennes paraboliques satellites étaient aussi facilement accessibles, mais considérées comme illégales. C'était là un exemple parmi d'autres des paradoxes de la loi en Arabie Saoudite. De telles contradictions n'étaient pas sans utilité pour la police et les forces de sécurité, car elles fournissaient une justification tout indiquée pour poursuivre et arrêter à peu près tout le monde. Les magasins où on vendait ces articles pouvaient exploiter impunément leur commerce si leurs propriétaires avaient la *wasta* ou les contacts appropriés, tandis que leurs clients devenaient en fait des criminels en effectuant leurs achats. Dans un État policier, un tel moyen de contrôle n'est que trop utile, comme mon arrestation et ma détention l'ont prouvé.

Ibrahim entra alors dans la pièce en tenant un manche de hache qu'il avait découvert parmi mon équipement de randonnée entreposé dans le placard sous l'escalier. Il pouvait à peine contenir sa joie en l'exhibant devant moi, avant de le placer dans la boîte avec les autres objets personnels.

Alors qu'il parlait à Khaled, je me demandai ce qu'ils trouvaient de significatif dans cette découverte. Ce manche de hache pouvait-il servir à m'inculper davantage, à montrer que j'étais en possession d'un arsenal redoutable ? J'appris assez tôt que ce n'était pas la raison de la joie que cette découverte donnait à Ibrahim.

Khaled fit un signe de tête au garde et je fus ramené dans le vestibule. Un autre garde en civil vint prendre la boîte qui contenait mes objets personnels et sortit de la maison. Un troisième garde se dirigea vers moi avec un bandeau dans les mains et un autre entra dans la maison avec un malinois (chien policier belge) au bout d'une laisse. Je sifflai doucement à l'intention du chien qui remua la queue et tira sur sa laisse pour se rapprocher de moi. La laisse fut tirée brusquement, ce qui refréna l'humeur amicale du pauvre animal. C'étaient sans doute encore là des instructions précises de leurs techniques de perquisition.

Je jetai un regard dans mon bureau où se trouvaient Khaled et Ibrahim. Ils farfouillaient dans les divers objets qui restaient sur le bureau. Sans la moindre gêne, Khaled prit mon stylo à plume et à bille de marque Cross, qu'il fourra dans la poche de poitrine de son kamis. De son côté, Ibrahim s'empara de ma montre Tag Heuer que je venais d'acheter (je devais la retourner pour faire ajuster le bracelet). Il l'enfouit dans la poche latérale de son kamis. Je sus dès lors que mes biens personnels ne m'appartenaient plus : ils constituaient un butin que mes ravisseurs se partageaient allègrement. J'avais déjà entendu dire que ces pillages et cette corruption étaient pratiqués par les agents du ministère de l'Intérieur. Comme le pays était sous un régime qu'on pourrait qualifier de « kleptocratie », un tel comportement de la part d'autorités policières au bas de l'échelon n'avait rien d'étonnant.

Khaled et Ibrahim virent que je m'étais aperçu de leur vol et ils rigolèrent alors qu'on me plaçait un bandeau sur les yeux. Je fus ramené au car de police, où mon compagnon de voyage du début m'aida gentiment à monter à l'arrière. Tandis que le car s'éloignait, il m'enleva le bandeau et les menottes en souriant. La différence de son comportement par rapport aux autres était frappante. De fait, je me sentais désolé pour lui qu'il doive travailler avec des brutes comme Khaled et Ibrahim.

111

Quand nous pénétrâmes dans le complexe du centre de détention, ce qui nous fut indiqué par l'arrêt du véhicule et le bruit des barrières qui s'ouvraient, il replaça les menottes et le bandeau, en disant «sorry» (désolé). C'était probablement un des seuls mots anglais qu'il connaissait.

Je répondis, comme je l'avais fait auparavant, par un «choukran», un des seuls mots arabe que je connaissais. Au milieu de cette barbarie, j'avais rencontré un peu d'humanité. Cela me donna sur le coup une sorte de renforcement moral dont j'avais grandement besoin.

J'étais donc de retour dans mon lieu de captivité, me demandant ce qui arriverait ensuite. À partir de ce qu'on avait dit lors des dernières séances d'interrogatoire et des preuves qu'on avait fabriquées contre moi, je savais que la liste de mes crimes s'allongeait. Tout était fait pour tisser une trame serrée de prétendus crimes justifiant tout ce dont ils pourraient m'accuser. En plus d'être un terroriste, j'étais maintenant un homosexuel, trafiquant d'alcool et de drogue, engagé dans des activités subversives d'espionnage. Sur ce dernier point, je n'étais pas sûr qu'ils se risqueraient à aller très loin. Somme toute, le haschisch et l'alcool qu'ils avaient placés chez moi étaient des choses qu'ils pouvaient exposer en public et qui ne seraient pas contestées dans l'imbroglio du système judiciaire et des relations diplomatiques de l'Arabie Saoudite. Mais une longue-vue et une boussole peuvent difficilement faire un espion à la Ian Fleming. Là, je me trompais lourdement. Ce que je réalise maintenant, c'est qu'une fois qu'on est aux mains de pareils individus, nul scénario, si absurde soit-il, n'est à leur épreuve s'il répond à leurs besoins.

Je n'étais pas dans ma cellule depuis plus d'une heure lorsqu'on vint me chercher pour un interrogatoire. Je réussis à voir la montre au poignet du gardien avant que le bandeau fût placé sur mes yeux. Il était entre vingt-trois heures cinq et vingt-trois heures dix et le manège recommençait : arrivée au bureau, attente des tortionnaires, première séance de violence, etc. Mais cette fois, même si le déroulement restait le même, la souffrance prit une autre dimension.

Khaled m'enleva les menottes et m'ordonna d'enlever mes souliers et de m'étendre à plat ventre sur le sol. Puis il me fit lever les pieds et reculer contre le mur. Comme je le faisais,

Ibrahim ouvrit la porte et prit quelque chose dans le corridor que je ne pouvais voir. La porte venait à peine de se refermer que je sus de quel objet il s'agissait par la plus intense douleur que mes pieds n'eurent jamais ressentie. Mon corps se tordit dans un spasme et je hurlai en roulant loin du mur. J'aperçus alors la canne de rotin qu'Ibrahim avait dans les mains.

Le choc de ce coup initial fut de deux ordres. D'abord, l'intensité de la douleur. Je m'étais attendu à des agressions physiques, mais celle-là allait bien au-delà ce que j'aurais pu soupçonner. J'avais déjà connu diverses souffrances, ayant subi de graves blessures, notamment une fracture dorsale, mais rien ne m'avait préparé à ce que j'éprouvai alors. Deuxièmement, ce coup m'enleva l'illusion que je pourrais supporter la torture à laquelle ils s'étaient limités jusque-là. Cette fois, je sus que je ne pourrais endurer un tel supplice indéfiniment. Cela m'apprenait instantanément que leur promesse de violence accrue était maintenant devenue réalité. Je me demandai aussitôt quand ils commenceraient à me donner des décharges électriques (Dieu merci, ils ne l'ont jamais fait!). Donc, en plus de la douleur aiguë, une augmentation immédiate de ma peur et de mon anxiété: une autre barrière avait été franchie. À partir de là, tout devenait possible et ce ne fut vraiment qu'un début.

Forcé à nouveau de me remettre dans la position où mes pieds étaient levés et mes jambes appuyées contre le mur, je sentis la canne s'abattre à nouveau. Je ne pus réprimer les spasmes qui me rejetèrent violemment de côté. Khaled et Ibrahim me crièrent «Don't move!» («Ne bouge pas!»).

Je découvris qu'Ibrahim pouvait proférer deux autres mots anglais, bien que je me fusse passé des circonstances qui me le firent savoir. Je fus puni de mes contractions par des coups de pied brutaux que me donnèrent sur la poitrine Khaled et le Spiv, tandis qu'Ibrahim restait concentré sur sa tâche. Il y mit encore plus d'application et d'intensité. En tournant la tête pour surveiller ses mouvements, je vis comment il se tenait avec la canne à la main. C'était comme s'il s'alignait pour un coup roulé d'un million de dollars, examinant mes pieds en vue du placement exact du coup, scrutant la plante de mes pieds nus comme la surface d'un vert de golf. Après plus d'une vingtaine de coups, je commençai à perdre le compte, submergé dans une mer d'agonie. Il n'y avait pas que mes pieds qui brûlaient de douleur, mais tout mon corps, à mesure que les contractions spasmodiques déclenchées par les coups me donnaient des crampes dans les jambes, dans le dos et dans le ventre. Mes mains et mes bras, qui étaient restés libres jusque-là, furent alors ramenés derrière mon dos et serrés dans les menottes. Khaled tira sur les chaînes de mes chevilles, pour ramener mes pieds vers mes fesses. Puis avec une autre paire de menottes, il m'attacha les poignets aux chevilles. Dans cette position où j'étais vraiment pieds et poings liés, on me tira au centre de la pièce.

Libéré de la contrainte que lui avait imposée la position de mes pieds près du mur, Ibrahim put administrer les coups plus aisément. Il abattit alors la canne de façon méthodique sur toute la surface de mes pieds, frappant parfois en travers des deux pieds et d'autres fois sur la longueur de chaque pied. Cela m'apparut étrange alors, mais il semblait que dans les coups frappés sur le long, Ibrahim privilégiait mon pied droit. Il semblait aussi que chaque coup ne portait jamais à la même place que le précédent. Avec une incroyable précision, qui ne pouvait être que le résultat d'années de pratiques spécialisées, Ibrahim frappait toujours un point qui semblait distant d'un millimètre à peu près du dernier coup frappé. Cela maximisait la douleur car, après chaque coup, l'endroit frappé était légèrement désensibilisé. Donc, pour augmenter au maximum l'effet des coups, il distribuait les coups en long et en travers selon une séquence particulière, avec une précision dévastatrice.

Trois ans plus tard, quelque temps après ma libération, je me rendis au Parker Institute au Danemark pour être examiné par des médecins dont la triste spécialité est de fournir des évaluations médicales aux survivants de la torture. Un des examens qu'ils font passer est une échographie des pieds, exécuté dans des conditions spéciales qui ne sont guère confortables. Le test a pour but d'examiner le tissu conjonctif sous-cutané (fascia) des pieds pour repérer les dommages consécutifs à ce genre de torture. Les résultats du test confirmèrent la torture que j'avais subie aux pieds. Le médecin spécialiste dit que mon pied droit montrait plus de dommages que le gauche. Cela venait confirmer la prédilection d'Ibrahim pour ce pied plutôt que l'autre. Au milieu de cette violente bastonnade, j'avais conservé une certaine aptitude à penser et à enregistrer les choses en dépit de tout.

Le test apporta d'autres bénéfices: une preuve médicale irréfutable de la torture que j'avais subie et un soulagement en quelque sorte. Une fois le test fini, quand le médecin m'apprit que les résultats étaient positifs, je sentis des larmes me monter aux yeux: je n'avais pu les contenir. C'était comme un immense poids qui m'était enlevé de la poitrine, me permettant de respirer à nouveau. J'avais abordé cet examen comme les autres, avec une certaine appréhension, car jusque-là aucun des examens médicaux que j'avais passés n'avait donné de confirmation directe des mauvais traitements que j'avais subis. Ce résultat positif me fournissait donc quelque chose de précieux, un témoignage indépendant et une preuve des abus subis. Ce ne serait plus désormais ma parole contre celle des fieffés menteurs du gouvernement saoudien et leurs homologues des gouvernements de la Grande-Bretagne, du Canada et de la Belgique. J'avais maintenant la preuve qu'il me fallait. C'était et c'est encore extrêmement difficile pour moi d'exprimer ces sentiments à leur juste mesure. En essayant de le dire au médecin, je cherchais malhabilement mes mots. Il me prit la main et dit simplement qu'il comprenait.

À ce moment-là, je me sentis très triste pour lui et ses collègues. Je n'étais qu'une personne parmi toutes celles qu'ils devaient examiner. Il me fallait vivre avec ma souffrance. Mais lui, il devait vivre avec la souffrance des centaines et des milliers de personnes qu'il examinait. Je me demandais qui s'occupait de ces gens au Parker Institute, eux qui s'occupaient de victimes comme moi. Leur travail est nécessaire, hélas, et leur dévouement édifiant.

La position dans laquelle je me retrouvais avait non seulement pour effet de restreindre mes mouvements, mais elle occasionnait d'autres douleurs. À chaque coup de canne, mes jambes se rétractaient en un sursaut nerveux. Ce mouvement réflexe tirait sur mes poignets, menaçant de disloquer mes jointures. Cette traction se répercutait à son tour sur les attaches des coudes et des épaules, où je pouvais sentir les ligaments s'étirer et se déchirer. Et mon dos s'arquait davantage par-derrière, ce qui forçait la flexion au centre de l'épine dorsale. En outre, le métal des menottes et des chaînes s'enfonçait dans ma chair, forçait les attaches des membres et laissait des marques profondes, ce qui entraînait d'autres blessures. Chaque coup augmentait le réflexe spasmodique, causant une douleur accrue dans les attaches des membres. Je me disais que quelque chose allait finir par se rompre dans mon corps. Je pensais que les vertèbres allaient se fracturer en premier, car à l'exception des pieds, c'était là que la douleur était la plus intense. À certains égards, une fracture de la colonne vertébrale aurait été souhaitable, car elle aurait entraîné une paralysie des membres inférieurs qui, au moins, m'aurait épargné la douleur dans les pieds.

Quand la douleur atteint un certain palier, tout ce qui peut apporter un soulagement est le bienvenu, même si les conséquences d'un tel souhait auraient été autrement impensables.

Finalement, les coups cessèrent. Ils me délièrent en partie et me placèrent sur une chaise. Je ne pouvais arrêter les tremblements de mon corps ni les halètements de ma respiration. Étonnamment, je ne pleurais pas. Ma douleur était probablement au-delà des larmes. Assis là, j'écoutais ce qu'ils avaient à me dire. Ibrahim pontifiait et Khaled traduisait.

J'entendis réciter la litanie de mes crimes fictifs : homosexualité, possession d'alcool et de drogue, meurtre et terrorisme. On se concentra sur une seule des inculpations initiales. Il fallait s'y attendre. S'ils pouvaient m'amener à avouer un seul crime, alors les aveux nécessaires pour m'impliquer dans les autres crimes suivraient. J'en étais bien conscient ainsi que des châtiments éventuels associés à une culpabilité de meurtre, mais j'étais aussi terrifié par la torture.

Mon esprit était assailli par leurs fausses promesses de soulagement de la souffrance, par les sensations physiques horribles qui émanaient de toutes les parties de mon corps et par le besoin douloureux de sommeil. Par contre, je me doutais bien (et avec raison) que l'aveu ne mettrait pas fin aux tourments, qu'il me mettrait encore davantage à la merci de mes tortionnaires et qu'il exigerait que j'implique d'autres personnes. Ce soupçon qu'ils avaient l'intention de m'utiliser pour en impliquer d'autres était ce qui prévalait dans mon esprit. En outre, la haine de plus en plus grande que je nourrissais pour mes tortionnaires renforçait en moi la nécessité de ne pas donner satisfaction à ces crapules. Le simple fait de mon innocence n'était plus un facteur qui comptait

116

pour moi, tout comme il ne comptait pas pour eux. C'était dénué de pertinence dans la partie qui se jouait. Combien de temps pourrais-je résister? Jusqu'où étaient-ils prêts à aller pour «me redresser l'esprit»? Que me faudrait-il faire pour échapper à leur totale emprise?

Comme d'habitude après ces séances, Khaled, Ibrahim et le Spiv me laissaient à la garde d'un sbire maussade et renfrogné. Mes mains étant restées libres, je touchai mes pieds. Je les palpai doucement pour évaluer les dommages. Les plantes étaient pulpeuses et molles au toucher parce qu'enflées. Il y avait de nombreux points extrêmement douloureux dans les parties osseuses de la plante et du talon de chaque pied: tout cela après une seule séance. Ensuite, je me frottai les poignets, essayant d'atténuer la douleur cuisante qui s'était répartie jusque dans mes pouces. Les douleurs ressenties me faisaient redouter des dommages aux extrémités des nerfs du cubitus.

Ayant terminé ce bref examen, je regardai par la fenêtre du bureau la nuit qui régnait dehors. Il me vint à l'idée que, si je n'avais pas eu les pieds enchaînés, j'aurais été tenté de me jeter par la fenêtre. J'écartai aussitôt cette idée folle, car je ne savais nullement où j'atterrirais si jamais j'arrivais à sauter par la fenêtre. Il était hautement probable que je me casserais le cou. Sans doute le gouvernement saoudien aurait-il eu un peu de fil à retordre pour expliquer la chose, mais, par expérience, je sais maintenant que les gouvernements canadien et britannique auraient accepté toute explication qui aurait permis aux Saoudiens de sauver la face. Je me résignai à penser qu'une tentative d'évasion ne serait possible que si je pouvais obtenir plus d'information sur mon environnement immédiat. Et je cessai donc d'y penser.

Les trois brutes revinrent pour m'enjoindre de remettre mes chaussures, puis ils me remirent le bandeau sur les yeux et les menottes aux mains. J'étais maintenant menotté par-devant, position un peu plus confortable que dans le dos. Je me demandais si la séance était finie, mais j'allais être vite détrompé à ce propos. On me mena, à travers le couloir, dans un autre bureau dont la porte n'était qu'à quelques mètres plus loin, du côté opposé. Une fois la porte refermée, on m'enleva le bandeau des yeux.

Le bureau où je me trouvais maintenant était de mêmes dimensions que le précédent. La fenêtre était couverte de rideaux sombres. Il n'y avait dans la pièce que deux chaises au siège noir râpé, un bureau bas, dont les pattes avaient été tronquées pour je ne sais quelle raison, et le même tapis d'une couleur sombre indescriptible. La lumière était fournie par une seule lampe fluorescente, qui semblait alimentée par un courant faible, vu le pâle éclairage qu'elle donnait.

Khaled me dit de m'asseoir sur le plancher et d'enlever mes chaussures. En le faisant, je remarquai le seul autre objet qui se trouvait dans la pièce : un tuyau de métal d'environ deux mètres de long et de cinq à six centimètres de diamètre. Khaled mit un genou par terre et prit mes poignets, me disant de prendre mes genoux dans mes mains et de les ramener vers ma poitrine. À ce moment-là, Ibrahim prit le tuyau. Puis avec Khaled, il l'inséra sous mes genoux, au-dessus de mes avant-bras. M'ayant ainsi barré dans cette position repliée, Khaled et Ibrahim empoignèrent chacun un bout du tuyau et me transportèrent ainsi jusqu'aux deux chaises, à travers lesquelles ils placèrent le tuyau. Je me retrouvai donc suspendu tête en bas, avec la plante des pieds et l'arrière-train exposés de la façon la plus vulnérable possible.

Le poids de mon corps tirait sur les menottes, produisant une tension douloureuse dans les poignets et les épaules. Comme j'ai appris après ma libération, il s'agit de la *falanga* ou position du poulet. C'est un terme approprié, car c'était ce à quoi je ressemblais : un poulet vivant exposé au marché. C'était horriblement inconfortable pour moi et très commode pour mes tortionnaires.

Alors Khaled et Ibrahim tournèrent autour de moi. Dans ma perspective inversée, les sourires sur leurs visages me semblaient à la fois grotesques et sinistres. Je vis alors ce qui les amusait autant, à part le spectacle que je présentais. Je ne l'avais pas remarqué quand j'étais entré dans la pièce, aussi ne sus-je d'où il avait surgi. Brandi dans la main d'Ibrahim, j'aperçus le manche de hache qu'ils avaient pris chez moi. Il était évident maintenant que ce manche de hache n'avait pas été pris comme pièce à conviction, mais comme ajout à leur arsenal de torture. C'était la raison de l'air réjoui d'Ibrahim, alors et maintenant. Le tortionnaire avait un tout nouveau jouet qui pourrait durer des années, vu sa solidité.

Khaled resta en face de moi alors qu'Ibrahim s'écartait un peu. Dans l'appréhension de ce qui allait venir, mon corps se tordit visiblement, ce qui accrut le sourire sur le visage de Khaled. Puis je sentis le premier coup frappé directement en travers de mes fesses. La douleur fut intense. L'accumulation des tortures subies commençait à faire sentir ses répercussions. Cette partie de mon anatomie n'avait pas été visée auparavant, elle n'aurait pas dû être aussi sensible. En tout cas, je ne m'attendais pas à ce qu'elle fût aussi sensible que mes pieds, mais cela me fit souffrir davantage que ce que j'avais éprouvé à peine quelques instants auparavant. Après une dizaine de coups, Ibrahim reporta son attention sur mes pieds. Encore une fois les coups se succédèrent, et encore une fois la douleur me submergea par vagues ; encore une fois l'intensité des coups et de la douleur semblait s'être accrue. Avec chaque coup et les vagues subséquentes de douleur qui montaient de mes pieds ou de mes reins, mon pouls s'accélérait, augmentant ma pression artérielle. Avec comme résultat que, dans la position suspendue où j'étais, la pression à l'intérieur de ma tête augmentait énormément, produisant des élancements de douleur comme des migraines même si aucun coup n'y était porté. Je pouvais sentir mes pupilles se dilater et mes oreilles bourdonner à chaque coup que je recevais.

À chaque coup, mon corps sursautait et se tordait en convulsions. Je ne pouvais rien faire pour l'empêcher, rien du tout. Les convulsions ne faisaient qu'accroître la douleur. Quand elles se produisaient, mes bras étaient brusquement tirés vers l'arrière, ce qui forçait davantage mes poignets dans les menottes, pressant le métal contre les articulations. À leur tour, les articulations des épaules étaient tendues au point où je pensais qu'elles allaient se déboîter. Je sais que les capsules articulaires de chaque épaule ont été distendues à ce moment-là, car je pouvais sentir le degré d'étirement augmenter. J'en ai gardé un épaississement des capsules articulaires qui restreint aujourd'hui mes mouvements. En tirant sur mes bras dans cette position, je fléchissais aussi les articulations de mes genoux autour du tuyau. Comme on peut l'imaginer, la tension sur les tendons et les ligaments autour de ces articulations était intense. À plus d'une occasion, je sentis quelque chose craquer à l'intérieur de l'une ou de l'autre.

De fait, chaque coup déclenchait une cascade de douleur dans chacune de ces articulations. Je me demandais quelle serait la première à lâcher et, avec la plus grande appréhension, ce qui arriverait ensuite.

Soudain, l'idée des fers rougis par le feu me traversa l'esprit avec les images des autodafés de l'Inquisition. Il peut sembler étrange ou incroyable qu'au milieu de ce que j'endurais, mon esprit essayât d'anticiper ce qui surviendrait. Je trouve la chose assez étonnante aussi. Non seulement les images de l'autodafé me vinrent-elles à l'esprit, mais aussi le souvenir des séquences de Monty Python sur l'inquisition espagnole, avec la possibilité d'être torturé dans un fauteuil confortable. C'était assez étrange, je vous le concède. La seule explication possible c'est que, lorsque ma survie est en cause, je suis ramené à mes traits de personnalité sous-jacents et à ma nature sceptique. Mon cynisme, mon humour et mon esprit de contradiction n'ont pas résolu mes problèmes dans d'autres époques de ma vie, mais ils ont été des éléments fondamentaux de ma survie.

Après cinq ou six séries de coups sur les fesses, les pieds et l'entrejambe, la bastonnade cessa. Pendant tout ce temps, mes cris et mes gémissements avaient été suivis des ricanements de Khaled et du Spiv tandis qu'Ibrahim chantonnait. Je présume que chantonner était pour lui l'expression du plaisir et de la joie intenses qu'il prenait à me torturer. Mais, maintenant, les seuls bruits qu'on pouvait entendre étaient mes halètements, alors que Khaled et Ibrahim soulevaient le tuyau suspendu entre les chaises et me déposaient sur le sol. Avec le tuyau resté entre mes genoux et mes avant-bras, j'étais incapable de me redresser ou de bouger. Je restai replié dans cette position tandis que le trio tortionnaire sortait. Aucun gardien ne fut dépêché pour me garder, ce qui n'était pas nécessaire d'ailleurs, car je ne pouvais faire autre chose que trembler.

J'étais assis là comme une carcasse au rebut, un bout du tuyau enfoncé dans le tapis. Je ne pensais à rien d'autre qu'à la douleur qui irradiait dans tout mon corps. Ils finirent par revenir et Khaled reprit aussitôt sa litanie. Il répéta qu'il me serait facile de mettre fin à la souffrance que j'endurais: tout ce que j'avais à faire était d'avouer. On me dit que j'étais allé en voiture à la villa des Rodway, que j'avais posé la bombe dans la voiture, suivi leur auto quand ils avaient quitté la villa puis fait sauter la bombe avec une télécommande. On me dit aussi que des témoins m'avaient vu commettre mon crime. J'étais sûr qu'ils avaient des témoins, car ils en avaient entraîné certainement à témoigner contre moi. Cela se poursuivit de la sorte, mais cette fois-là l'exposé ne dura que quelques minutes.

Comme je m'y attendais, on me laissa seul à nouveau. J'essayai de me préparer pour une autre séance qui, je l'appréhendais, serait une autre bastonnade. Et sur ce point, je ne me trompais pas. Quand les trois brutes revinrent, ils me suspendirent immédiatement à la renverse. Ibrahim recommença à me bâtonner avec le manche de hache. Tout ce que je pouvais faire était de gémir et d'espérer que la séance ne durerait pas trop longtemps, quoique dans les circonstances ma définition d'un temps long fut tout ce qui durait plus de neuf secondes. Les ricanements et le chantonnement reprirent, accompagnés de mes cris et gémissements.

Je priais le ciel pour que je perde conscience, même si cette chance ne semblait pas vouloir m'arriver. Enfin, la bastonnade cessa et on me déposa sur le sol. Khaled et le Spiv retirèrent le tuyau, m'enlevant au moins cet inconfort. On m'ordonna de remettre mes chaussures, signe que la séance était terminée. Je m'efforçais d'enfiler mes chaussures, mais je n'y arrivais pas tant mes pieds étaient enflés. Khaled insistait pour que je chausse mes souliers, et sa colère montait après chaque vaine tentative. D'une voix brisée et misérable, je répétais que mes pieds étaient trop enflés. D'un air dégoûté, Khaled m'ordonna de me lever et de ramasser mes chaussures. On me banda alors les yeux pour me reconduire à ma cellule.

Comme je progressais tant bien que mal dans le couloir du bloc cellulaire, la prière du matin se fit entendre. Un autre jour venait de s'écouler. Dans ma cellule, deux plateaux de nourriture m'attendaient, l'un contenant le repas du soir et l'autre celui du matin. Je n'avais pas été nourri la nuit précédente. Libéré de mes liens, je m'assis sur le matelas, déposai mes chaussures à côté et couvris mes jambes avec la couverture. Je défis mon pantalon, ce qui me donna un peu d'aise, m'adossai au mur et fourrageai un peu dans les aliments. Je pris quelques grains de riz pour marquer le passage d'une autre journée. J'avais décidé à ce moment-là du code de ce que j'appelais mon journal de riz. Un grain intact marquait le passage d'une journée d'incarcération, un grain coupé en deux indiquait un jour sans sommeil. Enfin, je résolus qu'un grain marqué d'une façon quelconque indiquerait une journée de torture. En pensant aux moyens de marquer les grains de riz, j'en trouvai un. Sous l'abri de la couverture, je passai la main dans mon pantalon et roulai le grain de riz entre mes fesses. En le retirant, je vis par un examen subreptice qu'il était taché suffisamment. Je répétai le processus avec deux autres grains. Il y avait maintenant, enfoui dans le trou du matelas, neuf grains de riz qui faisaient office de registre élémentaire de mes trois premiers jours de détention. C'était le seul moyen dont je disposais pour me bâtir un *aide-mémoire* : cela ferait l'affaire.

La chose accomplie, je me relevai et frappai sur la porte de la cellule. Quand le gardien se présenta, je lui demandai d'aller aux toilettes. Le gardien m'y laissa avec mes seules menottes. Une fois dans la salle des toilettes, je me déshabillai et fis des ablutions très élémentaires. En lavant mes pieds avec précaution, je vis qu'ils étaient enflés : les plantes étaient d'un rouge luisant et je les sentais comme si elles avaient été brûlées. Le dessus des pieds était décoloré et enflé aussi. Le seul fait de les frotter était trop douloureux. Je finis donc de les laver et continuai sur une autre partie de mon corps. L'examen de mes chairs endolories révéla des contusions kaléidoscopiques. Une ecchymose s'étendait à elle seule de la hanche au genou. Mes chevilles et le bas de mes mollets étaient extrêmement enflés. De la façon que je passais le temps entre les séances de torture, je savais que ces enflures ne pourraient guérir. Je me demandais quel serait l'effet d'une augmentation de pression des fluides. Avec ces pensées à l'esprit, je rappelai le gardien qui me ramena à ma cellule et me réenchaîna à la porte. Au moins le contact froid du sol de béton soulagea légèrement la sensation de brûlure dans mes pieds et je restai là debout en chaussettes.

Ainsi commença le matin de ma quatrième journée de captivité.

La routine était maintenant établie. On m'amena au bureau du médecin, qui procéda à un examen superficiel de mes jambes enflées. Quand je réintégrai ma cellule, on m'apporta un tube d'onguent, un anti-inflammatoire pour parer à toute éventualité. On m'indiqua de l'appliquer sur mes jambes et mes pieds, ce que je fis abondamment avant de remettre le reste du tube. Plus tard, l'interrogatoire se déroula comme d'habitude, mais avec un petit changement. Un premier exposé fut livré par Khaled seul, dont le comportement avait changé notablement. Il n'était plus agressif. Il essayait de paraître conciliant et repentant, s'excusant même de ce qu'on m'avait fait.

— C'est au-delà de mon pouvoir, disait-il, mais je vais essayer de t'aider, à condition que tu m'aides.

Pour l'aider, je devais avouer, mais comme je lui disais que j'étais innocent, je vis la façade hypocrite de sa compassion s'affaisser quelque peu. Un éclair de haine passa dans ses yeux alors qu'il tâchait de conserver sa nouvelle attitude et qu'il disait :

— Mais tu as toujours été coupable.

Curieuse déclaration, qui m'a donné beaucoup à penser. J'étais innocent. Mais son fanatisme religieux l'amenait-il à me juger coupable à cause de la notion de péché originel, qui se trouvait dans le livre fondateur de notre patrimoine religieux commun ? Après tout, la chrétienté et l'islam ont en commun l'Ancien Testament, ce qui fait de nous tous les enfants des Saintes Écritures. N'était-ce pas simplement que, n'étant pas de sa religion, j'étais par définition mauvais ? Alors l'accusation portée contre moi pouvait se justifier. Ou n'était-ce pas l'expression d'une haine culturelle et raciste qu'il avait manifestée jusque-là envers moi et d'autres groupes ethniques ? Étant donné la nature de la bête, je pense que c'était là la bonne explication : la haine et le ressentiment profondément enracinés à l'endroit de quiconque pouvait être considéré comme un Occidental. En définitive et quoi qu'il en soit, je serais jugé coupable. Donc, je devais avouer. Son travail était simple et manifestement satisfaisant pour lui : arrêter quelqu'un qu'on méprise et le faire avouer. Les subtiles notions de culpabilité et d'innocence étaient des concepts qui lui étaient étrangers, car l'arrestation signifiait la culpabilité aussi sûrement que le jour succède à la nuit.

J'avais été, et j'étais, conduit à une désorientation et à un affaiblissement progressifs par la violence, l'humiliation et la privation de sommeil. Maintenant, les tentatives de créer un lien émotif visaient à engendrer une dépendance. Je dépendais déjà de mes geôliers sur le plan physique. J'étais dépendant d'eux pour la nourriture, pour l'accès aux toilettes, pour la fin des séances de torture, entre autres choses. Au-delà du physique, cependant, il y a un autre niveau de dépendance : la dépendance émotionnelle. Bien qu'étant fort capable de passer de longues périodes seul, j'étais toujours un animal social comme nous le sommes tous. Et même après seulement trois jours de réclusion en solitaire, j'avais commencé à avoir besoin d'un contact humain de nature plus plaisante. Quand on est rendu à ce stade, on peut trop facilement se tourner vers n'importe qui et même des individus comme Khaled ou Ibrahim et alors être induit à créer un lien émotif avec ses geôliers. La peur, la souffrance et la détresse qui s'ensuivent obscurcissent le jugement.

En termes courants, cela pourrait s'appeler une forme de syndrome de Stockholm, tel qu'il se produit dans les situations où les otages se mettent eux-mêmes en phase émotionnelle avec leurs ravisseurs. Il est probable que la désorientation et l'affaiblissement – qui dérivent du fait d'être dépouillé de tous points de référence normaux, d'être soumis à un contrôle totalitaire et en proie à la peur et à la douleur des agressions physiques et des humiliations – aboutissent à une régression de la personnalité à un stade primitif de dépendance infantile. Quand, enfant, votre personnalité se développe à partir de ses caractéristiques innées, elle dépend de l'autorité, de l'affection et de l'attention des adultes pour son entretien et son développement affectif. La captivité que j'ai éprouvée recrée dans un très court laps de temps un simulacre grotesque de cette période de dépendance, entraînant une régression affective. Quand cela se produit, vos ravisseurs ou même votre propre esprit vous induisent à les percevoir comme vos mentors, et c'est dès lors votre propre comportement et non le comportement des autres (votre gouvernement, les autres prisonniers, etc.) qui est désormais perçu comme la cause de vos problèmes. Les tortionnaires assez habiles peuvent provoquer cet état d'esprit chez leur victime, quoique les personnes lucides puissent aussi trouver une façon de résister à ces pièges et à leurs propres impulsions émotives. Si la victime ne réussit pas à résister à la création d'un lien entre elle et son ravisseur, elle devient plus vulnérable. Car la menace de retrait de l'amitié aura des effets dévastateurs. Donc, le tortionnaire en tirera un pouvoir émotif autant que physique sur sa victime. À ce moment-là, dire que quelqu'un est corps et âme aux mains de son tortionnaire est presque un euphémisme.

La discussion, car c'est de cela qu'il s'agissait maintenant, se poursuivait entre nous. Je tenais mon bout au sujet de mon innocence, disant que je n'avais nulle raison ni besoin de m'engager dans des attentats à la bombe ou toute autre activité terroriste. En contrepartie, Khaled ne cessait de répéter qu'il voulait m'aider mais que mon refus de coopérer l'empêchait de le faire. Il m'assurait qu'il ne pourrait rien faire pour retenir Ibrahim si je ne changeais pas d'attitude. En cours d'argumentation, il utilisait souvent des analogies simplistes. Dans son langage tordu, il comparait notre situation à des gens sur l'océan tâchant de diriger un radeau vers un bateau et, si on ne ramait pas ensemble, on ne pourrait pas y arriver. Il disait aussi que c'était comme si l'un de nous essayait de monter dans un avion et de le piloter : pour que le vol ait lieu, il fallait que nous soyons tous deux aux commandes. Ses comparaisons étaient une grossière tentative de sa part de lier nos destinées et de montrer que nous poursuivions, lui et moi, un but commun. Peut-être ses analogies avaient-elles déjà fonctionné pour lui, mais elles rataient la cible avec moi. Leur absurdité frisait le mépris. Elles m'aidèrent à rejeter cette tentative de créer un lien émotif. Durant toute la durée de ma détention, Khaled allait utiliser cette rhétorique dans ses tentatives de lavage de cerveau. Je me demande s'il savait à quel point je le trouvais ridicule.

Je me demande aussi s'il devinait les pensées que je pouvais avoir, au cours de ces séances seul avec lui ou avec les autres. Durant les premiers jours de ma détention, ma peur et ma vulnérabilité émotive augmentèrent de façon exponentielle. J'étais conscient de ce qui se produisait et que mes ravisseurs entendaient bien s'en servir. Durant les interrogatoires, j'essayais de ne pas engager personnellement mes ravisseurs et de ne pas les provoquer, répondant seulement aux questions directes, quoique mon naturel sarcastique et irrévérencieux me fût parfois nuisible. Pour m'empêcher de considérer mes tortionnaires avec gentillesse ou d'une façon qui favoriserait la formation de liens affectifs, j'essayais de projeter des images dans ma tête en leur parlant. La plus efficace face à Khaled et à

125

Ibrahim était d'imaginer que je leur passais des lames de rasoir dans les yeux en me réjouissant de la douleur qu'ils ressentiraient en retour pour toutes celles qu'ils m'avaient infligées. Et quand ces images m'occupaient l'esprit, je veillais autant que possible à ce que la haine et la colère qui en découlaient ne transpirassent pas dans ma voix. Je n'étais pas sûr d'y parvenir, mais je pense que j'y parvins, car lorsque quelques mois plus tard je rompis avec mon état de soumission et essayai de tuer Khaled et Ibrahim, leur état de choc et de peur fut palpable. Cet événement aura lieu plus tard, mais maintenant je résistais aux incitations de Khaled de l'aider à mettre fin à mes tourments. En fin de compte, n'ayant obtenu aucun résultat, il mit fin à l'entrevue et partit.

Je passai les moments suivants à penser aux coups que je m'attendais de recevoir. Après ce qui parut une éternité, on vint me chercher et on me conduisit au bureau où Ibrahim et le Spiv entreprirent de me suspendre au tuyau. Pendant ce temps, Khaled disait qu'il avait essayé d'empêcher cela, mais que je ne l'avais pas aidé. Je répliquai par un laconique « *Fuck you!* » (Va te faire foutre!).

Je n'aurais pas dû, mais je ne pus m'en empêcher. À la réflexion, je sais que ce que j'aurais dû faire, c'était continuer d'endurer. J'aurais dû attendre pour les défier délibérément et non par simple réaction instinctive. Je le comprenais bien à ce moment-là, mais il était difficile de me contenir. Il aurait fallu que j'eusse l'étoffe d'un saint, ce qui est fort loin de ma portée. Je sais que si je me retrouvais dans la même situation encore, je serais aussi agressif et que j'en subirais les mêmes conséquences.

Le Spiv chercha à me donner des coups de pied dans les couilles. Comme j'étais assis sur le sol, replié autour du tuyau de métal, l'accès à cette partie de mon anatomie était quelque peu restreint. Il en résulta que le Spiv se frappa le tibia sur le tuyau, ce qui le fit glapir de douleur et moi groupir de rire. Ibrahim vociféra quelque chose en arabe, se penchant pour me frapper sur le côté du visage pour mon insolence. Je n'avais pas la moindre idée de ce qu'Ibrahim avait dit, mais le ton de sa voix me disait qu'il était en furie. Je ne peux dire si cela a augmenté sa violence, car il est difficile de voir comment on pouvait l'augmenter sans recourir à d'autres méthodes de torture;

avec la position de la *falanga* et la bastonnade qui s'ensuit, il est difficile d'accroître la douleur au-delà de celle inhérente à cette méthode.

Alors le cycle recommença. Les pieds, les fesses, les pieds, les fesses étaient frappés furieusement par le manche de hache à une cadence infernale. Au dixième cycle, le manche de hache s'abattit dans mon entrejambe. La douleur de ce coup fut d'une telle intensité qu'elle rendit celle de mes pieds et de mes fesses légère en comparaison. Encore là, je m'étonnais de la précision des coups portés, particulièrement ceux qui visaient mon entrejambe. En raison de ma position et de la douleur des coups infligés ailleurs, mon scrotum se contracta aussitôt par mesure de protection. Cette contraction était si forte qu'elle me fit l'effet d'une crampe avant même que le premier coup n'y soit porté. J'avais l'impression que mes testicules allaient disparaître dans la cavité du périnée, mais malheureusement ce ne fut pas le cas. La chose la plus curieuse et la plus notable, dans une perspective sadique, c'est que les testicules n'étaient jamais frappés directement. Chaque coup dirigé dans la région de l'entrejambe frappait la partie qui se trouvait immédiatement derrière les testicules, à une distance mesurable en millimètres, semblait-il. C'était comme si la structure osseuse sous-jacente de la symphyse pubienne allait se rompre et que mes testicules et mon scrotum allaient éclater. Mais cela ne se produisit pas. Avec le temps, mon scrotum, mes testicules et mon pénis devinrent enflés et contusionnés, prenant une couleur noire et violacée qui les faisait ressembler à des oranges pourries, à la fois en apparence et en dimensions. Cependant, il n'y eut pas d'autres conséquences et, une fois les bastonnades terminées, ils ont graduellement repris leur état normal, en apparence du moins.

Je sais que j'ai déjà parlé de la dextérité d'Ibrahim, mais je ne saurais trop la souligner. La précision avec laquelle les coups étaient donnés était presque une œuvre d'art. Il démontrait, en tout cas, une habileté incroyable. Les tissus mous de mon corps furent martelés constamment; pourtant, aucune cicatrice ne resta apparente. Seule l'échographie au Parker Institute put déceler les dommages causés à mes pieds par la bastonnade. Les réflexes musculaires et les zones de grande sensibilité indiquant des traumatismes sont décelables dans d'autres parties de mon corps, mais ils ne prouvent pas nécessairement la torture : ils peuvent avoir été causés par elle, mais aussi par d'autres événements. Quand je suis exposé au froid, je ressens des crampes, particulièrement dans le scrotum, et ma flexibilité est douloureusement restreinte, mais elle s'améliore. Seul le diagnostic échographique de mes pieds corrobore mes griefs au sujet de la torture. Tout ce qui m'est arrivé est atroce en soi, mais il est vrai qu'aucune partie de mon corps n'a, en fait, été fracturée ou rompue d'une façon ou d'une autre. Et je n'ai jamais perdu conscience au cours des séances même si j'en suis venu près étant donné la violence extrême exercée contre moi. Je subis un niveau de douleur élevé et soutenu durant des heures, des jours et des semaines avec peu de dommages apparents, sinon quelques dents brisées. Infliger une telle souffrance sans laisser de traces sur votre corps exige un savoir particulier, et mes tortionnaires connaissaient le degré de force nécessaire pour augmenter la douleur au maximum tout en laissant peu de traces physiques, sinon aucune. Comment acquiert-on un tel savoir-faire ? Quelle école enseigne ces techniques ? Sur quoi ou sur qui s'exerce-t-on ? J'ai maintenant des réponses partielles à ces questions, en particulier avec l'information émanant de Guantanamo. Je pense aussi que mes tortionnaires se retenaient moins avec des gens d'autres nationalités, car j'en aurais la preuve physique vingt-quatre heures plus tard ; cela leur permettait d'avoir une expérience pratique de ce qu'une force excessive causait, donc de doser leur violence selon les circonstances. Mais ce qui est indiscutable, c'est l'inhumanité de ces pratiques. Ceux qui les appliquent et les dirigeants politiques qui commandent et entretiennent une telle inhumanité méritent le plus grand mépris et l'emprisonnement.

Dans la perspective d'Ibrahim, en tout cas, toute bonne chose devait avoir une fin, aussi la bastonnade cessa et je fus ramené sur le sol. Libéré du tuyau, je fus conduit à travers le couloir dans l'autre bureau et laissé là en compagnie d'un garde en civil. Le fait qu'on ait enlevé le tuyau me donnait l'impression qu'une autre séance de *falanga* ne se produirait pas cette nuit-là. Avec cette faible lueur d'espoir et dans l'attente d'une autre admonestation, j'attendis le retour d'Ibrahim et de Khaled.

Sur ce point au moins je ne fus par déçu. Peu de temps après, ils réapparurent avec des sourires resplendissants. Ils semblaient ravis de façon peu ordinaire. Mais leur plaisir fut de courte durée, car leur pouvoir de persuasion s'avéra encore vain devant ma résistance. Les accents déchirants de mes derniers cris et plaintes avaient peut-être été plus éloquents qu'auparavant, ce qui leur avait donné l'espoir d'un résultat imminent. Il est possible aussi qu'un autre interrogatoire mené parallèlement leur ait donné le résultat voulu. Je ne sais pas ce que c'était, mais je sapai certainement leur satisfaction et je ressentis à la fois de la peur et un certain plaisir à être la cause de leur mécontentement. Après quelques minutes à écouter patiemment le baratin de conciliation de Khaled, Ibrahim finit par sortir de ses gonds quand mes protestations d'innocence lui furent traduites. Indigné, il me hurla des choses que Khaled traduisait: on me demandait tout simplement si je voulais encore recevoir des coups sur les pieds. Une fois de plus, mon esprit sarcastique et mon sens aigu de l'humour prirent le dessus et je répondis:

– Bon, au moins, ça garde les pieds chauds.

C'était en partie vrai. Mes pieds étaient trop enflés pour que je puisse les chausser et j'avais dû passer les heures précédentes debout en chaussettes sur le plancher de béton de ma cellule. Mes pieds cependant ne sentaient pas le froid de cette surface non chauffée à cause de la chaleur provoquée par l'inflammation des tissus.

Je ne pus m'empêcher d'esquisser un sourire narquois et de laisser échapper un rire étouffé. Cela mit Ibrahim et Khaled au paroxysme de la rage, ce qui prouvait au moins l'hypocrisie de la tentative de conciliation de Khaled, sinon la piètre qualité de son stratagème et son manque de maîtrise de soi. Un coup de poing me jeta par terre tandis qu'ils se ruaient tous deux sur moi de chaque côté du bureau. L'un d'eux, je ne sais trop qui, me donna un coup de pied sur le côté droit du visage et, pour la deuxième fois, je sentis quelque chose craquer dans ma bouche, quoique pas avec autant de douleur que le premier jour. Ils me relevèrent et me remirent en position pour la *falanga*, après ce qui avait été probablement l'une des plus courtes séances d'instruction jusque-là. Je ne sais pourquoi, mais la bastonnade que je subis alors, quoique terrible, ne sembla pas aussi dure que les premières fois. Peut-être mon corps s'habituait-il aux coups, mais je ne le crois pas. Ironiquement, je pense que ma faculté de trouver de l'humour dans un moment si dur et de l'exprimer avait aidé à atténuer la douleur. Pourtant, si j'avais tenu ma langue, la bastonnade ne serait pas arrivée si vite et j'aurais eu quelques moments de plus pour récupérer. Mais c'est tout ce que j'aurais eu probablement pour récupérer, des minutes, car la bastonnade était inévitable.

Aussitôt la bastonnade terminée, s'ensuivirent un exposé de Khaled seul – qui ne put s'empêcher d'exprimer sa déception sincère et sa tristesse – et une autre séance de bastonnade, un autre exposé solo et une dernière séance de coups avant l'appel à la prière de l'aube, où je pus enfin revenir à ma cellule. Au moins, la routine était-elle prévisible à défaut d'être plaisante. Je me demandais si je ne commençais pas à lire à livre ouvert dans les pensées de Khaled et d'Ibrahim et à percer leur mince façade.

Assis dans ma cellule, je mâchonnai du pain pita et avalai quelques gorgées d'eau en essayant de distraire mon attention de la douleur que je ressentais dans tout le corps. Passant en revue les événements survenus jusque-là, je pouvais en voir le fil. Je savais qu'il n'y avait pas moyen d'éviter d'avouer si les choses continuaient dans cette voie. Mon corps accumulait des blessures qui le rendaient de plus en plus sensible, ce qui augmentait ma vulnérabilité émotionnelle et minait ma volonté de résistance. Je n'avais qu'un seul espoir : la fin de la torture du fait que le gouvernement britannique ou canadien avait été informé de ma situation et exigeait des droits de visite. Je savais que si cela ne se produisait pas bientôt, je serais vraiment en mauvaise posture après avoir été contraint de passer aux aveux. Je savais que ce n'était qu'une question de temps avant que cela ne se produisît et le temps jouait manifestement en faveur de mes tortionnaires. J'avais en partie raison dans mes suppositions, et en même temps je me trompais lamentablement, comme j'allais le découvrir plus tard.

Tout en ruminant ces choses, je consommais lentement quelques portions de mon maigre petit-déjeuner et modifiais les grains de riz que j'avais conservés du repas de la veille. En mastiquant le pain caoutchouteux, je sentis une dent se désintégrer dans ma gencive supérieure gauche. C'est ce que j'avais senti craquer quand j'avais été frappé par la crosse du pistolet lors de mon arrestation. Je crachai les plus grands fragments qui s'étaient détachés avec l'amalgame en rinçant les autres morceaux avec une gorgée d'eau. J'explorai avec la langue ce qui restait de la dent, m'attendant à découvrir la sensibilité de la racine exposée, mais pour une fois j'eus de la chance, si petite fût-elle. L'amalgame tombé avec les autres fragments n'était qu'une partie de l'obturation qui s'était cassée à l'horizontale, laissant une base fragmentaire qui offrait un peu de protection à la racine.

Je finis mon thé en mastiquant un dernier morceau de pita du côté droit de ma bouche en sachant qu'il y avait des dégâts de ce côté-là aussi. Je mis le morceau d'amalgame et quelques fragments de la dent dans ma poche en prévision d'une visite chez le docteur, avant d'appeler le gardien. Une fois dans les toilettes, j'enlevai mes vêtements et procédai à mon inspection intime. Des parties de mon corps étaient presque complè-tement couvertes de bleus, et mes pieds, mes chevilles, mes testicules et mon pénis étaient de plus en plus enflés. Je me demandais jusqu'où ils pouvaient enfler avant que la peau n'éclate. J'examinai ma bouche en face du miroir, prenant note des dégâts et promenant mes doigts sur toutes les dents pour en vérifier l'état. Je découvris qu'une autre dent dans le fond, du côté droit de ma mâchoire inférieure, était fracturée et branlante, quoique encore pas trop sensible en comparaison des contusions qui résultaient des coups de pied.

Quand je m'assis sur le siège pour faire mes besoins, je découvris d'autres problèmes. Il m'était devenu douloureux d'uriner et de déféquer. Je ne pus expulser qu'un seul petit excrément avec une douleur terrible. C'était comme si j'éliminais une boule de quilles, en me déchirant en deux, et l'urine subséquente provoqua une sensation de brûlure. Loin de procurer un soulagement, aller aux toilettes était maintenant un exercice douloureux et stressant, qui me rappelait trop vivement les blessures que j'avais subies et me replongeait dans l'appréhension des violences à venir. Les tortionnaires avaient transformé les plus simples et plus nécessaires fonctions du corps en quelque chose de redoutable. J'étais dans un état d'effondrement physique complet et je n'avais été entre leurs mains qu'une centaine d'heures à peine. Je pensai à nouveau, et cette fois avec une lucidité plus froide, à quel point la mort serait un soulagement. Avec cette pensée à l'esprit, je finis mes ablutions et revins à ma cellule où je repris ma veille solitaire debout. Désespérant de trouver quelque soulagement à mes tourments, j'essayais d'orienter mes pensées vers les souvenirs de temps plus agréables. Il était difficile de garder la concentration nécessaire, mais il fallait que je le fasse. Si mon esprit était resté habité par les seules pensées de la souffrance subie et de la souffrance à venir, je serais peu à peu devenu fou. Je m'efforçais donc de me rappeler les collines et les rivières de l'ouest de l'Écosse. Peu à peu, je m'absorbai dans les images des Cuillins, de la Morar Peninsula, de Glen Orchy et de Glen Etive, savourant chaque souvenir d'escalade et de longue promenade que j'y avais faites. Cela me fut d'un immense secours, car je pus en sentir l'influence apaisante sur mon corps qui se détendait quelque peu et sur les battements de mon cœur qui ralentissaient.

À un moment donné, on vint me chercher pour la visite chez le toubib. Devant lui, je me plaignis une fois de plus des enflures qui augmentaient sur mes membres et sur mon torse, mais il fit la sourde oreille. Il ne fit qu'examiner brièvement ma jambe droite en relevant de six pouces environ la jambière de mon pantalon. Comme il procédait à cet examen, je tirai de ma poche les fragments de ma dent pour les lui montrer. Mais il les jeta dans la poubelle la plus proche en leur accordant à peine un regard. Il prit mon pouls et ma pression artérielle et me dit que mon état n'avait rien d'anormal. C'était seulement moi qui pensais que j'avais besoin de soins médicaux. Manifestement, les paramètres de santé et de forme physique qu'avait établis son employeur, le ministère de l'Intérieur, facilitaient son diagnostic : s'il y avait quelque chose qui ressemblait à des pulsations cardiaques, alors ça allait. J'avais pensé exagérer mon état pour voir si je pouvais obtenir un sursis médical temporaire, mais je me rendis compte rapidement que ce serait peine perdue. En réalité, mon état ne pouvait être exagéré. Seul un effondrement radical et durable aurait pu justifier un tel sursis, et même alors, je n'aurais guère parié que cela eût apporté d'autres soulagements qu'une inconscience momentanée. Je revins à ma cellule pour endurer une autre période d'attente sans sommeil.

Ce fut cet après-midi-là, peu après la visite chez le toubib, que survint brusquement ma première crise d'hallucinations. On s'interroge encore dans les milieux scientifiques sur la raison ou le but du sommeil, mais ce qui est sûr, c'est la nécessité des états oniriques qui se produisent durant cet état. Privez quelqu'un de sommeil pendant une certaine période de temps et ses aptitudes cognitives vont se dégrader notablement. Continuez à le priver de sommeil, et il ne pourra plus penser ou maîtriser le cours de ses pensées. À un certain point, le subconscient ou la partie réflexe des facultés supérieures prend le dessus, entraînant des rêves et des hallucinations qui se produisent normalement durant le sommeil. Ce phénomène involontaire qui n'est pas d'habitude vécu consciemment est à la fois étrange et probablement dangereux. La pensée cohérente n'a plus de prise, s   auf pendant de brèves périodes au cours desquelles vous éprouvez la sensation paranoïaque d'une folie envahissante, dans laquelle j'étais persuadé de sombrer. C'est une expérience profondément terrifiante et néfaste, impossible à contrôler. Quand vous entrez dans cet état, votre vulnérabilité est encore accrue, vous laissant même plus influençable et désespéré. L'exacerbation de mes émotions dépassait mes capacités de contrôle conscient, déclenchant des accès maniaques que je ne pouvais maîtriser. En somme, j'étais perdu dans un univers surréaliste que mon subconscient terrifié créait devant moi.

D'après mon expérience, une fois que commencent les hallucinations consécutives à l'insomnie prolongée, la seule chose qui puisse ramener le cours de la pensée logique, à part le sommeil, est la douleur. L'effet psychologique de la violence de la torture vous propulse à un niveau de pensée consciente où la réalité s'impose, avec une douloureuse nécessité. Il est sûr que la structure des interrogatoires, où le tabassage précédait toujours les questions, me tirait violemment de l'état hallucinatoire. J'imagine que c'était là un défaut inhérent aux méthodes appliquées par mes tortionnaires. La rigidité de leur programme a produit cet effet contradictoire. Loin de moi l'idée de leur montrer comment améliorer leurs méthodes, mais, au lieu de me tirer tout de suite de ma cellule pour me tabasser, s'ils avaient attendu après le premier ou le deuxième jour de ces hallucinations, ils auraient pu obtenir plus vite les résultats qu'ils voulaient.

Quand les premières hallucinations m'ont assailli, m'entraînant hors de la rêverie que je poursuivais sciemment, elles ont fait surgir une de mes pires craintes. Comme George Orwell l'a montré dans son roman *1984*, il y a au moins une peur fondamentale ancrée au fond du psychisme et qui peut être exploitée pour briser la volonté, sinon détruire le sens du soi. L'illustration qu'il en a donnée était liée à un endroit précis, appelé «Chambre 101», où son personnage Winston Smith était incarcéré par les autorités pénitentiaires avec un rat affamé. Je suis maintenant convaincu qu'une telle Chambre 101 existe pour tout le monde, mais pas tout à fait comme Orwell l'a imaginée. Il est sûr que cette Chambre 101, sous certaines réserves, existe pour moi; mes geôliers, cependant, n'eurent pas eu à la concevoir ou à la construire pour moi, je le fis moi-même. L'expérience m'a appris que si la volonté peut être sapée ou même brisée par cette seule partie du processus, cela ne va pas aussi loin qu'Orwell l'a pensé dans la destruction du sens de soi. Cette identité fondamentale, l'essence de l'être en somme, si on la cache soigneusement derrière un comportement docile, peut être maintenue et soutenue, mais à grand-peine.

Chez moi, le manque de sommeil eut pour effet de me faire voir ma cellule remplie d'araignées: de grosses araignées velues, comme on en trouve en Amazonie. Ce sont les seules choses qui produisent en moi un malaise proche de la peur. Bien que mon dégoût des arachnides n'aille pas jusqu'à la phobie, le seul fait de les regarder me donne froid dans le dos, encore aujourd'hui.

Ainsi, je me tenais là debout, au milieu de mon pire cauchemar (comme si je n'y étais pas déjà!). J'avais beau lutter avec le peu de force de volonté qui me restait, je ne pouvais chasser ces images qui défilaient devant mes yeux. Les murs et le plancher grouillaient de cette vermine, et bientôt je la sentis ramper partout sur mon corps. Je passai des heures en spasmes frénétiques, frottant sans cesse mes jambes et mes bras pour me débarrasser des bêtes imaginaires. L'enfer avait encore empiré, mais cette fois c'était mon propre esprit qui le créait.

Il est étrange de dire que l'interrogatoire suivant arriva presque comme un soulagement. Quand on vint me chercher peu après le repas du soir, la perspective de la bastonnade fut la bienvenue, car elle amorça mon réveil; et le premier coup sur la plante des pieds me ramena douloureusement à une pleine conscience. Les araignées étaient parties, pour l'instant du moins.

Qu'est-ce qui était pire? La douleur de la torture physique ou la descente dans la folie où m'amenaient les hallucinations? Difficile sinon impossible pour moi d'y répondre. Tout ce que je puis dire, c'est que les deux tourments conjugués produisaient une rapide désintégration de la personnalité et de la volonté. Dans les quelques moments de lucidité douloureuse qui me restaient, je savais que je sombrais inéluctablement. Mes réserves étaient épuisées, je n'avais plus que la peur et un espoir aveugle: trop de la première et pas assez de l'autre. Sans doute ma seule défense possible était-elle de sombrer dans la folie, donc dans l'inconscience. Le fait que ça ne se produisît pas soulève d'autres questions, auxquelles je n'ai pas de réponses pertinentes. Avec le temps, j'en suis venu à croire qu'à côté de la peur et de la douleur bouillait en dedans de moi un mélange incandescent de haine, de colère et d'agressivité. Peut-être était-ce là ma dernière citadelle intérieure avant d'être brisé. Après réflexion aujourd'hui, je ne vois rien d'autre.

Je sais que dans ma vie j'ai été trop souvent agressif ou combatif et que j'ai montré ma profonde antipathie pour certaines gens à qui j'ai eu affaire, mais jamais je n'ai éprouvé de haine assez forte pour vouloir tuer. Or, durant tout le temps de ma détention, ce désir, ce besoin intense, car c'est à peu près ce qu'il était devenu, est resté en moi, et quand il semblait s'atténuer il revenait avec force, me donnant un but et une source perverse de force intérieure.

J'étais donc tombé dans cet état de désorientation complète quand on vint me chercher pour un autre interrogatoire. Dès que les coups s'abattirent sur mes pieds et mes fesses, la vive douleur dissipa toute hallucination, me ramenant à une appréciation consciente de ma situation. Je donnais toujours l'impression de résister aux exigences d'Ibrahim et de Khaled, mais cette partie apparemment résistante de mon être ne se souciait plus de ce qui arrivait et une autre souhaitait désespérément une fin, quelle qu'elle soit, à tout ce supplice. Au fond de moi, je me sentais disloqué et brisé, n'ayant plus aucune volonté de résistance, mais je persistais néanmoins.

La nuit poursuivait son cours aussi et, pour la première fois, je sentis des larmes couler silencieusement de mes yeux. Nul sanglot ni halètement ne les accompagnaient, seulement les cris que chaque coup m'arrachait tandis que les pleurs baignaient mes tempes et mes cheveux. Ces larmes ne cessèrent pas dans les intervalles entre les bastonnades; elles étaient tout juste ralenties, tombant de mes joues et dégouttant sur mes vêtements maintenant qu'on m'avait redressé. Mes tortionnaires riaient, raillant mon manque de virilité à cause de mes pleurs et de mes cris.

Cette nuit était la cinquième que je passais en captivité. Durant les moments où j'attendais et où on me questionnait, je percevais les cris et les gémissements d'autres prisonniers qu'on passait à tabac. Je m'efforçais de reconnaître leurs voix. Mais il était malaisé de déterminer avec précision l'identité de quelqu'un à partir des bruits que j'entendais. Du fond de ma mémoire, je tâchais de trouver des ressemblances avec des voix connues dans les cris déchirants arrachés sous la torture. À un certain moment cette nuit-là, au cours de la troisième période de confrontation, alors que j'étais seul avec Khaled, je crus avoir enfin identifié la voix de quelqu'un que je connaissais.

Le soir où on avait fouillé ma maison, j'avais remarqué que la bicyclette de Sultan, l'homme que j'employais pour l'entretien ménager, se trouvait à l'intérieur des murs de mon jardin, ce qui m'avait amené à penser qu'il avait été pris au piège du cauchemar que je vivais. Je ne l'avais pas vu alors, mais je ne me trompais pas en pensant qu'il avait été arrêté. Cette mince lueur d'identification me remplit donc de honte et de remords. Si je n'avais pas été arrêté, il serait encore en liberté. Au moment où ce sentiment me pesait sur la conscience, il y eut un cri si intense et si perçant que Khaled s'interrompit au milieu d'une phrase pour tourner le regard vers la porte. Il y avait quelque chose de si atroce dans ce cri que je sentis mes cheveux se dresser sur ma tête même si j'étais déjà accoutumé à l'horreur des lieux. Combien de temps dura ce cri, je ne saurais le dire, probablement guère plus de quatre ou cinq secondes, mais il sembla figer le temps. Le silence qui s'ensuivit avait quelque chose de terrible, alors que Khaled et moi gardions les yeux fixés sur la porte, dans l'attente de ce qui allait survenir.

Cet état de stupeur fut vite dissipé par un agent en kamis qui entra en trombe dans la pièce et débita quelque chose en arabe avec la plus grande agitation. Khaled bondit de son siège et suivit aussitôt le messager. Exceptionnellement, aucun gardien ne fut assigné auprès de moi. Je restai donc là, seul, toujours menotté et enchaîné, mais les mains devant moi, me demandant ce qui avait mal tourné. Je pris bientôt conscience du fait que j'étais seul et commençai à examiner le bureau, cherchant ce qui pouvait ressembler à des clés pour ouvrir les menottes et les chaînes. Qu'aurais-je fait si je les avais trouvées? Je n'en sais trop rien. Le seul fait d'être désentravé était tout ce qui comptait. Le désespoir aurait inspiré mes gestes à partir de ce moment-là.

À l'extérieur du bureau, je pouvais entendre des portes s'ouvrir et se refermer, et des ordres brefs criés en arabe. Ce qui était arrivé était manifestement grave. Après quelques minutes de quête vaine, je renonçai à trouver quoi que ce soit et regardai la nuit à travers la fenêtre. Bientôt, quand l'agitation s'atténua quelque peu à l'extérieur, la porte s'ouvrit et Khaled rentra, accompagné d'un autre officier et de deux gardiens en uniforme. Ils me firent lever, placèrent un bandeau sur mes yeux et me reconduisirent à ma cellule.

Le bandeau avait été mis à la hâte, de sorte que je pouvais entrevoir le plancher jusqu'à un mètre devant moi environ. En inclinant un peu la tête, je pus ainsi avoir quelque aperçu des gens qui allaient et venaient dans le couloir. Je suis sûr qu'on ne l'avait pas fait exprès, et, à vrai dire, je n'aurais pas été fâché qu'on m'épargne ce que j'allais voir ensuite. Comme on arrivait à la cage d'escalier, je vis que le palier et les marches étaient souillés d'un liquide rouge. En descendant les marches, je ne pus empêcher d'y tremper les pieds. Je sentis le liquide traverser la mince étoffe de mes chaussettes, ce qui me donna la sensation de quelque chose de visqueux et de glissant à la fois, une impression quelque peu contradictoire, mais c'était ce que je ressentis.

Je voyais bien que c'était du sang, et en quantité abondante. Il m'apparut évident que ce sang provenait du pauvre type dont j'avais entendu les cris atroces. Ce qu'on lui avait fait subir avait été assez violent pour causer une hémorragie importante, qui avait probablement entraîné la mort.

Quand on m'attacha finalement à la porte de ma cellule, je repassai dans ma tête les événements dont je venais d'être témoin. Et j'en conclus que le sang qui souillait mes pieds était celui de Sultan et que le pauvre était probablement mort. J'en vins ainsi à croire que j'avais inopinément contribué à la fin atroce d'un pauvre Indien qui laissait derrière lui une femme et deux fillettes, dont la subsistance dépendait des sommes modestes qu'il envoyait grâce à ses divers emplois. Le sentiment de culpabilité que je ressentis alors était accablant. Je me crus responsable de ce qui venait d'arriver, que j'avais son sang sur les mains. Ces pensées accentuèrent encore ma fragilité émotionnelle. Se sentir coupable de la mort de quelqu'un, même indirectement, n'est pas un fardeau facile à porter, et encore moins dans la situation où j'étais. Plus tard, j'apprendrais à utiliser ce sentiment de responsabilité pour motiver mes actions, mais au départ, cela ne fit qu'augmenter l'impression d'absurdité et le désespoir que j'éprouvais.

Je me suis souvent demandé si les événements dont j'avais été témoin cette nuit-là n'avaient pas été organisés exprès pour m'effrayer. Tout cela aurait pu être un simulacre, mais je suis sûr que ce ne fut pas le cas, surtout à partir des informations reçues après ma libération. Mais, à l'époque, ma principale raison de croire que la chose n'avait pas été organisée et qu'un malheureux individu était mort cette nuit-là était le comportement de mes geôliers. Khaled et ses sbires étaient, et le sont probablement encore, peu subtils dans tout ce qu'ils faisaient. Leurs tentatives de jouer la comédie étaient ridicules et trop évidentes, même pour moi dans l'état où j'étais réduit. Non, le sentiment de panique et d'urgence que cet événement a provoqué chez eux ne pouvait être feint, et l'expression apparue sur leurs visages en témoignait à l'évidence.

Plus de deux ans plus tard, quelques mois après ma sortie, je réussis à me faire une meilleure idée de ce qui s'était produit cette nuit-là. Après tout le temps passé en prison et par suite des circonstances hâtives de ma libération, j'ai perdu contact avec plusieurs de mes amis en Arabie Saoudite et je n'ai pas rétabli ces liens. Mais, à la suite d'une série d'articles que j'ai publiés, quelques anciens collègues ont repris contact avec moi par le truchement du journal. C'est ainsi qu'un soir d'octobre 2003, je pus téléphoner à un ami avec qui j'avais travaillé.

Quand je lui parlai de ce que je croyais être arrivé à Sultan, il m'interrompit aussitôt pour me détromper. Il me raconta que Sultan, dont le travail habituel était de servir le thé au Fonds, avait été arrêté effectivement, mais qu'il avait été relâché deux jours plus tard sans avoir été torturé. Il m'apprit également qu'à sa sortie de prison, Sultan avait informé certains de mes collègues de mon arrestation. Sultan savait en partie ce qui m'était arrivé, car la nuit où ma maison avait été fouillée, il avait été arrêté en arrivant sur les lieux. Ainsi, pendant que j'étais conduit à travers la maison par mes ravisseurs, il l'était aussi, mais sans que nous puissions nous rencontrer. Je ne l'avais donc pas vu, mais lui, il avait réussi à m'apercevoir furtivement et avait sans doute compris dans quel pétrin je me trouvais. Sultan en avait informé mes collègues, et ceux-ci, à leur tour, avaient informé les ambassades britannique et canadienne, qui avaient ainsi appris ce qui m'était arrivé cinq jours après mon arrestation.

Quand j'appris cette nouvelle, un poids tomba de mes épaules. Sultan avait été épargné, il n'avait pas été pris dans les rets de mon cauchemar. Le soulagement, la joie et l'exaltation que j'en éprouvai furent de courte durée cependant. De qui donc était le sang dans lequel j'avais marché cette nuit-là, au centre de détention ? Dans la joie de savoir Sultan vivant, j'avais oublié que quelqu'un d'autre avait dû mourir cette nuit-là. Qui était-ce ? Quelqu'un le savait-il ? Y avait-t-il un gouvernement qui s'en était soucié ? À la dernière question, je savais que la réponse était non. Mais, pour moi, je pensais d'instinct qu'ayant recouvré ma liberté j'avais désormais le devoir de dénoncer non seulement le traitement qu'on m'avait fait subir, mais aussi celui qu'on continuait de faire subir à ceux restés là-bas. Voyant ce qui se passe dans l'actualité aujourd'hui, j'en ressens encore davantage le devoir, car des centaines sinon des milliers d'êtres humains sont encore soumis à la violence inhumaine de dictatures corrompues, et trop souvent nos propres gouvernements sont complices de ces atrocités.

Dans cette nuit de fin décembre 2000, la mort d'un homme m'avait épargné un interrogatoire prolongé. Mais j'avais ma propre misère à supporter, et je l'endurais debout, enroulé dans la couverture. Bientôt, on m'apporta le repas du matin.

Je fis semblant de manger en prenant le plus de temps possible pour rester assis sur le matelas et étirer mes jambes. Je me concentrai un moment sur mon journal de riz puis j'appelai le gardien pour aller aux toilettes. Rendu là, je me déshabillai et me lavai du mieux que je pus. J'enlevai mes chaussettes et les passai sous le robinet en surveillant l'eau sanguinolente qui en ressortait à mesure que je les frottais et les tordais. Puis je me rhabillai et remis les chaussettes mouillées. Leur fraîcheur apporta un soulagement momentané à la douleur cuisante de mes pieds. Je revins à la cellule en compagnie du gardien pour affronter la suite de mon insomnie forcée et les autres tribulations qui m'attendaient.

Le reste de la journée s'écoula dans une sorte de brouillard. Je pense qu'on m'a amené deux fois chez le médecin, mais je n'en suis pas certain. Je n'étais plus que l'ombre de moi-même, les nerfs tendus à l'extrême et l'esprit flottant dans une sorte de demi-conscience. Les rêves éveillés que j'essayais d'entretenir avec des souvenirs heureux étaient entrecoupés d'hallucinations de plus en plus bizarres. Des araignées dansaient la tarentelle sur mon corps; des pains démesurés, des tomates et des morceaux de viande dégoulinant de sang apparaissaient devant moi, hors de portée. À travers tout cela, je continuais de me répéter un seul mantra: «Tiens bon! Tiens bon!» Mais tenir pour quoi, au juste? Pour qu'on vienne me sauver? Je savais bien que cela ne se produirait pas. Je comprenais que mes ravisseurs ne pourraient et ne voudraient pas me libérer dans les conditions actuelles. Ils devaient d'abord atteindre leurs objectifs avant qu'une éventuelle négociation sur ma libération pût avoir lieu. Donc, au milieu des tourments que j'endurais, presque au bord de la démence, j'étais sûr de rester enfermé là, peut-être à perpétuité. Et si j'avais raison de le supposer, comme le temps me l'a prouvé, le fait de tenir bon ne faisait que perpétuer ma souffrance sans raison aucune, car j'étais déjà damné. Je continuais cependant à réciter le mantra *ad nauseam*, car je me devais de tenir, ne serait-ce que pour mon intégrité personnelle. Je savais que je finirais par céder tôt ou tard, mais chaque heure endurée était une heure gagnée contre la dépossession de moi-même. Dans mes rares moments de lucidité, je me disais que cela aurait pu être pire encore.

D'ailleurs, que pouvais-je faire d'autre que d'endurer et de souffrir ? Je savais que rien ne me serait épargné. Et sur ce point, je n'avais pas tort.

Quand arriva le repas du soir, je sus qu'une autre séance commencerait bientôt. Je ne pouvais pas l'imaginer autrement. On me conduisit comme un zombi à la même chambre des tortures, et le cycle infernal recommença : attente, tabassage et interpellations, s'enchaînant l'un l'autre. À un moment donné, pendant la première interpellation, faite conjointement par Khaled et Ibrahim, on me montra un cahier de format A4 à couverture vert clair. C'était le genre de choses qui me rappelaient mes premières années d'école, bien qu'en ce lieu l'usage qu'on en faisait fut moins anodin. Ibrahim ouvrit le cahier, me montrant le texte écrit à la main qu'il contenait mais en le tenant assez loin de mes yeux pour que je ne puisse rien lire. En regardant les pages qu'il feuilletait, je reconnus à coup sûr l'écriture qui s'y trouvait, de même que la signature apposée à la fin, même si je ne pouvais déchiffrer les mots. Cela venait de l'un de mes codétenus, ce qui confirmait sa présence en ces lieux.

À la fin de cette démonstration silencieuse, Khaled se contenta de dire : « Tu avoueras toi aussi, comme ton ami l'a fait. »

Aucun nom ne fut mentionné, mais il s'agissait bien d'une autre tentative pour me montrer que toute résistance était vaine. Car les autres, dont je soupçonnais l'arrestation, avaient déjà été « cassés ». Curieusement, cette nouvelle et leur façon de me l'annoncer ne produisirent aucun effet sur moi. Je savais que d'autres avaient été arrêtés, je savais qu'ils étaient torturés et je savais aussi qu'ils avaient leurs points de rupture, aussi bien que moi. Si cela avait été fait dans l'intention de me faire plier, c'était raté, mais il est vrai que ma volonté faiblissait de plus en plus.

On me remit debout. Tandis que le Spiv me tenait par les bras, Ibrahim et Khaled s'approchèrent de moi. Ibrahim avait en main le manche de hache, qu'il avait ramassé par terre derrière le bureau. Debout devant moi, il me dit ce qui allait se passer et Khaled fit la traduction (comme s'il devait me faire des dessins pour que je comprenne). Et pour ponctuer son discours, il me donnait des coups sur le côté gauche de la tête avec son instrument de torture. Ces coups suivaient le rythme de ses paroles et s'abattaient de plus en plus fort à mesure que montait sa colère, jusqu'au point où je sentis quelque chose craquer dans ma mâchoire inférieure. Tout ce que je faisais et pouvais faire, en réalité, était de me tenir coi. Quand il en eut assez de ce petit jeu, je fus de nouveau soumis à l'inévitable bastonnade.

Quelque part entre minuit et la prière de l'aube, au cours de la troisième ou de la quatrième ronde de *falanga*, inondé de larmes, je ne pus en prendre davantage. Quelque chose cassa à l'intérieur de moi. Je le sentis nettement, presque physiquement, comme une sensation fantôme qui traduisait l'effondrement de ma volonté. Ma colonne vertébrale sembla céder et devenir malléable, alors que mon esprit s'enfonçait dans la douleur qui me submergeait. C'était comme si tout mon corps exprimait cet affaissement moral, car je le sentais informe et invertébré, flottant comme une méduse.

Je me mis à crier que j'étais prêt à passer aux aveux, à dire ce qu'ils voulaient entendre, mais mes tortionnaires faisaient la sourde oreille. Les coups continuaient de s'abattre sur mes pieds, mes fesses, mon entrejambe, malgré mes cris et mes supplications. Ma voix était-elle devenue si imperceptible? Ne comprenaient-ils pas ce que je disais? Ne voyaient-ils pas qu'ils m'avaient brisé? Je soupçonne qu'ils le savaient, mais ils tiraient un tel plaisir de mon effondrement qu'ils ne voulaient plus s'arrêter. Ils pouvaient aussi penser que j'essayais de les duper, bien que mes accents désespérés leur affirmaient le contraire. Je ne sais combien de fois j'ai dû crier que je voulais tout avouer, des centaines de fois, me sembla-t-il, et une heure passa avant qu'ils ne se décidassent à me mettre par terre et à me ramener dans l'autre bureau pour passer aux aveux.

Khaled, Ibrahim et le Spiv m'assirent sur la chaise. Ils me demandèrent si j'avouerais le meurtre de Christopher Rodway. Ce fut tout ce qu'ils voulurent, laissant de côté les autres accusations. Ils allaient les ramener plus tard, mais pour le moment elles semblaient oubliées. Je leur répondis que j'étais prêt à avouer ce crime. Ils me demandèrent ce que j'avais fait, et je répétai tout ce dont ils m'avaient accusé à ce propos, mais en n'impliquant que moi, en omettant donc ce qu'ils avaient inventé sur la participation de Sandy Mitchell ou de Raf Schyvens. Cela parut les satisfaire, car on me tendit un cahier en me demandant de mettre par écrit ce que je venais de dire.

En commençant à écrire, je réalisai qu'il y avait des détails que je ne pourrais fournir au-delà de la description générale qu'ils avaient donnée jusque-là. Je me demandais si ces détails supplémentaires seraient importants ou nécessaires. Je n'avais, par exemple, aucune idée de la chronologie des événements ni de la nature exacte de l'engin placé dans la voiture de Christopher Rodway. Néanmoins, j'avais assez d'information pour remplir cinq pages, dans cette confession initiale. Tout le temps que j'écrivais, ils restèrent silencieux, ce qui m'accorda au moins le soulagement de ne plus entendre leurs voix. Le plus étrange, c'est que je me sentais dénué de toute émotion en rédigeant cette fausse confession et celles qui l'ont suivie immédiatement. Je savais que j'étais innocent et que j'avouais là un crime qui méritait la peine de mort. Pourtant, je n'en éprouvais aucune peur et je ne ressentais aucune culpabilité malgré le fait qu'on utiliserait ces aveux pour faire pression sur d'autres prisonniers. J'espérais seulement que je n'aurais pas à subir d'autres tortures.

Quand j'eus mis le point final à ma rédaction, on me demanda de parapher chaque page et de mettre ma signature et la date à la fin. Ce dernier détail prit un peu de temps, car ils eurent à décider si on allait utiliser le calendrier grégorien ou musulman. Une fois la décision prise, j'inscrivis la date du 23 décembre 2000. Puis on sortit un tampon encreur pour que j'appose l'empreinte de mon pouce au bas du document. La chose faite, ils sortirent en emportant le cahier, me laissant sous la garde d'un autre sbire en uniforme. Ils s'absentèrent pour ce qui me parut une assez longue période de temps, car j'avais déjà entendu l'appel à la prière de l'aube et entrevu les premières lueurs du jour à travers la fenêtre. Quand ils revinrent, je vis tout de suite à l'expression de leurs visages qu'ils n'étaient pas contents de ce que j'avais écrit. Le cœur me manqua, car j'envisageai aussitôt une autre bastonnade. J'avais raison de supposer qu'ils n'étaient pas contents, mais tout ce qu'ils me demandèrent fut de préciser l'heure de mes faits et gestes dans ma confession.

Ainsi, en me servant du même cahier, je recommençai la relation de mon crime fictif. J'étais censé avoir pris la bombe dans ma cuisine où je l'avais entreposée, puis l'avoir apportée en auto chez les Rodway pour la placer dans leur voiture.

J'avais appris que l'engin avait explosé sous l'impulsion d'une commande à distance. Donc, il avait fallu que j'attendisse le départ des Rodway et que je suivisse leur voiture jusqu'à Ouraba Road avant d'appuyer sur le détonateur et de m'enfuir. Khaled m'avait donné assez de renseignements sur le déroulement de l'affaire pour que je pus la reconstituer à leur gré. Le fait de devoir rédiger ma confession en recourant aux informations fournies par mes ravisseurs était surréaliste à souhait, de même que tout le scénario qu'ils avaient inventé. J'en tirai au moins un certain plaisir, car j'étais convaincu que, si jamais ces aveux paraissaient au grand jour, aucun esprit sensé ne leur accorderait foi, à part l'esprit pervers de mes tortionnaires et de leurs patrons. Une fois encore, après avoir mis le point final à cette œuvre de fiction, je la paraphai, la signai, la datai et y apposai mon empreinte. Ils prirent le cahier et me laissèrent avec le gardien en uniforme. Assis dans ce bureau, je pouvais voir par la fenêtre la pleine lumière du jour pour la première fois depuis six jours.

Je dus récrire ma confession deux fois encore avant qu'ils ne s'en montrassent pleinement satisfaits.

Presque toutes les informations contenues dans ces versions provenaient de mes interrogateurs, Khaled et Ibrahim. Dans les changements qu'ils exigeaient, ils me poussaient à donner plus de détails et quand, par suite d'un manque obtus de compréhension et de savoir de ma part, j'étais incapable de deviner ce qu'ils voulaient, il fallait bien qu'ils m'aident à combler ces carences d'inspiration. Il était étonnant que je n'eusse guère de difficulté à leur fournir tout ce qu'ils voulaient étant donné que je ne connaissais rien des événements que je racontais et que je devais effectivement les interroger à mon tour pour obtenir l'information nécessaire. Il m'apparaissait à l'évidence qu'ils cherchaient à me faire deviner le plus précisément possible les circonstances entourant les crimes dont on m'accusait, pour pouvoir mieux prétendre ensuite que l'information venait directement de moi. Mais j'en devinais trop peu ou les rapportais trop mal pour leur permettre de le prétendre, d'où leur frustration et leur colère fréquente devant ce manque apparent de collaboration. Mon inaptitude ne venait pas d'un manque de coopération, mais de mon ignorance des détails du crime en question au-delà de ce qui en avait été rapporté dans la presse, et aussi d'un cerveau embrumé par le manque de sommeil et de mes essais parfois infructueux de concevoir ce qu'il fallait pour les satisfaire. Comme je ne voulais plus être battu, je devais leur donner ce qu'ils réclamaient. Mais pour cela, je devais d'abord leur soutirer de l'information. Et chacun de mes faux pas était puni tellement ils étaient impatients d'obtenir le récit qu'ils voulaient.

Khaled et Ibrahim s'étant déclarés satisfaits de la dernière version de mes aveux, je fus reconduit à ma cellule. Mais je n'étais pas encore enchaîné à la porte qu'on venait me chercher pour voir le médecin. Et quand j'en revins en clopinant, j'entendis un appel à la prière m'indiquant qu'il était midi. En me concentrant du mieux que je pus, j'essayai de calculer le nombre d'heures que j'avais déjà passées en prison, avec ce septième jour déjà entamé de détention. Je me demandais combien de temps je resterais encore vivant en ces lieux. Je souhaitais que ça se terminât le plus tôt possible. J'avais accepté une mort qui me semblait inéluctable et tout ce que j'espérais, c'est qu'on m'épargne d'autres souffrances jusqu'à ce moment.

De retour à ma cellule, je restai à nouveau debout, enroulé dans ma couverture, à attendre. On ne m'avait laissé ni nourriture ni eau. Et pour une raison obscure, les gardiens ne me permirent pas d'aller aux toilettes. Ayant une envie pressante d'uriner, j'ouvris la braguette de mon pantalon avec ma main restée libre et me soulageai contre le mur qui longeait la porte, dirigeant le jet le plus loin possible de mes pieds et du matelas. Ce geste provoqua une réaction immédiate, dont j'allais me souvenir pour l'exploiter par la suite. On m'avait vu faire à travers les caméras de surveillance, ce qui avait soulevé indignation et dégoût et précipité des gardiens vers ma cellule.

Je finissais donc de me soulager, pour la première fois depuis plus de vingt-quatre heures, lorsque le guichet de la porte s'ouvrit brutalement. Les deux gardiens me foudroyèrent du regard alors que je rattachais tant bien que mal mon pantalon, et ils me déversèrent un flot d'injures qui se termina par un seul mot anglais : *donkey* (âne, imbécile). Dans leur culture, ce terme est une véritable insulte, mais il perd de sa force quand on le traduit. De fait, il avait l'air un peu absurde dans les circonstances. Et leur indignation me fit rire bêtement.

145

Ils me crachèrent dessus à travers les barreaux. Puis ils déverrouillèrent la porte de la cellule et l'ouvrirent, ce qui me poussa en avant. Ils jetèrent un regard dans la cellule pour apercevoir la flaque d'urine en train de s'écouler vers la seule voie de sortie.

Ils se retournèrent vers moi et, dans un nouvel accès de colère, me plaquèrent contre la porte et me frappèrent à coups redoublés dans le dos. Je ne sais s'ils retenaient leurs coups, mais ceux-ci me parurent légers et peu convaincants. C'était apparemment une caractéristique de mes geôliers: la plupart de leurs agressions physiques n'avaient vraiment de portée que lorsqu'ils utilisaient des instruments.

Après m'avoir ainsi molesté et craché dessus, ils me laissèrent debout dans ma flaque d'urine qui avait maintenant atteint la porte. Je restais encore sans sommeil, et de longues heures passèrent durant lesquelles j'eus à peine quelques minutes de lucidité au milieu de la confusion qui régnait dans ma tête. Les appels à la prière se succédèrent, un repas fut servi et on me permit de m'asseoir sur ma couche maintenant trempée. De nouveau, je m'occupai de mon journal de riz et attendis qu'on vienne reprendre le plateau. Mais pour une fois, on ne vint pas le chercher, et la dernière prière du jour fut entonnée. Je me pelotonnai dans ma couverture, intrigué par ce changement de routine.

À ce moment-là, j'entendis une autre voix qui m'était familière. Elle venait de la cellule située immédiatement à gauche de la mienne. C'était Sandy Mitchell qui donnait son matricule à un gardien qui le lui avait demandé. Je faillis l'appeler, mais ma peur fut plus forte que mon envie de signaler ma présence et de passer un message d'appui ou d'excuse. J'entendis la porte de sa cellule s'ouvrir et se refermer, puis les bruits des pas qui s'éloignaient. Le fait qu'il se trouvât là confirmait mes soupçons.

Mes ravisseurs avaient peut-être obtenu satisfaction. Un espoir aussi insensé que vain se levait en moi. J'aurais dû m'en garder, mais la peur et le désespoir suscitent souvent de telles illusions. À un moment donné, la porte de ma cellule s'ouvrit et on m'ordonna de me lever. On me remit aussitôt les menottes et les chaînes. Tandis qu'on plaçait un bandeau sur mes yeux, je pus apercevoir une montre-bracelet. Les aiguilles

146

indiquaient près de onze heures trente. On m'avait laissé assis presque confortablement pendant quatre heures environ. J'avais perdu ce temps en expectatives plus ou moins lucides alors que j'aurais pu me ménager quelques heures de sommeil. Je ne referais plus cette erreur. Mais sans doute le pire était-il passé, me disais-je.

Khaled, Ibrahim et le Spiv m'attendaient. Je le constatai quand on m'enleva le bandeau et que je les vis à leurs places respectives autour des cahiers déposés sur le bureau. J'aperçus aussi ma mallette, qu'on avait placée à l'extrême droite de ce bureau. Ils m'accueillirent avec une joie feinte en parlant du nouvel esprit de coopération qui présidait à notre réunion. Le changement était aussi tranché que factice. Ils m'apprirent que ma confession présentait quelques problèmes et qu'il fallait la refaire. Je repris donc mon pensum. Ils m'indiquèrent ce qui n'allait pas et je leur posai les questions nécessaires pour m'orienter davantage vers ce qu'ils voulaient. Puis je remis sur le métier ces faux aveux, à la lumière de ce qu'ils m'avaient dit. À nouveau, ils prirent le cahier, me le remirent, et je dus recommencer.

Durant tout ce temps, mes tortionnaires se comportèrent d'une manière qu'on pourrait presque qualifier de civilisée. Khaled ouvrit ma mallette pour en retirer mes cigarettes et me permettre de fumer. Je remarquai qu'elle contenait mon porte-feuille, mon téléphone cellulaire, mes cigarettes et mon briquet, mais aucun des documents qui s'y trouvaient au départ. On alla jusqu'à me servir la traditionnelle tasse de thé. En somme, tout était mis en œuvre pour me détendre, pour m'inciter à coopérer et pour établir un lien affectif. Je ne m'y fiais aucune-ment. Je n'étais motivé que par mon seul désir de m'épargner d'autres tortures. Et ma méfiance se trouvait renforcée par le fait que chaque fois que j'avais terminé une version des aveux et qu'on me laissait seul avec le Spiv, celui-ci reprenait ses attentions intimes à mon égard, avec une ardeur accrue. L'exercice se poursuivit assez longtemps après la prière de l'aube avant que Khaled et Ibrahim ne se montrassent enfin satisfaits.

On me ramena à ma cellule où je trouvai un plateau de nourriture. Plutôt que de manger tout de suite, je demandai à aller aux toilettes et la permission me fut accordée. Je savourai ce répit en prenant le plus de temps possible à mes ablutions avant de revenir à la cellule. Je mangeai lentement, en me demandant si on me laisserait dormir. Après avoir fini, j'écartai le plateau et m'adossai au mur en souhaitant pouvoir dormir. Je jetai un œil du côté de la porte et sus vite à quoi m'en tenir. On vint prendre le plateau et on m'ordonna de me lever pour m'enchaîner de nouveau à la porte.

Ainsi, le huitième jour se passa à peu près comme le précédent, mais mon corps ne me faisait pas autant souffrir. J'étais toujours dans une grande détresse, mais l'absence de tortures physiques la nuit précédente avait donné à mon corps une petite chance de récupérer. Même si j'étais désespérément en mal de sommeil, je bénissais ce bref répit. Debout dans mon réduit solitaire, je me mis à songer aux aveux que j'avais rédigés. Je me sentais lâche de l'avoir fait. On dit que la confession soulage l'âme. Si c'est le cas, alors une fausse confession en est l'antithèse exacte, même si elle est faite sous la contrainte. La torpeur avait fait place chez moi à un sentiment aigu de honte et de culpabilité.

Ces sentiments et ces pensées me rongeaient l'âme comme un cancer, sapant toute estime de moi-même, accentuant l'effondrement émotionnel que recherchaient mes tortionnaires. J'essayais toujours d'anticiper ce qui allait survenir, ce que l'étape suivante allait exiger de moi. J'avais avoué un crime qui entraînait la peine de mort. Dans le contexte politique et social de l'Arabie Saoudite, je ne voyais pas comment je pourrais m'en tirer, comment on pourrait commuer la sentence. À ma connaissance, aucun Occidental n'avait encore été exécuté dans le Royaume, mais il pouvait toujours y avoir une première, et le système judiciaire du pays était (et est toujours) parfaitement capable d'appliquer une telle sentence à des centaines de personnes d'autres nationalités. Je ne voyais pas pourquoi le gouvernement saoudien ne saisirait pas une telle occasion de montrer sa fermeté et de satisfaire ainsi la haine meurtrière de ses factions anti-occidentales fondamentalistes. Curieusement, la perspective de mourir aux mains d'un bourreau ne m'inquiétait nullement, même si cette possibilité était maintenant de l'ordre du réel. Avec les aveux que j'avais faits, c'était le sort qui m'était réservé. Je n'avais qu'une inquiétude. J'espérais que la lame du bourreau serait bien aiguisée, son bras ferme et sa visée sûre. Par ailleurs, la perspective de la mort ne m'inspirait pas de la peur mais plutôt du soulagement. Si c'était le prix à payer pour en finir avec la souffrance, je le voulais bien, même si je ne méritais pas pareil sort.

Avec ces pensées étranges mais lucides en tête, entre-coupées de périodes de découragement et d'hallucinations, la journée finit par passer. Quand on apporta le repas du soir, je pus à nouveau m'asseoir. J'avais résolu de me servir de ce temps pour dormir. J'écartai donc le plateau, m'adossai au mur et fermai les yeux. Je dormis, mais pas longtemps, car le repas avait été livré après le quatrième appel à la prière de la journée et on vint le reprendre avant le dernier appel. J'étais resté une heure tout au plus, rencogné ainsi contre le mur, à me laisser glisser dans le sommeil. Je doute même que cela ait duré aussi longtemps, mais ce petit somme, si bref fût-il, fut drôlement réparateur au milieu de la longue insomnie que j'endurais.

Peu après la dernière prière de la journée, on vint me détacher de la porte pour m'amener à l'étage au-dessus. Les illusions que j'avais pu entretenir sur la fin de la torture s'évanouirent vite quand les trois brutes arrivèrent, m'arrachèrent de mon siège et me plaquèrent contre le mur. Ibrahim commença par me gifler et à me donner des coups de poing à répétition, se concentrant sur mes testicules, tout en me criant des choses en arabe. La traduction de Khaled me fit comprendre que j'étais un espion à la solde du gouvernement britannique, travaillant à déstabiliser le gouvernement saoudien. Les invectives et les coups continuèrent un moment, puis on me traîna dans une autre pièce pour me soumettre à la *falanga*. Je n'avais pas la moindre idée de ce qu'ils voulaient exactement, car ce qu'ils disaient n'avait aucun sens.

Il n'y avait pas de meilleur soutien du régime saoudien que le gouvernement britannique. Washington avait fourni toutes les assurances possibles pour la sécurité du régime, comme c'était aussi le cas de Londres. L'ardeur avec laquelle les politiciens, les ambassadeurs et les fonctionnaires britanniques courtisaient les Saoudiens, se prosternant littéralement à leurs pieds, était ahurissante sinon parfaitement répugnante. Alors le fait qu'on m'accuse d'être un espion travaillant à déstabiliser leur régime, et à la solde d'un gouvernement qui faisait tout pour aider et soutenir ce régime, était pour le moins étonnant. Je n'arrivais pas à comprendre où ils voulaient en venir ni les raisons pour lesquelles ils brandissaient de telles accusations. Dans quel foutu merdier se retrouvait-on? me demandai-je.

On en était revenu au même cycle d'attente, de violence et de confrontation, mais cette fois les interrogatoires portaient sur tout ce qui prouvait, selon eux, que j'étais un espion: double nationalité, emplois et voyages dans d'autres pays du Moyen-Orient, boussole, longue-vue, expéditions dans le désert, éducation et compétences professionnelles. Tout cela était brandi comme autant d'éléments qui serviraient à prouver mes présumées habiletés d'espion. Même le genre d'emploi que j'avais en Arabie était utilisé comme une preuve de plus. Je protestai bêtement de mon innocence en réponse à ces accusations d'espionnage. Je leur dis à plusieurs reprises que ces assertions étaient non seulement fausses, mais qu'elles étaient aussi tout à fait ridicules étant donné l'aide militaire que le gouvernement britannique fournissait à leur pays.

J'aurais dû m'en tenir à un simple démenti sans avancer une explication aussi évidente de l'absurdité de leurs accusations, car ma critique cinglante heurta directement l'ego culturel des trois sbires. On me répondit donc avec arrogance que l'Arabie Saoudite n'avait besoin d'aucune aide pour se défendre, que ses glorieuses forces armées pouvaient repousser tous les envahisseurs. La réalité était quelque peu différente. Lors de la première guerre du Golfe, quand les troupes de Saddam Hussein occupèrent Khafji, une ville située au bord de la frontière entre le Koweït et l'Arabie, les détachements des forces saoudiennes avaient à peine atteint Riyad que les troupes irakiennes étaient déjà aux frontières. Leur armée avait besoin d'un nouvel entraînement chaque fois qu'on lui donnait une pause-thé. Et j'avais devant moi trois individus qui voulaient m'imposer leur propagande sur la compétence, la détermination et la bravoure de leurs collègues responsables de la défense du Royaume. La seule chose cependant que je savais de l'expertise démontrée des forces saoudiennes était l'assujettissement brutal d'une population effrayée et docile. En y pensant, la peur vint heureusement refréner ma colère et je tins ma langue.

La nuit finit de la façon qu'on pouvait s'y attendre, peu de temps après l'appel à la prière de l'aube. Je revins à mon réduit si peu confortable. Je ne savais plus où tout cela menait et ce qu'ils avaient en tête. Il était déjà assez bizarre d'avouer avoir fait sauter la voiture des Rodway. Mais voilà maintenant qu'il fallait avouer quelque chose de plus insensé encore. Me trahir moi-même était difficile, mais il était encore plus dur de trahir mon pays. D'une certaine façon, cela me fit résister à nouveau, même si j'avais été brisé tout récemment.

J'ai essayé d'analyser les raisons de ma réaction émotive et de ma tentative à ce moment-là pour reprendre la résistance. Je n'ai pu trouver aucune explication satisfaisante. Il faut se figurer l'extrême tension nerveuse de la peur, un esprit qui lutte pour garder sa raison, un corps malpropre, meurtri, enflé, avec la perspective d'une mort apparaissant comme une délivrance. En outre, j'étais partagé entre la culpabilité et le désespoir: culpabilité à cause de la faiblesse qui m'avait poussé aux aveux et parce que je croyais être indirectement la cause de la mort d'un homme (Sultan); désespoir parce que ma vie n'avait plus d'autre horizon que l'anéantissement. Pourtant, pendant un moment, ma volonté de résistance était revenue. Elle serait cependant de courte durée.

Au fur et à mesure des interrogatoires, un autre problème intrigant se présenta à mon esprit et ne cessa de me préoccuper par la suite. Lors des premières séances, des menaces avaient été proférées contre moi et contre mes amis et leurs épouses. Les crimes qu'on voulait m'attribuer étaient présumés faire partie d'une conspiration impliquant Sandy et Raf. C'était du moins ce qu'on m'avait rabâché le premier jour. Mais, depuis lors, on m'avait interrogé et interpellé comme si j'étais la version saoudienne de l'Unabomber. Peu d'allusions avaient été faites à ma vie privée, à part les accusations d'homosexualité.

Ce changement de direction, l'absence d'un angle plus personnel dans les interrogatoires, fut d'abord assez étonnant. Une chose est sûre, quand des interrogateurs veulent vous ébranler, ils cherchent vos côtés vulnérables sur le plan affectif tout en les suscitant par le mécanisme même des interrogatoires. Khaled m'avait interrogé en long et en large, lors des premiers jours, sur mes amitiés et liaisons en Arabie Saoudite. J'avais mentionné heureusement les noms d'un certain nombre d'expatriés qui avaient quitté le pays et de collègues saoudiens qui n'étaient, en vérité, guère plus que des connaissances. Sur les questions touchant ma famille, j'avais répondu avec une relative franchise que j'étais assez peu en rapport avec ma parenté, y compris mes proches. C'était en partie vrai, car, de ma propre initiative, j'avais rompu les liens avec ma mère depuis plus de vingt-cinq ans. Quant à mon père, mes relations avec lui étaient très bonnes même s'il y avait des moments d'affrontement.

Donc, pour mes interrogateurs, je devais représenter une sorte d'énigme. On ne pouvait pas me menacer de ne jamais revoir ma femme ou mes enfants, et on ne pouvait pas non plus les menacer, eux. Dans ces circonstances, le célibat présentait des avantages. Pour ce qui était des autres relations, familiales notamment, il ne semblait pas y avoir de prise, bien qu'ils firent fausse route à ce propos. Quand ils finirent par découvrir mes relations étroites avec mon père, cela ne tourna pas à leur avantage, comme cela aurait pu être le cas au début. Au contraire, cela se retourna contre eux en m'offrant un exutoire à ma colère. Au départ, donc, ils se contentèrent de proférer de vagues menaces à l'endroit de mes amis et de leur famille. Cela me laissa indifférent, en apparence. J'accueillis ces menaces avec des haussements d'épaules, mais dans mon for intérieur j'en ressentis plus d'inquiétude pour la sécurité de mes amis.

Tout le temps que je passai en prison, et même depuis lors, je me suis demandai si leur bref examen de ma vie privée n'avait pas, en fait, accéléré et aggravé ma torture physique. En découvrant graduellement leur manque d'efficacité sur le plan psychologique, il m'apparut clairement que leur enquête initiale ne les avait menés nulle part en ne leur apportant rien de manipulable dans ma vie personnelle. À coup sûr, les entretiens que j'ai eus avec des codétenus, depuis ma libération, m'ont appris que, dans certains cas, les interrogateurs avaient passé plus de temps au début à se servir des informations de nature personnelle pour accentuer davantage la coercition psychologique, ce qui avait retardé le recours à la violence ou, au moins, prolongé les périodes de répit entre les tabassages.

Ma singularité, mon indépendance et mon manque de liens personnels bien établis ou accessibles les avaient amenés à se rabattre sur la violence pure et simple pour faire fléchir ma volonté. S'ils s'étaient donné la peine d'examiner plus attentivement les effets personnels qu'ils m'avaient confisqués, ils auraient été plus aptes à me cerner psychologiquement. Dans les mois et les semaines qui suivirent, à mesure que j'y réfléchissais, je voyais bien que leur compétence n'était avérée et démontrable que sur le terrain simpliste de la violence physique. Ils étaient tout simplement paresseux.

En repensant à ma situation dans l'immédiat, j'étais encore une fois sous le choc des événements de la nuit. L'espoir qu'avait fait naître la diminution de la violence était mort et enterré. Ma confession avait été vaine, elle n'avait apporté qu'un répit d'une journée. Tout ce que je pouvais faire désormais était d'endurer chaque étape, de résister à la torture aussi longtemps que possible et de me ménager de brefs répits en leur accordant ce qu'ils voulaient en temps opportun. Ce n'était pas la plus grande des stratégies, mais c'était la seule que je pouvais appliquer. Il était clair que la torture n'était pas terminée et qu'ils y recourraient chaque fois qu'ils exigeraient quelque chose de moi. Il n'y avait pas d'autre voie.

Presque immédiatement après mon retour à la cellule, on m'amena chez le toubib. On avait dû le déranger plus tôt que d'habitude, car il parut encore ensommeillé et confus. Cette fois cependant, il passa beaucoup de temps à examiner mes pieds et mes jambes. On avait dû lui donner des instructions précises à cet égard étant donné la superficialité de ses examens antérieurs. L'aggravation des enflures et des ecchymoses avait sans doute inquiété mes tortionnaires, quoique sûrement moins que moi. Cependant, l'examen n'aboutit à rien de particulier. Le médecin avait fait son devoir et je fus reconduit à ma cellule.

En rentrant dans le bloc cellulaire, je demandai à me rendre aux toilettes et on me laissa y aller. Je me dévêtis pour m'examiner et remarquai des traces de sang dans mes sous-vêtements. Même s'il n'y avait pas de marques apparentes de rupture de la peau, une sorte de plasma visqueux avait exsudé par les pores, une autre preuve de la détérioration rapide de mon état. Je me nettoyai du mieux que je pus avant de revenir à la cellule pour une autre longue journée debout. Plus tard, au cours de ce neuvième jour, on vint me chercher tout juste après la quatrième prière, avant même la distribution du repas, pour me conduire au bureau des interrogatoires. Malgré mon épuisement et ma souffrance, j'étais étrangement conscient des lieux et des circonstances, tâchant de me figurer ce qui allait se passer sans laisser la peur lâcher la bride de mon imagination.

Même en tâchant de contenir ma paranoïa, je flairai quelque chose d'anormal quand, après la période d'attente habituelle, seul le Spiv se présenta et prit place à côté de moi. Aucun signe des deux autres. Le Spiv s'était lancé à nouveau dans ses attentions «affectueuses», me tapotant les cheveux et les joues, me caressant les cuisses et me pressant les couilles. On ne pourrait guère appeler affection ce qui n'était rien d'autre, pour moi, que de l'intimidation sexuelle. Je doute fort qu'il ait eu pour moi la moindre affection, mais je m'étais rendu compte depuis longtemps qu'il y avait quelque chose de plus personnel dans ses tripotages que ce qui était nécessaire pour créer une pression sexuelle. Il y avait derrière ses gestes une pointe de désir réel qui les rendait d'autant plus troublants et terrifiants.

Khaled et Ibrahim n'arrivaient pas, et je commençais à me demander combien de temps je devrais rester seul avec le Spiv. Soudain il se leva et remit sur mes yeux le bandeau qui avait été enlevé quand j'étais entré dans le bureau. Il m'attrapa par le bras pour me faire lever et m'amena dans la pièce de l'autre côté du couloir. La pensée de la *falanga* ne quittait pas mon esprit, mais une autre peur surgit en moi. Les choses ne se passaient pas comme d'habitude, et mon intuition ne me trompait pas. Le Spiv me poussa sur le bureau surbaissé, et je le sentis aussitôt se presser contre moi, avec l'écœurante odeur douceâtre de son eau de Cologne qui me donnait presque la nausée. Je sentis son bras passer autour de ma taille, sa main atteindre les boutons de ceinture de mon pantalon. Comprenant ses intentions, je le repoussai instinctivement avec mes mains menottés, en hurlant non de tout mon être.

Le Spiv cria à son tour en me frappant violemment la tête du plat de la main et en me plaquant sur le bureau. Cela lui rendit la tâche plus difficile pour défaire mon pantalon, mais non impossible malheureusement. Avec quelque effort il réussit à détacher et à baisser brusquement mon pantalon et mon slip, me laissant exposé et encore plus vulnérable.

Tous mes efforts pour me redresser et l'empêcher de me mettre à nu ne firent qu'attiser encore plus sa colère ou son désir, qui se confondaient sans doute. Car je pense que la lutte contribuait à son excitation; je le soupçonne en tout cas.

Il continuait de me plaquer sur la table. Je pouvais sentir le contact de son kamis sur ma peau et, à travers, la dureté de son érection. Lentement, je sentis l'étoffe s'écarter et la chaleur de sa peau contre la mienne, puis la pression du phallus contre mes fesses. À ce moment, une plainte impuissante avait succédé à mes cris de protestation. J'étais complètement à sa merci, incapable de faire quoi que ce soit pour empêcher les derniers outrages. Mon seul espoir était qu'il perdît intérêt à la dernière minute.

Cet espoir s'envola aussitôt qu'il écarta mes fesses et que je sentis la poussée du phallus sur mon anus. La contraction réflexe du sphincter offrit quelque résistance à la pénétration. Résistance vaine, car avec une douleur aiguë et une sensation de déchirement, je sentis bientôt la verge entrer brutalement. La douleur, le dégoût et l'humiliation m'envahirent tour à tour alors qu'il s'escrimait dans mes chairs. Tout mon corps était tendu contre l'ignoble outrage, mais cette tension ne provoqua que des crampes et l'étirement des muscles dans mes jambes et le bas de mon torse. Rien qu'à y penser encore aujourd'hui, mon corps se raidit et une boule me monte à la gorge. Ce viol fut éprouvant physiquement, mais encore plus par le choc émotionnel qu'il provoqua. C'était la violation du dernier bastion de mon intégrité physique et psychologique. Je m'en sentis souillé, avili, plus que par toute autre forme de violence. Je comprends désormais intimement pourquoi le viol et les outrages sexuels par divers instruments font partie de la panoplie de choix des tortionnaires. C'est un moyen efficace à court terme d'avilir la personne, de détruire le sens du soi et l'intégrité de la personnalité. À long terme, les séquelles psychologiques du viol se font sentir bien plus longtemps que les effet physiques et peuvent être autrement plus néfastes. En tout cas, je le ressentais déjà alors que j'étais ployé de force sur ce bureau, sentant les larmes couler sur mes joues.

Tandis que le Spiv prenait son plaisir sur mon corps plié en deux, la porte s'ouvrit et j'entendis une voix familière.

155

C'était Khaled, qui ricanait avec une excitation perverse. Puis il dit que ma jouissance de la sodomie était la preuve de mon homosexualité. Comment subir un viol peut-il être considéré comme une jouissance, je vous le demande. La seule chose qu'un tel acte prouvait, c'était le degré de vilenie auquel pouvaient descendre ces tortionnaires. Pendant que Khaled rigolait, le Spiv y allait de plus en plus fort, à me perforer les tripes. J'entendis un long gémissement puis les derniers spasmes de l'orgasme et son corps s'abattit un moment sur le mien.

Le Spiv se retira, et je priai que ce soit la fin de l'épisode. Hélas, non ! Quand je voulus me redresser, des mains me plaquèrent à nouveau sur le bureau. J'entendis un bruissement d'étoffe et sentis un autre contact sur ma peau, un pénis en érection s'introduisant entre mes fesses. À l'haleine fétide qui émana, je sus que Khaled s'y était mis à son tour. Je me demandais si le fait d'être le deuxième sur la brèche, si je puis dire, n'allait pas rebuter quelque peu ses ardeurs. Mais non, manifestement. Il s'escrimait de plus en plus fort et la puanteur de son haleine augmentait avec ses halètements. Il finit par arriver au bout de sa jouissance, lui aussi, et se retira. Me sentant complètement souillé, violé, avili, je pleurai. Comme la pression qui me maintenait sur le bureau s'était relâchée, mes jambes flanchèrent et je glissai au sol.

Restant là à pleurer, je sentis des contractions péristaltiques au bas du ventre et des élancements par suite des pressions exercées sur mon côlon et mon sphincter anal. Il me prit une envie soudaine de déféquer. Je tâchai de me retenir, car j'étais sûr d'être châtié si je n'y arrivais pas. Peine perdue. Comme si j'étais décollé de la réalité, comme si ce n'était plus moi, je me sentis déféquer brusquement, violemment, sur le revêtement malpropre du plancher.

La puanteur de mes excréments envahit aussitôt la petite pièce. Khaled et le Spiv en furent extrêmement irrités. Je me demande à quoi ils s'attendaient : un bouquet de roses ou des remerciements peut-être ? Ma réaction involontaire avait été fort appropriée, si embarrassante fût-elle. Dans sa fureur, le Spiv me saisit par les cheveux, pour me redresser et m'écarter quelque peu des excréments. Mais je n'étais pas aussitôt à genoux qu'il me poussait en avant pour me faire retomber face contre terre. Et comme je sentis de près l'odeur fécale, je sus qu'on me poussait dans mes excréments. Mon visage plaqué au sol se trouva plongé dans la visqueuse matière nauséabonde, mêlée de sperme.

Je n'entendais au-dessus de moi que les aboiements féroces de Khaled.

– Mange-la, ta merde! mange-la! mange-la! ne cessait-il de dire.

Je luttais pour garder la bouche fermée, afin de ne pas vomir et ajouter encore au bourbier, car j'avais des haut-le-cœur qui me pressaient d'ouvrir la bouche. Cette fois, je réussis à me contenir. Quand ils se furent lassés de ce jeu ignoble, ils me remirent tous deux debout et m'enjoignirent de relever mon pantalon. J'eus plus de peine que d'habitude à le faire, car au moment où je me penchai, un étourdissement me prit et je sentis une sorte de picotement dans la tête. Tant bien que mal, je finis par y arriver et on m'amena à travers le couloir jusqu'à une autre pièce. Par le bruit et l'odeur, je devinai que c'étaient les toilettes.

On m'ordonna de lever les bras et on m'enleva les menottes. Puis on m'ordonna d'enlever moi-même mon bandeau souillé. Je me vis alors dans une salle de toilettes avec Khaled et un autre agent en civil. Ils ne pouvaient, ni l'un ni l'autre, dissimuler leur dégoût de l'odeur que j'exhalais, car ils se bouchaient visiblement le nez avec un bout de leur keffieh qu'ils avaient rabattu sur leur visage en guise de masque à gaz. Sans leur demander la permission, je fis aussitôt couler de l'eau dans un des lavabos en face de moi et entrepris de laver ma figure barbouillée d'excréments. Je trouvai heureusement un distributeur de savon liquide au-dessus d'un autre lavabo et m'en servis abondamment pour me laver le visage et les mains et pour nettoyer également le bandeau qui avait servi à me couvrir les yeux. Ainsi, l'odeur du savon bon marché finit par supplanter celle des excréments. Et je me sentis un peu moins sale, mais il faudrait du temps avant que je me sentisse vraiment propre à l'intérieur.

Je demandai à entrer dans l'un des petits cabinets d'aisances, pour un bref moment d'intimité. Libéré des menottes et des chaînes, je pus enlever mon pantalon et mon slip. En utilisant à la fois du papier hygiénique et une sorte de douche-téléphone à tuyau flexible qu'on trouve couramment dans les toilettes d'Arabie Saoudite, je continuai à me nettoyer, enlevant les résidus d'excréments et de sperme autour de l'anus et du scrotum. Je remarquai que je saignais, mais légèrement. Cette constatation changea quelque peu quand, saisi d'une crampe au ventre, je m'assis sur le siège des toilettes et, encore malgré moi, vidai mes intestins. Peu de matière solide en sortit mais la cuvette semblait pleine de sang. Cela ne m'inquiéta guère, me faisant seulement songer à ce que mon cadavre révélerait s'il était autopsié. Je pensais que mon corps ne pourrait pas en prendre davantage, et la mort par hémorragie du cul me sembla tout à fait indiquée après avoir été enculé de la sorte. La logique de cet humour noir m'arracha un sourire.

Machinalement, je me rhabillai et rejoignis Khaled. On me banda les yeux, me remit les chaînes aux pieds et me menotta les mains derrière le dos. Nous descendîmes le corridor au-delà du bureau des interrogatoires, ce qui me fit d'abord penser que j'étais reconduit à ma cellule. Cependant, au moment où je me rendais compte que la distance parcourue était trop grande, une porte s'ouvrit et on me poussa dans une pièce où j'entendis la voix d'Ibrahim.

Quand j'entrai dans cette pièce, des mains me saisirent pour me jeter par terre. Violemment déséquilibré, je tombai en avant, face contre terre, en exhalant une sorte de râle. Je tentai de me relever, mais on tira sur les chaînes pour me soulever les pieds et les attacher à mes poignets avec une autre paire de menottes. Puis je sentis qu'on passait quelque chose entre mes pieds pour le rattacher aux menottes de mes poignets. Je ne savais trop de quoi il s'agissait ni ce qui se passait au juste. Mais je le compris vite quand je sentis mes mains tirées vers l'arrière et mon corps soulevé de terre. J'étais suspendu face au sol, tout le poids de mon corps tirant sur mes poignets et mes épaules. Ce qu'on avait passé entre mes pieds était une sorte de câble, de sorte que je me retrouvais maintenant suspendu en l'air, les chevilles liées aux poignets.

Dans cette position instable, la force de gravité tendait à faire tourner mon corps vers le bas, et il ne se trouvait arrêté que par le câble auquel il était suspendu. Comme Khaled me l'expliquera plus tard, cette position était allègrement désignée sous le nom de «*swing*». Replié à l'envers dans cette position, je me sentais lentement tourner autour de l'axe du câble jusqu'à ce que des mains me stabilisassent. À quelle distance étais-je du plancher, je ne saurais dire : pas plus de vingt à cinquante centimètres en tout cas, sinon Ibrahim aurait eu besoin d'un escabeau pour accomplir sa tâche. Néanmoins, sa marge de manœuvre devait être un peu réduite, car lorsque les coups s'abattirent inexorablement sur mes pieds, ils arrivèrent sur le long, chaque pied frappé séparément. Finis les coups qui frappaient les deux pieds à la fois. Fini aussi le manche de hache, durant cette séance à tout le moins, car la portée de chaque coup était plus étroite et d'une certaine façon plus intense, la force étant appliquée sur une plus petite surface.

Quand les premiers coups tombèrent, la douleur provoqua un spasme et une convulsion de tout mon corps, entraînant une giration qui ne fut refrénée que par des mains m'agrippant en haut des cuisses. Non content de s'en prendre à mes pieds, Ibrahim dut silencieusement ordonner à ses assistants de me tourner vers lui, car je sentis des mains réorienter mon corps tandis que mon spasme s'achevait. Ayant essuyé une dizaine de coups sur la plante des pieds, j'en reçus ensuite autant au bas-ventre, juste au-dessus du pubis. Puis un seul coup, un peu plus léger, atteint mes parties génitales. Comme à l'accoutumée, Ibrahim avait frappé avec une précision diabolique, évitant les testicules pour atteindre le seul renflement du pénis. Ce dernier coup complétait un cycle, car il y eut une pause de quelques instants avant que des mains me tournent de nouveau pour présenter mes pieds à Ibrahim. Je ne saurais dire avec certitude combien de temps dura la séance, ou combien il y eut de cycles pieds-pubis-pénis, probablement sept ou huit au moins, avant que je n'en perdît le compte.

À chaque coup, mon corps se tordait et dandinait comme une marionnette folle et les larmes coulaient de mes yeux, trempant mes cheveux. Les articulations de mes poignets et de mes épaules faisaient particulièrement mal dans cette position, comme si elles étaient au bord de la dislocation. Je criais comme un possédé, la voix de plus en plus éraillée. Je les suppliais de me dire ce qu'ils voulaient, ce qu'il leur fallait de plus, mais je m'égosillais en vain, car on ne me disait rien.

Quand on finit par me redescendre, je n'étais plus qu'une épave pantelante, abîmée de larmes, reste pitoyable de l'homme que j'avais été. On défit une partie de mes entraves pour me traîner jusqu'à ma cellule. Aucun interrogatoire ne suivit, cette nuit-là, où seules la sodomie et la bastonnade avaient été au programme. Quoique plus brève que d'habitude, cette nuit de torture avait été d'une grande violence et sans doute la plus néfaste psychologiquement. Je ne pris pas la peine d'aller aux toilettes à mon retour dans le bloc cellulaire, interrompant une routine que j'avais cherché à établir dès le début. Je n'y pensai même pas. Quand on apporta le repas juste avant la prière de l'aube, je n'essayai pas non plus de manger ou de boire. Durant tout le temps alloué pour manger, je restai adossé au mur, glissant par intervalles dans le sommeil ou dans l'inconscience. Je ne ressentais plus la rage ou la haine qui m'avaient animé jusque-là. Sur le plan émotionnel, tout ce qui restait de moi était la peur, et cette peur même était moins éprouvante qu'elle n'avait été. Tout ce que j'avais gardé de cohésion personnelle était démoli. Je n'étais plus qu'une coquille vide, dépourvue de personnalité.

Ces limbes de la pensée, un sentiment de vide total, durèrent quelques heures avant que je reprenne le moindre contact avec mon être psychologique. Peu à peu, des émotions pénibles liées au viol subi remontèrent en moi, déclenchant des larmes silencieuses. Je n'essayai pas de les retenir, laissant leur catharsis m'apporter quelque soulagement. Puis, comme les larmes diminuaient, je m'appliquai délibérément à me reporter en esprit dans des lieux et des temps plus agréables, en cherchant dans ma mémoire et dans mon imagination des images qui atténueraient ma souffrance. Il me fallut employer jusqu'à la dernière once de force psychique qui me revenait pour le faire, car le marasme émotionnel créé par ce qu'on m'avait fait subir était un trou noir qui m'entraînait dans son gouffre.

Ce fut durant cette brève période où le sens du soi me revint, avant que les hallucinations de l'insomnie ne prennent le dessus, que je connus ce que je pourrais qualifier au mieux d'épiphanie intellectuelle et morale. Je m'étais rendu compte dès le début de mon incarcération que je devais tenir mon esprit occupé et employer ma mémoire comme moyen de survie au milieu des tourments physiques et psychologiques que j'éprouvais. Mais il s'agissait d'un mécanisme purement intellectuel, s'inspirant d'une série de livres que j'avais lus. Maintenant, peut-être parce que mon psychisme avait été tellement raboté par ce à quoi j'avais été soumis, mon aptitude à séparer mes émotions de mon intellect avait disparu. Cela aboutissait à une fusion incoercible de la pensée et de la sensation, ce qui chez moi était quelque chose d'inconnu. Quelle qu'en soit la raison, ce moment très défini de lucidité globale, où pensée et sentiment ne font qu'un, se produisit. Et avec une telle acuité, une telle force, qu'il est resté gravé en moi comme un point de référence au milieu de cet enfer, créant à sa suite dans mon univers psychologique un « avant » et un « après », comme on dit dans les annonces.

Donc, quand je m'étais efforcé de me concentrer sur mes souvenirs, de mobiliser toutes mes ressources mentales, un simple poème avait surgi dans ma tête. Il émergeait du fond de ma mémoire, mais c'était comme si je venais tout juste de le lire. Et je murmurai ces vers de Richard Lovelace, tirés du poème « To Althea from Prison » (À Althea, du fond de la prison).

Stone walls do not a prison make,
Nor iron bars a cage ;
Minds innocent and quiet take
That for an hermitage ;
If I have freedom in my love,
And in my soul am free ;
Angels alone, that soar above,
Enjoy such liberty.

Des murs de pierre ne font pas une prison,
Ni des barreaux de fer une cage ;
Les cœurs purs et sereins vont
Les transformer en ermitage.
Si j'ai la liberté que l'amour donne
Et si je suis libre au fond de l'âme,
Seuls les anges de l'éternité
Jouissent d'une telle liberté.

Ces mots que je récitais avaient un étrange pouvoir de réconfort et d'élévation. C'était la première fois, mais non la dernière, qu'un mélange de pensées et d'émotions se trouverait défini par des poèmes, des chansons ou des citations tirés du fond de mon cerveau. Parfois, il ne s'agissait que d'une ligne ou deux, d'autres fois des pièces entières surgissaient de mon subconscient pour cristalliser le moment présent. Beaucoup de ces œuvres ne m'étaient pas venues à l'esprit depuis des années. Elles semblaient oubliées, mais çà et là elles refaisaient surface au moment où j'en avais le plus besoin.

C'était comme si mon propre esprit, perdant la capacité de me protéger dans la tourmente, allait puiser, par delà les murs de pierre et des barreaux de fer qui m'emprisonnaient, dans les idées et les sentiments d'autrui, tirant d'eux la force nécessaire pour me maintenir en vie, en trouvant instinctivement des mots qui avaient déjà eu un sens pour moi et qui prenaient maintenant une résonance encore plus profonde.

C'est ainsi qu'en récitant Lovelace inlassablement, comme un mantra tombé du ciel, je commençai à retrouver mon intégrité psychologique. J'étais perclus de douleur, d'effroi et de honte, mais toujours vivant. Avec les mots arriva le sentiment, une vive sensation viscérale, que j'avais subi ce qui était la pire des violations de la personne. Bien qu'on eût pu, et qu'on pût encore utiliser des moyens de torture physique plus douloureux, sur le plan psychologique j'avais enduré ce qu'il y avait de pire. Ils avaient, de fait, possédé mon corps, et je me soumettrais dorénavant à toute violation ou indignité qu'ils choisiraient de me faire subir. Je savais que, physiquement, je ne pouvais endurer qu'un certain degré de douleur avant d'acquiescer à leurs demandes et à toutes les trahisons qu'ils exigeraient de moi. Cela avait déjà été prouvé par mes premiers faux aveux. Je devais accepter la chose comme inévitable et ne pas me détruire moi-même par la culpabilité. Cependant, je compris aussi, d'une façon plus profonde qu'auparavant, que j'avais une sorte de refuge en moi-même, car mes bourreaux ne pouvaient voir à l'intérieur de ma tête. J'aurais le temps et le lieu nécessaires pour sortir de mes chaînes, et laisser derrière moi ma cellule, en me réfugiant dans le seul endroit où je fus toujours libre : mes pensées. Si l'accès à cette liberté était accordé à travers les mots de poètes morts depuis longtemps, ces mots étaient là pour me les faire remémorer et pour m'ouvrir une porte.

En écrivant cela, je donne peut-être l'impression que c'était là un long processus de pensées et de sentiments s'enchaînant les uns aux autres. De fait, ce fut un simple moment, un instant, une fraction de seconde, où toutes ces pensées me submergèrent d'un seul coup. Et maintenant, je pleurais de nouveau, pourtant cette fois il ne s'agissait pas de larmes de douleur mais de pures larmes de soulagement. J'étais descendu aussi bas que possible dans l'émotion, et j'avais découvert que l'instinct de survie qui protège le sens de soi préservait une petite partie de moi-même qui avait été fortifiée par la plume des autres. Ce coin n'appartenait qu'à moi. Ce fut une étrange sensation, surnaturelle en quelque sorte mais très humaine, qui me procura un sentiment de calme, que je n'avais pas ressenti depuis des jours.

Même les hallucinations qui revinrent ne furent pas aussi troublantes, tout en n'étant guère agréables. Le jour s'écoula, et bien que la tension de l'appréhension fût toujours là, je m'en sentais déconnecté en partie. Au début de la soirée, quand on vint finalement me chercher pour l'interrogatoire, j'avais un air requinqué de résignation et d'acceptation qui n'était pas là auparavant. J'avais repassé dans ma tête l'accusation d'espionnage portée contre moi, et l'absurdité de la chose m'avait fait réaliser qu'il s'agirait davantage d'une source d'embarras pour l'Arabie Saoudite que pour moi ou pour le gouvernement britannique. Être exécuté comme meurtrier ou comme espion ne faisait guère de différence, car l'aboutissement en serait le même. Alors qu'importait, après tout, que j'avouasse être un espion ? Un tel aveu ne ferait que souligner le ridicule des accusations avancées par le gouvernement saoudien, contribuant à démasquer leurs tentatives de camoufler leurs propres problèmes internes de terrorisme. Avec ma lucidité retrouvée, cette pensée s'imposa dans mon esprit. Toute confession dans cette veine n'aurait aucun fondement dans la réalité. On n'en tirerait aucune information utile, car il n'y en avait pas. Donc, une telle confession était plus à mon avantage qu'autre chose, nonobstant l'embarras qu'elle causerait. Je savais aussi que je devrais éventuellement résister encore, mais qu'à la fin j'avouerais.

Ce fut dans cet état d'esprit que je fus conduit au bureau des interrogatoires pour y attendre l'arrivée de mes tortionnaires. Quand quelqu'un se présenta finalement, ce fut le Spiv, tout seul encore. Il affichait un air que je pourrais qualifier de sardonique. Il m'avait violé la veille et, par l'expression de son visage, je m'attendais à ce qu'il récidive. Sans rien de ce qui pouvait constituer pour lui des préliminaires, il me souleva de ma chaise et me conduisit à travers le couloir sans même me mettre un bandeau sur les yeux. Tout se passa à peu près comme la première fois. Je fus poussé contre le bureau, déculotté et sodomisé. Ce fut douloureux, mais pas autant que la première fois, et pas aussi humiliant ni avilissant. Je n'exprimai rien, pas la moindre protestation. J'espérais que ma résignation muette diminuerait son plaisir. Il avait terminé et commençait à se retirer, mais je restais couché en travers du bureau sans broncher, essayant de déféquer pendant qu'il se trouvait encore assez près. Je n'y parvins pas, même si mes efforts produisirent des vagues de contractions qui descendirent jusque dans mon rectum. Comme je n'avais pas mangé depuis vingt-quatre heures, il n'y avait sans doute guère de choses à évacuer. Au moins je n'eus pas à souffrir l'avanie d'avoir la figure barbouillée de mes propres excréments comme un chien qu'on dompte, bien que cela eût valu la peine pour couvrir le Spiv de merde.

Alors que ces pensées m'occupaient l'esprit, la porte s'ouvrit. En tournant un peu la tête, je vis Khaled entrer dans la pièce. Je m'attendis à ce qu'il vienne aussi prendre son plaisir. Mais il eut plutôt un échange courroucé avec le Spiv avant de me dire de relever mon pantalon. Puis je fus conduit aux toilettes où je pus me nettoyer. Ensuite, on me ramena au bureau des interrogatoires où Ibrahim se tenait d'un air suffisant à sa place habituelle. Je me suis longtemps demandé quel avait été le sujet de la querelle entre Khaled et le Spiv. Et tout ce que j'ai pu en conclure c'est que, contrairement à la veille, le Spiv n'avait pas eu l'autorisation de prendre son pied.

Une séance d'admonestations et de questions insidieuses commença. On reprit l'exercice fastidieux qui avait eu cours durant les dix derniers jours. On me répéta à de multiples reprises que j'étais un espion à la solde du gouvernement britannique. Je protestai calmement que ce n'étais pas le cas tout en sachant fort bien que je finirais par avouer cette fausseté. Avec divers degrés d'animation, Ibrahim accueillit mes dénis avec d'autres accusations ou réitérations. On me dit, à maintes reprises, que d'autres avaient avoué, que j'étais un agent des services secrets britanniques et qu'ils avaient aussi des témoins de réunions que j'avais eues avec mes superviseurs. Je m'en tins à mes démentis.

Ils se lassèrent finalement de la chose, se levèrent, me mirent debout et me bandèrent les yeux. Je savais ce qui surviendrait avant même de traverser le couloir. Assis sur le tapis sale, on me suspendit à la barre de métal pour une séance de *falanga*. Les coups s'abattirent, je hurlai, me lamentai de douleur, essayant de tenir bon, d'endurer. Cela dura pendant un bon nombre de cycles pieds-croupe-scrotum avant qu'on me remît sur le sol et me conduisît au bureau pour affronter une autre séance de questions insidieuses et d'admonestations, après quoi on me laissa seul avec mes pensées hagardes et mon corps écorché.

Quand Khaled et Ibrahim revinrent finalement, je fus conduit de nouveau à une séance de *falanga*, que je supportai à peu près comme les autres. À un moment donné au cours de la bastonnade, au milieu de mes cris, je finis par céder et leur dis que j'étais un espion. Cela ne mit pas fin tout de suite au tabassage, car il continua quelque temps encore, tandis que mes tortionnaires posaient ce qui se résumait à des questions rhétoriques, et je criai mes réponses. Enfin, le châtiment prit fin. Je fus détaché et placé sur une des chaises qui, l'instant d'avant, avait servi d'appui pour me tenir à la renverse.

C'est là que se produisit l'un des événements les plus étranges de mon incarcération. Comme j'étais assis sur la chaise, Khaled repassa avec moi ma nouvelle confession, ajoutant un détail ici et là, et me demandant de répéter chaque nouvelle version augmentée. Pendant ce temps, j'entendis la porte s'ouvrir et quelqu'un entrer dans la pièce. Je présumai que j'étais seul avec Khaled quand je réitérais la plupart de mes aveux. Puis la porte s'ouvrit à nouveau, et quelque chose fut soufflé dans un murmure à Khaled. Celui-ci m'enjoignit de me taire avant de s'éloigner de moi pour s'approcher de celui qui avait murmuré. Quand il revint, il me dit qu'un instant plus tard on me demanderait de répéter tout ce que nous avions repassé ensemble. Il m'avertit de ne pas parler avant qu'il ne me le demandât, et quand j'aurais terminé ma déclaration, je devais me taire et ne pas poser de questions. Il s'éloigna encore, et j'entendis la porte s'ouvrir.

Un certain nombre de personnes entrèrent dans la pièce et vinrent se placer en face de moi. En m'inclinant un peu vers l'arrière, je pus entrevoir quelque chose sous le bandeau. Il y avait maintenant cinq paires de pieds qui se tenaient devant moi. Trois appartenaient à Ibrahim, Khaled et le Spiv : du moins le présumai-je. La quatrième appartenait à quelqu'un en sandales et en kamis, et je présumai qu'il s'agissait d'un autre agent des services secrets saoudiens. Mais ce fut la cinquième paire de pieds qui provoqua chez moi un étonnement que je m'efforçai de ne pas montrer.

En me penchant un peu plus en arrière, je pus voir ces gens jusqu'à la taille au moins. La cinquième paire de pieds portait des souliers lacés, à la différence des autres qui étaient chaussées de babouches ou de sandales. C'était fort significatif, car j'avais rarement vu un Saoudien porter des chaussures à lacets même quand ils s'habillaient à l'occidentale. Bien que certains jeunes en vêtements occidentaux puissent porter des chaussures de sport, le genre de chaussures que je voyais devant moi était inusité, même pour eux. En outre, cet homme portait un long pantalon gris foncé, retenu par une simple ceinture, ainsi qu'une chemise de couleur claire. Dans la pénombre de la pièce, je ne pouvais pas dire avec certitude la couleur exacte de la chemise et du pantalon, mais c'est ainsi qu'ils m'apparurent. La chemise était à manches courtes, car je pouvais voir les avant-bras de l'homme qui pendaient de chaque côté de lui. Il avait la peau claire et marquée ici et là de tâches de rousseur, des caractéristiques qu'on ne pouvait guère associer à un Saoudien. On pouvait dire la même chose d'ailleurs de la chemise à manches courtes. Il portait au poignet droit une montre à bracelet métallique, et une alliance à la main gauche. Tout cela détonnait beaucoup. La montre-bracelet me disait qu'il était gaucher, l'alliance qu'il était marié et probablement chrétien. Le fait qu'il portât la montre au poignet droit m'indiquait aussi qu'il n'était pas saoudien, car je n'avais guère rencontré de Saoudiens qui avoueraient être gauchers et n'en avais jamais vu porter une montre ailleurs qu'au poignet gauche. Quant à l'alliance, je n'avais jamais vu un Saoudien ou un musulman avec un anneau de mariage. En général, il est mal vu que les hommes portent des bijoux dans la société saoudienne, et même une simple montre est jugée inconvenante par certains.

166

Khaled m'ordonna de répéter ce que lui et moi avions repassé ensemble plus tôt, et j'entrepris donc de raconter la nouvelle fiction qui s'ajoutait à ma confession. Les hommes devant moi m'écoutaient en silence affirmer que j'étais employé comme espion britannique, ayant eu l'ordre de participer aux attentats à l'explosif. Le but de ces attentats était d'embarrasser le gouvernement saoudien et de créer un fossé entre la communauté des expatriés occidentaux et les Saoudiens afin d'empêcher qu'une trop grande familiarité ne se développe entre les deux communautés. En énonçant tout cela, je me demandais ce que pouvait en penser mon auditoire. Cette suite d'événements et les mobiles avancés pour les justifier étaient-ils crédibles? Il sembla que oui. Rien ne me fut dit, et cette déclaration ne changea guère, pour l'essentiel, au cours des semaines qui suivirent. Ma déclaration finie, mes auditeurs s'éloignèrent quelque peu pour tenir un petit conciliabule à voix basse. Leurs voix assourdies m'empêchèrent d'entendre quoi que ce soit distinctement, ce que je trouvai bizarre. Jusque-là, les échanges en arabe que mes ravisseurs avaient eus en ma présence s'étaient déroulés sur le ton de la conversation normale, car ils étaient sûrs que je ne comprenais pas l'arabe (ce qui était vrai). Alors, pourquoi chuchotaient-ils maintenant? Parlaient-ils en arabe ou dans une autre langue que je pouvais comprendre? Je sentis plus que je vis, à cause de ma vision restreinte, qu'ils se tournaient vers moi, et les chuchotements cessèrent. Le groupe quitta la pièce, mais ils restèrent dans le couloir, juste à l'extérieur, et je pus entendre les bruissements de leurs déplacements et des bribes indistinctes de conversation à travers la porte.

Qu'était-ce donc qu'ils ne voulaient pas que j'entendisse? Que ne voulaient-ils pas que je visse? Qui était le cinquième homme du groupe? C'étaient là des questions que j'allais me poser sans cesse au cours de mon incarcération et que je me pose encore aujourd'hui. Mais je n'eus guère le temps de me perdre en conjectures sur le moment, car la porte se rouvrit et Khaled entra pour me reconduire au bureau des inter-rogatoires. Là, on m'enleva le bandeau et les menottes et on me fit asseoir. Ibrahim était déjà sur place, les cahiers et stylos disposés sur le bureau. Je savais ce que j'avais à faire sans qu'on me le dît, mais Khaled répéta tout de même qu'il me fallait écrire tout ce que je venais de raconter. Ainsi commença ma carrière d'espion, assis là à rédiger ma nouvelle confession, avec les pensées insolites qui me traversaient l'esprit sur l'absurdité de la situation. Je m'efforçais de ne pas sourire en me demandant, par exemple, si mon nouvel emploi était pourvu d'une bonne pension de retraite et d'une assurance médicale. Une fois ma rédaction terminée, on l'apporta et je restai seul un moment à réfléchir au nouveau tournant que prenaient les choses. Après cinq à dix minutes, mes tortionnaires revinrent en se disant satisfaits, et je pus retourner à ma cellule.

La séance de cette nuit-là n'avait pas été longue et ne m'avait pas laissé aussi dévasté que la nuit précédente malgré ce qui m'avait été fait. Je repris mon rituel établi d'aller aux toilettes du bloc cellulaire et de me nettoyer aussi minutieusement que je pouvais. Alors que je me lavais et m'essuyais le derrière, je m'examinai pour voir s'il y avait d'autres saignements et fus soulagé de constater qu'ils étaient plutôt mineurs. De retour à ma cellule, je me mis peu à peu à repasser dans ma tête les événements de la nuit. J'en arrivai à diverses conclusions au sujet de l'identité du cinquième homme. Il n'était pas saoudien ni même musulman sans doute. Des quelques indications que son apparence physique m'avaient fournies, j'en concluais qu'il était un expatrié occidental. Mais quel était exactement son rôle dans tout cela ? Était-il un Occidental travaillant pour le ministère de l'Intérieur saoudien comme agent ou comme informateur ? Était-il membre d'un service secret ou d'un corps policier occidental collaborant avec les Saoudiens ? Je savais que, à la suite des récentes explosions à la bombe, des membres de la police métropolitaine de Londres étaient venus en Arabie Saoudite. Le fait que les entretiens ayant suivi ma déclaration eussent été tenus d'abord à voix basse, puis à l'extérieur de la pièce, me laissait deviner que cet homme ne parlait pas arabe couramment. Et, en y réfléchissant bien, je me disais qu'il n'était probablement ni britannique ni français, car les services secrets de ces pays sont généralement bien dotés de personnel parlant arabe alors que les Américains sont réputés pour leurs lacunes à cet égard. Et s'il en était ainsi, était-ce à cause de l'arrestation de Michael Sedlak que les Américains s'intéressaient à l'affaire ? Je présumais, et à bon droit comme il allait s'avérer, que le gouvernement américain ne tolérerait pas que de telles accusations soient portées contre un de ses ressortissants. Mais iraient-ils jusqu'à aider les Saoudiens à attribuer ces crimes à d'autres ressortissants occidentaux? Jusqu'ici, je n'ai pas de réponse claire à ce sujet, mais toute la machination entourant l'affaire rend l'hypothèse plausible. Chose sûre, je pensai alors que quelqu'un au sein des milieux diplomatiques ou des services secrets occidentaux savait ce qui nous arrivait, et l'information recueillie depuis ma libération le confirme.

Quand on apporta le plateau du petit-déjeuner, je m'assis à nouveau au bord de ma couche, enveloppé dans ma couverture, ne mangeant que le pain pita et buvant le thé et l'eau. Je m'occupai de mon journal de riz avant de m'adosser au mur et de m'accorder un petit somme en attendant qu'on revînt chercher le plateau. Quand on le fit peu de temps après, je me retrouvai de nouveau enchaîné debout à la porte. Je tâchai de me concentrer sur les événements de la nuit, me demandant ce qu'ils allaient faire de ma confession. Quelle serait la réaction des gouvernements britannique et canadien quand ils seraient inévitablement confrontés aux accusations saoudiennes sur ma participation aux récents attentats à la bombe? Je ne pouvais que sourire en pensant au scepticisme que ces accusations inspireraient et je me demandai si on les rendrait publiques. Je me demandai aussi quel était le but visé par ces aveux forcés. Pour quelle raison devait-on me faire avouer que j'étais un espion? À qui cela servait-il de créer les tensions diplomatiques qui s'ensuivraient si on diffusait ces accusations? Je ne pouvais venir à bout de cette énigme, mais je me sentais désormais un pion sur l'échiquier politique intérieur de l'Arabie Saoudite, et non plus seulement un bouc émissaire commode pour couvrir la véritable cause des attentats dont j'étais accusé. À ce moment-là, je ne savais pas que j'aurais des années pour jauger ces questions qui, encore aujourd'hui, ne sont pas pleinement élucidées.

Je fus étonné d'entendre l'appel à la prière du midi, car je m'étais attendu à être conduit chez le toubib pour la visite de routine. J'avais donc passé la matinée à ruminer les questions soulevées par mes nouveaux aveux. Peu de temps après l'appel à la prière, la porte de la cellule s'ouvrit et les gardiens me détachèrent avant de me remettre les menottes et les chaînes. Mais ils ne me couvrirent pas les yeux et me demandèrent de prendre mes chaussures, ce qui me rendit perplexe, car je ne savais pas si j'étais amené à un interrogatoire ou à un examen médical. On me conduisit hors du bloc cellulaire, dans le hall d'entrée, où je pus apercevoir en face de moi la petite pièce contenant tous les moniteurs de télévision. Les deux gardiens qui m'accompagnaient tournaient en rond, en criant des questions aux gardiens restés dans le bloc cellulaire et à ceux assis devant les moniteurs. De l'endroit où j'étais, je pouvais entrevoir un ou deux écrans, ce qui me fit espérer apercevoir l'un de mes codétenus. Mais je n'aperçus finalement que le dos de deux hommes en kamis, enchaînés à la porte de leur cellule comme je l'étais moi-même.

Je pouvais voir, au-delà de la porte, la cour qui s'étendait devant. Je remarquai les hauts murs blancs, avec au centre la barrière métallique, peinte en blanc. Cette barrière s'ouvrit, pour laisser passer un fourgon cellulaire blanc, qui se dirigea vers l'entrée où je me trouvais. Quand le fourgon s'arrêta, les gardiens à mes côtés s'activèrent, m'entraînant rapidement hors de l'immeuble puis derrière le véhicule. On me fit monter à l'arrière et asseoir sur l'un des bancs latéraux. Puis les gardiens descendirent et verrouillèrent la portière derrière eux. Je restai là un moment seul, avant que la portière ne s'ouvre de nouveau pour laisser entrer Khaled, qui monta s'asseoir à mes côtés, avec des papiers et un tampon encreur en mains. Je m'enquis de ce qui arrivait. Il me donna une explication des plus fallacieuses :

– On va réparer les cellules au cours des prochains jours. Tu seras détenu ailleurs jusqu'à ce que ce soit fini. Mais, ensuite, on te ramènera ici.

Je ne pouvais guère accorder foi à de telles balivernes. L'idée me traversa l'esprit que c'était peut-être mon dernier voyage. Avant que ne je réalisasse toute la portée de la chose, Khaled commença à agiter des papiers devant moi. Il me dit qu'il fallait que je les signasse, car il s'agissait de la liste de tout ce qui m'avait été confisqué. Sur la première page se trouvait inscrit un relevé de l'argent qu'ils prétendaient avoir trouvé sur moi au moment de mon arrestation. Je n'eus pas la chance de voir les autres pages, quoi que leur contenu fût sans doute aussi inexact que ce que j'avais devant les yeux. La page que je devais signer indiquait que j'avais en ma possession 8 600 riyals (environ 2 700 $) au moment de mon arrestation. C'était loin de la vérité, car à ce moment-là, j'avais en poche 2 500 riyals (environ 795 $) et, dans ma mallette, 12 500 riyals (environ 3 985 $), contenus dans une enveloppe sur laquelle j'avais griffonné le mot « *watch* » (montre). J'interrogeai Khaled sur l'écart entre ce que mentionnait le document et ce que je savais avoir eu en ma possession. Khaled se contenta de répéter que je devais signer et qu'il s'occuperait ensuite de la chose. Comme toutes ses autres promesses, il s'agissait d'un mensonge, mais je n'étais pas en position de discuter ou d'exiger quoi que ce soit. De toute façon, je m'y attendais. C'était un aspect coutumier des arrestations en Arabie Saoudite que les policiers se payaient à même ce qu'ils trouvaient sur vous. J'avais connu trop d'expatriés qui s'étaient fait détrousser ainsi, même lors de brèves détentions pour des infractions mineures. Par-dessus tout, j'avais surpris le vol flagrant de certains de mes biens lors de la perquisition de ma maison. J'en restais cependant irrité, car je ne voulais pas qu'ils tirent d'autres avantages de mon incarcération que ceux qu'ils avaient déjà obtenus.

On pourrait trouver suspect que je transporte sur moi une somme d'argent aussi considérable, mais mes ravisseurs ne semblaient pas le penser, car ils ne m'interrogèrent jamais à ce sujet. Pour l'argent de poche, il s'agissait d'un montant relativement normal à l'époque. Quant à la somme dans la mallette, elle était destinée à un achat bien précis. Plus tard dans la journée où j'ai été arrêté, je devais en effet aller chercher une montre que je voulais offrir en cadeau à mon père pour ses soixante-dix ans. Cette montre coûtait 10 000 riyals (environ 3 190 $). En Arabie Saoudite, il valait mieux payer des achats de ce genre en liquide, car cela permettait quelque marchandage. Il était donc assez courant, même dans les boutiques les plus huppées, de voir régler les transactions en liquide plutôt que par carte de crédit. Et le reste de la somme était pour payer un billet d'avion pour Londres, que je devais aller chercher aussi ce jour-là. J'avais en effet prévu de passer la période de congé du ramadan – qui, cette année-là, coïncidait à peu près avec les fêtes de Noël et du jour de l'An – en Grande-Bretagne, à visiter des parents et des amis. Il va sans dire que je n'ai jamais eu l'occasion d'aller acheter la montre et le billet ni de faire le voyage.

Une fois les documents signés, Khaled sortit du fourgon, puis il se retourna pour me jeter ces mots:

– Nous allons venir te voir dans quelques jours. C'est congé pour nous maintenant. Tu pourras dormir un peu.

Là-dessus, la portière du fourgon fut refermée et verrouillée, et je me retrouvai seul. Si ces dernières paroles étaient destinées à me rassurer, elles n'eurent pas cet effet. Même s'il avait essayé d'adopter un comportement amical, je n'avais nulle envie de son amitié ni de le revoir, lui pas plus que ses acolytes.

Le congé mentionné me rappela qu'on était à la veille des célébrations de l'Aïd, car le mois du ramadan tirait à sa fin. C'était le 28 décembre, et j'aurais dû être en congé de mon poste au Fonds depuis le 27. Au lieu de cela, je devais endurer la onzième journée sans sommeil de ma captivité, assis à l'arrière d'un fourgon cellulaire, à signer un autre faux document et à y apposer l'empreinte de mon pouce. J'étais épuisé, perclus, contusionné et violé. J'étais aussi sale et puant, malgré tous mes efforts de me tenir propre. Ce n'était certainement pas la façon dont j'avais envisagé de passer mes vacances.

Je sentis le véhicule s'ébranler et s'avancer vers la barrière que j'entendis s'ouvrir. J'essayai de deviner du mieux que je pus où nous nous dirigions en portant attention à tous les tournants du parcours. Mais cela ne servit à rien, car je ne savais pas vraiment où je me trouvais au départ. La partie du fourgon où j'étais n'avait pas de fenêtre. Il m'était donc impossible d'évaluer précisément la distance parcourue, la direction prise ou la durée du parcours. Les seuls indices que je pouvais avoir étaient les bruits de roulement du véhicule et certains de ses mouvements. En tout cas, je suis sûr que nous étions revenus dans un quartier de Riyad, car, à deux ou trois occasions, nous avions fait halte manifestement pour des feux de circulation. Je suis certain aussi que nous étions passés dans un tunnel ou sous un viaduc d'autoroute et sur une voie surélevée à cause des différents bruits de roulement sur la chaussée et de l'écho produit par le véhicule.

Où allions-nous? J'aurais été bien en peine de le dire. M'emmenait-on pour m'exécuter ou m'éliminer? La logique voulait qu'une fois les aveux obtenus, un simulacre de procès stalinien ait lieu avant que mon sort fût scellé. Je ne sais pourquoi, mais, au cours de ce périple, mon esprit resta aiguillonné par ces pensées même si je mourais de sommeil. Je restai donc éveillé tout le long du voyage. Je m'aperçus bientôt que le fourgon s'arrêtait. J'entendis la portière du conducteur s'ouvrir, puis divers cris retentir en arabe. Une série de portes automatiques s'ouvrirent pour nous laisser passer. Le fourgon s'immobilisa enfin, et le chauffeur et le gardien vinrent ouvrir la portière arrière.

Devant moi se dressait un vaste bâtiment moderne, en assez bon état. Le fourgon étant garé tout près, dans l'ombre du bâtiment. J'étais incapable d'en discerner d'autres détails. On me fit descendre du fourgon et entrer dans un vestibule qui était, à ce que je sais maintenant, l'aire de réception de cette partie du complexe pénitentiaire. On me remit un paquet d'articles divers et on me conduisit dans une cabine où on me demanda de me changer. J'ouvris le paquet et vit qu'il contenait deux kamis, deux tee-shirts, deux caleçons boxeurs, une paire de sandales, une serviette, un savon, une brosse à dents et un petit tube de pâte dentifrice. J'enfilai ces vêtements propres, laissant mes anciens vêtements en tas sur le banc, et sortit de la cabine. Les gardiens en uniforme qui m'accompagnaient m'apportèrent un sac de plastique en m'indiquant que je devais y mettre tous les vêtements qui m'appartenaient et que j'avais enlevés. Puis ils me conduisirent dans une autre pièce aux murs nus où se trouvaient un bureau, quelques chaises, une caméra numérique montée sur un trépied, un ordinateur et une imprimante. Là, on prit les clichés de circonstance et remplit divers papiers pour que j'y appose ma signature et l'empreinte de mon pouce, même si je n'avais pas la moindre idée de ce que je signais. J'étais désormais gratifié d'un nouveau matricule, 357/8, qui me servirait d'identité dans les années à venir.

J'étais dans l'une des prisons d'Al-Ha'ir, à une cinquantaine de kilomètres au sud de Riyad. Al-Ha'ir est une petite ville qui abrite plusieurs prisons, une moderne utilisée pour les prisonniers politiques (où je me trouvais) et deux plus

173

petites, vieilles et décrépites, où on enfermait les criminels de droit commun, si on peut dire. Le complexe où je me trouvais était immense et, bien que j'eusse pu me faire une idée de la dimension de la section où j'étais et qui n'en était qu'une partie, je n'arrivai jamais à évaluer pleinement la dimension de l'ensemble. La seule autre chose notable dans les environs d'Al-Ha'ir était une base aérienne militaire au sud, à Al-Karj, occupée par du personnel des forces aériennes américaines, auquel s'étaient joints alors des employés de British Aerospace ainsi que quelques attachés militaires de la RAF. Après ma libération, quand j'en vins à savoir où j'avais été détenu, je me rendis compte que mes randonnées dans le désert au sud de Riyad m'avaient amené tout près de ce qui était maintenant devenu ma nouvelle demeure.

Les formalités étant accomplies, on me menotta et me mit un bandeau sur les yeux avant de me conduire dans la prison elle-même. J'essayai de compter et de mesurer mes pas pour me donner une idée de la longueur et de la direction du trajet. J'allais marcher dans cette section d'innombrables fois, les yeux bandés, et chaque fois me livrant au même exercice. Quand, finalement, je refis le parcours les yeux découverts, je fus étonné de voir à quel point je m'étais fait une idée précise des lieux. Après quelque temps, nous traversâmes un certain nombre de barrières électriques et pneumatiques avant d'aboutir à ma nouvelle cellule où on m'enleva le bandeau des yeux. La porte fut refermée derrière moi et verrouillée, et je me retrouvai seul.

Mon nouveau réduit constituait une légère amélioration par rapport au précédent. Le plus remarquable était sa propreté. La cellule mesurait deux mètres de large sur trois mètres et demi de long. Les murs étaient recouverts d'une couche de peinture caoutchoutée jusqu'à une hauteur de trois ou quatre mètres, d'une couleur jaunâtre nauséeuse. Toutes les autres surfaces à portée de vue étaient couvertes du même enduit. Le plancher était revêtu d'un linoléum gris. À gauche, il y avait un châlit arrivant un peu en bas du genou. Il mesurait environ un mètre et demi de long sur 75 centimètres de large. Tout juste à droite, il y avait un comptoir à hauteur de taille, en face duquel se trouvait un tabouret en acier inoxydable, fixé au plancher. Plus loin se trouvait un petit compartiment fermé en partie, qui contenait un cabinet d'aisances, un lavabo et une douche. Les deux premiers éléments étaient aussi en métal et portaient l'inscription du pays de fabrication: le Canada.

Je me retournai pour regarder la porte de la cellule, notant la petite fenêtre du guichet à hauteur de la tête. À l'extrémité du comptoir, il y avait un petit renfoncement avec une porte de métal. Cela ressemblait à une large fente pour passer le courrier, et c'est par là que les repas ou autres choses étaient livrés. De l'autre côté de la porte, il y avait, encastré dans le mur, un moniteur de télévision, ce qui me fit sourire: je me demandai s'ils avaient le câble. En regardant en haut, je remarquai une lucarne en plexiglas opaque, à l'endroit le plus élevé du plafond de la cellule, et je constatai que le toit était en pente, à partir du mur où la porte s'ouvrait jusqu'au fond de la cellule. Au point le plus élevé, la hauteur devait être de douze à quinze mètres et, au plus bas, de quatre mètres environ. La lucarne était munie de barreaux de métal. Même si ces barreaux avaient été installés, de toute évidence, par mesure de sécurité, ils semblaient superflus étant donné l'insurmontable difficulté de grimper là-haut. Enfin, il y avait l'inévitable caméra de surveillance, installée dans le coin supérieur de la cellule, au-dessus du passe-plat, et protégée par un écran de plexiglas et un boîtier de métal. À côté se trouvait une grille de ventilation pour le système d'air climatisé, qui s'étendait sur presque toute la largeur de la cellule.

Mes effets de prisonnier avaient été placés sur le comptoir. Et, sur le châlit, se trouvaient un matelas, une couverture et un oreiller. Tous ces articles étaient propres, au moins. J'ouvris le paquet, pris le pain de savon et m'en allai dans la cabine de douche. L'eau était tiède mais néanmoins revigorante. Je me lavai de toute la saleté accumulée au cours des onze derniers jours et qui était l'une des conséquences des mauvais traitements subis. Je me sentais encore sale et honteux à l'intérieur: une malpropreté que la douche ne pourrait effacer et avec laquelle j'apprendrais peu à peu à vivre au cours de mon incarcération.

En me séchant, après la douche, je pris le temps de m'examiner soigneusement. Une grande partie de mon corps était transformée en un véritable arc-en-ciel. À partir des reins jusqu'à l'arrière des genoux, il y avait un mélange de couleurs, allant du noir au rouge en passant par le bleu. Mon bas-ventre et toute la région pubienne avaient un aspect noir et violacé. Mon pénis enflé avait l'air d'un saucisson trop cuit. Mes testicules étaient gonflés comme des oranges et devenus si sensibles qu'il m'était pénible de marcher, chaque pas m'étant un rappel cuisant de leur condition. Mes pieds aussi étaient enflés et sensibles, ce qui rendait inconfortable le port des sandales qu'on m'avait laissées. Je restai donc pieds nus, même si c'était douloureux également. Le dessus des pieds en montant vers le genou était d'un rouge vif, émaillé ici et là de plaques bleues; la peau était gonflée et tendue. Les plantes des pieds étaient d'un rouge enflammé et brûlantes au toucher, comme si on les avait grillées. On peut dire que mon corps n'était guère beau à voir.

J'entrepris de me brosser les dents, mais je dus procéder délicatement, car elles aussi étaient endommagées et sensibles. En examinant bien, je vis qu'au moins trois dents étaient très abîmées. Sur la mâchoire inférieure, une dent de chaque côté était fissurée et branlante, et une autre sur la mâchoire supérieure, à gauche, était déjà désintégrée, ne laissant qu'un chicot pointu. Il m'était donc devenu difficile maintenant de manger, et il en demeura ainsi durant toute mon incarcération malgré les traitements rudimentaires qu'on me fournit en prison.

Ayant terminé ma toilette et mes examens routiniers, je revêtis un caleçon boxeur, un tee-shirt et un kamis, puis m'installai sur le matelas, m'enveloppant dans la couverture. Je trouvais l'atmosphère de la cellule froide; on était en décembre, après tout, et la température ne dépassait pas les 9 ou 10° C. Les vêtements que j'avais enfilés me fournissaient un peu de chaleur dans les circonstances. En outre, le froid que je ressentais semblait émaner de l'intérieur de moi, comme si la violence qui m'avait été faite avait provoqué un frisson de fièvre. Je m'étendis, enroulé dans la couverture et frissonnant, puis sombrai dans le sommeil.

Je fus réveillé bientôt par un double cliquetis dans la porte. C'était un bruit qui allait devenir familier et que j'apprendrais à craindre, car c'était celui des serrures à contrôle électronique de la porte de ma cellule. Je ne savais pas combien de temps j'avais dormi, mais par la lucarne du plafond je remarquai qu'il faisait encore jour; j'en conclus que mon sommeil avait duré une heure ou deux, au plus. Dans ma torpeur, je distinguai le bruit de plusieurs pas qui s'approchaient de ma cellule avant que la porte ne s'ouvrît. Deux gardiens en uniforme et un agent en kamis entrèrent. Un seul mot me fut lancé : « Docteur », et je me levai. Je fus étonné de voir qu'on me laissait sans entraves et sans bandeau sur les yeux alors qu'on me conduisait en dehors de la cellule. Je remarquai que j'étais à l'extrémité d'un couloir de vingt mètres de large avec des cellules de chaque côté et au milieu duquel se trouvait un massif d'arbustes et de plantes. (La raison d'un tel jardin m'échappe encore.) À gauche, le couloir se rétrécissait vers ce qui semblait être un poste de contrôle central vers lequel convergeaient d'autres couloirs. À droite de ma cellule, qui était la dernière de la rangée, il y avait deux portes pratiquées dans un mur de trois mètres de haut environ. Au sommet du mur, un toit plat se prolongeait sur deux à trois mètres jusqu'au mur extérieur de ce bloc cellulaire qui atteignait une hauteur d'environ quinze mètres. Derrière la porte la plus proche se trouvait un petit cabinet de médecin, où je fus introduit. Il ne contenait qu'un bureau, quelques chaises, un petit classeur et une série de balances.

Quand j'entrai dans le bureau, le médecin, un barbu mince d'origine indienne ou pakistanaise, s'adressa à moi en anglais, me demandant de monter sur la balance. Je fus étonné de voir mon poids, car au moment de mon arrestation je pesais environ quatre-vingt-seize kilos et j'en pesais maintenant quatre-vingt-neuf. Je savais que j'avais pris beaucoup trop de poids et que quelques kilogrammes de moins me feraient du bien, mais j'avais perdu ces six ou sept kilos en un court laps de temps. On me demanda alors de m'asseoir dans le siège à côté du bureau et de relever ma manche de chemise. Il s'agissait d'un autre examen sommaire, qui ne vérifiait rien d'autre que mon poids, mon pouls, ma pression artérielle et ma température. Je dus répondre encore aux questions rituelles sur mes antécédents médicaux. Mes commentaires sur les traitements qu'on m'avait fait subir et les sévices que j'avais endurés furent parfaitement ignorés. Et quand je demandai à voir un dentiste, je reçus pour seule réponse qu'on demanderait l'autorisation nécessaire. Je remarquai aussi sur le bureau un vieux roman en livre de poche de Louis L'Amour. Je tentai une communication plus personnelle avec le toubib en lui demandant s'il appréciait la littérature occidentale et s'il pourrait me prêter le livre quand il en aurait terminé. Pour seule réponse, il baissa les yeux et évita mon regard.

Après l'examen médical, je revins à ma cellule, m'étendis sur le matelas et tombai encore endormi. Quand je me réveillai plus tard, la nuit était tombée, comme je pouvais le voir par la lucarne obscure. Sur le comptoir à côté du passe-plat, il y avait un plateau de nourriture refroidie, recouverte d'un pain pita et accompagnée d'une tasse de thé, d'une orange et d'une petite bouteille d'eau froide. Je n'avais pas entendu les appels à la prière ni l'arrivée du plateau tellement j'étais épuisé. Je m'assis sur le tabouret et me jetai avec voracité sur le poulet et le riz. Tout en mangeant, je me rappelai que mon journal de riz était resté dans l'autre prison et je me demandai s'il serait découvert et sa signification comprise. Je mis l'orange de côté sur le comptoir, ramassai le nombre requis de grains de riz et recommençai mon journal de riz. Cela pouvait paraître futile, mais je savais que je devais établir une routine qui m'aiderait à conserver ma dignité et la santé mentale. Alors qu'une part de moi-même se complaisait dans le cynisme, une autre continuait de m'inciter à tout enregistrer au cas où cela pourrait servir. Une fois mon journal consigné et les pensées contradictoires écartées, je me réinstallai sur le matelas et sombrai rapidement dans l'inconscience.

Je me réveillai le lendemain matin pour découvrir que le plateau avait été enlevé et remplacé par un autre. Celui-ci contenait le petit-déjeuner habituel, mais au moins il s'y trouvait quelques œufs à la coque que je mangeai avec délice. J'étais un peu étonné que le plateau soit resté aussi longtemps étant donné qu'il faisait jour déjà. Au cours du ramadan, les repas n'étaient servis que deux fois par jour, soit juste avant l'aube et le soir après la prière du crépuscule. Quoique le plateau du soir fût parfois laissé sur place en attendant mon retour, celui du matin était d'habitude ramassé assez rapidement de peur que le fait de me voir manger au cours des heures de la journée n'offensât leur délicate sensibilité. Mais maintenant, pour je ne sais quelle raison, on me permettait de manger à loisir : peut-être mes conditions d'incarcération s'amélioraient-elles. C'était un mince espoir que je caressais, baissant la garde quelque peu, mais à tort.

Durant le reste de cette journée et le lendemain, je reçus de nombreuses visites de divers agents en kamis, qui posaient des questions générales sur mes besoins. Le premier de ces visiteurs fut un barbu de haute taille, dans la trentaine, entré seul dans ma cellule. Je découvris plus tard son rôle exact dans la hiérarchie carcérale, réalisant que sa visite avait quelque chose d'exceptionnel. Mais elle s'était produite parce qu'au moment de mon admission il était l'un des rares officiers disponibles parlant couramment anglais. Il fut suivi, à brefs intervalles, par divers autres personnages jusqu'à ce qu'entre dans ma cellule, juste après la tombée de la nuit, un groupe de cinq officiers, dirigés par un homme de haute taille, à la figure longiligne et portant une fine moustache bien entretenue. C'était le colonel Mohammed Saïd, vice-gouverneur de la prison, que je surnommai « Smiling Knife » (Couteau Souriant) pour son rôle hypocrite dans notre torture. Au cours de notre incarcération, il a été promu au rang de brigadier et de gouverneur de la prison comme récompense pour nous avoir bien gardés.

Après ces visites, on me laissa dormir. Toute la journée du lendemain, j'alternai entre la veille et le sommeil, mon esprit et mon corps cherchant désespérément à rattraper le sommeil perdu au centre des interrogatoires. Je n'y parvins pas vraiment, mais quand je me réveillai au matin de mon quatorzième jour de captivité, c'était la veille du jour de l'An et je me sentis assez dispos. Mon sommeil des nuits précédentes avait été profond et sans rêve, une descente dans l'oubli total dont j'avais besoin. J'étais presque arrivé à me convaincre que la torture était terminée et que tout ce que j'avais à faire était d'attendre qu'on disposât de moi. Je m'étais mis à songer à tous les incidents de ma captivité jusque-là, essayant d'en tirer un sens, avant d'abandonner, en fin de compte, et de me tourner à nouveau vers des souvenirs plus agréables.

À un certain moment de la matinée, le double cliquetis dans la porte se fit entendre et des pas s'approchèrent. La porte s'ouvrit et deux gardiens entrèrent, l'un portant un bandeau et l'autre me disant que je devais voir le docteur de nouveau. Peu après la consultation médicale, si on peut l'appeler ainsi, de retour à ma cellule, j'entendis l'appel de la prière annoncé fort et avec distorsion à travers les haut-parleurs de la prison. On apporta ensuite un plateau de nourriture. Comme il faisait

179

encore jour, je pensai que ce devait être au début de l'après-midi, ce qui indiquait que le ramadan était terminé. La nuit précédente, je dormais quand les prières avaient annoncé la fin du jeûne et je n'avais pas entendu non plus celles des quelques jours précédents. Il fallait que je sois vraiment épuisé pour ne pas avoir été dérangé par le vacarme des haut-parleurs, qui résonnait régulièrement à travers la prison.

Mais cette période de relative tranquillité fut bientôt interrompue. Peu après la dernière prière du soir, les gardiens apparurent de nouveau à la porte de ma cellule. Cette fois, ils me mirent les menottes, les chaînes et le bandeau, et me dirent un seul mot qui me glaça le sang: « *investigation* » (enquête). Une fois les entraves posées, je fus conduit de ma cellule vers quelque endroit qui me remplissait d'appréhension. Ma vision était restreinte mais pas complètement, car juste en dessous du bandeau je pouvais voir mes pieds et, en penchant légèrement la tête, apercevoir quelques détails de mon nouvel environnement. Je le fis de façon subreptice pour ne pas alerter mes gardiens et provoquer un rajustement du bandeau.

Khaled et Ibrahim remplissaient leur promesse de me rendre visite. J'avais espéré naïvement que je ne les reverrais plus et j'avais, aussi naïvement, cru que la violence était terminée, même si une évaluation plus froide de la situation me disait le contraire. Aussi, en marchant, essayai-je de me distraire en comptant les pas à mesure que j'avançais. Nous avons tournâmes à droite de ce que je présumais être le poste de contrôle, progressant plus loin sur une distance analogue jusqu'à ce que nous nous arrêtassions. J'entendis une sonorité électronique et une voix qui en émanait, comme si elle sortait d'un interphone. Un de mes gardes y répondit, ce qui fut suivi du clic-clac d'une serrure électronique qui s'ouvrait. Nous avançâmes et j'entendis le bruit d'une barrière à contrôle pneumatique qui s'ouvrait. Nous marchâmes autour de ce qui semblait former un arc avant d'arrêter à un bureau où on me demanda mon matricule. Puis nous longeâmes un autre couloir, traversant une sorte de détecteur de métal comme on en trouve dans les aéroports puis une autre porte avant de tourner à gauche et d'entrer dans un ascenseur. En sortant de l'ascenseur, nous tournâmes à droite et marchâmes le long d'un autre couloir avant de nous arrêter pour entrer dans une autre pièce. Là, on me conduisit à un siège et on me fit asseoir. Une fois de plus, je retrouvais l'appréhension de l'attente que j'avais connue dans le centre des interrogatoires : le même cycle recommençait.

Je savais que je n'étais pas seul dans la pièce. J'en eus la confirmation quand la porte s'ouvrit pour laisser entrer quelqu'un qui enleva mon bandeau. C'était Khaled et il n'avait pas l'air réjoui en renvoyant les gardiens restés en silence auprès de moi. Après lui arriva Ibrahim, apportant deux cannes de rotin et un tuyau de métal qu'il laissa tomber sans cérémonie près du mur derrière la porte avant de ressortir. Khaled était resté devant moi à me parler avec agressivité en me jetant des regards courroucés. Quelque part au fond de moi, je me doutais que quelque chose du genre surviendrait et qu'on exigerait autre chose de moi. J'étais déçu, sans doute, mais ni traumatisé ni désemparé comme j'aurais pu l'être. Au fond, je m'étais préparé à cette inévitable éventualité, ce qui avait tempéré mes accès d'espoir naïf.

Khaled se tenait debout en face de moi, et son haleine fétide me donnait quelque peu la nausée alors qu'il me disait ce qu'il avait l'intention de me faire subir. C'était une litanie de toutes les menaces qui m'avaient déjà été faites. Cela serait répété indéfiniment. J'appris que mon récit était bien mené jusque-là mais qu'ils voulaient en savoir davantage sur la participation de Raf et de Sandy, auxquels ils avaient fait quelque allusion au cours des derniers jours au centre des interrogatoires. Après m'avoir trahi moi-même ainsi que mon pays, il fallait maintenant que je trahisse mes amis. Ayant débité toutes ses menaces, Khaled quitta la pièce, me laissant appréhender ce qui allait survenir. Un gardien entra pour veiller sur moi.

Khaled revint bientôt en compagnie d'Ibrahim qui se mit à vociférer en me lançant des regards d'une férocité forcée. Il poursuivait son numéro, Khaled se débattant avec la traduction, quand retentit soudain la sonnerie d'un téléphone cellulaire. Ibrahim mit la main dans sa poche, attrapa son cellulaire et répondit. Aussitôt le ton de sa voix changea, devenant plus doux, plus amène et, jusqu'à un certain point, presque soumis. Je me doutai qu'il parlait à sa femme. Sans y penser, je jetai un regard candide en direction de Khaled et demandai :

– Sa femme?

Il fallait voir l'air de surprise qui se peignit sur la figure de Khaled. Il me répondit:

– Comment le sais-tu? Tu parles arabe?

Par hasard, je l'avais impressionné en démontrant une aptitude que je n'étais pas censé avoir. Sans être convaincu qu'il me croirait, je lui dis:

– Non, je ne le parle pas mais je n'en ai pas besoin. Il ne pouvait guère parler à son frère avec ce ton de voix.

Il était drôle de voir l'air de consternation sur la figure de Khaled. J'avais manifestement fait quelque chose d'inattendu ou dévoilé quelque chose que je n'aurais pas dû. Pourquoi devait-il être si étonné de découvrir que les hommes ont l'habitude de changer leur ton de voix quand ils parlent à des femmes, et surtout à leur épouse, à leur maîtresse ou à leur fille? Il était sûrement assez perspicace pour l'avoir remarqué. Je le pensais, du moins, vu la profession qu'il avait choisie. Mais, là encore, j'avais décelé une faille, un défaut dans leur cuirasse. Peut-être n'étaient-ils pas aussi forts qu'ils le pensaient, mais seulement violents.

Après sa conversation téléphonique, Ibrahim reprit ses vociférations contre moi, exigeant que j'avouasse les rôles joués par Raf et Sandy et que je donnasse les noms de mes contacts à l'ambassade britannique. Je trouvais curieux qu'ils n'aient pas essayé d'obtenir cette information de moi avant de me faire avouer que j'étais un espion. C'était là une question qu'il m'était des plus faciles à répondre, car je n'avais eu affaire directement qu'à un seul fonctionnaire de l'ambassade britannique: Simon Lovalt, le premier consul, qui avait quitté l'Arabie Saoudite pour raisons de santé, plus tôt, en 2000. La seule autre personne que j'avais connue à cette époque était Ian Wilson qui était alors le premier consul en fonction, mais je n'avais pas traité directement avec lui. Je donnai leurs noms à Ibrahim, en sachant fort bien que, si le ministère de l'Intérieur avait surveillé l'ambassade ou m'avait surveillé, ils auraient recueilli peu de données sur mes allées et venues, et rien notamment au cours des deux ou trois derniers mois. Cela leur rendait encore plus difficile la tâche d'inventer des preuves contre moi. Pour une fois, ma vie solitaire me donnait quelques avantages en créant des problèmes à mes tortionnaires.

Ibrahim ne fut pas content de mes réponses et commença à me taper dessus et à me donner des coups de poing sur le côté de la tête, sur la poitrine et sur l'estomac en me criant à la tête un seul mot anglais : « *liar* » (menteur). Je répétai que je ne mentais pas, que leur propre surveillance de l'ambassade britannique leur montrerait que c'était la vérité. Je leur signalai que j'avais avoué être un espion à leur insistance, mais qu'ils connaissaient bien la vérité. C'était là une autre malheureuse gaffe verbale qui les rendit encore plus furieux, eux qui cherchaient tant à se convaincre eux-mêmes de la véracité des mensonges qu'ils inventaient.

M'ayant facilement convaincu du sérieux de leurs menaces, ils me laissèrent en compagnie d'un gardien en uniforme. Ils revinrent bientôt pour me dire que j'allais retourner dans ma cellule. Ils me dirent aussi que si je ne changeais pas ma version de l'histoire et ne commençais pas à coopérer avec eux pleinement, ils me feraient regretter ma stupidité et mon obstination. Je me demandai jusqu'où il me faudrait être inventif avec eux pour empêcher les sévices qu'ils prenaient tant plaisir à m'infliger. Mon imagination pouvait-elle devancer la leur dans ce complot tortueux qu'ils avaient concocté ? L'affaire allait prendre une tournure étrange, comme si elle ne l'était déjà pas assez.

En me ramenant à ma cellule, on fit un détour après la sortie de l'ascenseur. Je fus ainsi amené à traverser une autre barrière à contrôle électronique, puis introduit dans un bureau pour rencontrer un autre médecin, un gros homme à lunettes d'âge moyen et d'origine indienne ou pakistanaise. Un autre examen expéditif fut mené avant qu'on me ramenât à ma cellule. Il n'était pas tard et je n'étais pas particulièrement fatigué. Je m'étendis sur le lit, essayant de réfléchir à ce qu'ils voulaient et à ce que je pouvais faire pour retarder le processus. Mes réflexions furent interrompues par le bruit caractéristique de la porte qu'on déverrouillait, ce qui accéléra aussitôt mes battements cardiaques. C'était là une réaction pavlovienne qui allait me rester tout au long de mon incarcération et qui reste encore ancrée en moi quand j'entends un bruit analogue.

Entra dans ma cellule un Saoudien court et trapu à la peau sombre, quelqu'un que j'aurais qualifié spontanément de Noir saoudien, non au sens péjoratif donné à ce terme par des

Arabes saoudiens mais simplement parce que c'était ce qu'il était : un Saoudien d'origine africaine.

Il y a une minorité importante de Saoudiens dont les racines ethniques et raciales sont africaines. La raison en est fort simple : le commerce des esclaves n'a été aboli en Arabie Saoudite qu'au début des années 1960. Certains anciens esclaves et leurs descendants ont prospéré avec les familles qui les possédaient à l'origine, car plusieurs continuaient à travailler pour leurs anciens maîtres et ils prospéraient en même temps qu'eux. La plupart de ceux qu'on désigne sous le terme de Noirs saoudiens gravitent presque à la périphérie de la vie sociale saoudienne, car ils ne profitent pas des allégeances tribales et des liens familiaux qui tiennent ensemble la société saoudienne : aux yeux de leurs concitoyens, ils sont plus ou moins des citoyens de seconde classe. Cependant, ces Saoudiens qui finissent par être fonctionnaires dans des organisations comme les forces de police sont considérés, de fait, par les autres Saoudiens comme plus honnêtes ou de commerce plus facile, car leur intégrité n'est pas entachée par des allégeances tribales. C'est quelque chose que j'allais remarquer, car tous les Saoudiens au sein du ministère de l'Intérieur qui me traiteraient avec décence et humanité, et qui souvent même contreviendraient aux ordres de leurs supérieurs étaient des Noirs. Ce fut le cas notamment le soir où ma maison avait été perquisitionnée, car le gardien qui m'avait bien traité aurait pu être le cousin de l'homme qui se trouvait maintenant devant moi.

Cet homme s'avéra le distributeur de médicaments faisant sa ronde nocturne. À la suite de mes requêtes au sujet de mes diverses blessures, le médecin avait prescrit de l'aspirine et une crème anti-inflammatoire qui m'étaient livrées à ce moment-là. Comprenant que je devais appliquer l'onguent immédiatement, j'enlevai mon kamis et mon caleçon. La vue de mon corps nu et contusionné fit s'éloigner l'assistant du distributeur de médicaments. Celui-ci secoua tristement la tête et enfila des gants de plastique jetables en me faisant signe de me tourner. Alors il m'enduisit gentiment le bas du dos, les fesses et les cuisses avec de l'onguent. Il me passa le tube et j'entrepris d'oindre abondamment les parties blessées de mon abdomen, de mon entrejambe, de mes jambes et de mes pieds. Il m'apparut que le bienfait de ces soins était plus psychologique que physique.

Je me sentis moins isolé dans une mer d'inhumanité. Pour cela, je serai toujours redevable à cet homme, car ses attentions et son humanité ne se sont pas démenties durant le temps de mon emprisonnement.

Ces soins terminés, la porte fut verrouillée et je revins à mon lit. J'écartai de mon esprit les choses qui m'avaient été dites ce soir-là, pensant plutôt au temps passé à faire du ski en Suisse avec une amie d'autrefois. Ces souvenirs agréables ralentirent mes pulsations cardiaques et me disposèrent doucement au sommeil.

Quand je m'éveillai, c'était la nouvelle année, mais une année qui n'était pas remplie d'espoirs ou de promesses. Ce que j'avais craint avait recommencé, poursuivant son cours inexorable. Durant les deux semaines suivantes, chaque jour allait voir se répéter ce qui s'était passé au centre des interrogatoires, à quelques exceptions près.

À partir de ma seizième nuit de captivité, je fus privé de sommeil jusqu'à la fin d'une séance d'interrogatoires, près de deux semaines plus tard. M'empêcher de dormir donna quelque peu maille à partir aux gardiens dans mon nouvel habitat, car ma cellule n'avait rien auquel je pouvais être enchaîné en position debout. Tous les articles qui m'avaient été offerts quand j'étais entré dans cette prison furent confisqués et on ne me laissa qu'un kamis, un tee-shirt et des caleçons. On enleva le matelas, la couverture et l'oreiller. Je n'avais rien sur quoi me reposer, ni rien pour me couvrir et me garder au chaud. Durant cette période, les gardiens viendraient souvent dans ma cellule pour s'assurer que j'étais astreint au régime de privation de sommeil qu'ils avaient eu pour instruction d'appliquer. Je n'avais pas l'autorisation de dormir ni même de me réchauffer. Tout ce que je pouvais faire était de rester debout ou, quand la permission m'en était donnée, de m'asseoir au bout du châlit et de m'adosser au mur. Cette position assise faisait souvent se ruer les gardiens dans ma cellule, car j'en profitais pour m'accorder le plus de moments possible de sommeil en m'appuyant contre le mur et en me laissant sombrer brièvement dans l'inconscience.

Ces moments étaient rares cependant, parce que j'étais constamment sous la surveillance des caméras en circuit fermé.

Alors, dès que je commençais à sommeiller, les surveillants qui m'apercevaient sur leur moniteur dépêchaient quelque sbire pour me forcer à rester debout. Je m'adonnai ainsi à une sorte d'exercice mental assez bizarre, consistant à essayer d'estimer combien de temps durait chaque station debout et chaque station assise. Heureusement, j'étais au moins libre de marcher dans la cellule, m'étirant et me massant pour alléger les crampes que mes blessures et la fatigue provoquaient trop souvent.

Les hallucinations reprirent encore après quelques jours et se poursuivirent durant tout ce temps. Elles n'inspirèrent plus le sentiment aigu de paranoïa que j'avais ressenti au départ. Pendant que j'étais seul dans ma cellule ou en attente entre les sessions de tabassage et les interrogatoires, je ratissais ma mémoire pour trouver des poèmes et des chansons, à la fois pour m'occuper l'esprit et pour me raffermir. Le poème qui m'était venu à l'esprit quelques jours auparavant devint une mélopée intérieure répétée tout bas durant des heures. Et il finit par avoir un effet hypnotique, comme un mantra pour les adeptes de la méditation. Il ne fit pas disparaître ma souffrance, mais il me donna juste assez de force morale, en quelque sorte, pour que ma personnalité ne s'effondre pas complètement.

Quand on vint me chercher pour interrogatoire la quinzième nuit, je me demandai comment ils procéderaient. Essaieraient-ils de m'amadouer par des arguments fallacieux ou emploieraient-ils immédiatement la violence? J'avais parié d'un côté et je ne fus pas déçu. Ayant été amené aux salles des interrogatoires au cours de l'après-midi, j'y restai à attendre pendant ce qui me sembla un temps excessivement long. J'appris que c'était la norme dans cette prison. On venait me chercher quelque temps après la prière du midi, d'habitude avant la prière du milieu de l'après-midi, et j'attendais là, les yeux bandés, menottes aux mains et chaînes aux pieds, dans un bureau d'interrogatoire, jusque bien après la quatrième prière de la journée. En calculant à partir des intervalles entre les prières, qui variaient en fonction de la longueur du jour, j'attendais dans ces limbes entre trois et cinq heures avant que Khaled et Ibrahim arrivassent et que l'interrogatoire commençât. La séance durait alors jusqu'aux petites heures du matin, finissant souvent après l'appel de la prière de l'aube.

Durant les premiers mois de ma captivité à Al-Ha'ir, quand j'étais conduit à l'extérieur du bloc cellulaire, j'avais un bandeau sur les yeux. J'essayais de me faire une idée de la structure de cette zone des interrogatoires en étudiant attentivement le parcours suivi. Quand j'entrai plus tard dans cette zone sans bandeau sur les yeux, je ressentis un plaisir diabolique à découvrir que mes estimations à l'aveugle étaient proches de la réalité.

En sortant de l'ascenseur, on se retrouvait dans un vestibule rempli de fauteuils, de divans et de tapis. Deux couloirs s'étendaient de chaque côté de ce vestibule. L'un menait aux bureaux principaux et aux salles de surveillance de ce bloc cellulaire, et l'autre aux salles d'interrogatoire. Il y en avait trois de chaque côté du couloir, des pièces petites et presque identiques. Les pièces du côté gauche étaient séparées par une petite cuisine et celles du côté droit par une salle de toilettes. Chacune d'elles était meublée d'un bureau et de quelques chaises, et le sol était revêtu du même tapis minable que j'avais vu au centre d'interrogatoire. De chaque côté du mur extérieur de ces pièces, il y avait des fenêtres étroites allant du plancher au plafond et dont le verre opaque laissait deviner la forme vague de barreaux. Insérée dans un coin, à la jonction du mur et du plafond, il y avait une caméra de surveillance installée et protégée de la même façon que dans les cellules.

Les deux dernières pièces de chaque côté du couloir étaient bien différentes cependant. Elles étaient décorées et meublées de façon somptueuse, avec un grand bureau, des divans et une table basse. Elles étaient reliées par un vestibule qui menait dans ce qui était soit une salle de toilettes, soit un vestiaire. Je passai quelque temps dans ces pièces quand, satisfaits de ce qu'ils avaient obtenu de moi et ayant fini de me battre, mes tortionnaires m'y emmenaient en guise de traitement de faveur et pour un entretien faussement cordial.

Ce jour-là, quand Khaled et Ibrahim arrivèrent, je remarquai encore une fois que le Spiv n'était pas avec eux et, Dieu merci, je ne le verrais plus le reste du temps que je passerais en prison. On m'enleva mon bandeau et on me demanda de m'asseoir sur le sol. Je fus immédiatement apprêté

187

pour la *falanga* : suspendu au tuyau et placé entre deux chaises de bureau qui se trouvaient dans la pièce. Ces sièges étaient du genre à pied central et ne constituaient donc pas une plate-forme particulièrement stable pour l'office qu'on leur faisait remplir.

Quand la bastonnade commença, mes contractions et mes sursauts faisaient bouger les chaises qui fléchissaient et craquaient sous la pression. Il n'y avait guère eu plus d'un cycle de bastonnade quand j'entendis un grand craquement et tombai par terre. La chaise à ma gauche s'était brisée, ce qui fit sortir de leurs gonds Khaled et Ibrahim. En jurant et en pestant, ils me tirèrent plus loin et enlevèrent le tuyau, ce qui me donna quelques moments de répit avant d'être placé de nouveau pieds et poings liés pour subir leurs coups. Au cours des quelques semaines suivantes, je ne serais pas soumis à la *falanga*. On m'épargna du moins l'inconfort supplémentaire d'être suspendu tête en bas.

Encore là, tout ce que je subis était bien ce à quoi je m'attendais, quoiqu'il y eût quelques différences. Quand les séances quotidiennes commencèrent, il devint de rigueur entre les périodes de tabassage et d'interrogatoire qu'on me plaçât face à un mur pour que je me tinsse debout sur une jambe, les bras levés au-dessus de la tête, ou qu'on me fît m'accroupir, les bras étirés. Les deux positions étaient douloureuses à cause de mon état de faiblesse et de mes contusions. Rester debout sur une jambe exerçait une tension sur mes chevilles et mes pieds endoloris, ce qui rendait difficile le maintien de l'équilibre et me faisait vaciller. La position accroupie était encore plus inconfortable. Les bastonnades avaient aggravé une blessure de longue date que j'avais au genou droit. Je restais dans l'une ou l'autre de ces positions jusqu'à une heure de temps. Ce qui pouvait paraître assez court m'était, dans les circonstances, des plus pénibles.

Les gardiens qui étaient préposés à ma surveillance au cours de ces périodes avaient reçu instruction de me punir si je changeais de position, et certains d'entre eux s'acquittaient de leur tâche avec férocité. De la façon qu'ils réagissaient quand je changeais de position, j'appris vite à reconnaître ceux qui, parmi eux, prenaient plaisir à ce qui m'était fait et ceux qui trouvaient la tâche pénible et rebutante.

Certains jeunes gardiens se réjouissaient de toute transgression que je pouvais faire, car cela leur donnait le prétexte de me rouer de coups de pied et de poing. L'un d'eux en particulier se servait d'une canne comme moyen de discipline quand Ibrahim quittait la pièce. Cet individu avait une ressemblance frappante avec Saddam Hussein plus jeune, avec les mêmes inclinations sans doute. J'étais amusé, à défaut de meilleurs termes, de voir que ce gardien avait un frère (ou, au moins, un proche parent) parmi les gardiens qui avait l'air d'être son jumeau et qui était encore plus brutal. Je surnommai ces deux-là les jumeaux Saddam. Ils allaient jouer un rôle majeur dans nombre d'autres incidents violents au cours de mon incarcération.

Un ou deux gardiens cependant semblaient bien aises de me laisser debout sur mes deux pieds et ils restaient appuyés sur la porte, une position qui servait de système d'alarme avancé pour me remettre accroupi quand quelqu'un essayait d'entrer dans la pièce. J'étais à ce moment-là fort reconnaissant, et je le suis encore, à ces gardiens de leur insubordination, car Khaled et Ibrahim s'empressaient de réprimander sévèrement les gardiens pour toute désobéissance ou erreur commise.

Heureusement, ce manège ne faisait pas partie de la période initiale d'attente dans le bureau des interrogatoires. Il commençait seulement une fois Khaled et Ibrahim arrivés et que les séances avaient officiellement débuté. Les séances d'interrogatoire semblaient plus longues maintenant que Khaled cherchait à m'amadouer. Je jouai le jeu de cette parodie d'amitié en lui posant des questions personnelles, me demandant si les réponses qu'il donnait étaient vraies. Je découvris ainsi que Khaled était marié et que sa femme était enceinte de leur premier enfant. Une telle révélation me donna à réfléchir, car je me demandai comment il allait châtier son rejeton. Il m'apprit aussi qu'il était allé à Toronto où il avait suivi un cours d'anglais. Si c'était vrai, il s'agissait d'une coïncidence étrange, car j'avais des amis dans cette ville qui enseignaient l'anglais à des étudiants étrangers.

J'appris aussi de lui qu'Ibrahim venait de prendre (« prendre » étant le terme usuel) une deuxième femme et que c'était elle qui l'appelait souvent au cours des interrogatoires, interrompant le rythme des bastonnades. Les intermèdes que ces appels téléphoniques entraînaient avaient quelque chose d'ironique qui ne s'atténua jamais. Il était extrêmement étrange de se retrouver là, convulsé de douleurs, à observer cette brute tortionnaire prendre le téléphone pour parler aussitôt sur le ton doucereux du mari soumis.

Nuit après nuit, au cours des treize jours suivants, les choses se passèrent ainsi. Le tabassage comportait d'habitude un mélange de coups de poing, de coups de pied et de claques; l'utilisation fréquente de la canne de rotin; ou le piétinement des testicules. La canne servait à me frapper le derrière quand j'étais debout ou la plante des pieds quand j'étais attaché comme un poulet. J'ai rédigé des descriptions détaillées du tabassage et des bastonnades subis, mais ces descriptions ne montrent que la simple répétition de la même violence, chaque séance ressemblant à l'autre vu la rigidité du mode d'emploi. Seules de petites bizarreries émaillaient, de temps à autre, cette affreuse routine.

À la fin de chaque séance, je n'étais pas reconduit directement à ma cellule mais entraîné momentanément ailleurs. En sortant de l'ascenseur qui nous amenait un étage au-dessous des bureaux d'interrogatoire, au lieu de tourner à droite et de retourner dans le bloc cellulaire, j'étais amené à gauche dans un arc de cent quatre-vingts degrés, en passant par une barrière à contrôle pneumatique, dans un petit bureau de médecin où mon bandeau et mes entraves étaient enlevés. Au cours d'une de ces nuits, la porte du bureau resta légèrement entrouverte, ce qui me donna un aperçu de l'endroit où je me trouvais. D'après mes estimations, j'étais juste en bas des bureaux d'interrogatoire et des postes de contrôle, dans ce qui était un dispensaire médical situé du côté opposé du vestibule de l'aire d'accueil de ce bloc cellulaire. À l'extérieur de ce bureau médical, je pouvais voir des cellules individuelles qui n'étaient pas fermées par une porte opaque mais par des portes à barreaux de type plus classique, ce qui permettait de voir à l'intérieur des cellules. Les cellules que je pouvais apercevoir n'étaient pas occupées, mais chacune contenait un simple lit d'hôpital.

Il y avait trois médecins de prison. Tous les trois me considéraient apte à subir la torture. Lors de ma première venue post-interrogatoire dans cette zone, je rencontrai le troisième des médecins de la prison. C'était un individu court de taille et très maigre, portant une barbe fournie et qui parlait un anglais presque sans accent. Je ne pouvais pas deviner exactement quelles étaient ses origines à partir de ses caractéristiques physiques ou de sa façon de parler, mais j'appris plus tard qu'il était palestinien. Donc, durant mes premiers jours là-bas, je rencontrai toute l'équipe médicale. À certains moments où ma douleur et ma frustration l'emportaient sur mon bon sens, je tentais de demander à chacun d'eux, à tour de rôle, comment leur formation médicale les avait préparés à leur rôle actuel.

À l'une de ces occasions, vers la vingtième nuit de captivité, alors que je posais la question au plus vieux médecin, l'homme corpulent à lunettes, je reçus cette simple explication : « Si vous leur disiez ce qu'ils veulent savoir, je n'aurais pas à vous traiter. C'est votre faute, pas la mienne. »

Cette conversation m'apprit que chaque déclaration que je faisais pouvait être rapportée à mes tortionnaires, car, lors de la séance suivante, ceux-ci me punirent d'une bien douloureuse façon pour mon insolence à vouloir confronter un membre de leur équipe médicale. Cela me fit réaliser alors que, selon toute probabilité, des rapports sur tous les aspects de mon comportement étaient fournis par les employés de la prison à ceux qui m'interrogeaient. Cette constatation fut renforcée par d'autres incidents, et j'en utiliserai un à ma façon pour embarrasser mes gardiens et les officiers supérieurs de la prison.

Je recommençai à coopérer le seizième jour, avouant être impliqué dans l'explosion à la voiture piégée qui s'était produite le 22 novembre, celle pour laquelle Raf avait été arrêté. Je récrivis aussi les aveux concernant la première bombe, cette fois pour impliquer Sandy Mitchell. Ces nouvelles versions ne les satisfirent d'ailleurs pas, car elles furent récrites encore et encore au cours des dix ou douze jours suivants. Vers le vingt-quatrième jour de ma captivité, il me fut demandé de rédiger une confession supplémentaire décrivant en détail mes activités pour chaque jour des mois d'octobre, novembre et décembre 2000. Les activités que je décrivis alors étaient un amalgame d'événements réels et d'événements fictifs inventés par mes ravisseurs.

À travers les versions qui se succédaient, je rendais compte de chacune de mes heures de veille, décrivant un horaire à la minute près pour chacune de mes activités. En plus de mes heures de travail, je passais apparemment jusqu'à trois heures chaque soir à planifier les attentats avec mes complices.

Deux facteurs rendirent cet aspect de mes confessions particulièrement ridicule, le principal étant la manière comique avec laquelle la vague d'attentats a été menée. Quand on lit les principaux détails de mes aveux, sur lesquels je reviendrai, on ne peut que se demander comment quelqu'un a pu passer tant de temps à des déclarations qui se lisent comme une farce à la Tom Sharpe. Il importe aussi de noter que mes tortionnaires trouvaient normal que quelqu'un puisse rédiger un compte rendu détaillé, à la minute près, d'activités s'étalant sur une période de quatre-vingts jours.

Essayez donc l'exercice suivant. À partir du moment où vous lisez ceci, choisissez une date deux mois auparavant. De là jusqu'à ce jour, écrivez minute par minute tout ce que vous avez fait durant chacune de ces journées. Certaines personnes ont sans doute une mémoire assez précise pour y arriver, mais, pour la plupart d'entre nous, c'est une chose impossible. À moins qu'un événement ne vous donne une raison particulière de noter le temps, vous seriez bien en peine de rédiger des aveux aussi exacts que ceux que mes ravisseurs exigeaient. Un tel argument peut sembler mineur mais, étant donné la difficulté de l'exercice que je vous ai demandé de faire, les cahiers contenant mes confessions devraient soulever des questions au sujet de l'authenticité et de la véracité de leur contenu.

Enfin, au vingtième jour de ma captivité, le 13 janvier 2001, Khaled et Ibrahim se dirent satisfaits de mes aveux. On me permit de dormir toute la nuit et tous les articles qui m'avaient été confisqués me furent rapportés. Jusque-là, je n'avais pas pris de douche non plus, car j'avais trouvé qu'il faisait trop froid pour le faire. Je tirai donc de grands soulagements de l'attention prolongée accordée ainsi à mon hygiène personnelle, suivie du fait de m'envelopper dans mes couvertures et de me laisser enfin plonger dans le sommeil.

Ce jour-là et le suivant, Ibrahim, Khaled et moi entreprîmes la tâche fastidieuse de traduire mes confessions en arabe. Je lisais tout haut mon texte, Khaled traduisait et Ibrahim écrivait en arabe dans de nouveaux cahiers. Au bas de chaque page, je devais me plier au rituel d'authentifier cette falsification en y apposant mes initiales et l'empreinte de mon pouce. Cette tâche s'est accomplie dans le décor plus luxueux de l'un ou l'autre des bureaux à l'extrémité du couloir. Si j'avais pu voir la scène comme elle se présentait, j'aurais trouvé difficile de la relier à la violence du mois précédent. L'atmosphère était, pour bien des raisons, amicale. Mes interrogateurs avaient fait venir des shawarmas et une salade de fruits d'un restaurant de Riyad. Ils offrirent de me procurer des cigarettes, offre que je déclinai car je n'avais pas besoin de fumer alors et, de fait, je ne le voulais pas. La meilleure description que je peux donner de ces deux séances est une réunion de trois collègues de bureau travaillant tard le soir pour terminer un rapport administratif très attendu.

La « confession » qui semblait les satisfaire n'avait guère de sens pour moi et je ne croyais pas qu'elle puisse avoir du sens pour quiconque à l'extérieur de l'Arabie Saoudite si jamais elle était divulguée en entier. On m'avait fait écrire, que le 16 novembre, Sandy était venu chez moi apporter deux bombes que j'avais entreposées sous l'évier de ma cuisine. Le lendemain à onze heures, Sandy était venu me chercher dans sa voiture, et j'avais conduit celle-ci à une intersection d'où je pouvais observer la villa des Rodway. Sandy avait alors posé la bombe dans la voiture de Christopher Rodway, était ensuite revenu à sa voiture et, avec moi, à la vue de tous, il avait attendu durant plus d'une heure le départ des Rodway.

Quand ils étaient partis, Sandy et moi les avions suivis de leur villa jusqu'à Ouruba Road. Après avoir traversé quelques feux de circulation et le carrefour, j'avais mis fin à la filature en tournant à gauche et en pressant en même temps la commande du détonateur à distance que j'avais en ma possession. Puis nous étions revenus à ma maison par un chemin particulièrement détourné avant de nous séparer, Sandy et moi.

Ce qui est étrange dans ce scénario c'est la succession très compliquée de gestes qu'il impliquait. D'abord, la voiture de Sandy était une Jimmy GMC à transmission manuelle. Donc, j'aurais dû effectuer un virage à gauche en changeant de vitesse pour traverser un feu de circulation et en même temps activer

193

un détonateur de l'autre main. Mais de quelle main s'agissait-il, pouvez-vous me le dire ? En outre, Sandy et moi aurions passé, de manière ridicule, un long moment, assis dans un véhicule, à surveiller la maison de quelqu'un à la vue de tous. Enfin, le parcours que nous avions suivi pour revenir était incroyablement compliqué et la voiture que nous étions censés conduire était de fait hors circulation puisqu'elle était chez un concessionnaire GMC, qui devait en remplacer la pompe à essence (Mitchell avait un reçu qui en faisait foi).

Si cette confession ne semble pas assez étrange, alors un détail de mon implication dans la seconde explosion est encore plus étrange, le reste étant tout aussi farfelu. Pour le premier attentat, Sandy et moi avions travaillé en duo, mais nous avions maintenant un troisième partenaire dans l'opération. Ce qu'on me faisait dire dans mes confessions était que Raf avait été impliqué parce qu'il avait surpris une conversation entre Sandy et moi. Le lendemain de la première explosion, en effet, une conversation où nous évoquions l'opération lui avait appris, du coup, que nous étions les terroristes dont tout le monde parlait.

Parce que Sandy et moi avions reçu l'ordre de poser une deuxième bombe, nous aurions décidé d'impliquer Raf afin de nous assurer qu'il ne parlerait pas. Cela nous avait amenés à réviser nos plans afin que Raf fût celui qui poserait la deuxième bombe. Le jour en question, j'étais revenu à la maison après la travail et avais pris la bombe qui restait et une fausse bombe que Sandy avait laissée le jour précédent. Je m'étais alors rendu à la villa de Sandy où je devais les rencontrer, lui ainsi que Raf. En arrivant là, je fis venir Raf à ma voiture et, en plein jour au milieu de la rue, j'aurais remis à Raf une fausse bombe enveloppée dans un sac d'emplettes en plastique. La vraie bombe était restée dans mon véhicule sous le siège du passager. Quelques minutes plus tard, je repartais chez moi.

Le plan présumé était que Raf devait aller au complexe d'Al-Fallah où il attendrait mes instructions. Je me rendrais, à mon tour, au complexe pour repérer la voiture cible et j'appellerais Raf sur son cellulaire pour lui décrire la voiture dans laquelle il devait poser la bombe. Cela étant fait, Raf devait revenir au complexe et attendre que le chauffeur de la voiture cible partît. Il suivrait alors ladite voiture, et moi de

194

même. C'était à ce moment que je ferais détoner la bombe et m'éloignerais tandis que Raf s'arrêterait pour fournir les soins d'urgence et s'assurer qu'il n'y avait pas de morts.

Comment devais-je faire exploser une bombe qui était censée être fausse ? Simple !

Raf ayant posé sa bombe et quitté les lieux, j'étais retourné pour poser le véritable engin. Le fait de donner une fausse bombe à Raf, à son insu, était une sorte d'assurance. S'il refusait de passer à l'action, alors j'aurais pu prendre les choses en main moi-même, car Sandy et moi, supposément, ne lui faisions pas confiance pour exécuter la tâche qui lui avait été assignée.

La voiture que je devais piéger appartenait à Steve Ford-Hutchinson, un expatrié britannique que nous connaissions et qui travaillait à l'hôpital de la Garde nationale tout en tenant un des bars installés dans le complexe d'Al-Fallah. Après avoir repéré son véhicule, j'étais censé appeler Raf : cependant, Steve ne s'était pas montré et, comme le temps pressait, j'avais appelé Raf et je lui avais fait poser sa bombe (fausse) dans le véhicule stationné à côté du sien avant de remplacer la fausse bombe par celle que j'avais. Tout cela s'est fait à moins de cinquante mètres de deux ou trois gardiens postés à l'entrée d'une base des forces aériennes saoudiennes, située à côté du complexe d'Al-Fallah.

À l'heure de fermeture du bar, au moment où tout le monde partait, Raf avait filé le véhicule piégé et j'avais suivi Raf. Enfin, après avoir fait exploser la bombe, je m'étais éloigné en laissant Raf administrer les soins aux blessés.

Pour quelle raison fallait-il laisser Raf derrière, étant donné sa prétendue implication ? L'épisode suivant des confessions en fournit la réponse. Supposément, Mitchell et moi étions des agents du MI6, sous le commandement de Ian Wilson et Simon MacDonald, des hauts fonctionnaires de l'ambassade britannique qui étaient nos superviseurs. Nos instructions étaient de déclencher une série d'explosions non meurtrières visant les expatriés britanniques afin d'embarrasser le gouvernement saoudien et de l'amener à une plus grande collaboration avec les services secrets britanniques : tout cela en vue de creuser un fossé entre les expatriés et la communauté saoudienne pour empêcher une trop grande familiarité. Or, nos superviseurs

195

n'avaient pas été heureux que nous eussions causé la mort de quelqu'un, aussi ordonnèrent-ils à Sandy de trouver un moyen d'empêcher cela. Donc pour l'explosion suivante, l'un de nous devait poser et faire exploser la bombe tandis que l'autre arriverait comme un bon Samaritain pour s'occuper des blessés. Alors Raf s'intégrait bien dans cette partie de nos présumés instructions et plans.

Je ne sais ce qu'on peut en penser, mais je trouvais les détails donnés dans ma confession, au sujet de la seconde explosion, encore plus farfelus que ceux de la première. Néanmoins, ce ne serait pas la fin de l'histoire. J'aurais à récrire encore ma confession sur la seconde explosion à une date ultérieure. Cependant, à ce moment-là, Khaled et Ibrahim étaient satisfaits de l'histoire qu'ils avaient concoctée puis qu'ils m'avaient fait avaler et régurgiter de force, pour ainsi dire. La nature et le contenu de ces aveux ne passeraient pas la rampe d'un quelconque examen. Ils ne pourraient pas constituer une preuve réelle de mon implication (ou de celle des autres) dans ces attentats, ce qui me donnait un certain plaisir.

J'avais réussi une chose, néanmoins. Quand ils bâtissaient leur scénario, j'avais pu les convaincre que j'étais celui qui avait fait exploser les bombes. Au cours des quelques semaines précédentes, il m'était venu à l'esprit qu'on pourrait faire valoir que la seule personne coupable de meurtre était celle qui avait fait exploser les bombes. Les autres pourraient être considérées simplement comme des complices involontaires et donc pas aussi coupables devant n'importe quel tribunal, fantoche ou non, avec la possibilité qu'ils n'aient pas à faire face à la peine de mort. Cela contribua quelque peu à atténuer mon sentiment de culpabilité pour avoir impliqué mes amis. Ce n'était pas d'un grand réconfort, mais c'était toujours ça de pris.

La nuit où débuta ce cycle de mes confessions, juste après qu'on m'eut soumis à une bastonnade, Khaled me banda les yeux, m'ordonnant de rester silencieux et de ne rien dire. On m'amena hors de la pièce des interrogatoires, vers l'extrémité du couloir, dans le dernier bureau à droite, que je vis pour la première fois quand on m'enleva le bandeau. Khaled se tenait à côté de moi, m'indiquant avec son index sur la bouche de garder le silence. En face de lui, Sandy Mitchell tout tremblant se tenait debout, les yeux bandés. Sa voix était brisée par la douleur alors qu'Ibrahim le frappait sur la croupe et le bas du dos.

J'ai été forcé de regarder Sandy se faire frapper cinq ou six fois avant que Khaled ne lui posât une série de questions sur son implication dans la deuxième explosion et sur son rôle comme espion. Je n'eus pas le courage de parler à Sandy, d'essayer de lui offrir un soutien moral quelconque ou de lui dire que j'acceptais ce qu'il faisait parce que c'était nécessaire (et parce que je faisais de même). Je restai là immobile, craignant le retour du même traitement pour moi, les larmes me montant aux yeux car je trouvais aussi difficile émotionnellement de voir souffrir quelqu'un que de souffrir moi-même.

Une fois cette petite démonstration terminée, on me banda de nouveau les yeux et on me ramena au bureau des interrogatoires pour attendre le retour de mes tortionnaires. Je me demandais si Sandy s'était rendu compte que moi ou un autre prisonnier s'était tenu aussi proche de lui. Comme les bandeaux étaient retenus par du velcro, il n'était guère possible de les enlever sans bruit. Je me demandais donc s'il avait entendu le bruit caractéristique du bandeau qu'on m'enlevait. C'est drôle mais je ne pense pas lui avoir jamais posé la question depuis que j'ai eu l'occasion de le faire. Ce que je ressentis fut un retour du sentiment de culpabilité, en premier lieu pour avoir avoué et avoir impliqué ceux que je connaissais, alors que j'étais poussé à nouveau dans le bureau.

Quand je repense à cet épisode aujourd'hui, je le trouve plus difficile émotionnellement que tout autre me concernant directement. Il est étrange que je puisse parfois être si froidement cynique au sujet de mon propre sort et que je trouve plus éprouvante la douleur et la souffrance des autres. De là vient mon manque de préoccupation pour ma propre sécurité et mon confort. Je ne saurais dire pourquoi, mais je suis sûr que cette attitude trouve ses racines dans mon enfance, quand j'ai eu à affronter les vicissitudes de l'échec conjugal de mes parents et de tout ce que cela m'a imposé. J'ai développé alors une forme de stoïcisme qui est l'une de mes caractéristiques principales.

Six jours environ après avoir vu torturer mon ami, j'étais assis dans l'attente d'une autre bastonnade quand Ibrahim et Khaled entrèrent dans la pièce. On me souleva, me banda les yeux et me demanda de parler seulement si on me posait des questions. Je présumai que ce fut Ibrahim qui quitta la pièce, car je ne pouvais plus sentir autant son eau de Cologne. Tout ce qui restait était la mauvaise haleine de Khaled, qui demeurait là à me frapper à la tête et entre les jambes. Quelques instants plus tard, la porte s'ouvrit et j'entendis des pas traîner sur le plancher, juste au moment où je finissais de répéter ce qu'ils voulaient que je disse sur les fonctionnaires de l'ambassade britannique que je connaissais. J'entendis alors la voix de Sandy Mitchell me disant de leur déclarer ce qu'ils voulaient entendre. Je remarquai le terme qu'il avait choisi, mais non mes ravisseurs. Il avait employé le mot « entendre » et non « savoir », une distinction apparemment perdue dans la traduction.

Après cette brève déclaration, la porte s'ouvrit et Sandy fut conduit à l'extérieur. Je ne pus que conjecturer que ces deux événements eurent lieu pour nous montrer à l'un et à l'autre nos trahisons réciproques, dans l'espoir que cela amènerait une plus grande coopération et scellerait notre soumission. Ce n'était pas que je ne coopérais pas, mais mon imagination ne pouvait pas se mettre au niveau de la leur. C'est à se demander s'il est de rigueur que les agents de la police secrète aient une aptitude innée à échafauder et à croire des théories et des conspirations byzantines bien au-delà des aptitudes des gens normaux et sains d'esprit dans le monde ordinaire.

Au dix-huitième jour de ma captivité, je vis quelque chose que je n'ai pas encore réussi à comprendre mais qui avait une signification inusitée. J'avais été amené dans le bureau des interrogatoires et j'avais demandé la permission d'aller aux toilettes après avoir attendu Khaled et Ibrahim environ une heure. Quand je sortis des toilettes et en revenant au bureau, mes tortionnaires survinrent en vociférant quelque chose à l'intention des gardiens. Je fus immédiatement poussé dans le bureau le plus proche que je savais ne pas être celui dans lequel j'étais au départ. Pour une raison ou une autre – la nervosité provoquée par l'agressivité de ses supérieurs ou tout juste un manque de compréhension des ordres reçus –, le garde qui m'accompagnait retira mon bandeau, me laissant voir le bureau dans lequel j'étais.

Il ne différait guère des autres bureaux d'interrogatoire, sauf qu'il contenait un objet curieux. Posée sur l'un des deux bureaux que contenait la pièce, il y avait une maquette plutôt poussiéreuse d'une ville montrant des édifices, des parcs, des rues et même la circulation des voitures. À une extrémité de la maquette, il y avait une petite étendue peinte en bleu qui indiquait une pièce d'eau. C'était une chose qu'on s'attendrait de voir dans un centre d'opération militaire. Durant un instant, je regardai sans comprendre ce qui se trouvait devant moi avant de voir vraiment de quoi il s'agissait. Cela me frappa comme un éclair.

Ce paysage urbain était le quartier d'Al-Khobar et, en continuant de scruter la maquette, je commençai à reconnaître ses particularités. Mon regard fut alors attiré vers un coin en particulier, où je vis une voiture en modèle réduit de deux à trois centimètres, à côté de laquelle étaient peintes des flammes pour indiquer une explosion, comme on en voit dans les bandes dessinées.

C'était manifestement la troisième explosion, celle qui avait été mentionnée au passage dans les premiers jours de mon incarcération et qui s'était produite deux jours avant mon arrestation. Pourquoi diable une maquette aussi détaillée se trouvait-elle dans la prison d'Al-Ha'ir ? Depuis combien de temps se trouvait-elle là et quand avait-elle été construite ? L'incident auquel elle faisait référence s'était produit à peine un mois auparavant et, vu l'état poussiéreux de cette maquette, elle devait se trouver là depuis un bon nombre de jours. J'étais ébahi à la fois par ce détail apparaissant sur la maquette et par le fait que celle-ci devait avoir été réalisée depuis assez longtemps. Même si, à ce moment-là, j'étais sûr (et le suis encore) que le Mabaheth, au sein du ministère de l'Intérieur, savait qui était l'auteur des explosions dont j'étais accusé, l'hypothèse qui me vint à l'esprit alors était que le service des renseignements pouvait bien avoir été plus directement impliqué dans l'affaire. Mais je n'ai pu encore m'expliquer le fait que je fût tombé par hasard sur cette maquette ou d'en trouver vraiment la signification. Chose certaine, je n'étais pas censé la voir. Car Khaled entra bientôt en trombe dans la pièce, vociférant des imprécations en arabe contre mon gardien qui avait sauté sur ses pieds et semblait accablé par les invectives. Le bandeau fut vite replacé sur mes yeux et je fus entraîné à la hâte dans un autre bureau. Khaled m'enleva alors le bandeau et chercha aussitôt à savoir si j'avais reconnu ce que j'avais vu. Je lui dis que non en tâchant de le lui prouver. Après une demi-heure environ, il me parut convaincu par mes dénégations et quitta la pièce, me laissant en position accroupie sous l'œil vigilant du gardien réprimandé. Durant tout le temps de mon incarcération, cela resta un incident que je retournai souvent dans ma tête comme une pièce du puzzle que j'essayais d'assembler pour comprendre ma situation.

L'un des petits jeux bizarres auxquels je m'adonnais lors des périodes d'attente dans le bureau des interrogatoires provenait des tactiques que j'avais élaborées pour m'aider à me détendre. Comme mon père, j'ai la mauvaise habitude de tripoter machinalement des petits objets (*fidgeting,* comme on appelle ça dans la famille Sampson), bien que ce ne soit pas aussi prononcé chez moi que chez mon père. Quand mon paternel trouve à portée de sa main un bout de papier, un petit fil de coton ou un bout de ficelle, il passe des heures à les rouler en boule et à les dérouler. Après son départ, il laisse derrière lui des amas de petites choses qu'il s'est complu à tripoter. Je fais un peu de même, mais jamais autant que mon père. Pour une raison ou une autre, nous semblons nous adonner à cette activité inconsciemment, trouvant une quelconque relaxation dans le divertissement qu'elle procure.

Je découvris bientôt que les coutures de mon kamis et de mon tee-shirt étaient une source presque inépuisable de petits fils. Alors je tirai ces fils, en en gardant une bonne réserve dans les poches de mon kamis, afin de m'en servir furtivement pour les tripoter entre mes doigts. Quand je m'adonnai pour la première fois à cette activité dans les bureaux d'interrogatoire, cela provoqua l'irruption de gardiens dans la pièce, qui aussitôt me privèrent de cette distraction et me firent vider les poches. Il était évident que quelqu'un me surveillait presque sans arrêt par les caméras en circuit fermé. Ce fût que s'amorça le petit jeu d'essayer de cacher mes tripotages. Je ne sais trop si j'ai réussi ou si mes surveillants ont abandonné la partie, mais cinq ou six jours plus tard je pus m'adonner librement à ce divertissement. C'était une autre petite victoire. De fait, l'essentiel de mes journées se passait à tenter de gagner un petit avantage, à marquer un gain, si minuscule fût-il.

200

Quand j'arrivai dans cette prison, je demandai du papier hygiénique et on m'en donna un petit rouleau qui fut confisqué dès que les interrogatoires commencèrent. J'appris rapidement à me nettoyer en me servant du robinet fixé au sol, à côté des toilettes de ma cellule. Je n'en étais guère content, mais au moins ça me permettait de rester propre, même si sans savon je ne pouvais pas me laver les mains comme il faut. Cependant, je découvris une autre mine de cet article essentiel, ce qui améliora un peut mon sort.

Au deuxième jour des interrogatoires, je demandai à aller aux toilettes. Rendu là et libéré de mes entraves, je découvris qu'il y avait du papier hygiénique dans les cabines. Je vis là une occasion propice et je déroulai une bonne partie du rouleau en partageant ma découverte en deux portions. Je mis l'une dans la poche de mon kamis et aplatis l'autre autant que possible pour l'enfouir sous la ceinture de mon caleçon boxeur. Quand je sortis des toilettes et recommençai à tripoter mes fils de coton, on procéda à une fouille de mes poches : le papier hygiénique fut découvert et confisqué mais pas la portion dans ma ceinture de caleçon. Même à la fin de la soirée, quand je passai par le détecteur de métal et qu'on me soumit à la fouille routinière, les gardiens ne trouvèrent pas mon trésor caché. Ainsi débuta ma carrière de contrebandier de papier-cul de prison.

Au-delà du sentiment de victoire que me donnait le fait de l'avoir découvert et volé, le papier hygiénique remplissait deux fonctions. D'abord, celle usuelle de torche-cul, même si je continuais à utiliser le robinet pour nettoyer cette partie de mon anatomie. Je découvris aussi qu'il fournissait un bon objet de tripotage. Les petites boules de papier propre me donnaient quelque chose à mâcher, un autre petit divertissement qui soulageait le stress. J'élaborai une tactique pour prévenir la confiscation du papier trouvé dans mes poches. Je demandais la permission d'aller aux toilettes deux fois au cours des sessions d'interrogatoire, la première quand j'arrivais dans le bureau et la seconde au milieu de la soirée. Au cours de ces répits, j'en profitais pour rouler un certain nombre de petites boules de papier que je pourrais me fourrer dans la bouche et mastiquer lentement durant la séance. Cette mastication ne passait pas inaperçue, mais je pouvais toujours avaler l'objet du délit et convaincre le gardien que je mâchais ma langue.

Quant à mon journal de riz commencé au centre de détention d'Al-Ulaysha, il s'avérait un peu problématique. J'accumulais un tas de riz étant donné que j'en ramassais trois grains par jour. Mais, dans cette cellule, je n'avais pas de matelas où les cacher. Au début, je dissimulais le riz derrière quelques oranges que je gardais de mes repas. Même là, je craignais que le tas de riz soit découvert et enlevé. La solution fut d'envelopper les grains de riz dans du papier hygiénique et de les transporter sur moi, serrés entre mes fesses dans les allers et retours des interrogatoires, puis fixés sous la ceinture de mes caleçons au cours des séances elles-mêmes. Je procédais au transfert de mes fesses à la ceinture du caleçon dans les toilettes des bureaux d'interrogatoire lorsque je recueillais ma ration quotidienne de papier hygiénique, ce qui empêchait leur découverte lors des fouilles réglementaires qui avaient lieu chaque fois que je quittais le bloc cellulaire et que j'y revenais.

Je préparais d'abord ces petits paquets dans ma cellule en m'arrangeant pour ne pas être découvert, car j'avais trouvé un petit angle mort dans le système de surveillance. La section de la douche et des toilettes de ma cellule se trouvait derrière une cloison à hauteur de tête environ. Quand on était assis sur le siège d'aisances, on échappait en partie à la surveillance des caméras. On pouvait donc faire certaines choses sans attirer les soupçons. Je m'étais aperçu, au cours de mes périodes d'insomnie forcée, que si je passais trop de temps assis sur le siège, les gardiens venaient vérifier. Cependant, le temps requis pour emballer et déballer mes gains de riz n'était pas assez long pour m'attirer des ennuis. Ces minuties me tenaient follement occupé, mais j'avais besoin d'être occupé à quelque chose et cela au moins était constructif, d'une certaine façon.

Si insignifiantes que ces activités puissent paraître, elles avaient un but: m'aider à me donner un sentiment quelconque de contrôle en me créant un petit domaine d'intimité dans l'univers physique. Ces menues activités réussissaient à atteindre cet objectif, et c'est pourquoi je ne les qualifierais pas de frivoles ou de folichonnes. Quand on est privé de tout point de référence normal ou de tout confort normal, l'esprit a désespérément besoin de trouver des façons de s'occuper au milieu du stress et de l'atterrement qui l'oppriment. La moindre activité qui offre un réconfort, qui procure un sentiment de contrôle ou qui aide à s'ancrer dans le temps et l'espace doit être poursuivie afin de conserver sa santé mentale et son identité. Vos ravisseurs veulent et ont besoin que vous deveniez complètement dépendant d'eux pour pouvoir mieux vous manipuler émotionnellement et contrôler tous les aspects de votre état mental. Pour ne pas succomber à ce syndrome de Stockholm, il faut trouver certains moyens d'observer, de surveiller, de se rappeler et de garder des menues choses cachées.

Ainsi, j'arrivai au vingt-neuvième jour de ma captivité. Le tabassage semblait être terminé et mes bourreaux semblaient contents de ce qu'ils avaient obtenu. J'étais étendu sur ma couche, supputant ce qui arriverait ensuite, me demandant combien de temps je devrais resté confiné ainsi avant qu'on disposât finalement de ma personne. Au moins certaines choses s'étaient améliorées. J'avais pu avoir deux nuits de sommeil et passer deux jours sans être battu. On m'avait ramené le matelas et j'avais pu y pratiquer un petit trou dans la couture pour y enfouir les grains de mon journal de riz. Pour le moment, je n'avais plus à les transporter entre les fesses. J'étais assez propre et presque au chaud. À vrai dire, je méritais un congé mais je n'y comptais guère.

Au cours de ces vingt-huit premiers jours, j'avais été privé de sommeil durant vingt-trois jours et torturé pendant vingt et un jours. J'avais appris à bien distinguer les bruits qui se produisaient dans le voisinage immédiat des murs de ma cellule et à redouter ce qu'ils signalaient. Les appels à la prière ponctuaient le passage du temps. Le double cliquetis de la porte de ma cellule indiquait une visite de dirigeants de la prison ou, quand il se produisait dans l'après-midi signalait la violence imminente d'une séance d'interrogatoire. Le ping-pong aigu du signal électronique au loin, auquel faisait aussitôt écho un clic-clac, suivi du relâchement d'air comprimé des barrières pneumatiques, signalait que quelqu'un quittait le bloc cellulaire; la succession inverse de ces bruits indiquait une arrivée. Le roulement de chariots à desserte s'ajoutant à l'ouverture et à la fermeture des barrières signalait l'heure des repas.

J'en étais venu à associer chacun de ces bruits, qui se produisaient à des moments précis de la journée, à différents niveaux d'attente, d'anxiété et de peur. Comme on venait toujours me chercher entre midi et dix-huit heures pour les interrogatoires, je prêtais une oreille attentive aux divers mouvements et bruits qui se produisaient durant ces heures. Les traitements que j'avais subis signifiaient que, pour les mois à venir, l'anxiété commencerait à me gagner un peu après la prière du midi et durerait jusqu'à ce que j'entendisse le dernier appel de la prière du jour, moment où je pourrais me détendre un peu en pensant que j'avais connu une autre journée sans torture et que j'avais au moins douze à quatorze heures devant moi avant d'en être de nouveau l'objet.

Mon état émotionnel à ce moment-là pourrait être qualifié au mieux de fragile, sous l'empire de la peur et de la terreur, mais le désespoir que j'avais éprouvé au centre de détention d'Al-Ulaysha n'était pas revenu aussi fort. J'avais fini par accepter, à mon corps défendant, le côté inévitable des tortures que je subissais. Alors que la perspective des interrogatoires me remplissait encore d'épouvante et que chaque jour voyait se reproduire le même cycle d'anxiété progressive devant l'inévitable, j'avais réussi à élaborer certains moyens de divertissement et de détente qui m'empêchèrent de sombrer dans l'hystérie.

Je faisais tout ce qu'il fallait pour m'épargner le plus de tortures possible, car je n'avais pas la force psychique pour continuer de supporter la torture. Il pourrait sembler à certains que je manquais de courage ou de fibre morale pour opposer la résistance nécessaire. Cependant, une chose que je savais avant que cette fatalité ne se produisît et que j'en vins à comprendre, à la fois intellectuellement et viscéralement, c'était que la volonté de résistance a des limites. On peut résister un certain temps, mais on finit toujours par succomber. Le temps qu'il faut peut varier entre les personnes, mais éventuellement on essaie de dire à ses ravisseurs ce qu'ils veulent entendre. Donc je tâchais de leur fournir ce qu'ils attendaient tout en essayant d'inscrire dans leur scénario des éléments qui en augmenteraient l'absurdité. Survivre de jour en jour avec le moins de souffrance possible était un objectif, mais il y en avait un autre qui était de garder mes distances avec mes ravisseurs tout en les convainquant de ma soumission émotionnelle.

Ce dernier aspect de ma lutte était particulièrement difficile à cause du degré de déstabilisation provoqué par les châtiments physiques, la privation de sommeil et la séquestration. Il était difficile de maintenir une distance émotionnelle avec Khaled et Ibrahim même si leur tentative pour créer un lien de ce genre était flagrante. Mon propre esprit me jouait des tours car, même si je me savais innocent, je commençais à me poser des questions sur l'innocence de mes coaccusés. Je n'entendais que ce que me racontaient mes interrogateurs, et ceux-ci revenaient sans cesse sur les détails de mes aveux et de ceux de mes amis jusqu'à ce que leur scénario fictif commençât à avoir un semblant de réalité dans mon esprit troublé. Ainsi, la seule réalité que j'avais devant moi était en fait la fiction créée par mes ravisseurs.

Quand de tels doutes commencent à s'introduire dans votre esprit, il est très difficile de ne pas devenir convaincu, sinon de votre propre culpabilité, du moins de la culpabilité de ceux qui ont été arrêtés avec vous. Et si vous succombez à cette distorsion de la réalité, vous commencez à jeter le blâme des événements sur vos propres amis, ce qui brise votre lien émotif avec eux et rend les invites émotionnelles de vos ravisseurs encore plus séduisantes. J'étais envahi par ces doutes naissants à cause de l'effet hypnotique produit par la rédaction à répétition de mes confessions et à force d'écouter ce que répétaient constamment mes ravisseurs dans l'état de vulnérabilité où les interrogatoires me mettaient.

Même si je perçais à jour les manœuvres hypocrites de mes interrogateurs en tâchant de garder une distance émotionnelle vis à vis d'eux, il m'arrivait encore de me demander si mes amis pouvaient avoir été impliqués dans les événements dont nous étions accusés. Je réussissais tant bien que mal à écarter ces doutes en m'accrochant fermement à la fausseté des accusations. Quand j'étais seul dans ma cellule, je repassais dans ma tête ce que je pouvais me rappeler de mes propres faits et gestes au cours des mois précédents ainsi que ce que je savais de ceux de mes amis, me prouvant ainsi à moi-même leur innocence et écartant du même coup ce que mes tortionnaires cherchaient à me faire avaler. Ce n'était pas un exercice facile et je comprends trop bien comment certains peuvent succomber à ces doutes semés en eux.

205

Ce fut dans cet état d'anxiété, de peur, de culpabilité et de doute que j'en arrivai à la fin de cette première grande période d'interrogatoires. Quand je fus reconduit à ma cellule cette nuit-là, peu de temps avant la prière de l'aube, je me demandais si ces deux jours sans torture marquaient une fin ou si tout allait recommencer de nouveau. Mes interrogateurs avaient terminé la traduction de mes aveux et cela m'apparaissait comme la fin de leurs exigences. Ils avaient obtenu ce qu'ils voulaient avec mes dépositions écrites qui nous impliquaient, mes amis et moi, dans les deux explosions. Je ne voulais pas me laisser aller à espérer que la tranquillité relative de cette séance et de celle qui l'avait précédée marquait la fin de la torture, car j'avais vu trop souvent mes espérances déçues dans les jours et les semaines auparavant. Il y avait néanmoins un mince rayon d'espoir, pas très grand je l'avoue, que le pire était passé. Dans ce contexte, il peut paraître étrange que je m'attendisse à faire face à la peine de mort, mais, comme je l'ai dit, la mort m'apparaissait un prix pas lourd à payer pour mettre fin à mes souffrances physiques et morales. Je me traînai jusqu'à ma cellule, tombai sur mon matelas et sombrai dans le sommeil.

Je m'éveillai au vingt-neuvième jour de ma captivité quelque temps après la distribution du petit-déjeuner, car le plateau était toujours là. Je me demandais ce qui allait survenir dans une attente anxieuse. J'épiais le moindre bruit au-delà de ma cellule. C'était un enfer, mais c'était mieux que d'être assis dans la salle d'interrogatoire, dans une angoisse encore plus grande. Ce jour-là et les six jours suivants passèrent exactement de la même façon, dans l'appréhension constante d'être amené à l'interrogatoire au cours des heures du jour, suivie d'un relâchement de la tension une fois que la dernière prière du jour entonnée. On me conduisait chez le médecin tous les deux jours, chaque fois avec les entraves et le bandeau sur les yeux. On préleva même un échantillon de mon sang afin de voir si j'avais des maladies infectieuses : un examen pour les rassurer plus que pour veiller à ma santé. Les élancements et les douleurs qui semblaient émaner de tous les points de mon corps commençaient à diminuer, les contusions à devenir moins vives : les plaques jaunes et vertes formaient une mosaïque à mesure que les ecchymoses s'étalaient, mais c'était une préoccupation qui ne valait que pour moi.

Je reçus quelques visites d'officiers qui parlaient anglais, notamment de Couteau Souriant, le colonel Mohammed Saïd qui venait s'enquérir pour la forme de ma condition. Il posa des questions plus détaillées sur mes croyances religieuses. Leur curiosité me fit sentir comme un animal de prix dans un zoo. Même si en surface leur comportement était amical, je ne leur faisais pas confiance. Je présume qu'ils sentaient mon malaise. Ils s'efforcèrent cependant tant bien que mal, dans les étroites limites de leur répertoire, d'établir un rapport avec moi. J'étais beaucoup trop méfiant et heureusement trop rempli de haine pour répondre à leurs ouvertures. J'avais bien raison de penser qu'il ne s'agissait que d'une autre tentative de créer une dépendance émotionnelle.

Le lendemain du jour où ma cinquième semaine d'emprisonnement avait commencé, un petit changement eut lieu dans mes conditions de vie, si on peut les appeler ainsi. La porte de ma cellule s'ouvrit et l'un des sergents qui parlait anglais entra. C'était un petit homme trapu et chauve, avec une barbe noire taillée avec soin. Je l'avais surnommé Orson. Et comme j'allais le constater au cours des années suivantes, il fut l'un des gardiens m'ayant traité décemment.

Il avait l'air rempli de joie en me lançant : «Vous allez déménager : l'enquête est terminée.»

Tandis que l'autre gardien ramassait mon matelas, mes vêtements de rechange et mes articles de toilette, Orson me prit par la main pour m'amener à l'extérieur de cette partie de la prison. Le plaisir qu'il avait eu à m'annoncer la nouvelle ne semblait pas surfait. Le terme «enquête» était utilisé par euphémisme pour décrire la torture qui était la marque de commerce de la police secrète, et sa joie de voir que ce traitement avait cessé pour moi semblait sincère. Sans entraves ni bandeau, je fus conduit au-delà des postes de contrôle du bloc cellulaire vers le foyer principal de cette zone carcérale et, de là, amené dans un autre bloc cellulaire qui convergeait vers le foyer de la même façon que celui d'où je venais.

Ma destination était une cellule conçue pour dix hommes. C'était une pièce profonde de huit ou neuf mètres, de la porte au mur opposé, et s'étalant sur quinze à seize mètres en largeur. La cloison intérieure dans laquelle la porte de la cellule s'ouvrait avait une hauteur d'au moins dix mètres et le plafond descendait en pente jusqu'au mur du fond, qui avait une hauteur de deux mètres et demi à trois mètres. Il y avait d'un côté la partie dortoir avec dix châlits, séparée du reste de la pièce par une cloison à hauteur de poitrine. De l'autre côté, alignés le long du mur se trouvaient trois cabinets de toilette avec des portes en bois, trois lavabos d'acier inoxydable surmontés de plaques d'acier en guise de miroir et trois cabines de douche avec des portes en bois. Au milieu, il y avait un large comptoir flanqué de tabourets en acier fixés au sol, quatre de chaque côté et un à chaque bout. Le plancher était recouvert de linoléum bon marché posé sur du béton armé. Les châlits et les murs, tout comme les cloisons intérieures et les cabinets, étaient peints du même ton jaunâtre caoutchouté que dans ma cellule précédente. Aux deux extrémités de la cellule, fixées au mur interne, à la jonction du plafond, se trouvaient deux caméras en circuit fermé, protégées par le même genre de boîtier en plexiglas et en acier que partout ailleurs dans la prison. Mon déménagement dans cette cellule plus spacieuse – que j'étais seul à occuper – indiquait, selon toute apparence, que la période d'interrogatoires de ma détention était maintenant terminée et qu'on allait bientôt décider de mon cas.

Le lendemain, on vint me chercher dans cette nouvelle cellule pour m'amener, yeux bandés, mains et pieds entravés, dans les bureaux des interrogatoires. Cette façon de procéder accrut ma peur et mon anxiété, me faisant penser que le jour précédent m'avait apporté un autre faux espoir. Ma tension baissa quand Khaled entra dans la pièce et fit enlever mes entraves. Il m'informa que j'allais rencontrer des officiels du tribunal. Il me prescrivit de dire seulement que ce que j'avais écrit l'avait été de ma propre main, sans aucune aide de lui ou d'Ibrahim. Puis, on m'amena dans un bureau pour me montrer mes papiers et me faire confirmer mon identité. Enfin, on me conduisit dans une des pièces d'apparat à l'extrémité du hall. Khaled et Ibrahim m'attendaient là avec deux personnages vêtus de manière usuelle de kamis et de keffiehs mais portant des bishts noirs et minces officiels. C'étaient des juges ou des officiers du tribunal et je leur dis ce qu'on m'avait dit de dire. Satisfaits de mes réponses, ils me permirent de disposer et je fus conduit dans un autre des bureaux où Khaled, le sourire resplendissant, me rejoignit et me dit que mon cas serait désormais traité rapidement et que les choses se passeraient bien puisque j'avais été coopératif. Bien pour lui j'en étais sûr, mais je lui accordais autant de foi qu'une dinde à un fermier avant Noël. Je fus ensuite ramené à ma cellule pour retrouver l'ennui de la séquestration solitaire.

Je passai la semaine suivante assis dans l'espèce de hangar qu'était ma cellule, solitaire et sans distraction. Quand certaines des autorités carcérales vinrent me visiter et me demandèrent si j'avais besoin de quelque chose, je demandai des livres mais aucun ne me fut apporté. Je passais mon temps à réfléchir, essayant de trouver des formes de méditation pour apaiser mon anxiété. Durant de brèves périodes, je pouvais faire le vide dans mon esprit et ne penser à rien. À d'autres moments, mon esprit voguait dans les souvenirs de temps plus agréables et je commençais à projeter diverses activités imaginaires. Je devais apprendre à m'occuper l'esprit pour me protéger de l'ennui débilitant d'être seul sans stimulation intellectuelle ou sociale. J'avais la chance d'avoir reçu un certain entraînement grâce à l'alpinisme et aux expéditions que j'avais faits en solitaire.

Deux jours après mon arrivée dans cette nouvelle cellule et après une demande répétée au toubib, j'obtins finalement un rendez-vous avec un dentiste de la prison. Le seul traitement qu'il put me donner pour mes trois dents brisées fut de les obturer du mieux possible avec des amalgames. C'était au mieux une réparation temporaire, qui n'apportait qu'une légère amélioration à ma capacité de mastiquer la nourriture caoutchouteuse de la prison. L'obturation soulagea au moins la douleur causée par le contact du thé chaud ou du jus de fruits frais qui était servi à l'occasion avec les repas. C'était là la limite des soins dispensés pour les dommages causés à ma dentition.

Selon le décompte des jours que j'avais établi grâce à mon journal de riz, j'étais arrivé ici le 28 janvier 2001, un dimanche. Les gardiens entrèrent dans ma cellule le matin après le petit-déjeuner, apportant avec eux les vêtements que je portais le jour de mon arrestation. Alors qu'on m'ordonnait de m'habiller, j'entendis le seul mot qui pouvait me terroriser : enquête. Enchaîné, les yeux bandés, je fus amené au bureau d'interrogatoire où je vis Khaled qui se contenta de me dire que je retournais à Al-Ulaysha, le centre des interrogatoires.

Avant de deviner qu'il voulait obtenir d'autres aveux, je crus aussitôt que j'allais être exécuté. J'étais nerveux et calme à la fois. Je ne doutais pas de leur pouvoir de mettre fin à mes jours et je n'avais pas particulièrement peur de mourir, sauf que je craignais de ne pas bien mourir. Cela peut sembler une jactance un peu ridicule, mais c'était en fait de la résignation stoïque. La mort nous attend tous et, dans ma situation en particulier, elle m'apparaissait très proche. Alors, ou vous vous faites une raison, ou vous êtes ravagé mentalement et émotionnellement. Vos ravisseurs peuvent prendre possession de votre être physique et même obtenir votre coopération consciente (comme c'était mon cas), mais une partie de vous reste cachée à tous. C'est cette partie-là que seule la peur de la mort peut vaincre ou détruire. Et comme la mort est inévitable, quelles que soient vos conditions de vie, il n'y a pas de raison de la craindre.

On me conduisit des bureaux d'interrogatoire au débarcadère situé près du foyer principal de la prison, où on me fit monter à l'arrière d'un fourgon cellulaire à destination d'Al-Ulaysha. Au cours du voyage, je récitai tout haut la partie dont je me souvenais d'un poème métaphysique de John Donne sur la mort. Une fois de plus, j'allais chercher dans les mots des autres du réconfort pour soulager mon stress.

Arrivé au centre des interrogatoires, je fus conduit dans l'un des bureaux où Khaled et Ibrahim m'attendaient. Ils m'informèrent que j'allais recevoir la visite de fonctionnaires de l'ambassade canadienne. Ils me prescrivirent quoi dire et me firent comprendre clairement ce qui se produirait si je ne m'y conformais pas. Alors, sans entraves ni bandeau, on me conduisit à l'extérieur de l'édifice et on me fit traverser une barrière de sécurité jusqu'à un autre secteur administratif pour attendre le rendez-vous.

On m'introduisit dans un grand bureau bien meublé, au fond duquel quelqu'un braquait une grande caméra vidéo : le coin prévu pour l'entrevue était vivement éclairé par les projecteurs de la caméra. Quelques instants plus tard, alors que je me trouvais assis en compagnie d'Ibrahim et de Khaled, les représentants de l'ambassade canadienne arrivèrent. L'un était Omar El-Soury, l'autre le consul de l'ambassade. J'avais déjà rencontré Omar El-Soury à l'ambassade et au poste de police. Quant au consul, je l'avais rencontré quand j'étais allé à l'ambassade faire état de mon arrestation précédente. Le consul ne m'avait guère impressionné. Lors de notre première rencontre, il avait essayé de me jeter de la poudre aux yeux avec ses relations mondaines et ses perceptions de l'Arabie Saoudite. Il avait admis qu'il n'était pas dans le pays depuis très longtemps. Sa dernière assignation avait été au Rwanda. Sa dernière découverte était que l'Arabie Saoudite ressemblait tout à fait à l'Afrique. Je me rappelle le scepticisme avec lequel j'avais accueilli cette déclaration. J'étais ébahi de voir que quelqu'un censé être en situation professionnelle pût énoncer une telle ineptie et surtout que quelqu'un qui manquait autant de lucidité sur l'Arabie Saoudite eusse réussi à atteindre ce niveau de responsabilité. À dire vrai, c'était une vraie marionnette, en tout cas pas le genre de personne qu'on doit avoir comme représentant. J'aurais maille à partir avec lui plus tard à cause de mon incarcération, ce qui aboutirait à mon refus définitif de traiter avec les arrivistes incompétents du ministère canadien des Affaires étrangères.

Après les présentations usuelles, le consul se mit à lire d'un air guindé une série de questions sur une feuille de papier qu'il tenait nerveusement à la main. C'étaient les questions habituelles posées dans de telles circonstances: la plupart étaient sans intérêt pour moi ou pour tout autre prisonnier. Elles ne servaient qu'aux bureaucrates qui les posaient, pour leur permettre de dire qu'ils avaient rempli leur fonction. On me demanda si j'avais été bien traité, si j'avais été molesté ou torturé et si j'avais besoin de quelque chose. Je pus répondre à la dernière question en toute franchise, demandant des livres, de la pâte dentifrice et du savon. Quant aux questions sur les traitements que j'avais reçus, je répondis, comme on me l'avait prescrit, que tout était bien.

Répondre comme on m'y avait enjoint était une erreur. J'aurais dû saisir l'occasion de raconter les supplices qu'on m'avait fait subir même si l'entrevue avait été interrompue et que j'aurais été probablement torturé en conséquence. Comme la torture n'avait cessé que depuis deux semaines, je n'avais aucune envie d'y être soumis de nouveau, alors je répondis comme on me l'avait dit.

Mais on devrait saisir la première occasion de dénoncer la torture, quelles qu'en soient les conséquences.

Comme j'allais le découvrir bientôt, mes tortionnaires me tortureraient de toute façon, même si je m'étais soumis à leurs instructions. Dénoncer la torture tout de suite n'aurait pas aggravé mon sort davantage. Je vis aujourd'hui avec ce regret de ne pas avoir eu le courage ou l'intuition de défier les instructions qui m'avaient été données.

Quant au consul qui posait les questions, je me demandai s'il se souciait d'autre chose que de pouvoir dire qu'il avait posé ses questions. La rencontre s'était déroulée en présence de mes tortionnaires, comme ce sera le cas de toutes les rencontres subséquentes avec les fonctionnaires de l'ambassade. Même si le consul n'était pas en mesure de savoir que les agents devant lui étaient mes tortionnaires, il devait savoir au moins que les conditions de cette entrevue allaient à l'encontre des règles convenues de la diplomatie. Cette rencontre aurait dû être une affaire privée entre moi et les représentants des gouvernements britannique ou canadien, ce qui ne fût pas le cas, de même que pour d'autres entrevues semblables. Pourtant, aucune protestation ne fut formulée. Tous les fonctionnaires canadiens présents à cette entrevue et aux autres qui allaient suivre auraient dû s'aviser que la présence d'agents saoudiens m'empêchait de parler librement. Il est fort probable qu'ils y pensèrent. Mais fort probable aussi qu'il était plus important pour eux d'apaiser mes ravisseurs saoudiens que de comprendre ce que je subissais. Il n'était pas étonnant, dans ces circonstances, que certains fonctionnaires canadiens eussent trouvé plus facile de croire que j'étais coupable.

Après l'entrevue, on me ramena de cette section administrative à celle qui abritait les cellules et les bureaux des interrogatoires. On m'installa dans un bureau avec un seul jeune gardien, un caporal que je finirais par respecter plus tard. Par la fenêtre, je pus voir les tours récemment édifiées du Kingdom Center et un autre point de repère situé dans le quartier Oleya de Riyad. En utilisant ces deux repères comme bases de triangulation, je pus déterminer approximativement le lieu où se situait le centre des interrogatoires. Je n'avais rien d'autre pour occuper mon esprit et mon temps. C'était une autre information qui aurait dû m'être cachée, aussi pris-je un certain plaisir à l'obtenir.

C'était l'après-midi et j'entendis l'appel à la prière me disant qu'il était passé trois heures. Il m'apparaissait évident, compte tenu des préparatifs et des délais impliqués, que je n'étais pas le seul à être vu ce jour-là, et je me demandais si mes amis avaient réussi mieux que moi avec leurs ambassades. J'allais apprendre, par la suite, après ma libération, que le comportement des fonctionnaires britanniques avait été, à ce moment-là et lors d'autres entrevues, plus réconfortant pour le moral de ceux qui étaient visités. Finalement, on vint me chercher. On me banda les yeux, me réenchaîna et me ramena à la prison d'Al-Ha'ir. À tort, je voyais ressurgir un nouvel espoir en songeant que, les fonctionnaires de l'ambassade étant venus me voir, au moins la torture était-elle terminée. Je n'avais encore nul espoir pour l'aboutissement final, mais au moins la souffrance prenait fin. Je me trompais lourdement.

Deux jours plus tard, des gardiens se présentèrent dans ma cellule avec mes vêtements occidentaux en me lançant les mêmes instructions. Quand j'arrivai au centre des interrogatoires, j'appris de Khaled qu'on me demandait cette fois de faire un enregistrement vidéo de mes confessions, dont l'objet était de permettre à des membres importants de la famille royale d'être informés de ce que j'avais dit. C'était un mensonge flagrant, aussi évident que tous les autres qu'il avait proférés, c'était une occasion à saisir. D'instinct, je savais que ces vidéos étaient réalisées à des fins de propagande par la dictature saoudienne pour justifier les arrestations faites et pour faire pression sur les pays d'où provenaient les prisonniers et les mettre dans l'embarras. Khaled me dit en substance ce que je devais déclarer, mais je réussis à le persuader qu'il vaudrait mieux qu'il me donne un stylo et du papier pour que je puisse écrire mon propre texte. Je le convainquis qu'avec ma maîtrise de l'anglais il était nécessaire que je rédigâ moi-même cette confession pour lui donner toute la crédibilité voulue. Mon idée était de la faire paraître si décousue que quelqu'un, un membre de ma famille au moins, pourrait lire entre les lignes, pour ainsi dire, et comprendre qu'il s'agissait d'aveux forcés.

Ce fut ainsi qu'après un griffonnage frénétique, je me retrouvai conduit dans un autre bureau qui avait été aménagé comme studio temporaire avec tout l'équipement nécessaire. Je livrai ma confession à la suite de plusieurs prises de vues, certaines avec le texte devant moi et d'autres sans le texte. Après plus d'une heure de cet exercice assommant au terme duquel je fis mon numéro d'une manière aussi fausse que possible, je fus ramené dans un autre bureau pour attendre. Il était évident que Raf et Sandy passaient exactement sous le même joug que moi et j'attendais que le cameraman et mes interrogateurs se montrassent satisfaits de toutes nos performances.

De retour dans ma cellule, je passai les quarante-huit heures suivantes à me demander comment l'enregistrement serait au juste utilisé. Manifestement, mes ravisseurs avaient besoin d'un meilleur numéro, car on revint me chercher dans ma cellule au début de la soirée et on me ramena au bureau d'interrogatoire pour une nouvelle séance de confessions vidéo. Le même exercice se répéta, mais cette fois, le script que je préparai et récitai comportait une description des dispositifs que nous étions censés avoir posés et je donnai les raisons pour lesquelles nous nous étions engagés dans cette série d'attentats. Donc ce fut là que j'avouai devant la caméra être un espion à la solde du gouvernement britannique. J'eus grand-peine à m'empêcher de rire à l'idée que le ministère de l'Intérieur pût diffuser une fabrication aussi évidente. C'était d'une absurdité qui frisait le ridicule. Même dans les conditions difficiles où je me trouvais, j'en percevais toute la cocasserie.

Mon rôle terminé, je fus amené aussitôt dans un autre bureau. Khaled et Ibrahim survinrent comme il se devait, apportant un plateau de jus de fruits et du thé. Ils étaient plus contents que d'habitude, allant jusqu'à me servir eux-mêmes, selon la coutume du pays. Étrangement, ils me posèrent une série de questions qui s'avérèrent quelque peu troublantes. Pourquoi mon téléphone ne marchait-il pas la nuit de la seconde explosion ? Qui avait téléphoné à Raf quand il était au complexe d'Al-Fallah cette nuit-là ? La réponse à la première question était simple : la pile de mon appareil avait besoin d'être rechargée. Pour ce qui était de la deuxième question, je n'en avais pas la moindre idée, mais ils continuèrent à me la poser d'une façon qui m'inspira une vive inquiétude. Je ne pouvais comprendre pourquoi c'était si important étant donné le nombre de mensonges qu'ils m'avaient déjà fait proférer. À certains moments, il m'était impossible de comprendre la perversité psychologique de mes ravisseurs.

Les séances vidéos avaient eu lieu le 30 janvier et le 1er février 2001. Le 5 février, on commença par diffuser un montage des faits saillants de nos confessions, comme je m'en doutais bien. On se contenta d'abord de montrer ce montage en mettant sous le tapis nos aveux directs d'espionnage, mais le prince Nayef y apporta sa contribution personnelle en déclarant que les ordres et le matériel pour mener les attentats étaient venus d'un pays en rapport avec nos nationalités et que le gouvernement saoudien réagirait vivement aux tentatives faites par des agents extérieurs pour interférer dans la politique du pays. Nos vidéos et sa déclaration furent les premières salves tirées dans l'espèce d'escarmouche diplomatique déclenchée autour de notre cas.

Pendant les quelques jours qui suivirent cette deuxième séance vidéo, la vie glissa dans une routine qui heureusement ne comporta aucune violence. Les repas furent servis trois fois par jour, ce qui avec les appels à la prière me fournissait une notion rudimentaire du temps. Je tenais mon journal de riz pour marquer le passage des jours. Tous les deux jours, j'étais conduit chez le médecin et je fus amené chez le dentiste une autre fois, car certaines obturations temporaires s'étaient rompues. Je fus aussi conduit chez le barbier de la prison, où mes cheveux et ma barbe furent taillés pour être plus présentables. Il semblait y avoir un salon de barbier dans chaque bloc cellulaire. Dans le mien, elle était située près de ma cellule, à l'extrémité du couloir. Comme pour tout le reste, les apparences étaient importantes pour mes ravisseurs. Plus je serais présentable, plus crédibles seraient mes aveux arrachés de force et mes mensonges sur les traitements qu'ils m'avaient fait subir.

Lors de la visite chez le dentiste, je m'aperçus à quel point on veillait jalousement à me priver de toute possibilité d'information. Alors que j'étais dans la salle d'attente en compagnie de quelques gardiens, je remarquai des périodiques médicaux disposés sur la table basse devant moi. Pour passer le temps j'en pris un, mais il me fut aussitôt enlevé des mains par l'un des gardes. «Pas de journaux!», me dit-il en anglais.

J'étais étonné et j'essayai de lui expliquer que ce n'était pas des journaux. Mais les gardiens me regardèrent de travers en ramassant toutes les revues qui se trouvaient là et en les gardant sur leurs genoux comme s'il s'agissait de trésors à protéger. Ce que mes geôliers imaginaient que j'aurais pu retirer des articles sur la chirurgie de reconstruction dentaire, je n'en sais trop rien. Chose sûre, il ne m'était pas encore permis de rien lire ni d'accéder à quoi que ce fut qui eût pu atténuer l'effet du confinement qu'on m'imposait, d'où l'interdiction.

Même après un court séjour en prison, j'aurais perdu mon aptitude à mesurer le passage du temps si je n'avais pas tenu mon journal de riz. Quand on peut voir la lumière du jour comme je pouvais le faire à travers l'opacité de la lucarne, on sait alors quand un jour succède à un autre, même si le fait que ma cellule était éclairée jour et nuit par des lampes fluorescente créait la confusion. Sans les autres signes qui permettent de compter normalement les jours, il est facile de perdre le fil. Je repassais aussi chaque jour ce qui était arrivé depuis mon incarcération. Cette pratique me permit d'être assez exact dans mon calcul des dates. Tout de même, je m'attends à ce qu'il y ait des écarts entre mes souvenirs et ceux des agents de la prison, qui avaient des repères plus précis.

Le cinquante-neuvième jour de mon incarcération, soit le 14 février, après douze jours où on m'avait laissé seul et neuf jours après que le monde eut vu mes aveux de terroriste, des gardiens entrèrent dans ma cellule juste après la distribution du repas du midi. Ils m'apportaient mes vêtements occidentaux, sauf que les souliers n'étaient pas les miens. Ils me dirent que j'avais une visite de l'ambassade et qu'il fallait m'habiller. Ce fut ce que je fis après les avoir convaincus d'aller chercher mes vraies chaussures. Les yeux bandés, menotté et enchaîné, je fus amené au poste des interrogatoires pour l'habituel briefing avec Khaled. Il m'ordonna de ne pas parler de mon cas ni d'affaires personnelles quelconques. Je devais dire à mes visiteurs que j'avais reçu les livres qu'ils avaient envoyés, et on me montra une pile de bouquins dont je devais mémoriser les titres. On me dit aussi que la visite aurait lieu au centre des visites de la prison et que je m'y rendrais par un souterrain. Je sentais que Khaled était tendu et irrité par quelque chose, mais j'écartai cette intuition parce que je ne voyais pas la raison de son agitation.

Après cette entrevue préliminaire, je fus remis dans les entraves usuelles et conduit à l'extérieur. Même si je ne pouvais pas voir où j'allais, je calculai que j'avais été conduit à la zone d'accueil de la prison, avant qu'on ne me fisse descendre un certain nombre d'escaliers et de marches. Au bout de ces marches, je fus amené à monter sur le siège arrière d'une voiture électrique du genre qu'on voit dans les aéroports. Tout cela fut confirmé plus tard au cours de mon incarcération lorsque je refis le trajet sans bandeau sur les yeux. Ce déplacement dura environ dix minutes. Nous traversâmes un passage souterrain au bout duquel se trouvait un certain nombre d'autres escaliers qui menaient, je présume, à d'autres zones de la prison, sur une distance de plus d'un kilomètre.

Une conversation que j'eus quelques semaines plus tard avec Khaled – où il se moqua de mes prétentions en disant que personne ne pouvait me libérer et que personne ne savait exactement où j'étais à l'intérieur de cette prison – me donna la raison de ces déplacements furtifs. À partir de ce qu'il me dit, je compris que cette prison s'étalait sur un large secteur et que le déplacement d'une section à une autre se faisait en cachette, de sorte qu'aucun observateur extérieur ne pouvait déterminer la localisation exacte d'un prisonnier à l'intérieur du complexe et aucun prisonnier ne pouvait connaître sa situation précise dans le complexe (ni, par conséquent, celle de ceux qu'il pouvait laisser derrière après sa libération). La paranoïa inhérente à cette conception carcérale était assez frappante.

Arrivé au centre d'accueil des visiteurs, les entraves et le bandeau me furent enlevés et je me retrouvai dans un vestibule rectangulaire où s'ouvraient de nombreuses portes menant à des pièces utilisées pour les visites. Certaines de ces pièces étaient bien meublées, d'autres non. Je fus conduit dans l'une des plus petites et plus sommaires avant qu'on vînt me chercher pour m'amener devant les fonctionnaires de l'ambassade assis dans l'une des plus grandes pièces. Celle-ci était meublée de grands sofas somptueux, d'un bureau, d'une bibliothèque à l'extrémité et de quelques tables basses dans la partie salon. Khaled et Ibrahim me conduisirent au consul canadien, la marionnette, et à un autre membre de l'ambassade, un homme corpulent avec une barbe à la Van Dyke. L'entretien fut factice et banal, et je répondis par l'affirmative quand on me demanda si j'avais reçu les livres. Le seul écart que je me permis par rapport aux instructions qui m'avaient été données fut de mentionner que quelqu'un devrait s'occuper de mes affaires personnelles, notamment le loyer de ma maison qui allait être dû bientôt. Cela m'attira un regard courroucé de Khaled qui me dit que j'étais justement là pour ça. S'ensuivit un dialogue sur le pouvoir de mandataire. Je demandai que quelqu'un de l'ambassade agisse en cette capacité. (En fin de compte, les fonctionnaires de l'ambassade canadienne refusèrent d'assumer cette responsabilité. Mais cette forme d'assistance était fournie par les autres ambassades.)

Tout cela dura peut-être quinze à vingt minutes avant que mes ravisseurs ne missent fin à l'entrevue. Une fois encore, comme toujours, il n'y avait pas eu de contact privé pour des affaires qui ne concernaient personne d'autre que moi. Au retour, je pensais revenir dans ma cellule de prison. Mais on m'amena plutôt à l'interrogatoire. Me retrouvant là au milieu de l'après-midi, je m'attendais à être puni pour ma petite dérogation. J'appréhendais une bastonnade. Malheureusement, je ne me trompais pas.

Aussitôt après le quatrième appel à la prière, Khaled et Ibrahim surgirent. On m'ôta le bandeau et on me dit d'enlever mes chaussures. Je me doutais de ce qui allait arriver et mes jambes se mirent à trembler. Mes mains furent détachées et rattachées dans mon dos. Puis, le bal commença. Ibrahim me frappa à la tête et me poussa contre un des murs. Je m'y tins en essayant de ne pas trembler alors qu'il s'approchait de moi. En me poussant d'une main contre le mur, il commença à me donner des coups de poing à répétition aux testicules. La douleur de ces coups me coupait le souffle, ce qui ne faisait que soulever des rires chez mes deux tortionnaires. Puis les coups cessèrent et ils partirent. Je restai là, essayant de me figurer ce qu'ils voulaient. Quels nouveaux crimes voulaient-ils m'attribuer?

Quand ils revinrent, Ibrahim tenait une canne de rotin. Avant même que la panique ne s'empare de moi, je fus projeté sur le sol et remis en position pieds et poings liés. Alors les coups s'abattirent et la douleur que j'avais essayé d'oublier submergea de nouveau mon corps. Aucune question ne fut posée ni déclaration faite par Khaled. Les seuls bruits qu'on pouvait entendre étaient mes hurlements et la résonance des coups de rotin sur mes pieds. Il y eut, au cours de cette bastonnade, un certain nombre de pauses qui semblaient faire partie d'un processus. Après dix ou douze coups, mes tortionnaires s'arrêtaient brièvement. Puis la séance était ponctuée de plus longues pauses, au cours desquelles les deux sbires sortaient et me laissaient à l'agonie sur le plancher.

Combien de temps dura cette séance? Je ne saurais le dire, sauf que le dernier appel à la prière du jour était passé depuis longtemps. Soudain, au milieu d'un cycle de coups, la canne cassa, ce qui mit Ibrahim au comble de la fureur, comme si j'avais conspiré pour détruire son jouet favoris. Il entreprit aussitôt de me frapper à coups de pied sur les hanches et sur les côtes. Il était pris d'une telle rage qu'en me frappant, il se faisait mal aux pieds. Les menottes et attaches supplémentaires furent enlevées, ce qui fit tomber mes jambes par terre. Alors au lieu de me donner des coups de pied, il commença à me piétiner de tout son poids dans le bas du dos. Je sentis les os de mes hanches et du bas de la colonne vertébrale fléchir et mes articulations craquer. Ce fut l'une des attaques les plus féroces et les plus intenses que j'eusse subies. Je pense que, cette fois-là, Ibrahim voulait me battre à mort.

Finalement, le tabassage cessa, et on me laissa seul. Le gardien qu'on affecta à ma surveillance enleva les entraves et je pus m'asseoir. Je restai sur le plancher, tout étourdi, adossé au mur, au lieu de chercher à m'asseoir sur un des sièges. Je sentais mes jambes trop faibles pour me supporter, même quelques instants.

Après quelque temps, à mesure que je reprenais mes esprits, je me dis qu'il devait y avoir un nouveau développement qui causait des problèmes à mes ravisseurs. Je me demandais si d'autres explosions ne s'étaient pas produites ou si mes confessions sur vidéo avaient été montrées à des fonctionnaires des gouvernements britannique, belge ou canadien. Chose certaine, la visite de l'ambassade ne m'avait nullement protégé de la torture comme je l'espérais.

Ibrahim et Khaled revinrent. Khaled tenait à la main un sac de plastique transparent dans lequel se trouvait un objet noir sphérique. Ibrahim s'approcha aussitôt, donna un coup de pied pour écarter mes jambes et plaça le pied sur mes testicules en pressant de tout son poids. Pendant ce temps, Khaled se penchait en déballant l'objet noir et en m'ordonnant de le prendre.

Je vis cet objet plus clairement alors qu'on me le mettait devant les yeux. Il était circulaire et mesurait environ vingt centimètres de diamètre et sept ou huit centimètres d'épaisseur. Il était recouvert d'un épais ruban noir, qui le faisait ressembler à une rondelle de hockey démesurée. Je demandai de quoi il s'agissait et reçus pour seule réponse une forte pression sur mes testicules et une claque au travers de la tête pour ma curiosité. En le prenant dans mes mains, je vis qu'il pesait environ un kilo et sentis la dureté du métal sous le ruban. Khaled me dit qu'il s'agissait d'une bombe qui n'avait pas explosé. J'avais mis maintenant mes empreintes partout sur l'objet. On pourrait s'en servir comme pièce à conviction pour les accusations portées contre moi en disant qu'on l'avait trouvé chez moi. Pendant que ces paroles s'imprégnaient dans moi, Khaled prit l'objet avec ses mains nues, un geste qui contrastait fort avec sa manipulation antérieure du dispositif, ce qui me confondit encore davantage. Avec ce trophée, lui et Ibrahim sortirent de la pièce.

À leur retour, Ibrahim m'écrasa encore les testicules. Puis Khaled produisit un autre disque noir (je présume que c'en était un autre), et il le démonta tout bonnement devant mes yeux, d'abord en déroulant le ruban puis en ouvrant le cylindre métallique. Il enleva un paquet enchevêtré de pièces électriques, dont l'une était un détonateur, selon lui, puis un sac rempli d'une substance granuleuse qui ressemblait à de la poussière de brique. Chacun de ces éléments me fut placé entre les mains avant d'être repris (à mains nues) par Khaled et jeté dans un autre sac.

Pendant ce temps, Ibrahim s'amusait à me lancer diverses insultes, traduites par Khaled, sur l'état et la dimension de mes parties génitales pour ridiculiser ma virilité. Leurs insultes n'eurent aucun effet : l'opinion de mes tortionnaires n'avait que peu d'importance pour moi et ces grossièretés étaient à la hauteur d'un gamin mal élevé de quatre ans.

Leur petit manège fini et après un détour chez le toubib, j'étais de retour à ma cellule. Je restai là en attendant le sommeil, mais il ne vint qu'après la prière de l'aube. J'étais inquiet. J'essayais de mesurer la signification de qui était arrivé cette nuit-là. S'ils avaient essayé de mettre mes empreintes sur les objets utilisés comme pièces à conviction, ils le faisaient alors sûrement de la façon la moins professionnelle imaginable. Quant à savoir s'ils savaient utiliser un détonateur ou des explosifs, la façon d'agir de mes tortionnaires me semblait un peu trop désinvolte pour qu'il en soit ainsi.

Je passai la semaine suivante dans un état de souffrance et d'anxiété. J'avais commencé à surmonter les réactions pavloviennes d'angoisse aux bruits provenant de l'extérieur de ma cellule parce que je croyais la torture finie. Maintenant, chaque jour était de nouveau marqué par une tension grandissante qui atteignait un paroxysme en réponse aux bruits de certaines barrières qui s'ouvraient et se fermaient dans le bloc cellulaire.

Une semaine d'attente anxieuse se termina le mercredi 21 février, tout de suite après la prière du midi quand les gardiens entrèrent dans ma cellule en m'apportant mes vêtements occidentaux et en me disant que j'avais une autre visite des fonctionnaires de l'ambassade canadienne. Au cours de leur dernière visite, les fonctionnaires avaient dit qu'ils reviendraient chaque semaine. Je pris mes vêtements des mains du gardien et m'habillai.

On me plaça les entraves et on me conduisit au bureau d'interrogatoire pour attendre ce que je croyais être le briefing habituel de Khaled. Lorsque Khaled et Ibrahim se présentèrent et que le bandeau fut enlevé de mes yeux, le cœur me monta dans la gorge. Dans les mains graisseuses d'Ibrahim, il y avait une canne de rotin toute neuve. On me dit d'enlever mes chaussures et on me poussa au sol en me plaçant en position pieds et poings liés, puis on me battit sur la plante des pieds. Quand la bastonnade cessa, les imprécations verbales commencèrent.

– Tu pensais voir ton ambassade ? Tu ne verras plus jamais ton ambassade. Nous avons le pouvoir de faire tout ce que nous voulons. Je te le dis, tu vas mourir ici si nous le voulons. Nous pouvons te battre à mort, et c'est notre droit. Ton gouvernement ne peut rien faire pour toi ni l'ambassade. Ils ne nous défieront pas. Nous sommes trop forts.

Au milieu de cette tirade, je sentis mon univers s'écrouler. Ces visites de l'ambassade étaient comme une bouée de sauvetage pour moi. Je croyais qu'elles m'offriraient une certaine protection. Cet espoir me fut donc arraché, me laissant submergé dans une mer de douleur et de peur. Toute cette comédie de me faire habiller pour une visite de l'ambassade n'était que simulacre pour me déstabiliser, pour rendre le choc de la violence à venir encore pire sur le plan psychologique. Seule l'application de techniques différentes aurait pu augmenter la douleur physique, mais heureusement ils n'avaient pas changé leur méthode. Quand la bastonnade cessa, on me dit que mes confessions n'étaient pas bonnes et que je devrais les récrire.

Effondré sur le sol, je me demandais quelles nouvelles circonvolutions et tournures devaient être données à cette fable déjà compliquée et invraisemblable.

Si j'en tirai une leçon, c'était de ne pas compter sur de quelconques visites pour du soutien ou de la protection. Les visites ne servaient que les gouvernements concernés. Elles permettaient à des bureaucrates de se taper mutuellement dans le dos et de cocher les cases de leurs formulaires d'évaluation annuelle. Elles n'étaient rien de plus qu'un exercice de propagande. Ces visites perdirent toute valeur à mes yeux et, dorénavant, si je survivais ce serait à partir des ressources que je tirerais de moi-même ou que je créerais à partir de sources d'inspiration qui me venaient à l'esprit. Je ne pouvais plus me bercer de faux espoirs; c'était trop dévastateur psychologiquement. Je devais me taire, sourire quand on me le disait, rire si on me l'ordonnait, pleurer quand je ne pouvais plus en supporter davantage, leur dire ce qu'ils voulaient entendre sans trop d'obstination, endurer la torture aussi longtemps que possible et me réfugier dans la seule place qui me restait: les recoins souterrains de ma mémoire. J'étais terrorisé une fois de plus, mais je savais maintenant que, quoi qu'il arrivât pour provoquer un regain de violence, la torture ferait toujours partie de mon incarcération. Je n'avais pas encore réussi à élaborer une stratégie pour réagir, car je n'étais pas encore prêt ni capable de le faire. Tout se résumait à exister avec un minimum de souffrance et je ne pouvais qu'essayer d'envisager ce qui était nécessaire pour atteindre cet objectif.

Les tourments et les coups se poursuivirent cette nuit-là jusqu'aux petites heures du matin. Et le même cycle se répéta lors des quatre nuits suivantes. Chaque fois, à part quelques intermèdes entre les cycles de bastonnade, mes entraves étaient enlevées et on me faisait mettre en position étirée, parfois debout sur un pied avec les bras levés au-dessus de la tête, d'autres fois accroupi avec les bras étirés à mes côtés.

Au cours des tabassages, Ibrahim et Khaled me mitraillaient de questions à propos de mon téléphone cellulaire. Pourquoi ne marchait-il pas? Pourquoi n'avais-je pas appelé Raf le soir de la deuxième explosion? Qui avait appelé Raf cette nuit-là? Quelques heures auparavant, au cours du premier intermède de ces séances, le soixante-septième jour, Raf avait été amené les yeux bandés dans le bureau des interrogatoires où j'étais interrogé et on l'avait fait répéter devant moi certains nouveaux détails que les tortionnaires exigeaient que je reprisse à mon compte ou que j'avoue. C'était la seule fois que je pus voir mon ami durant tout le temps passé en prison: il avait un aspect effroyable. Il récitait machinalement le baratin imposé, d'une voix brisée. Je sus alors que le scénario était changé et que je serais battu jusqu'à ce que mon récit se conforme à la version « officielle » des événements.

Un fait essentiel dans leur histoire de conspiration était que j'avais appelé Raf pour lui donner mes instructions finales. Aucun de nos registres téléphoniques ne l'indiquait, pour la bonne raison que cet appel n'avait pas eu lieu. Cependant, pour mes tourmenteurs, dans leur échafaudage des événements, il fallait que Raf eût reçu des instructions par téléphone. Si quelqu'un avait téléphoné à Raf cette nuit-là alors qu'il était au Celtic Corner, ils allaient le découvrir par la torture. Mes tortionnaires voulaient d'autres noms.

Ils se mirent donc à me questionner au sujet de Les Walker et de Carlos Duran, un Philippin qui travaillait comme mécanicien pour l'un des principaux concessionnaires de voitures de Riyad. Il appert que mes déclarations sur mes allées et venues le soir de l'explosion avaient été utilisées pour impliquer mon ami Les. Et maintenant, ils espéraient que j'impliquasse Carlos. J'avais rencontré Carlos une seule fois alors qu'il examinait la voiture de Sandy, et ce ne fut qu'un bref échange avant que Carlos ne disparût sous la voiture de

Sandy. Carlos travaillait à son compte pendant ses temps libres pour arrondir son budget. Il avait bossé sur la voiture de Raf, et je savais qu'il avait appelé ce dernier le jour de l'explosion à propos de la réparation de la voiture.

On m'accusa en rafale d'avoir travaillé avec ces nouveaux prétendus complices pour poser les bombes, d'avoir eu une relation amoureuse avec la femme de Carlos, d'en avoir eu une autre avec Aida, la femme de Les, et une autre avec Noy, la femme de Sandy, puis, en même temps, d'être homosexuel. J'avoue qu'entendre cette dernière accusation, proférée de nouveau immédiatement après les accusations d'adultère, me força à réprimer un sourire qui s'esquissait malgré la douleur. Je devais être un homosexuel assez étrange si les seules relations sexuelles qu'on m'imputait étaient de nature hétérosexuelle. J'étais tenté de le relever mais, au milieu de la violence qui m'était faite, je ne pouvais que gémir et supporter la souffrance.

Je présumais que ces insinuations seraient utilisées contre mes codétenus. À mesure que l'information m'était fournie bribe par bribe à chaque coup de canne, je constatais que ces questions et accusations étaient effectivement essentielles au nouveau scénario du complot. Peu à peu, je voyais la forme que prendrait le nouveau récit que je devais relater. Ces confessions révisées exigeraient que je trahisse un autre ami, quelqu'un que j'avais rencontré seulement au passage. Il me répugnait autant de le faire que d'avoir trahi Sandy ou Raf, et je m'efforçais de résister, refusant à mes ravisseurs toute nouvelle confession. Je savais que je ne pourrais résister indéfiniment mais, pour la paix de ma conscience je devais supporter la torture aussi longtemps que possible. C'était peut-être fou, mais c'était nécessaire pour que je conservasse un semblant d'intégrité personnelle.

Peu avant la prière de l'aube, au soixante-huitième jour de mon incarcération, je fus ramené à ma cellule où l'on vint prendre mes maigres possessions. Je revêtis mes habits de prison et fus ramené au bloc cellulaire dans une petite cellule individuelle. On me laissa dans cette cellule froide avec les seuls vêtements que je portais: un kamis, un tee-shirt et un caleçon boxeur. Même mes sandales de prison avaient été confisquées. Le toubib vint alors me voir, me déclarant apte à être torturé, comme c'était son devoir. Il ne l'avait pas dit tel quel, mais sa fonction était manifestement au service des tortionnaires et non des torturés. Après quoi les gardiens me laissèrent seuls, me disant en partant que je devais rester debout. Tout le reste de la matinée, je restai là, tremblant par intermittence dans le froid de la cellule. J'étais épuisé mais pas au point de m'endormir debout et de m'écrouler; cependant, puisque la cellule n'avait rien auquel je puisse être enchaîné en position debout, je me demandais ce qui se passerait s'ils avaient l'intention de me garder éveillé pendant une période prolongée. J'allais le découvrir bientôt.

Après la deuxième nuit de privation de sommeil, je m'endormis sur pied, m'effondrant d'épuisement contre la porte, et on m'accorda le privilège de m'asseoir au bout du châlit. Puis on me fit relever quand on remarqua que j'allais m'endormir. J'avoue que j'en profitai, quand on me permit de m'asseoir, pour m'adosser au mur, pencher la tête et essayer vite de me ménager quelques instants de sommeil. Alors commença le petit jeu de rester debout jusqu'à ce que je tombasse (parfois délibérément) puis d'être autorisé à m'asseoir et d'essayer d'en profiter pour dormir avant d'être forcé à nouveau de me remettre debout. Cela se déroula ainsi pendant dix-huit longues nuits sans sommeil, jusqu'à ce qu'on vînt me chercher de nouveau pour «enquête», tout juste après la prière du midi. Et, comme je l'avais prévu, le cycle de la torture recommença.

Les séances de torture se déroulèrent de la façon habituelle, en position pieds et poings liés, mes pieds ressemblant de plus en plus à des moignons enflammés. Entre les bastonnades, les gardiens veillaient à ce que je gardasse l'une ou l'autre des positions étirées, ce qui augmentait les tourments. Les mêmes accusations et les mêmes exigences étaient répétées sans cesse. Fait remarquable, à aucun moment Khaled tenta de jouer la comédie et de prétendre m'aider. L'effort nécessaire pour feindre l'amitié était-il au-delà de ses capacités profession-nelles maintenant qu'il prenait de plus en plus de plaisir à montrer son pouvoir sur moi? La torture et l'interrogatoire se poursuivirent le lendemain, durant plus de vingt-quatre heures où le sommeil me fut interdit.

Plusieurs fois, lors des premiers jours, je dus subir les admonestations de Khaled. La deuxième nuit, durant une pause dans la torture, Khaled révéla que lui et Ibrahim participaient à une enquête qui prouverait que les Américains travaillaient à déstabiliser le Royaume. Au départ, je ne trouvai pas une telle paranoïa inconcevable, et ses fondements avaient quelque chose de crédible, car le gouvernement américain travaille souvent à discréditer ou à renverser des régimes qu'il n'aime pas ou qui sont tombés en disgrâce (Cuba, le Chili, le Nicaragua, l'Irak et l'Iran, pour n'en nommer que quelques-uns). Il n'était donc pas impossible que Washington souhaitât un régime différent en Arabie Saoudite, mais à quel point la chose était-elle plausible? Étant donné le degré d'implication des États-Unis dans le soutien du régime saoudien et la participation des compagnies américaines à la défense et au développement du pays, cette assertion de Khaled ne méritait guère qu'on s'y attardât.

Forcé de rester accroupi, j'écoutai échafauder toute une série d'hypothèses de conspiration. Selon Khaled, ses collègues et lui allaient bientôt prouver que l'attaque suicidaire contre le navire américain *USS Cole* au Yémen avait été menée par la CIA et le Mossad dans le dessein d'appuyer les exigences américaines d'une plus grande présence militaire en Arabie Saoudite. Ensuite, les explosions terroristes qui s'étaient produites à Riyad, en 1995, et à Al-Khobar, en 1996, et qui avaient d'abord été attribuées à l'Iran, à la fois par Riyad et par Washington, et plus tard attribuées plus véridiquement à Ben Laden, étaient de fait l'œuvre des services secrets américains avec l'aide de Saddam Hussein. Quand j'entendis ces assertions, je regardai Khaled en face pour voir s'il plaisantait, et je n'aperçus rien d'autre que les prunelles étincelantes et l'ardeur véhémente d'un vrai fanatique.

Durant ces exposés, je posai quelques questions, puis j'enchaînai avec quelques théories de conspiration de mon cru au sujet du scandale Clinton-Lewinsky afin de chercher à le faire parler davantage. Même au milieu de mes tribulations, j'étais fasciné par ces inventions rocambolesques, qui me donnaient la mesure de son intellect tordu. En l'écoutant développer ses théories, j'entrevis que cela pouvait être en partie la raison pour laquelle il lui fallait me faire avouer que j'étais un espion: afin de montrer que les gouvernements occidentaux étaient effectivement leurs ennemis. S'il en était ainsi, j'avais une autre raison de penser que certains d'entre nous, sinon tous, ne sortiraient pas vivants de cette affaire.

La troisième nuit, au cours d'une autre pause, Ibrahim quitta la pièce et on me permit de m'asseoir, même si c'était malaisé avec mes poignets toujours retenus derrière mon dos. Heureux d'avoir un bref répit, je m'assis en face de Khaled, me demandant s'il ne faisait pas une tentative pour créer un lien émotionnel. Je le vis tirer de la poche de son kamis quelques photographies, et je reconnus immédiatement celle qui était sur le dessus. Elle faisait partie d'une série de clichés qui avaient été pris lors d'un voyage avec mon père, le long de la voie ferrée de Hejaz. Il me les avait envoyées, car il savait que je n'avais moi-même pas d'appareil-photo. Et là, une sélection de ces photos était étalée devant mes yeux. Elles avaient été soigneusement choisies, car il ne s'agissait que de celles où apparaissait mon père. En les étalant une à une devant moi, Khaled alternait les menaces et les promesses, me disant que mon père devait s'inquiéter de moi, qu'il serait déçu de ne jamais me revoir et que c'était ce qui arriverait si je ne coopérais pas. Ces tentatives me laissèrent de marbre jusqu'à ce que la dernière photo apparût.

Ce n'était pas une photo que mon père m'avait envoyée et il n'y apparaissait pas, mais je la reconnus néanmoins. C'était une photo prise en face de l'immeuble à logements où il vivait. Quand je la vis distinctement, j'éprouvai un choc et un ébranlement que je ne pus cacher ni déguiser, et je suis sûr que ma réaction ne passa pas inaperçue.

— Nous savons tout sur toi, dit Khaled en jouant avec la photo entre ses mains. Nous pouvons faire tout ce que nous voulons, à toi ou à ton père. Si nous le voulons, nous pouvons l'amener ici même n'importe quand à notre gré.

En entendant ces mots, le cœur me monta dans la gorge. Et j'éprouvai une nouvelle peur : celle du danger qui menaçait mon père. On pourrait croire qu'il s'agissait d'une tactique psychologique de la part de mes ravisseurs, et que mon père n'était pas véritablement en danger. C'était vrai en partie : il y avait là un côté bras de fer psychologique, mais il était aussi vraiment possible que mon père fût en danger. La photographie provenait bien de quelque part. Elle ne m'appartenait pas. Elle n'avait pu être prise que par quelqu'un ayant reçu des instructions à cet effet. S'ils avaient pu s'approcher assez pour prendre une photographie dans la rue à l'extérieur de sa

227

résidence, ils pouvaient s'approcher encore davantage pour faire autre chose. Iraient-ils jusque-là? Chose certaine, les services secrets du gouvernement saoudien étaient bien capables de commettre des gestes violents à l'endroit de leurs propres citoyens résidant à l'étranger, et considérant ce qu'ils m'avaient déjà fait à moi jusqu'à maintenant, il n'était pas impensable, du moins dans mon état d'esprit fébrile à ce moment-là (ni en y réfléchissant bien, encore aujourd'hui), qu'ils pussent entraîner mon père dans l'affaire. Alors que le choc provoqué par ces constatations commençait à se dissiper, je me sentis malade, mais j'éprouvai aussi une colère grandissante. Ce sentiment était si intense que si mes mains n'avaient pas été menottées derrière mon dos, je me serais rué sur ces canailles pour les tuer.

Ils avaient finalement découvert chez moi un levier émotionnel qui pouvait provoquer une réaction et être utilisé, du moins le pensaient-ils, pour me manipuler. Même si cela m'affecta beaucoup, me remplissant à la fois de terreur et de honte – à l'idée du danger éventuel que leurs menaces représentaient pour mon père –, les émotions qui l'emportèrent en moi furent la haine et la colère. Avec pour conséquence que ma résistance, faiblissante, s'en trouva ranimée pour au moins une autre nuit. Tout ce que je pouvais espérer, c'est que mon père surveillerait ses arrières, car je savais fort bien que rien de ce que je ferais ou ne ferais pas ne pouvait garantir sa sécurité.

Le quatrième jour, j'avais peine à marcher, car la plus grande partie des coups avait porté sur mes pieds, et j'avais subi des heures de bastonnade. Des genoux en descendant, mes jambes étaient devenues extrêmement enflées, plus que jamais au cours de la première période de torture. Les dommages vasculaires subis à cette époque n'étaient sans doute pas pleinement guéris, et j'avais donc dû affronter la nouvelle période de châtiments dans une forme physique grandement diminuée. Quand j'arrivai à la fin de l'après-midi pour le tabassage de la journée, la pièce où je fus introduit contenait deux chaises solides avec des accoudoirs, et le long du mur se trouvait le tuyau de métal. Je savais ce qui s'en venait, presque content du fait que mes pieds seraient un peu moins visés pour les assauts à venir, mais il y avait, en contrepartie, la perspective effrayante de voir mon entrejambe visé à nouveau par les coups. Mes testicules avaient tout juste eu le temps de revenir à leurs dimensions normales depuis qu'Ibrahim s'y était attaqué la semaine précédente. Ils étaient restés légèrement ecchymosés à la suite de la première période d'interrogatoires, et étaient devenus une fois de plus légèrement enflés et sensibles par suite des plus récents traitements. Si mes pieds pouvaient servir d'indicateurs, en considérant que leur état s'était détérioré aussi rapidement cette fois-ci, j'appréhendais des problèmes si mon entrejambe était roué de coups comme il l'avait été auparavant.

Le Midget et Acné arrivèrent. On me suspendit sur-le-champ en position de *falanga* et on repartit pour une nouvelle séance. Durant la bastonnade, Khaled me répétait tout ce qui était nécessaire pour la faire arrêter. « Avoue ce que nous voulons, dis-nous que Les était impliqué, dis-nous que Carlos était impliqué, la souffrance ne cessera que lorsque tu le feras. » Je savais que la fin du supplice ne serait que temporaire, même si j'avouais. Mais j'avais tenu bon durant trois jours et je savais que je ne saurais tenir longtemps encore. Je souhaitais intérieurement que Les et Carlos eussent quitté le pays, de sorte que lorsque je finirais par avouer, comme on l'exigeait, ils seraient hors d'atteinte des tortionnaires : cependant, ce ne serait pas le cas. Pourquoi seraient-ils partis ? Ils n'étaient coupables d'aucun méfait.

À un certain moment au petit matin, après quatre ou cinq séances de bastonnade, je ne pus en prendre davantage. J'étais endolori et brûlant de douleur comme jamais je ne l'avais été, des pieds à la fourche et jusqu'aux articulations des épaules. J'acceptai d'avouer ce qu'ils voulaient à ce moment-là. C'est ainsi qu'en ce matin du 25 février 2001, j'impliquai Les Walker et Carlos Duran. Après ma libération, j'appris que les deux avaient été arrêtés la veille et incarcérés à Al-Ulaysha, le centre des interrogatoires. Ils étaient déjà entre les griffes du régime, et ma confession était nécessaire pour les y maintenir. Au cours de l'heure suivante, je rédigeai ma nouvelle confession, y intégrant les nouveaux détails exigés, mais cela la rendait encore plus fallacieuse et surréaliste. Ce ne serait pas la fin de leurs exigences pour d'autres aveux, mais ce serait la dernière confession que j'aurais à écrire.

Quand j'eus terminé à leur satisfaction, je fus conduit dans l'un des bureaux somptueux à l'extrémité du couloir. Là, on m'offrit une traite avec les restes d'un plateau : des sandwichs desséchés, du thé et du jus de fruits. Leur fausse hospitalité était d'autant plus répugnante par le contraste qu'elle présentait avec la violence qu'ils venaient d'exercer sur moi, à peine une heure auparavant : elle me donnait littéralement la nausée. Comme j'étais là à me faire seriner encore les prétentions de pouvoir et d'influence d'Ibrahim, la prière de l'aube retentit, mettant fin à la séance.

Je revins à ma cellule où je repris la routine de rester debout, de tomber, de m'asseoir, de me relever et de retomber sans arrêt. Aussitôt après la prière du midi, on vint me chercher pour m'amener dans les bureaux. Le repas du midi me fut servi là ainsi que le repas du soir. Khaled et Ibrahim survinrent finalement alors qu'on faisait l'appel de la dernière prière du jour, ce qui les retarda un moment. Quand l'interrogatoire commença, je fus placé en position pieds et poings liés. Ils ne dirent rien au sujet de mes confessions. Ils me crièrent de ne pas bouger alors qu'Ibrahim me frappait. Mais il était impossible pour moi de ne pas broncher, à leur grand dam. Les gardiens furent appelés à la rescousse pour me tenir alors que mes pieds étaient frappés. L'un d'eux amorça une discussion colérique avec Ibrahim avant de sortir précipitamment en claquant la porte. Un autre vint le remplacer.

Quelque temps après, quand Khaled et Ibrahim sortirent en me laissant sous bonne garde, ils n'avaient pas encore donné la raison de cette séance. Je soupçonnais cependant qu'elle devait faire partie d'un exercice réglementaire de supervision et de contrôle prescrit dans leur manuel.

Entre chaque séance de bastonnade, on me faisait mettre en position étirée, position que je trouvais de plus en plus difficile à maintenir avec l'accumulation des jours et des nuits de torture. Faire porter le poids de mon corps sur mes pieds devenait de plus en plus difficile et mon équilibre était précaire. Donc, quand la séance de cette nuit-là s'acheva et qu'on me laissa revenir à ma cellule, je constatai que je ne pouvais plus compter sur mes jambes pour me soutenir. Après deux ou trois pas en direction de la porte, je m'écroulai, ce qui déplaça le bandeau sur mes yeux.

– Debout! crièrent aussitôt mes tortionnaires.

Je criai à mon tour que je ne le pouvais pas. Un gardien me donna un coup de pied dans la cage thoracique. À ce moment, la porte s'ouvrit et le gardien qui avait refusé d'aider mes tortionnaires entra. Je remarquai qu'il avait le grade de caporal; il avait donc prévalence sur les autres dans la pièce. C'était aussi un Noir saoudien. Il fit montre de la plus grande humanité dans les circonstances.

Il s'adressa avec colère aux autres gardes en se penchant et en m'aidant à me remettre debout. La douleur était crucifiante et je sentais mes genoux faiblir alors qu'il m'aidait à m'appuyer contre le bureau pour pouvoir enlever mes menottes et mes chaînes. Puis, doucement, il mit son bras autour de ma taille, et je passai à mon tour mon bras autour de ses épaules, en m'appuyant sur lui. De cette façon, alors qu'il prenait sur lui la plus grande partie du poids de mon corps, je fus reconduit avec précaution à ma cellule. Notre progression fut ponctuée de fréquentes interruptions, car chaque fois que je laissais échapper une plainte, il s'arrêtait pour me soulever presque de terre. Cela dut lui demander pas mal d'efforts, car même si j'étais à peu près de sa taille, il était beaucoup plus mince que moi. Durant ce parcours, je pus avoir mon premier véritable aperçu de la disposition des lieux dans cette partie de la prison. Mais je n'étais alors guère en état de me réjouir de l'exactitude des supputations que j'avais faites lors de mes allers-retours les yeux bandés.

Dans la cellule, on m'étendit sur le châlit, et le docteur ainsi que l'aide-soignant saoudien noir furent aussitôt dépêchés sur les lieux. On souleva mon kamis pour l'examen de routine, ce qui exposa mon corps, des reins jusqu'en bas. Après quoi, le docteur partit. L'aide-soignant et mon bon Samaritain entreprirent alors de me soigner, massant doucement la partie de mon corps qui se trouvait exposée avec un onguent anti-inflammatoire. Étant donné la pudeur qui leur est inculquée normalement dans leur culture, ce geste me toucha beaucoup à ce moment-là. Puis ils partirent, me laissant étendu sur le châlit, avide de sommeil. Je ne sais combien de temps je restai là étendu, mais à un certain moment la porte s'ouvrit et un autre gardien entra pour exiger que je m'assoie. Il dut m'aider alors que je reprenais avec raideur ma position au bout du châlit en m'appuyant contre le mur. Quoi qu'on ne me permît pas de dormir au cours des deux jours suivants, je pus rester assis plutôt que debout. Je restai donc dans cette position, sauf pour les quelques minutes accordées pour le temps du repas et pour aller aux toilettes. Après une des visites quotidiennes du toubib, je m'attendis à être considéré apte à me tenir debout, et c'est ce qu'on m'ordonna effectivement de faire.

À ce moment-là cependant, j'avais déjà été trop privé de sommeil, de sorte que les hallucinations recommencèrent. Je luttai désespérément pour les écarter. J'étais désormais constamment plongé dans une atmosphère de cauchemar. Marmonnant machinalement des bribes de poèmes de Lovelace, Donne et Nelson, je revenais au rêve éveillé, m'accrochant à la moindre portion de raison qui me restait. Je faisais le décompte des jours, m'occupant de mon nouveau journal de riz, car j'avais perdu le dernier quand on avait confisqué mon matelas lors de mon transfert dans cette petite cellule. Je l'avais immédiatement reconstitué lors du premier repas contenant du riz. Puis, au cours des heures passées seul dans ma cellule, j'avais récité sans répit la litanie des mauvais traitements que j'avais endurés tout en recueillant les grains de riz nécessaires pour maintenir mon registre rudimentaire.

J'avais pu me procurer du papier hygiénique de la même façon que je l'avais fait auparavant et, une fois de plus, je l'utilisais pour contenir le riz de mon nouveau journal. Cependant, dissimuler ce journal posait plus de problèmes. En conservant quelques oranges de mes repas, je pouvais m'en servir pour tenir en place mon papier hygiénique propre, ce qui permettait de cacher mes grains de riz derrière. C'était tout ce que je pouvais faire, mais, à mon grand étonnement, ce petit subterfuge ne fut jamais découvert, ni quand j'étais sorti de la cellule ni quand les gardiens en faisaient l'inspection en ma présence. C'est ainsi que je passai le temps entre le soixante-douzième et le quatre-vingt-septième jour de ma captivité, seul et sans dormir dans ma cellule. Je me rends compte aujourd'hui que ce répit était dû au fait que Khaled et Ibrahim faisaient subir des interrogatoires à leurs nouveaux captifs, Les et Carlos.

Aux petites heures du matin, le mardi 13 mars 2001, quatre-vingt-septième jour de mon incarcération, des événements survinrent qui pourraient être jugés bons ou mauvais, selon la perspective adoptée. Moi, je les considère comme positifs nonobstant les séquelles permanentes que j'allais en garder. Quelque temps donc après la prière de l'aube, peu avant la distribution du petit-déjeuner, je commençai à ressentir une crampe à l'avant-bras gauche. Je ne savais de quoi il s'agissait, pensant que cela pouvait provenir du fait que je m'étais appuyé lourdement sur ce bras lorsque j'étais assis au bout du châlit. La douleur fut assez forte pour me tirer complètement du sommeil. Je me levai donc et marchai un peu, en long et en large, en massant la région endolorie. Un minute ou deux plus tard, la douleur disparut et je n'y accordai pas plus d'attention.

Mais la douleur revint bientôt. Elle s'était étendue, couvrant à la fois mon avant-bras et rayonnant le long des muscles du biceps et du triceps. Des alarmes se déclenchèrent dans ma tête, car je pensai soudain que ce pourrait être le premier stade d'une crise cardiaque. Je pressai le bouton d'appel à côté de la porte et attendis les gardiens. Quand ils arrivèrent, je demandai à voir un médecin. On me répondit: «Après l'enquête.»

J'étais donc à la veille d'être interrogé. La douleur disparut à nouveau. Avais-je réagi de façon disproportionnée? Quand le repas du matin arriva, je mangeai ce que je pus avant de retourner m'asseoir sur le châlit en attendant qu'on me dît de me relever. Après une heure, la douleur revint, plus étendue encore. Cette fois, elle partait de l'avant-bras et montait dans le bras jusqu'au creux de l'omoplate gauche. Il n'y avait plus de doute: c'était le premier stade d'une crise cardiaque. Je pressai de nouveau le bouton d'appel et, une fois de plus, on me dit: «Après l'enquête.» La douleur s'évanouit. J'étais perplexe et passablement inquiet.

Tout juste après la prière du midi, la douleur revint. Elle s'était répandue davantage. À partir du bras, elle rayonnait maintenant jusque dans la poitrine et le long du muscle pectoral gauche. Je demandai encore à voir le médecin et, une fois encore, on me refusa cette requête. Je pensai en moi-même que si je ne me trompais pas, il se pourrait bien que je ne revisse pas la fin du jour. Dans les circonstances, cette pensée m'apporta un certain soulagement. Si je mourais, comme on pouvait s'y attendre, par suite d'un manque de soins médicaux combiné au surcroît de violence qui m'avait été faite, la souffrance serait terminée pour moi et mes ravisseurs auraient sur les bras un problème majeur pour expliquer comment j'en étais arrivé là. Cela pourrait même entraîner la fin rapide de l'incarcération de mes amis. Ces pensées me calmèrent, m'apportant un certain degré de résignation et de bien-être.

Alors que j'entendais rouler les chariots à desserte autour du bloc cellulaire, la douleur revint de nouveau, cette fois le long du muscle pectoral et au centre de la poitrine, au fond du sternum. L'acuité de cette douleur me coupa le souffle. Je sentis une sueur froide sur mon visage. Ça y était, pensai-je, en m'assoyant sur le tabouret près du passe-plat. Mais ces douleurs disparurent aussi alors que le passe-plat s'ouvrait et que le repas m'était servi. Je redemandai à voir le médecin et reçus la même réponse. Peu de temps après, alors que les plateaux du repas étaient débarrassés, on vint me chercher pour l'interrogatoire. Mon anticipation était alors faite de plus de curiosité que de peur. Allais-je mourir en pleine séance de torture?

Alors que j'attendais l'arrivée de Khaled et d'Ibrahim, la douleur allait et venait dans ma poitrine, mais non plus dans mon bras et sous l'omoplate. Et elle n'était pas aussi aiguë que la dernière fois. Quand ils arrivèrent, je fis immédiatement savoir à Khaled que j'éprouvais de la douleur dans la poitrine et que je pensais qu'il s'agissait d'une crise cardiaque.

Il me dit que je ne savais pas de quoi je parlais, que j'essayais de trouver un prétexte pour échapper à ce qui allait suivre. Pour la première fois des interrogatoires, je répondis avec colère et agressivité, criant à tue-tête qu'avec mon doctorat en biologie j'en savais autrement plus qu'eux dans ce domaine. Leur réaction au départ fut de surprise et de peur. Ils se mirent en effet sur la défensive, même si j'étais toujours menotté et enchaîné et ne constituais pas une menace immédiate pour eux. J'en acquis une première preuve de leur lâcheté latente, même s'il y avait des façons plus faciles pour moi de découvrir cet aspect de leur personnalité.

On m'ordonna de m'asseoir en me disant que je verrais le médecin après avoir été interrogé. Pendant un moment, on me laissa en compagnie d'un gardien sans même exiger que je prenne une position étirée. Quand ils revinrent, je fus remis

234

sur pied brusquement et Ibrahim se mit à me rouer de coups sur l'arrière-train. C'était douloureux mais léger, me semblait-il, en comparaison de tout ce que j'avais subi. Cependant, au milieu des coups, je sentis comme une étreinte dans la poitrine qui me serra avec une force effrayante. J'oubliai les coups sur ma croupe, avec cette douleur térébrante dans la poitrine, qui me disait que mon cœur était en train d'être broyé. Mes poumons ne semblaient plus capables de pomper assez d'oxygène alors que je haletais désespérément pour les remplir. Puis je m'effondrai, mes jambes se dérobant sous moi et mon corps tombant comme une pierre. Je ne sentis pas le choc de la chute tellement j'étais submergé par la douleur qui m'écrasait la poitrine. Alors que je gisais là, Khaled m'ordonna de me relever pendant qu'Ibrahim renforçait cet ordre avec des coups de pied dans les côtes. Mais je ne pouvais rien faire d'autre que de me tenir la poitrine à deux mains et d'essayer de respirer profondément. J'avais des élancements de douleur à chaque battement de cœur, et tout ce que je pouvais faire était de rester là à gémir. Finalement, mes tortionnaires commencèrent à s'apercevoir que cela pouvait être sérieux, et Ibrahim partit chercher un médecin tandis que Khaled restait pour me réconforter et me rassurer, bien qu'il fût difficile de concevoir quelqu'un de moins réconfortant que lui.

Deux pensées sardoniques me traversèrent l'esprit à ce moment-là. La première était inspirée d'une scène du film *Alien*, où le premier personnage à avoir un œuf d'extraterrestre à l'intérieur de son corps tressaute sur une table d'examen tandis que la créature nouveau-née se fraye un chemin à travers sa cage thoracique. C'était exactement ce que je ressentais, comme si quelque animal sauvage martelait de toutes ses forces pour se frayer un chemin hors de ma poitrine. La seconde pensée venait d'une citation des débuts de la carrière de Richard Nixon, le trente-septième président des États-Unis. Diable, j'étais en train de mourir : que pouvaient-ils donc me faire de plus ?

– Vous n'aurez plus William Sampson pour ruer encore dans les brancards.

Je doutais que Khaled reconnaisse la citation, mais il comprit le fatalisme de mes paroles et il redoubla aussitôt ses efforts pour me réconforter. Sa physionomie était quelque chose à voir : une grande peur l'imprégnait. Ce n'était pas lui qui allait mourir, mais peut-être était-ce ce qui lui arriverait si les choses continuaient de se dégrader comme elles en donnaient tous les signes.

La douleur commençait à s'atténuer au moment où le docteur arriva. Il entreprit son examen, prenant mon pouls et ma pression et s'occupant un peu de moi, au grand soulagement de l'infirmier improvisé Khaled. Les résultats de cet examen rapides furent quelque peu étonnants : pouls 84, pression artérielle 130/85. Bien que légèrement élevée par rapport aux normes de santé établies (pouls 72, pression artérielle 120/80) et au-dessus de ce qui avait été enregistré au cours de mes examens médicaux réguliers (soit pouls 76, pression artérielle 120/75), mes signes vitaux ne pouvaient guère être qualifiés d'hypertension ni être jugés inquiétants ou même indiquer une crise cardiaque. C'était assez ironique, pour dire le moins, et à ce moment-là la douleur était finalement disparue, quoique je me sentisse faible et tremblant. Le diagnostic du médecin fut droit dans le mille.

— Vous souffrez de flatulences, déclara-t-il.

Si son besoin de rechercher les faveurs de mes tortionnaires n'avait pas été aussi cruellement dangereux, il aurait pu être un personnage de comédie.

— Comment avez-vous obtenu votre diplôme ? En le commandant par la poste ? demandai-je.

Khaled m'ordonna de me relever. Je m'exécutai, quoique avec lenteur et le pied mal assuré, jusqu'à ce que je réussisse à me dresser devant eux. Les trois hommes quittèrent la pièce, me laissant seul, car aucun gardien ne fut dépêché pour me surveiller. Quand Khaled revint, il me dit de m'asseoir, car j'avais dangereusement (au moins pour lui, je le soupçonne) erré près de l'une des fenêtres de la pièce. Nous restâmes là, assis à nous dévisager en silence de part et d'autre du bureau, attendant l'arrivée d'Ibrahim.

Alors ils revinrent encore sur leurs exigences d'aveux au sujet de mes aventures avec les femmes de mes coaccusés et de mes autres inclinations sexuelles, jusqu'à ce que je les interrompisse brusquement pour leur demander de se faire une idée. J'étais soit un homosexuel invétéré comme ils le préten-daient, soit un fieffé coureur de femmes, mais je ne pouvais être les deux. Techniquement, ce n'était pas vrai, car on peut être l'un et l'autre, je le pense, mais mon intervention les frappa et les fit réfléchir. Dans le petit univers de leurs expériences et de leurs préjugés, ce que je disais dut leur paraître exact. En tout cas, ils en furent embarrassés et ils quittèrent la pièce pendant un temps assez long au cours duquel les douleurs dans ma poitrine revinrent par intermittence et brièvement, mais sans l'acuité précédente.

Quand ils revinrent, Ibrahim avait en main son jouet favori et ils me remirent brusquement sur pied. Encore une fois, les coups s'abattirent sur mes fesses et le bas de mon dos. Et encore une fois, je sentis mon pouls s'accélérer et ma pression artérielle s'élever jusqu'à ce que, comme il se devait, l'extra-terrestre se débatte pour sortir de ma cage thoracique. La douleur fut aussi éprouvante qu'auparavant et eut la même conséquence : je m'écroulai haletant sur le plancher. Malgré les nombreux coups de pied qu'Ibrahim me donna, je ne réagis pas. Il aurait pu me frapper à mort que je n'aurais pas bougé. Je n'y pouvais rien, je restais là, écrasé au sol.

– Allez vous faire foutre ! grommelai-je.

C'est drôle, mais ça faisait du bien de leur lancer des obscénités. Je ne pus retenir un drôle de rire étranglé, qui faisait sans doute penser davantage à quelqu'un s'étouffant avec sa langue. Je cherchais désespérément de l'air, transpirant abondamment, avec mon teint qui prenait une pâleur maladive (je le présume, en tout cas, car je sentais le sang quitter mon visage et ma peau se refroidir). Même pour des gens comme eux, je devais offrir un spectacle inquiétant. Ibrahim s'en alla chercher ce qui passait pour un médecin tandis que Khaled reprenait son rôle d'infirmier. Franchement, j'aurais aimé qu'il partît aussi, car écouter ses jérémiades ne servait guère à me réconforter.

– Ferme-là, sale hypocrite !

Étonnamment, il obéit, ce qui m'amusa quelque peu au milieu de mes misères.

Quand le toubib survint pour la deuxième fois, la douleur n'était pas disparue et l'extraterrestre faisait du temps supplémentaire. Mon pouls était maintenant à 130 et ma pression artérielle à 165/120. C'était beaucoup plus en rapport avec la situation. Le prétendu médecin devant moi dut établir un diagnostic différent de la flatulence, ce qu'il fit, mais il qualifia mon problème d'angine de poitrine bénigne. Si c'était une angine bénigne, alors mon cul est une poêle à frire. Depuis lors, j'ai fait l'expérience de légères crises d'angine, aussi je sais d'expérience que ce qui m'arrivait cette nuit-là n'avait rien de bénin : c'était un infarctus du myocarde, une foutue crise cardiaque.

Mon corps en avait assez et il criait non et moi, je souhaitais l'effondrement total, la liberté que cela m'apporterait vis-à-vis de mes tortionnaires. Cette nuit renforçait les leçons apprises en alpinisme : la mort était un prix qu'il valait la peine de payer pour sa liberté, car elle était, en elle-même, une forme de liberté.

Je restai donc là, étendu sur le plancher, essayant de calmer mon corps par un effort de volonté afin de soulager la peine tandis que les trois étaient là, au-dessus de moi, tâchant de décider ce qu'il fallait faire. En fin de compte, on convint de me transporter à l'hôpital, et le toubib partit appeler une ambulance. Dans l'intervalle, je scrutais les figures de mes tortionnaires. La même peur que j'avais vue auparavant était encore apparente sur les traits de Khaled. Cependant, le visage d'Ibrahim ne montrait rien d'autre que du dédain et du mépris. Je le privais malicieusement de son plaisir, l'empêchant de mettre les points sur les i du scénario pervers qu'il voulait que je confessasse.

Khaled se mit à me parler alors que j'étais étendu là, et le timbre de sa voix indiquait qu'il était perturbé par les événements. Franchement, je souhaitais que cette situation lui donne une crise cardiaque *à lui*, pour le mettre à genoux, mais cela aurait été trop beau. Il cherchait encore à me persuader d'avouer mes relations amoureuses avec les femmes de mes amis, particulièrement avec Noy Mitchell. Je restais coi en écoutant ses tentatives obséquieuses de me persuader. Il me disait que les choses seraient tellement plus faciles si je coopérais : ses promesses étaient aussi manifestement fausses que ses émotions. Mon silence et le fait qu'il était privé de son pouvoir de me soumettre à des moyens de persuasion plus brutaux semblaient lui donner une diarrhée verbale, et il commença à se répandre de plus en plus, repassant la nouvelle confession que j'avais signée, essayant de me faire combler certains trous, jusqu'à finalement les remplir lui-même.

Quand on m'avait fait récrire les aveux pour la deuxième explosion, j'avais dû intégrer Les et Carlos dans le complot, de sorte qu'il était devenu encore plus compliqué. La première partie de la confession restait la même jusqu'au moment où j'étais arrivé chez Sandy Mitchell et que j'avais remis la fausse bombe à Raf. Après, j'étais maintenant allé à la maison de Les Walker où j'avais attendu jusqu'à vingt heures environ avant de me rendre au complexe d'Al-Fallah pour repérer le véhicule ciblé. Celui-ci n'étant pas arrivé comme prévu, j'avais changé de cible, choisissant la voiture stationnée à côté de celle de Raf. Jusque-là, tout allait bien. Cependant, quand j'avais pris mon téléphone cellulaire, je m'étais rendu compte qu'il ne marchait pas. En conséquence, j'avais dû quitter les lieux, aller en voiture à la maison de Les et lui demander de téléphoner à Raf pour lui donner les instructions nécessaires. C'était ainsi que Les était devenu membre d'une cellule d'agents secrets travaillant pour le gouvernement britannique.

Après quoi j'étais revenu au parking et avais attendu que Raf pose la fausse bombe dans le nouveau véhicule ciblé. Tout s'était déroulé ensuite comme il avait été mentionné auparavant, jusqu'après mon départ des lieux de la scène de l'explosion. Au lieu de revenir chez moi alors, j'étais retourné à la maison de Les en faisant des détours compliqués, et j'y avais laissé la fausse bombe, devenue désormais opérationnelle, puis j'avais attendu jusqu'aux petites heures du matin avant de revenir chez moi. C'étaient là les nouveaux ajouts qui impliquaient Les. Il n'y avait guère autre chose que je puisse ajouter, quoique Khaled et Ibrahim y eussent introduit des complications impossibles à confesser pour d'autres, comme je le découvrais maintenant.

Aux premiers jours de cette période de tortures, ils avaient voulu que j'avoue m'être rendu à l'appartement de Carlos pour lui donner les instructions au lieu d'aller voir Les. Finalement, il apparut graduellement que je ne savais pas grand-chose de Carlos, étant même incapable de reconnaître une photo de lui qui m'avait été montrée le deuxième jour de la reprise des tortures. De fait, ce fut seulement lorsque je gisais là sur le plancher, en train de subir une crise cardiaque, que je réalisai que la photo de Carlos devait se trouver parmi diverses photos de ressortissants philippins qu'on m'avait montrées. Ils avaient placé ces photos devant moi, sans mentionner aucun nom, et m'avaient demandé si je reconnaissais quelqu'un en me battant chaque fois que je disais non. J'arrivai à les convaincre que je disais vrai, que je ne reconnaissais aucun de ces visages, ce qui sabotait le scénario qu'ils avaient soigneusement préparé.

Je ne sais pourquoi il était important pour eux que je connusse Carlos en particulier puisque tout le reste de ma confession n'était que fabrication de leur part. En tout cas, dans les limites de leur logique, il leur fallait un véritable lien personnel entre lui et moi pour vendre leurs mensonges. Comme ils n'avaient pu y arriver, ils avaient changé le scénario. Ainsi, lorsque j'avais quitté la maison de Les, après lui avoir demandé d'appeler Raf, Les, accompagné d'une de nos connaissances, Peter Brandon, s'était rendu chez Carlos et y avait fait l'appel avant de revenir à son point de départ.

On m'avait imposé d'ajouter à ma confession le fait que j'avais découvert, après coup, que Les s'était servi de Carlos pour faire l'appel, ce qui les ajoutait tous les deux à la liste de ceux que j'étais forcé d'impliquer. Étrangement, mes aveux ne disaient pas que Peter Brandon était chez Les ou impliqué d'une quelconque façon, et pourtant il se trouvait pris dans la toile machiavélique que tissait Khaled. Ils étaient maintenant six à être impliqués ainsi. Jusqu'où cette ridicule théorie de complot irait-elle ? Je commençais juste à l'apprendre lorsque le dernier rebondissement de la saga de la deuxième explosion me fut révélé. Il rendait toutes les autres complications échafaudées jusque-là insignifiantes en comparaison.

Ce que j'apprenais maintenant, c'était que la fausse bombe n'était pas fausse en réalité, mais était un dispositif opérationnel (utilisé apparemment dans une autre explosion, mais c'était une chose que je découvrirais après ma libération). Ayant procédé à la substitution des bombes, au lieu de transporter un faux engin, j'en transportais un bien actif, destiné à exploser au même signal que la bombe posée dans le GMC, ce qui voulait dire que lorsque je m'étais servi de la télécommande pour faire sauter la vraie bombe, la fausse bombe, désormais opérationnelle, aurait explosé dans la voiture pour me tuer. Pourquoi, diable, était-ce censé faire partie du complot ?

La raison en était simple, au moins aux yeux de mes ravisseurs. Cela était censé amener les autorités à se concentrer sur moi, et elles en concluraient que j'étais un terroriste solitaire, mort à la suite de son attentat. Je devais être sacrifié parce que Sandy Mitchell avait découvert que j'avais une liaison avec Noy, sa femme, ainsi qu'avec les épouses d'autres amis. Faux sacrifice et vengeance étaient les mobiles. Cela se lisait comme un complot invraisemblable à la Ed Wood. J'avais rencontré Noy pour la première fois alors qu'elle était enceinte de sept mois et demi. Je fis ressortir ce point cette nuit-là, en me réjouissant du désappointement qui apparut sur leurs visages. Il est clair pour moi maintenant que plus le complot était complexe, plus il apparaissait crédible pour mes ravisseurs.

Mon esprit était frappé par cette absurdité. Quand les gardiens ambulanciers arrivèrent, on me plaça sur une civière roulante. Puis, devant l'ascenseur, on découvrit qu'on ne pourrait pas y faire entrer la civière avec moi dessus. Ils n'avaient pu la monter dans l'ascenseur qu'en la repliant et en la tenant à la verticale. Les péripéties de la journée étaient devenues une véritable farce.

Je dis à Khaled:

– Bande de bâtards, vous ne pourriez même pas organiser la baise dans un bordel.

Mais, à vrai dire, ce n'était pas exact, car s'il y a une chose que la maison de Saoud pouvait faire, c'était bien ça!

On me sortit donc de la civière et me mit debout, mon cœur pompant douloureusement tandis que je descendais les marches de l'escalier et que les ambulanciers fourraient la civière dans l'ascenseur. Ils avaient passé un temps fou à essayer de voir comment descendre la civière dans l'escalier pour que je pusse prendre l'ascenseur, mais l'exercice (de projection géométrique) était au-delà de leur imagination ou de leur initiative. Je pris donc la décision pour eux et me dirigeai en chancelant vers l'escalier tout en envoyant au diable la bande de bouffons qu'ils étaient. Dans le temps qu'il fallut pour me traîner jusqu'à l'ambulance, je m'étais déjà mis à dos l'équipe ambulancière, mais je m'en foutais. J'étais en train de crever, du moins le pensais-je, et je voulais juste en finir avec cette sinistre comédie.

Étendu dans l'ambulance et penché sur le coude gauche, une position qui allégeait mon malaise, je me sentis quelque peu déconnecté de mon corps. Je pouvais encore ressentir

241

toute la douleur qui m'étreignait, mais j'étais comme détaché de mon corps qui mourait lentement sous moi. Je n'avais pas peur. J'étais rempli d'un calme presque naturel en considérant ma condition. Je regardais l'anéantissement en face. On ne pourrait rien me faire de plus. La douleur passerait bientôt, elle n'aurait plus l'emprise qu'elle avait eue sur moi. C'est ainsi que mes ravisseurs perdaient momentanément leur mainmise sur moi. Ces constatations étaient étrangement exaltantes, et je découvrais que, même au milieu de ce qui m'arrivait, je me sentais plus vivant que lors des semaines précédentes. Le sentiment de mon être était revenu plus fort que jamais en moi. Je n'étais plus un membre anonyme de la communauté des morts-vivants. J'étais vivant de nouveau, même pour peu de temps, et c'était bon.

CHAPITRE 4

LA PROTESTATION

L'ambulance de la prison arriva à l'hôpital Shamasi. On me déposa dans un fauteuil roulant pour me pousser jusqu'à la salle des urgences. Une horloge murale indiquait vingt heures trente. Selon mes calculs, mes premiers accès de douleurs avaient commencé vers huit heures et je m'étais évanoui l'après-midi, à quinze heures, pendant l'interrogatoire. J'avais déjà jeté un coup d'œil sur la montre du médecin de la prison. Je savais donc qu'il était seize heures et demie quand il s'était enfin décidé à me faire hospitaliser. On avait pris quatre heures pour faire les arrangements et me conduire à l'hôpital. Il s'était donc passé douze heures depuis le moment où j'avais demandé des soins médicaux. Même si on fit comme si cela avait été le cas, on ne peut qualifier la réaction des autorités de rapide ni d'intéressée à mon sort.

La salle des urgences était délabrée, désorganisée, d'une saleté repoussante. Je me trouvais dans une clinique destinée au bas peuple du Royaume. On me poussait d'une salle d'examen à l'autre, et je pouvais voir les victimes de violences criminelles qui, en principe, n'existaient pas dans la *Felix Arabia*. Parmi les patients, deux personnes avaient été poignardées, une autre blessée par balle et des gens blessés à la tête à la suite d'altercations. Un officier parlant anglais s'était joint à mes gardes. Ceux-ci ne semblaient pas se formaliser du fait que je posais des questions au personnel soignant, qui me confirmait ce que je voyais. Mais cela allait changer plus tard.

On m'amena enfin dans une vaste pièce sans cloisons qui faisait office de salle de soins intensifs. Une trentaine de lits y étaient alignés le long des murs. Au milieu de cette salle, près de la porte principale, se trouvait le bureau des infirmiers. Trois infirmiers et un médecin y étaient de garde. Quelques autres travailleurs auxiliaires s'affairaient à des livraisons ou à du ramassage. On me déposa sur un lit juste en face de la porte. Et mes gardes s'installèrent pour me surveiller. Le personnel médical commença alors à me bourrer d'un cocktail de tout ce qu'exigeait mon état, allant des anticoagulants aux vasodilatateurs. Cela ne soulagea pas mes douleurs: mon cœur tentait toujours de me sortir de la poitrine. Paradoxalement, j'eus une réaction grave à un des composés qu'on m'injecta par intraveineuse pour dilater mes vaisseaux sanguins et qui accentua encore plus mon malaise. Des maux de tête, aussi violents que mes douleurs au thorax, me saisirent: un effet secondaire habituel de ce nitrate.

Je m'étendis pour essayer de dormir. Mais les douleurs m'en empêchaient, prolongeant d'autant la privation de sommeil que j'endurais depuis plusieurs jours déjà. Je passai les quelques jours suivants, soit jusqu'au jeudi matin, littéralement torturé par les douleurs et souhaitant en finir. Dans cet hôpital qui manquait de personnel, les infirmiers me prodiguaient autant de soins qu'ils le pouvaient. Or, si on voulait me soigner adéquatement, il faudrait qu'on me déplace vers un de ces établissements plus modernes, réservé à l'élite de l'État saoudien. Une telle décision relevait cependant des fonctionnaires du ministère de l'Intérieur, et non de ceux qui me soignaient. Même si on savait, dès qu'on m'avait admis à l'hôpital Shamasi, qu'on ne disposait pas de ce qu'il fallait pour me soigner, j'y passai quand même trente-six heures. Le médecin qui vint à mon chevet le premier soir m'assura qu'il avait déjà recommandé qu'on me transférât dans un meilleur hôpital si l'on voulait vraiment me traiter adéquatement, mais qu'on lui avait rétorqué de se mêler de ses affaires.

Au moment où on m'emmenait dans la salle, on enlevait un cadavre du lit juste à droite de celui que j'allais occuper. Bientôt, un nouveau patient arriva, qui mourut après seulement quelques heures malgré les tentatives de réanimation de la part du personnel soignant. Mon voisin de gauche mourut peu après lui aussi. Je me demandais quand mon tour viendrait. C'est avec calme et détachement que je regardais mourir mes voisins de chambrée. Je n'avais pas abandonné la partie, mais sachant que je n'y pouvais rien, j'avais fini par accepter mon sort. Imaginer les problèmes que ma mort entraînerait m'aida à passer le temps. Je savais qu'elle serait plus que gênante pour mes geôliers. Je savais aussi que tous les gouvernements concernés seraient de mèche pour en dissimuler les causes. Et longtemps encore après, des fonctionnaires jouissant d'une pleine sécurité d'emploi se démèneraient diablement pour protéger leur réputation. Mort, je serais pour eux un embêtement considérable, et cette pensée m'amusait.

Mercredi, quelques minutes avant midi, on me mit dans un fauteuil roulant pour me reconduire à l'ambulance. On m'annonça, en me plaçant à l'arrière du véhicule, qu'on me ramenait à la prison. L'ambulance avait commencé à s'avancer dans l'allée quand elle freina brusquement. Je pus entendre une discussion ponctuée de cris, puis le véhicule recula jusqu'à son point de départ. On m'en fit descendre pour me ramener dans la même salle. Le même manège se reproduisit plus tard dans la soirée ou aux petites heures du matin – je ne puis savoir quand exactement parce que je sortais à peine d'un sommeil narcotique. Encore une fois, on me transporta jusqu'à l'ambulance et l'on me signifia à nouveau qu'on me ramenait à la prison. Cette information eut pour effet, cette fois, de me sortir complètement de mon abrutissement. Mais avant qu'on ne parvint enfin à me faire monter dans l'ambulance, on me ramena encore une fois dans la salle. Ou bien c'était un jeu diabolique ou bien se jouait un conflit qui s'éternisait entre les responsables de ma détention. Mes gardes ne se souciaient guère de ma vie, se tenant à la porte avec des sourires perfides. Et, chaque fois qu'ils surprenaient mon regard, ils simulaient le geste de la gorge tranchée.

Je réussis à m'endormir brièvement, matraqué que j'étais par toute la médication qu'on m'avait administrée. La première chose qui fut tentée, quelque part vers les six heures le mercredi matin, fut une injection intraveineuse de Valium. Cela eut pour effet de me détendre, mais n'allégea en rien mes douleurs. Donc, pas de sommeil, mais plutôt une excitation sexuelle. L'une des situations les plus inopportunes dans un tel contexte est le réveil de la libido. Peut-être le Valium avait-il éveillé en moi un instinct profond de procréation. Mon désir remontait à la surface du fait que j'allais mourir ou encore parce que j'étais poussé par une conviction subconsciente que c'était le moment ou jamais de pouvoir donner la vie. Ou peut-être même ma conscience et mon subconscient étaient-ils tellement amochés que, éprouvant pour la première fois depuis des semaines une sensation vraiment agréable, mon corps en oubliait comment y réagir correctement. Je n'y trouve cependant aucune explication satisfaisante. Mais ce que je sais, c'est qu'il était ridicule de me trouver étendu là, terrassé par une crise cardiaque, en sueur et presque à l'agonie, à moitié découvert et en pleine érection.

Pendant que l'effet de l'injection se faisait ainsi sentir, une des infirmières de service se pencha vers moi pour effectuer les vérifications de routine et pour me procurer le plus de confort possible. Hébété par les calmants, je levai la main et commençai à lui caresser les fesses. Ce comportement ne parut pas l'étonner. Elle sembla plutôt amusée et me ramena doucement le bras sous la couverture. Sans doute ma réaction à la médication était-elle normale dans les circonstances. Elle sourit et je fus pris d'un stupide rire nerveux.

Dans la soirée, ce mercredi, on m'administra une dose de morphine. Je sombrai presque aussitôt dans l'inconscience. J'avais senti monter dans la veine de mon bras la fraîcheur du flot de la drogue qu'on m'injectait par cathéter puis, quelques secondes après, ce que je ne peux que décrire comme un enveloppement dans une chaude couche de sensualité humide. Pendant un court instant avant que je perdisse conscience, je ne ressentis plus aucune douleur. Seulement un état irréel de bonheur absolu. Je partage l'avis de Coleridge pour dire que les opiacés sont trop bons pour qu'on se permette de les essayer. Quand je me remémore les sensations que me fit éprouver la morphine, son pouvoir de séduction m'effraie. Et je comprends pourquoi une telle substance peut créer tant de dépendance. Jamais je ne voudrais risquer de tenter à nouveau l'expérience.

Enfin, à neuf heures, jeudi matin, un branle-bas se produisit dans le corridor à l'extérieur de la salle, puis un groupe d'individus en kamis, dont le chef se présenta comme étant chirurgien, entra dans ma chambre. Il m'annonça que j'allais être déplacé vers un autre hôpital où je devrais subir une intervention et qu'on ferait tout pour améliorer mon état.

– Ce n'est pas trop tôt! Vous avez pris fichtrement votre temps pour vous faire une idée!

Son expression passa, en l'espace d'un éclair, d'une inquiétude feinte à une véritable colère, et je pus voir qu'il se retenait pour riposter avec une vigueur égale à la mienne. Trois heures plus tard, encore une fois, on me sortit de la salle comme un paquet. Et l'on me conduisit en ambulance jusqu'à l'hôpital des Forces de sécurité, au centre de Riyad. On me mit dans une chambre privée faisant partie d'une section normalement réservée aux personnages de marque et située discrètement près de l'entrée principale. Pendant toute ma détention et mes autres séjours à l'hôpital, on allait réaménager ces chambres pour y loger des détenus VIP, avec l'ajout de caméras en circuit fermé et de portes supplémentaires pour isoler encore plus cette section du reste de l'édifice.

Là, on me préleva encore du sang et l'on me présenta le chirurgien qui allait m'opérer: un Irakien qui m'annonça avoir reçu sa formation aux États-Unis et être membre de l'American College of Surgeons[4]. Je n'ai aucune raison de douter de ce qu'il me dit: dans les hôpitaux où l'on soigne les hauts fonctionnaires du gouvernement saoudien, on n'engage que les meilleurs spécialistes. Je remarquai que le colonel Saïd, Couteau Souriant, venait d'arriver. Il me fit la conversation, tentant de me démontrer à quel point on s'occupait bien de moi. Je me retins difficilement de répliquer que, si on ne m'avait pas tant maltraité, je n'aurais pas eu besoin de tous ces soins.

Il était maintenant seize heures trente. On avait décidé de m'emmener à l'hôpital militaire King Khaled pour m'opérer, puis de me ramener ici. On m'informa qu'on attendait des gens de l'ambassade canadienne pour qu'ils pussent constater que je recevais un traitement médical de premier ordre. Pendant ce temps, les résultats des analyses sanguines furent connus. Mon cœur allait flancher: il fallait qu'on m'opère immédiatement. Couteau Souriant prit son téléphone portable et parla aux fonctionnaires de l'ambassade. Ils voulaient qu'on retardât tout jusqu'à leur arrivée. Ils étaient en pique-nique

---

4. Traduction libre. (N.D.T.)

247

dans le désert, semblait-il, et ils ne voyaient pas la nécessité d'écourter leur excursion. Je demandai à leur parler et, ô surprise, Saïd me passa son téléphone. Je reconnus la voix dans l'appareil. C'était le consul que j'avais déjà rencontré. Il me demanda s'il était vraiment nécessaire qu'on m'opère si tôt. Je l'avisai sèchement que j'étais en pleine crise cardiaque et que l'opération était nécessaire dans la mesure où le médecin ne voulait pas opérer un cadavre. Cela sembla changer quelque peu son attitude parce que, lorsqu'il parla à nouveau à Saïd, ils prirent de nouveaux arrangements et un autre fonctionnaire de l'ambassade fut envoyé à titre d'observateur.

Une fois encore, donc, on me transporta vers une ambulance, avec Saïd et le fonctionnaire de l'ambassade à son bord. Je crois que c'était un attaché militaire. C'est du moins ce que je suppose parce qu'il me parla de ses longues années de service dans les forces canadiennes, même s'il n'alla pas jusqu'à m'informer de ses fonctions officielles à l'ambassade. Comme on me montait dans l'ambulance, il me donna des nouvelles que je n'avais pas besoin d'entendre dans les circonstances. Il me dit qu'on avait averti mon père de mon état de santé et que des démarches avaient été entreprises pour obtenir en sa faveur l'autorisation de me visiter. Craignant pour sa sécurité, je répondis immédiatement que je ne voulais pas recevoir sa visite. Alors que j'informais le fonctionnaire que mes ravisseurs avaient proféré des menaces à l'encontre de mon père, Saïd se joignit à nous pour exiger de savoir ce que j'avais dit. C'est ainsi que se termina ma première conversation presque privée.

L'opération s'effectua dans le bloc opératoire de l'hôpital militaire King Khaled. La salle était pourvue d'un isoloir d'observation qui permettait aux membres du personnel de la prison et à l'unique représentant canadien d'assister à l'opération. Le personnel de la salle d'opération était composé uniquement d'Occidentaux, parmi lesquels je reconnus les visages de gens que j'avais fréquentés dans les bars. Qu'on se reconnût ainsi mutuellement les mit mal à l'aise avant que leur sens professionnel ne reprît le dessus. L'opération se déroula sans anicroche. On inséra dans mon artère fémorale tout l'attirail approprié. On découvrit qu'une des branches de mon artère coronarienne gauche était obstruée, ce qui exigea la mise en place d'une endoprothèse vasculaire (un cylindre de métal) pour la maintenir dégagée. Je souffrais aussi d'une occlusion à 85% d'une autre branche de l'artère et le docteur Gosaïb, le chirurgien, m'informa que je devrais revenir dans six semaines pour qu'on y remédiât.

Je pouvais surveiller le déroulement de l'opération sur les moniteurs disposés à côté de la table d'opération. Alors que j'observais la désocclusion de la branche de l'artère, mes douleurs au thorax disparurent instantanément. Lorsque fut remise en place l'endoprothèse, je pus savoir, avec le retour instantané de la douleur, quand la branche était en état d'occlusion. Curieusement, je ne ressentis aucun soulagement quand on découvrit la nature exacte du problème et il me vint à l'esprit que je n'allais pas mourir tout de suite. On n'allait pas me permettre de mourir à la suite des tortures qu'on m'avait infligées. Cela serait beaucoup trop embêtant pour tous ceux impliqués dans l'affaire. Mais allait-on alors m'exécuter pour tous les crimes dont on m'avait extorqué les aveux? Allais-je encore être torturé?

Après l'opération, on me transporta dans l'unité des soins intensifs de l'hôpital des Forces de sécurité, où je fus enchaîné au lit. (Ce serait la norme durant tout le temps que j'allais passer à l'hôpital.) On m'y garda trois jours en soins post-opératoires avant de me ramener dans les chambres VIP, quelques étages plus bas. J'y restai le reste de la semaine. Les infirmiers qui me soignèrent furent extrêmement prévenants. On leur avait interdit de m'adresser la parole, voire de s'informer de mon identité, mais ils voyaient bien qui j'étais et dans quel état je me trouvais. Malgré les contraintes qu'on leur avait imposées, ils m'accordaient tout ce que je voulais. Ils me donnèrent les meilleurs bains de lit possibles. Le premier soir, l'un d'eux se pencha au-dessus de moi en se préparant à me laver et il me souffla à l'oreille: «Nous allons vous soigner le mieux possible. Vous pouvez être tranquille pendant que vous serez ici. Je sais quelles épreuves vous avez subies.»

Ces paroles me touchèrent jusqu'aux larmes, ce qui fit que l'infirmier s'arrêta pour me demander s'il me faisait mal. Je me repris rapidement et lui expliquai que j'avais mal au point d'incision à l'aine. Cela n'allait pas être la dernière fois que de la tendresse et de l'attention au milieu de la barbarie de mon incarcération m'amèneraient à expliquer mes accès d'émotions par les douleurs qui m'assaillaient plus ou moins constamment.

Le besoin de cacher mon identité provoqua un incident loufoque juste avant qu'on m'emmenât pour la chirurgie. On avait exigé que je signasse un consentement à l'opération, mais Couteau Souriant m'en avait d'abord empêché. Il ne m'autorisa à inscrire que mon numéro de prisonnier, le 357/3. Le docteur Gosaïb refusa alors de m'opérer et il s'ensuivit une dispute entre lui et Couteau Souriant, parsemée de quelques mots de ma part pour leur faire savoir que je serais très heureux qu'on annulât l'intervention et qu'on m'administrât encore plus d'analgésiques pour rendre mon trépas moins atroce.

Ce fut le chirurgien qui l'emporta et je fus autorisé à signer mon propre nom. Mais je doute qu'il ait insisté par souci pour moi. Je suis même certain que c'était pour se couvrir professionnellement au cas où je mourrais sur la table d'opération et que ma famille mettrait en cause sa compétence devant une cour de justice américaine. À tout le moins, il était sensible à mes inquiétudes, ce qui était quelque peu rafraîchissant après l'hypocrisie des démonstrations de sollicitude de Saïd.

Couteau Souriant continuait de me répéter à quel point on prenait bien soin de moi, car les équipements qu'on utilisait étaient réservés uniquement aux gens les plus importants du pays. Tout cela ne montrait-il pas que j'étais un invité de la plus haute importance? Un invité de la plus haute importance, mon œil! On pouvait s'interroger sur le sort qu'on réservait à un invité de moindre importance, même si je connaissais trop bien la réponse. Si je n'avais pas été en possession d'un passeport occidental, je serais mort à l'hôpital Shamasi – et, encore là, seulement si on m'avait permis effectivement d'en franchir le seuil.

Il m'arriva à l'occasion d'être soigné par des infirmiers occidentaux (bien qu'à mon troisième séjour, seuls des Philippins y fussent autorisés). Il ne faisait pas de doute qu'on craignait que du personnel occidental ne me passât des messages ou des informations, ou n'en fisse passer pour moi à l'extérieur. Les brutes du ministère de l'Intérieur faisaient tout ce qui était possible pour me maintenir dans l'isolement. Le personnel médical me communiquait des bribes d'information au nez des gardes saoudiens qui n'étaient pas très portés sur la surveillance. Même si j'étais reconnaissant pour leurs marques de considération et les risques qu'ils prenaient, je m'accommodais très bien de demeurer dans l'ignorance. En tout état de cause, un message de quelques mots ne pouvait transmettre des renseignements très importants, mais il mettait le messager dans un danger beaucoup plus grand qu'un simple congédiement. Je ne voulais pas avoir ce poids sur la conscience, d'autant plus que je me sentais encore très coupable de n'avoir pas su résister à la torture.

Le lendemain de l'opération, mes geôliers mirent tant d'efforts à effectuer leur offensive de charme qu'on aurait pu croire qu'ils étaient en train de prendre d'assaut les plages de Normandie. Il s'agissait à l'évidence d'une entreprise de lavage de cerveau, faite à l'intention des fonctionnaires de l'ambassade, pour les détourner de la question gênante de savoir comment j'en étais venu à me retrouver dans un tel état. C'était d'ailleurs une question que tout le monde voulait éviter, surtout les fonctionnaires de l'ambassade canadienne ou leurs supérieurs aux Affaires étrangères. Couteau Souriant me fournit une liste de livres accessibles à la librairie Jarir. On me permettait maintenant d'y choisir quelques titres, qu'on achèterait pour moi grâce à mes revenus de prisonnier, si le compte contenait assez d'argent pour couvrir les coûts. Saïd continuait à me tenir ses discours de propagande, revenant sans fin sur le traitement de faveur que je recevais et sur le fait que je ne pouvais pas, dès lors, entretenir d'opinion négative à son égard ou envers ses officiers. Par malheur, je ne pus retenir ma langue et lui rappelai avec colère que je n'aurais pas passé si près de mourir si je n'avais pas été injustement arrêté, puis torturé avec la complicité des officiers de la prison. Mon éclat, au moins, lui ferma le clapet. Mais j'allais apprendre plus tard que tout ce que je lui disais était fidèlement rapporté à Ibrahim et Khaled. Cela ne m'étonna pas, puisque Saïd, après tout, faisait partie de leur système visant à remettre des détenus « dans la bonne voie ».

Ce jour-là, je reçus deux autres visites. La première fut celle de Khaled et d'Ibrahim, qui m'offrirent une grosse boîte de chocolats Quality Street. Je me servis de mon état comme prétexte pour refuser leur cadeau et le remettre aux infirmiers. Je fus malheureusement incapable de cacher mon déplaisir de revoir ces deux canailles qui avaient failli m'assassiner pour les besoins de leur coup monté. Comme j'étais branché à plusieurs moniteurs, j'avais vu mon pouls grimper à leur arrivée. Khaled lui aussi l'avait remarqué et l'avait signalé à Ibrahim. J'avais essayé de garder une voix égale et de ne montrer aucun signe d'émotion, mais mon cœur amoché m'avait trahi. La conversation tourna autour du fait que mes problèmes devaient résulter de mes antécédents médicaux, ce qui me fit comprendre qu'on avait déjà entrepris un autre camouflage à l'intérieur du grand camouflage.

Khaled et Ibrahim interprétèrent tous deux l'augmentation de mes battements de cœur comme un signe de la peur qu'ils m'inspiraient. Quelques jours plus tôt, ils n'auraient pas eu tort. Mais ce qui en provoquait l'accélération, cette fois, c'était uniquement la haine que j'éprouvais pour eux car, sachant que mon corps, à sa manière, m'épargnerait des souffrances prolongées, la crainte qu'ils m'avaient inspirée naguère avait disparu. Tout ce que j'éprouvais, c'était de la haine. Une haine pure, une haine perçante, une haine qui me faisait renaître. Je n'étais cependant pas en position d'agir à leur encontre. Cela ne me traversa d'ailleurs pas l'esprit à ce moment-là. Mais la répugnance authentique que j'entretenais à leur égard allait m'y amener. Ils finirent par quitter les lieux, Ibrahim arborant un large sourire de suffisance et de satisfaction.

Lorsque je le reverrais, dix jours plus tard, à mon retour en prison, Ibrahim allait m'adresser les mots suivants, traduits comme il se doit par Khaled :

– Je sais que tu as peur de moi. Mais tu n'auras rien à craindre tant que tu te conduiras bien et que tu feras ce que je te demande. Aide-moi et je te rendrai la vie plus qu'agréable.

Quel idiot égoïste et ignorant ! Il l'est sûrement encore et toujours. Il continua quelque temps en me confiant que tous ceux qu'il avait interrogés le considéraient maintenant comme un frère. J'eus envie de lui conseiller de ne surtout pas tourner le dos à de tels amis, mais j'y résistai. J'appris aussi à la faveur de cette conversation que mes commentaires adressés à Saïd – qui leur avaient été rapportés, bien sûr ! – leur avaient déplu. Ibrahim m'apprit que mon état résultait de ma propre faute puisque j'avais refusé de collaborer. Ma maladie, somme toute, était la conséquence de la vie que j'avais menée avant mon incarcération. Et toute prétention contraire de ma part entraînerait une punition. Il me dit, en plus, et dans des termes très précis, que si je tenais un autre discours devant le personnel de l'ambassade, je ne serais pas le seul à en souffrir. Il était intéressant de voir qu'ils essayaient tous deux de me contrôler par des menaces sur les autres détenus alors même qu'ils m'avaient déjà dit que ces mêmes personnes avaient tenté de me tuer. La perversité de leur pensée me sidérait.

La deuxième visite de la journée fut celle des fonctionnaires de l'ambassade, dont le consul général. Tout de suite après les salutations d'usage, ce dernier se montra étonné de me voir assis dans mon lit, en train de lire *Guerre et Paix*. Je lui fis remarquer que le livre de Tolstoï se trouvait là et que j'avais eu envie de le lire. Sa réponse m'aida à me faire une bonne idée de ce qu'il pensait de moi et de la situation. Il estimait, en effet, qu'une telle œuvre n'aurait pas dû m'intéresser, qu'elle était trop exigeante intellectuellement pour une personne dans mon état, à moins, bien sûr, que ma situation ne fût meilleure qu'il y paraissait. Il n'était pas difficile de deviner la débilité de son raisonnement : si je pouvais lire un tel livre, à son avis, les choses ne devaient pas être si épouvantables. Il était clair qu'il me voyait à travers la lorgnette de son étroitesse intellectuelle et de son opinion toute faite de ma culpabilité. J'allais apprendre plus tard que ce type me croyait effectivement coupable des crimes dont les Saoudiens m'accusaient. Ce ne serait que beaucoup plus tard aussi que j'allais comprendre comment il en était venu à une telle conclusion. Mais à ce moment-là, dans ma chambre d'hôpital, je me demandais combien de temps je devrais me montrer poli envers cette marionnette officielle qui se pavanait devant moi. À tout le moins, cette visite me fournit l'occasion de lui demander d'empêcher la venue de mon père, requête que j'allais réitérer lors de toutes ses visites, sauf une.

Après ces visites, je pus consacrer les quelques jours suivants à ma convalescence. Je pus prendre de bonnes douches. Et me distraire avec les quelques pauvres lectures qu'on me fournissait. J'étais hospitalisé pour une crise cardiaque, mais je me sentais tout à fait bien et détendu. Je savais que, même si la torture devait pointer à l'horizon, je n'aurais pas à l'endurer longtemps. Tel qu'il était établi, mon régime d'incarcération avait pris un caractère un peu plus humain, et plusieurs exprimaient, sans aucune sincérité d'ailleurs, du souci pour mon état. Je ne pouvais accorder ma confiance à personne, mais cela ne me dérangeait pas. La situation ressemblait à un long siège, et j'étais le seul à pouvoir prendre les moyens de le tenir. Je le savais d'instinct depuis le premier jour, et la suite des choses allait montrer à quel point j'avais raison. Je ne m'attendais toujours pas à revivre une seule journée de liberté. Ma seule préoccupation était donc de survivre, de ne pas brusquer les choses. De sorte que je ne me faisais aucune illusion sur mes chances de recouvrer la liberté.

Trop vite, on me ramena en prison. C'était le quatre-vingt-dix-neuvième jour de ma captivité. On me remit dans une cellule prévue pour dix hommes, mais vide, et je repris la même routine carcérale. Les conditions s'étaient un peu améliorées. On me déplaçait maintenant sans entraves ni bandeau, de sorte que je pouvais vérifier et confirmer les estimations à l'aveugle que j'avais faites. Je pouvais aussi demander des lectures à partir d'une liste qu'on me fournissait et l'on me permit d'aller à la cantine de la prison. Je recevais quotidiennement la visite d'un médecin et l'on m'accordait une heure par jour pour faire des exercices dans une cour. Ces occasions de rompre la monotonie de l'isolement me procuraient un certain soulagement et j'en profitais avec plaisir. Je demandais souvent des jus de fruits et des céréales. Je commençai à me monter une petite bibliothèque, dans laquelle je trouvai quelque chose que je n'avais pas demandé : un exemplaire du Coran que, à plusieurs reprises, on m'exhorta de lire. Physiquement, ma situation s'améliorait peu à peu. J'avais toujours des douleurs et des maux aux pieds et aux articulations, qui cependant diminuaient avec l'exercice. Je subis quelques crises d'angine de poitrine qui me rappelèrent que j'avais encore des problèmes nécessitant des soins, mais c'était davantage un objet de préoccupation pour les autorités carcérales que pour moi. Dans l'ensemble, donc, la situation était tolérable.

Ce fut pendant cette période que je reçus la première visite d'un psychiatre et que commencèrent les véritables sermons de propagande. Ces discours allaient maintenant faire partie de l'ordinaire de mon incarcération. On me les imposait une fois par semaine ou toutes les deux semaines, selon la disponibilité de Mohammed Saïd, Couteau Souriant. Gonflé de fausse bonhomie et de fatuité, il entrait dans ma cellule et commençait toujours par les mêmes propos sur l'infaillibilité de l'islam et de la charia. Puis il enchaînait avec une critique du mode de vie occidental et du comportement des Occidentaux en Arabie Saoudite, tout comme de mon propre mode de vie. Il s'acharnait à me répéter que, si j'avais souffert en prison, ce n'était pas aux mains du personnel de son établissement. Pendant les deux premiers mois, je me contentais de l'écouter étendu sur ma couche, sans rien réfuter de ce qu'il disait. Quand il voulut sonder mes connaissances de l'islam, il eut la surprise de constater que, pour un infidèle, j'en connaissais pas mal sur le Coran et les cinq piliers. Il y avait déjà plusieurs années que j'avais lu les hadiths et le Coran, ainsi que les autres livres religieux importants, pour découvrir, en fin de compte, à quel point ces textes étaient tous déficients sur le plan intellectuel et spirituel. Je ne le lui dis pas tout de suite, laissant croire que mes connaissances résultaient de sa récente mise à ma disposition du livre sacré et que j'étais mûr pour une conversion.

La première rencontre avec le psychiatre de la prison fut une occasion d'amusement, qui me confirma encore à quel point mes tortionnaires cherchaient à me circonvenir. On m'avait amené à l'infirmerie pour une réparation dentaire. J'y fus mis en présence d'un membre de la Mutawa dont on me dit qu'il était psychiatre et qu'il allait m'aider à comprendre pourquoi je m'infligeais tant de mal. C'est ainsi que le psy commença à me sermonner sur la sagesse qu'il y aurait à me convertir à l'islam et sur le fait que ma mauvaise santé résultait uniquement des péchés de ma vie dissolue. Comme j'ai dû me retenir pour ne pas lui rire au nez! Quand il me demanda enfin pourquoi j'avais voulu mourir, je ne pus que lui demander comment il pouvait présumer cela. Je savais la réponse avant même qu'il ouvre la bouche. Je ne fus donc pas surpris de l'entendre dire que ma crise cardiaque était la preuve de ma tendance à l'autodestruction. Ma réaction fut simple: s'il voulait mettre à l'épreuve ma propension au suicide, il n'avait qu'à me donner un revolver chargé et il aurait sa réponse.

Il se garda bien de le faire. D'ailleurs, je me suis souvent demandé ce que j'aurais fait s'il avait accepté ma proposition. Couteau Souriant se tenait assis près de moi, et j'étais pas mal sûr de ce que j'aurais fait. Mais je n'eus jamais l'occasion de le vérifier. La conversation dévia ensuite sur ce que j'avais ressenti pendant ma crise cardiaque et quand on m'avait administré tous ces analgésiques. Ce fut là que se présenta l'occasion de confondre l'imbécile. Tablant sur sa religiosité, je me délectai à lui raconter l'érection qui avait suivi l'administration du Valium. Comme je m'y attendais bien, il fut choqué et dégoûté à l'idée que je me fusse comporté de la sorte et, encore plus, par le fait que je lui décrivisse la chose. La rencontre prit fin sur-le-champ. Il me dit qu'on me prescrirait d'autres médicaments et que je devrais commencer à lire chaque jour le Coran pour me purger l'esprit de mes pensées impures. Je ne sais quelles étaient les qualifications professionnelles de ce type, mais que penser d'un psychiatre qui nie l'existence de la sexualité chez ses patients?

Deux jours plus tard, je me trouvai encore escorté vers les salles d'interrogatoire, mais cette fois sans bandeau sur les yeux ni entraves. Khaled m'accueillit seul, et il était de mauvais poil. Il se montra indigné que j'eusse osé insulter le psychiatre en lui racontant les fantasmes pervers de mon esprit malade et immoral. Il était à la fois risible et dégoûtant de me faire sermonner sur la morale sexuelle par un homme qui m'avait violé quelques semaines auparavant. Je lui rappelai ses actions passées. Pour toute réponse, il me gifla et appela les gardes pour qu'ils me passassent les menottes. Il me fit comprendre, en ponctuant ses phrases du plat de la main, que je ne devais jamais plus me montrer aussi insolent. Un seul coup de téléphone, et Ibrahim pourrait revenir avec ses bâtons. La malveillance qui se voyait dans ses yeux trahissait le fait que c'était bien ce qu'il désirait.

Cette menace et ce petit rappel brutal confirmaient encore que tous mes propos étaient fidèlement rapportés à mes tortionnaires. Des gens comme le colonel Mohammed Saïd participaient pleinement à la torture par ce genre de délation et par leurs ordres qui me mettaient à la merci de la violence. Même si lui et les autres pouvaient essayer de se cacher derrière le fait que, personnellement, ils ne prenaient pas part aux interrogatoires, en réalité ils en étaient des complices actifs et dociles. C'était ce qui m'avait amené à appeler Saïd «Couteau Souriant».

Les deux semaines suivantes, la vie en prison se passa selon la routine plus douce qui avait été établie depuis mon hospitalisation. Je pouvais maintenant avoir des livres. Je commençai donc à m'inventer une nouvelle manière de garder la trace du temps et des faits saillants de mon incarcération. Dans ce dessein, je choisis les quelques romans de la série *Les Annales du Disque Monde* de Terry Pratchett, qui faisaient partie de mes maigres possessions, parce qu'ils avaient chacun la longueur voulue pour servir de calendrier annuel. Je n'avais aucune idée du temps que je passerais encore en prison, mais je tenais pour acquis qu'il faudrait au moins quelques années encore avant qu'on ne disposât de ma personne. Pour chaque journée, donc, je cornais le haut d'une page du livre et, chaque semaine, je cornais le bas d'une page et aplatissais les coins du haut que j'avais cornés. Pour marquer un interrogatoire ou une visite de Khaled et Ibrahim, je faisais une petite déchirure au centre d'une page, et je repliais celle-ci après avoir été torturé. Par ailleurs, une déchirure dans le premier quart d'une page marquait mes périodes de privation de sommeil, et une dans le dernier quart indiquait les visites de l'ambassade ou les périodes d'hospitalisation. Avec cet aide-mémoire, je pus établir la fréquence des événements. C'était une méthode plus efficace, plus souple et plus précise que celle que me permettaient mes agendas en grains de riz. La numérotation des pages me donnait une indication précise du nombre de jours passés en prison, à partir de quoi j'effectuais une opération mentale pour estimer à quelle date on pouvait être. Les déchirures me permettaient de visualiser une journée ou une période donnée et de me remémorer, dans l'ordre chronologique, ce qui s'était passé. En plus du mantra mnémotechnique que je répétais en marchant en rond dans ma cellule, ces livres me permirent d'enregistrer la séquence détaillée des événements de ma captivité.

Je reçus une autre visite des fonctionnaires de l'ambassade. Elle se passa selon le protocole strict que mes geôliers imposaient. Aussi la conversation fut-elle anodine et sans importance. Ne voulant pas causer d'autres problèmes, pour ma propre sécurité ou pour celle de mes collègues prisonniers, je continuais de me comporter avec docilité. Ce fût lors de cette visite que je me rendis compte *de visu* de l'envergure de ce complexe carcéral. Ayant été conduit à la salle des visites sans bandeau sur les yeux, je pus, en effet, mieux mesurer la distance que je parcourais dans le tunnel qui y menait et me faire une idée de l'importance du complexe d'Al-Ha'ir.

Le bloc cellulaire où je me trouvais comprenait trente-deux cellules de dix hommes. Il y avait deux blocs dans cette partie de la prison. Deux autres blocs de cent vingt cellules individuelles était rattachées au noyau central. J'estime que cette section de la prison pouvait contenir 880 détenus. Quand on me conduisit à la salle des visites, je pus constater que le tunnel s'étendait sur une bonne distance jusqu'à cet endroit, et qu'il se prolongeait aussi loin en direction opposée. Dans le passage débouchant dans la salle, je remarquai quatre vestibules où se trouvaient des escaliers menant plus haut. Si, comme je le supposais, ces escaliers conduisaient à d'autres blocs cellulaires, il y avait donc quatre autres aires carcérales entre la partie où j'étais détenu et le centre des visites.

Même si je ne me rendis jamais à l'autre bout de ce passage, je pus en voir assez pour juger qu'en toute probabilité, il reproduisait ce que j'avais pu voir dans l'autre direction : ce qui donnait quatre autres aires de détention et une capacité totale de 7 500 à 8 000 prisonniers. Comme ce complexe pénitentiaire était destiné aux prisonniers politiques et qu'il était l'établissement du genre le plus sûr du pays, on peut en déduire à quel point la dissidence politique inspire plus d'inquiétude en Arabie Saoudite que la criminalité grave ou violente. Il est vrai que la dissidence politique y a pris la forme de violents attentats terroristes ou de crimes comme celui dont j'étais accusé. Mais même ceux qui réclament pacifiquement des réformes sont autant susceptibles, sinon davantage, de se retrouver derrière les murs d'Al-Ha'ir.

Le cent vingt-deuxième jour de ma captivité, mon cœur se remit à faire des siennes. Au cours des deux semaines qui avaient précédé, j'avais eu des crises intermittentes d'angine de poitrine qui s'étaient résorbées avec les médicaments appropriés. Ce soir-là (c'était le 17 avril 2001), la première crise avait disparu comme prévu, mais la seconde ne lâcha pas. C'était tout un cadeau d'anniversaire. Je me demandai combien de temps allait s'écouler avant que je reçusse des soins. Ou si le personnel médical de la prison irait encore une fois d'un diagnostic de malaises intestinaux. Je m'inquiétais pour rien : on me transporta tout de suite à l'unité coronarienne de l'hôpital Shamasi, où je passai mon temps à tenter de deviner lequel de mes compagnons de salle allait trépasser cette nuit-là.

Le matin venu, on me transféra à l'hôpital des Forces de sécurité, dans ce qui était devenu le centre des soins aux prisonniers. Je reçus la visite du docteur Gosaïb et de Couteau Souriant. Mon angine de poitrine avait diminué d'intensité, mais je n'étais nullement disposé à me montrer coopératif. Je refusai donc l'opération qu'on me proposait. J'estimais que l'autre occlusion sur laquelle on voulait intervenir était grave, mais que pour le moment le mal était tolérable. Si mon état physique s'en trouvait encore plus vulnérable, cela pouvait néanmoins avoir certains avantages face à l'éventualité d'autres tortures. Cette fragilité me donnait en quelque sorte une protection contre les abus, ou alors un moyen (la mort) d'y échapper. Je déclarai donc au médecin et à Saïd que j'avais pris la décision de subir une opération seulement si on la jugeait nécessaire après ma sortie de prison, ou alors il n'y en aurait pas du tout. Comme j'estimais toujours qu'une remise en liberté était improbable, il n'y aurait donc pas d'opération. Mais ce n'était pas exactement mon problème. C'est peu dire que ce refus de ma part mit Gosaïb et Saïd dans l'embarras : frustrés, ils se mirent à m'invectiver copieusement. Pour toute réponse, je m'adressai uniquement à Couteau Souriant, lui demandant comment il pouvait se fâcher autant contre moi s'il était mon ami. Cela lui cloua le bec. Il me laissa seul, enchaîné à mon lit et riant dans ma barbe.

Quatre jours plus tard, alors que j'étais toujours alité et enchaîné, arriva une délégation de trois membres du personnel de l'ambassade, en plus de Couteau Souriant, d'Ibrahim, de Khaled et du docteur Gosaïb. On me démontra encore toute la précarité de ma condition cardiaque, en plus de m'accabler de reproches sur l'inquiétude que mon obstination inspirait à ceux qui se préoccupaient de moi, surtout mon père. Je capitulai et donnai mon consentement pour que l'on procédât à la deuxième intervention chirurgicale. Je n'étais pas exactement d'humeur à la conciliation, mais j'étais quand même sensible aux pressions. Ce que je désirais en fait, c'était un allègement de mes conditions de détention. Il ne leur fut donc pas très difficile de me persuader de changer d'idée. Les accès de conscience provoqués par ma première crise cardiaque avaient semé en moi les germes de la révolte. Mais ces germes n'avaient pas encore pris racine. Je signai donc les formulaires de circonstance pour autoriser l'intervention chirurgicale.

Je commençais aussi à trouver assommant de rester alité tout le temps. Plus, en fait, que d'être en cellule. Au moins, en prison, je pouvais aller aux toilettes quand je voulais, prendre une douche quand j'en avais envie. Or, à l'hôpital, j'étais constamment à la merci des gardiens pour me libérer de mes chaînes. Si la séquestration solitaire était ennuyeuse en soi, cette situation l'était encore davantage parce que je n'avais aucune espèce de liberté de mouvement. Mon premier séjour à l'hôpital avait été pour moi un soulagement. Mais maintenant la pensée de retourner dans ma cellule me souriait. Cependant, le docteur Gosaïb et Couteau Souriant avaient décidé que je resterais à l'hôpital sous surveillance constante jusqu'à ce que je consentisse à l'opération. Une telle menace, qui s'ajoutait aux discours insistants des fonctionnaires de l'ambassade, eut donc son effet sur moi. Pour dire vrai, j'aurais préféré ne pas avoir fait cette concession. Ce regret me vint plus tard, lors de mes longues journées d'emprisonnement.

Je passai donc quelques jours encore alité, attendant qu'on m'opérât. Quand on y procéda enfin, au cent vingt neuvième jour de mon incarcération, les choses se passèrent somme toute sans anicroche. Le personnel qui m'avait soigné durant la première intervention demanda de faire partie de l'équipe de chirurgie afin que je sois en présence d'au moins quelques visages amis. Une telle prévenance renouvelée me toucha, et je leur en fus reconnaissant. Cette fois-ci, ils paraissaient moins mal à l'aise avec moi et, en dépit de la consigne qui leur avait été donnée, ils s'entretinrent avec moi durant l'opération. C'est ainsi qu'ils m'apprirent qu'après ma première opération, Sandy Mitchell avait lui aussi subi une angiographie. Ses artères coronariennes n'étaient heureusement pas affectées. On lui avait cependant diagnostiqué une arythmie cardiaque, provoquée sans doute autant par les méthodes d'interrogatoire que par une mauvaise posologie de Tenormine, un médicament qu'il prenait depuis un bout de temps pour un problème antérieur.

Je passai les six premiers jours après l'opération à l'hôpital des Forces de sécurité, tout d'abord dans l'unité des soins intensifs, ensuite dans l'unité de contrôle des détenus. C'était d'un ennui total, mais au moins je n'étais dérangé que par le personnel médical et les infirmiers qui, eux, ne me tenaient pas de discours de propagande ni de propos stupides comme d'autres visiteurs m'en avaient asséné. J'éprouvais toujours des malaises au thorax, qui semblaient résulter de la cicatrisation, mais aucun autre symptôme ne se manifestait, sinon un picotement périodique autour du muscle pectoral gauche, ce dont je fis part au docteur Gosaïb lors de sa dernière visite avant qu'on me ramenât en prison.

Ce jour-là, Gosaïb avait fait irruption dans ma chambre avec les airs grandioses que se donnent tant de gens de sa profession, et il s'était mis à me poser une série de questions sur mon état. Je lui parlai des sensations que j'éprouvais encore au niveau du thorax, qui suscitaient chez moi plus de curiosité que d'inquiétude, puisque j'en étais venu à la conclusion qu'elles n'avaient pas grande importance. Le docteur Gosaïb me répondit en effet: « Cela n'a aucune importance. Vous allez retourner en prison. Tout va bien pour vous maintenant. Et vous avez eu de la veine que je vous opère, sale Juif! »

Je restai interloqué sur le moment, et avant que je n'eusse eu le temps de riposter, il était déjà sorti. Je dois dire que ce n'est pas le racisme de sa remarque qui me surprit, mais le fait qu'il me la serve à moi. Tout d'abord, mon permis de travail mentionnait bien que j'étais chrétien. Et puis, je ne suis pas du tout juif (même si le fait de l'être ne me dérangerait pas). Alors, ou bien quelqu'un lui avait dit que j'étais juif, ou bien il avait sauté à cette conclusion en me voyant nu sur la table d'opération et en constatant que j'étais circoncis. Quoi qu'il en soit, ce minuscule détail de mon anatomie avait dû suggérer la même conclusion à mes autres geôliers. Pendant que je réfléchissais en silence à cette insinuation lancée à mon encontre, les gardiens m'amenèrent à l'ambulance qui m'attendait et je retrouvai ma cellule.

Une semaine plus tard, au cent quarante-deuxième jour de ma captivité environ, on me ramena encore une fois au centre médical pour une entrevue. Un des officiers de mon escorte, qui parlait anglais, y alla à son tour de ses calomnies sur ma présumée religion. Comme nous attendions le véhicule dans l'aire de chargement, il me regarda droit dans les yeux pour voir ma réaction et ne dit qu'un mot : « Juif. »

Je souris, et lui demandai :

– Qu'est-ce qui vous fait croire que je suis juif ?

– C'est évident ! répondit-il en détournant son regard du mien, ce qui me fit comprendre pourquoi il agissait ainsi.

En effet, dans sa vision bornée du monde, il n'y avait que deux sortes d'hommes circoncis : les musulmans et les juifs. Comme je n'étais pas musulman, alors je devais être juif. J'essayai de lui expliquer, en vain. Il ne fit que répéter le nom qu'il considérait comme une injure. Mais je n'étais pas du tout insulté. Bien au contraire, son insistance m'amusait. Réfléchissant à cet incident et à d'autres qui avaient amené des injures racistes, j'en vins à la conclusion que cette conviction de mes geôliers représentait pour moi une menace et un atout à la fois. Une menace, en ce sens que le dégoût évident qu'ils manifestaient envers ma supposée religion pourrait influencer l'attitude des gardes envers moi et, par conséquent, les conditions de mon incarcération. Par contre, c'était aussi quelque chose dont je pourrais tirer avantage, en me servant de leur profonde insécurité pour retourner contre eux leur xénophobie et leur racisme. Et j'étais prêt à en payer le prix.

Au centre médical, j'appris que je devrais passer une autre entrevue avec un psychiatre. Cette fois-ci, il était dépêché par l'hôpital des Forces de sécurité. Peu probable, donc, qu'il s'agît d'une entrevue de nature plus professionnelle. Auparavant, on me présenta au gouverneur de la prison, un homme à l'air débonnaire qui portait le grade de général. Mes questions sur son implication dans la torture de prisonniers lui déplurent grandement. Il parut même préoccupé, d'une façon qui avait l'air assez authentique. Peut-être était-il bon acteur.

Mon entrevue avec le psy se passa en présence de Couteau Souriant. Je refusai de parler de ma vie privée. J'essayai plutôt d'entraîner le psy dans une discussion sur les séquelles psychologiques de la torture. Il en fut quelque peu déconcerté. Saïd intervenait constamment pour détourner la discussion et il paraissait de plus en plus contrarié. L'entretien se termina par un débat sur la dépendance créée par beaucoup de composés pharmaceutiques, dont les hallucinogènes du genre LSD. Je pus

262

ainsi constater que le professionnel en face de moi ne connaissait rien des effets secondaires des médicaments qu'il voulait prescrire ni des indices de dépendance et d'accoutumance d'autres composés dont je lui fis la mention. J'avais mis mes interlocuteurs en colère en remettant en question leurs compétences. Je m'en réjouissais assez, tout en me doutant que mon insolence allait bientôt me valoir une visite de Khaled et d'Ibrahim.

Je ne me trompais pas. Deux jours plus tard, le Midget et son comparse me convoquèrent à un interrogatoire. Encore une fois, ils passèrent toute une soirée à me menacer de sévères punitions tout en m'administrant, de temps à autre, gifles et coups de poing. Lorsqu'ils me disaient que mon procès risquait de tourner mal si je ne me comportais pas correctement, je restais de glace. Ils répétèrent plus d'une fois que je faisais face à la peine capitale et qu'Ibrahim avait le pouvoir de recommander pour moi la mort ou la clémence. Ils ne se rendaient pas compte que la mort ne représentait plus une menace pour moi. La seule chose qui pourrait me faire plier, c'était un retour à la barbarie qu'on m'avait déjà fait subir.

Entre-temps, tout était relativement calme et d'un ennui abrutissant. Je passais tout mon temps à marcher ou à lire. Les seules choses qui rompaient cette monotonie étaient les visites du toubib et les exercices dans la cour, ou encore la distribution des repas. Ma condition cardiaque m'imposait un régime strict de poulet bouilli et de riz blanc comme repas principal, régime que je complétais avec des jus de fruits et des céréales au son achetés à la cantine de la prison. Deux fois je reçus la visite de fonctionnaires de l'ambassade canadienne, chaque fois précédée des instructions habituelles de mes tortionnaires. À leur grand dam, je profitai de ces occasions pour me procurer des réserves de multivitamines. Le seul fait notable de ces rencontres fut qu'on m'informa à maintes reprises que mon père allait bientôt me rendre visite. Mais je ne le souhaitais pas.

Quand la question avait été soulevée quelques semaines auparavant à l'hôpital, Khaled et Ibrahim n'avaient pas semblé favorables. J'avais été étonné de leur réticence, étant donné qu'ils avaient déjà essayé d'utiliser mon père comme moyen de pression. En l'occurrence, on m'avait demandé, à mon retour en prison, d'écrire à mon père pour lui dire de ne pas venir en

Arabie Saoudite. Ce que j'avais fait sans aucune hésitation. Je n'avais pas la moindre envie de le voir se présenter dans le Royaume. Je souhaitais qu'il reste le plus éloigné possible de tout cela.

La lettre que j'écrivis à mon père avec ma propre plume – Khaled me l'avait remise d'un air sarcastique – contenait deux allusions codées à Joyce et Wodehouse pour le dissuader de venir car, ce faisant, il servirait de pion dans les entreprises de propagande des gouvernements saoudien ou canadien. Cette lettre ne lui fut malheureusement jamais remise. Mes ravisseurs allaient changer d'idée quelques jours après. Alors, au cours d'une visite de l'ambassade où les fonctionnaires avaient carrément refusé de servir de mandataires pour moi, je finis par consentir à ce que mon père vînt sur place. Tout le monde, les représentants diplomatiques comme mes geôliers, ne cessait de me répéter que la seule personne qui pouvait me servir de mandataire était mon père et que, si la question de mes affaires personnelles n'était pas réglée, mon cas ne pourrait avancer. Était-ce bien vrai? J'étais sûr que non, mais je me rendis à leurs arguments et j'écrivis une autre lettre (qui ne parvint pas à destination, elle non plus) pour demander à mon père de venir. J'ignorais qu'à ce moment-là mon père était déjà en route.

Je passai les jours suivants à me morfondre dans l'attente de son arrivée. Je ne voulais pas de sa visite. Je n'y avais consenti que parce que mes ravisseurs m'avaient menacé de sévices corporels si je ne lui écrivais pas de lettre. Je me montrais parfois désinvolte et raisonneur, mais la terreur de la torture était restée suffisamment imprégnée en moi pour m'empêcher de manifester ouvertement mon hostilité et ma tendance aux affrontements. Selon toutes les apparences, je demeurais conciliant. Il m'arrivait d'éprouver des poussées de frustration et de colère que ma peur refoulait aussitôt. Je n'avais pas développé de stratégie particulière de comportement, mais je n'étais pas mécontent de voir les conditions de ma détention s'améliorer.

Un mercredi, juste après le repas du midi, au cent cinquantième jour de ma captivité, on me remit mes vêtements occidentaux en me disant qu'une visite était imminente. Dans la salle d'interrogatoire, Khaled prit un malin plaisir à m'annoncer que mon père était arrivé. En m'instruisant sur ce qu'il m'était permis de dire, il me répéta plusieurs fois d'éviter que mon comportement ne causât de problèmes à mon père. Il ne précisa pas évidemment la nature de ces problèmes, laissant planer le doute là-dessus. Ce fut donc rempli d'appréhensions et de la honte d'avoir entraîné mon père dans cette histoire sordide que je me dirigeai vers le centre des visites.

Quand on me présenta enfin à lui, mon allure dut lui apparaître plus qu'inquiétante. Je m'étais fait raser le crâne quelques jours plus tôt parce que c'était plus confortable dans la chaleur ambiante. En outre, le stress de mon incarcération m'avait fait perdre beaucoup de poids. J'avais l'air abattu et j'étais très pâle. Il devait crever les yeux que j'en avais bavé. Ma vue n'altéra pas l'expression de son visage, mais je lus dans son regard le choc qu'il ressentit.

Mon père était là avec le consul général et un autre fonctionnaire de l'ambassade canadienne. Il était assis entre Khaled et Ibrahim. Je m'avançai vers lui et nous nous saluâmes, en veillant l'un l'autre à ce que la voix ne trahisse pas notre émotion. Nous faisions grand effort sur nous-mêmes pour ne pas donner à mes geôliers la moindre prise.

En lui serrant la main, mes premières paroles furent :
— Je suis vraiment désolé.
— Il ne faut pas, me répondit-il aussitôt.

Nous nous regardâmes droit dans les yeux, tâchant de communiquer tacitement ce que nous ne pouvions nous dire ou qu'on ne nous permettrait pas de dire. Ce fut un moment d'émotion profonde. Je pouvais deviner tout ce qu'il refoulait, et lui de même pour moi, j'en suis sûr.

Notre conversation se limita donc à des sujets acceptables. Il me transmit des messages de mes amis en me laissant savoir à sa façon qu'une bataille était engagée pour obtenir ma libération. De mon côté, je traitai à la légère ma crise cardiaque, en évoquant le merveilleux programme d'amaigrissement et d'exercices que je suivais en prison. Le côté désinvolte et ironique de nos propos provoqua des regards d'animosité de tous ceux qui étaient là. De toute évidence, ils s'étaient attendu à des démonstrations d'émotion et restèrent sur leur faim. Nous nous sommes bien amusés, mon père et moi, à les priver de ce plaisir.

Par contre, je trouvai des plus pénibles de voir Khaled et Ibrahim courtiser mon père et lui dire comme ils prenaient bien soin de moi. Quand ils lui promirent de lui faire découvrir les souks des environs, mon cœur ne fit qu'un tour à l'idée de le savoir seul avec eux. Puis l'entretien arriva à son terme, après que j'eus remis à mon père la procuration pour prendre charge de mes affaires et demandé quelques vêtements, dont une paire de chaussures de course pour mes exercices. Au moment où mes tortionnaires nous conduisaient à l'extérieur de la pièce, je glissai un dernier mot à mon père : « Si... »

Quelques semaines plus tôt, quand les fonctionnaires de l'ambassade m'avaient demandé si j'avais un message quelconque à transmettre à mon père, je m'étais borné au même mot, ce qui les avait laissés fort perplexes. En transmettant ce message laconique à mon père, ils n'avaient pas manqué de lui en demander la signification. Mon père avait été estomaqué de constater qu'ils ne connaissaient pas le fameux poème dont c'était le titre. En ne ménageant pas les sarcasmes, il avait vite mis ces incultes au fait des œuvres de Rudyard Kipling. J'imagine que cette poésie un peu démodée ne fait plus partie des programmes scolaires, mais son message est toujours d'actualité. Ceux qui se demandent d'où vient ma langue acérée n'ont pas à chercher bien loin.

Une chose que j'ignorais lors de cette visite, c'était que mon père avait eu maille à partir avec le consul général de l'ambassade, de même qu'avec le gouvernement canadien. N'ayant pas de nouvelles de moi durant les Fêtes, il avait tenté de me joindre, sans succès. Il n'avait appris mon arrestation que quelques semaines après le fait, quand il réussit à parler à un de mes collègues de travail. Il ne savait rien des accusations portées contre moi jusqu'à ce qu'on diffusât ma confession sur vidéo, soit le 5 février, jour de ses soixante-dix ans. Il avait aussi eu le choc de découvrir que les fonctionnaires de l'ambassade et, par conséquent le gouvernement canadien, avaient accepté sans discussion la thèse saoudienne sur ma culpabilité.

Il l'avait découvert à l'ambassade, lors de sa première visite en Arabie, dans une conversation sur le pas de la porte avec le consul général. Mon père avait souligné le ridicule des accusations saoudiennes sur mon implication dans une « guerre de contrebande d'alcool ». La réponse qu'il reçut alors le sidéra :

– Les Hell's Angels, à Montréal, ils défendent leur territoire, eux aussi !

Si le consul s'attendait à ce que mon père prisse cette affirmation comme argent comptant, il se trompait grandement. À peine quelques minutes plus tôt, il avait surpris une conversation sur le renforcement des mesures de sécurité à la suite d'une autre tentative d'attentat à la voiture piégée. Si on était dans une guerre de gangs, pourquoi donc l'ambassade révisait-elle ses mesures de sécurité face au terrorisme ? Le même individu me donnerait aussi du fil à retordre plus tard quand je découvrirais qu'il admettait officiellement la thèse de ma culpabilité.

Pendant cette première visite de mon père, on m'avait annoncé que je pourrais le revoir après le week-end, soit quatre ou cinq jours plus tard. Je m'y préparai donc en me demandant comment je pourrais communiquer plus efficacement avec lui. Je finis par concevoir un bref énoncé qui ferait comprendre ma situation à mon père, pour qu'il en fît part aux autorités compétentes. Je ne croyais pas en tirer grand secours pour moi-même, mais au moins cela confirmerait ce que je présumais que les diplomates avaient déjà compris. Je ne connaissais pas alors la culture du déni qui prévalait dans les gouvernements occidentaux, qu'ils soient britannique, belge ou canadien. Ils refusent toujours de se rendre à l'évidence que leurs citoyens sont victimes de torture. Je n'allais le comprendre qu'après ma libération.

Ce fut ainsi que la visite suivante de mon père – moins officielle que la précédente, car il n'était accompagné que de Khaled et d'un autre représentant carcéral – allait déclencher une suite d'événements assez horribles. La conversation avait tout d'abord commencé sur le ton léger qui avait caractérisé la précédente. Puis je demandai à mon père de transmettre un message à mes amis.

– Dis aux copains de St. Stephen's que c'est exactement comme au pensionnat : les matelas sont pleins de bosses, la bouffe n'est pas meilleure et le docteur Birching prend bien soin de nous. Dis à mes potes à Rosyth que c'est exactement comme dans la marine : à part le rhum, le reste ne manque pas.

Je n'avais jamais mis les pieds dans une école du nom de St. Stephen's, n'avais jamais été pensionnaire ni connu

267

personne au chantier naval de Rosyth. J'avais donné ces fausses références pour faire comprendre à mon père qu'il y avait un sens caché dans ce que je disais. Le « docteur Birching » était une allusion à peine déguisée à la punition du fouet, qu'on appelait *birching* dans certains milieux à cause de l'utilisation de branches de bouleau (*birch*). La référence navale, elle, renvoyait au dicton « Rhum, sodomie et fouet », qui décrivait les conditions qui prévalaient autrefois dans la marine. J'annonçais donc ainsi que j'avais été torturé et violé. Mon père le comprit parfaitement. Mais, à ma grande consternation, il eut en m'entendant une réaction que Khaled remarqua même s'il n'en dit mot sur le coup.

Après cette visite, on me ramena à la prison, mais pas dans ma cellule. On me conduisit plutôt dans une salle d'interrogatoire, la seule qui se composait d'une petite antichambre et d'une pièce principale. Je dus y attendre l'arrivée de Khaled et d'Ibrahim. J'attendis dans l'angoisse pendant plusieurs heures, alors que les appels à la prière se succédaient et que la nuit tombait. Dès qu'ils franchirent le seuil de la porte, ils voulurent savoir ce que j'avais dit à mon père. À commencer par le message contenu dans le mystérieux « Si... ». À ce propos, la réponse était facile, et je leur fis un compte rendu assez élaboré du poème en question. Cela ne réussit pas à les apaiser. Khaled se mit à citer une version assez confuse du message que j'avais laissé à mon père à la fin de la visite. Il me demanda expressément ce qu'il signifiait. Il fit la sourde oreille à mes protestations et me mit aux fers en me poussant au plancher. Tout en continuant à me questionner, il me souleva les pieds pour les frapper quatre ou cinq fois avec la canne de rotin. Ils mentionnèrent ce qu'ils feraient par la suite et quittèrent la salle, me laissant sur le plancher à appréhender ce qui allait suivre.

Quand ils revinrent pour poursuivre leur sale besogne, ils commencèrent par me lancer diverses menaces, en partant des affirmations habituelles sur le pouvoir qu'ils détenaient sur ma personne jusqu'au niveau de brutalité où ils pousseraient la torture, en passant par une kyrielle de questions sur mes entretiens avec mon père. La seule chose que je pouvais faire devant ces divagations était de ne pas y répondre. Vu la fragilité de ma condition physique, j'allai jusqu'à souhaiter qu'ils mettent leurs menaces à exécution.

Je songeais aux conséquences d'un tabassage en règle, étant donné que je prenais des anticoagulants depuis mon opération.

Tandis que je pensais à ce qui pouvait être une occasion intéressante pour moi, Khaled m'annonça que mon père était dans la pièce d'à côté.

– Aussitôt qu'on en aura fini avec toi, on lui réserve la même chose.

Cela eut pour effet de confirmer mes pires craintes. Ils utilisaient le seul levier émotif qui puisse me faire réagir. Mais la réaction ne fut pas celle qu'ils attendaient.

À mesure que la pleine signification de leurs paroles s'imposait à moi, je sentis monter une rage comme que je n'en avais jamais éprouvé auparavant. Au lieu de la peur qu'ils avaient espéré provoquer, ce fut la colère qui surgit. Même aujourd'hui, je ne sais toujours pas comment j'y parvins. J'étais étendu sur le plancher mais, dans la seconde qui suivit, j'étais sur mes deux pieds malgré les entraves à mes chevilles. Tout ce que j'avais en tête, c'était le désir furieux de tuer ces fripouilles. Ils en furent manifestement effrayés, tous les deux, car ils reculèrent aussitôt. En hurlant comme une bête sauvage, je me jetai sur eux.

Plutôt que d'essayer de me maîtriser, Khaled et Ibrahim coururent jusqu'à la petite antichambre tandis que je les poursuivais. Même si j'avais bien peu de chances de réussir, je tentai quand même de les attraper. Je n'avais qu'une idée en tête : les tuer. Je pense que si j'avais réussi à mettre la main sur l'un ou l'autre de ces misérables, le gouvernement saoudien aurait eu toutes les raisons légitimes de m'accuser de meurtre. Je n'étais pas animé par le désir de les blesser ou de les punir, mais par celui pur et simple de leur faire la peau. Et si j'avais pu y arriver, cela se serait produit avec une violence incontrôlée et sauvage. Je voulais tout simplement les écrabouiller, les anéantir. Jamais de ma vie, je n'ai éprouvé une telle rage. Jamais je n'ai éprouvé une telle envie de tuer. Et j'espère que cela ne m'arrivera jamais plus, quelles que soient les circonstances.

Aurais-je été justifié de commettre un tel acte ? Étant donné ce qu'ils m'avaient fait subir et les menaces qu'ils faisaient planer sur mon père, la réponse est oui. Avais-je été naïf de croire qu'ils pourraient arrêter mon père et le soumettre à la torture? Oui et non. Oui, car une tactique aussi grossière de leur part aurait risqué d'aggraver les problèmes diplomatiques. Non, parce que les problèmes diplomatiques ne les dérangeaient guère, vu le degré de violence qu'ils m'avaient fait subir, et parce qu'ils m'avaient donné des preuves manifestes de l'espionnage auquel ma famille était soumise au Canada.

Je continuai de les poursuivre dans l'antichambre, mais Khaled et Ibrahim se trouvaient maintenant hors de ma portée. À la porte qui donnait dans le couloir se tenaient quatre gardes qui furent des plus étonnés de voir mes tortionnaires passer devant eux en courant et en leur criant des ordres. Le choc les figea sur place quelques instants, un temps suffisamment long pour que j'arrive presque à franchir le seuil de la porte avant qu'ils ne réagissent et me plaquent au sol. Ma rage se retourna contre eux et je les frappai avec mes mains, ce qui les mit en furie. À peine quelques secondes plus tard, d'autres gardiens intervinrent dans la mêlée. Comme ils essayaient de m'immobiliser pour me passer les menottes, je réussis à plaquer la main sur le visage de l'un d'eux avec l'intention de lui enfoncer mon pouce dans l'œil. Il recula juste avant que je réussisse, tandis qu'une pluie de coups de poing et de coups de pied s'abattait sur moi et que je cherchais de toutes mes forces à leur échapper. Ils parvinrent enfin à me menotter les poignets, puis à attacher ces menottes à mes entraves aux chevilles. Pourtant, je me débattais encore. Je leur hurlais des injures et des obscénités. Rien ne pouvait assouvir ma rage. Tous ces mois de brutalités m'avaient mené là : à devenir cette masse frémissante de colère insatiable, qui ne voulait plus que se battre à mort. Toute raison m'avait abandonné.

Troussé maintenant comme un dindon, je ne pouvais plus faire grand-chose. Mes gardes me traînèrent jusqu'à ma cellule, me faisant rebondir sur chaque marche de l'escalier et me glissant sur les planchers des corridors. Ma rage commençait à s'atténuer et je me débattais moins. Mais ils ne cessaient de me donner des coups de pied pour se défouler de leur propre rage. Le périple se termina bientôt et on m'enferma dans ma cellule, toujours attaché. Plusieurs minutes plus tard, un des principaux sous-officiers survint et donna l'ordre qu'on me détachât, ce qui fut fait avec beaucoup de circonspection. Leur tâche accomplie, les gardes s'enfuirent de ma cellule en claquant la porte derrière eux. J'étais encore furieux, mais je me contrôlais un peu plus, même si la rage occupait toutes mes pensées. J'enlevai chemise et pantalon, ne gardant que mon caleçon. Je bourrai le passe-plat avec mes vêtements, puis me mis à faire les cent pas dans la cellule, les poings fermés, ne voulant plus que l'affrontement. Je dirigeai ma rage sur les portes des cabinets de toilette et les arrachai de leurs gonds.

L'idée me vint qu'il y avait là un arsenal qui pouvait me servir. Quelqu'un allait crever ce soir-là et, s'il fallait que ce fût moi, alors quelqu'un d'autre m'accompagnerait en enfer. Si ces sales crapules voulaient me garder en prison, elles allaient en baver. Je commençai à frapper les portes l'une contre l'autre pour en démolir le lattage. Je me retrouvai bientôt en possession de lames de bois dentelées d'à peu près un mètre de long, assez solides pour servir de piques improvisées. Mais le bruit que faisait le montage de mon arsenal m'empêcha d'entendre le clic-clac de la serrure, et la porte s'ouvrit pour laisser entrer en trombe dix ou quinze gardes qui fondirent sur moi à coups de poing. Je n'eus pas le temps de me servir de mes piques ni de leur faire quoi que ce soit. Je me débattis quand même vigoureusement tandis qu'ils m'enchaînaient et me menottaient. Tout ce que je parvins à faire fut de mordre à pleines dents dans une main. Et le type hurla de douleur. La volée de coups de poing que je reçus à la tête finit par me faire lâcher prise. Mais je pus voir alors que j'avais réussi à faire couler du sang. Et je souhaitais que la blessure laissât une bonne cicatrice.

Je me retrouvai à nouveau pieds et poings liés par terre, étendu sur le dos, avec les poignets menottés aux chevilles. La cellule était jonchée d'éclats de bois et inondée par l'eau du réservoir de vingt-cinq litres qui s'était déversé pendant la bataille. Deux gardiens se mirent à me traîner de long en large, tandis que leurs camarades m'administraient des coups de pied et, à l'occasion, des coups de poing en se penchant. Ils me soulevèrent et me projetèrent sur un châlit. Dans la chute, mon dos heurta le rebord du châlit et je ressentis un craquement sec à une vertèbre avant de retomber au sol. Pendant que je gisais là, finalement immobilisé par la douleur qui irradiait dans mon dos, quelqu'un baissa mon caleçon. J'entendis les ricanements à peine étouffés des gardiens qui examinaient mon pénis. Deux d'entre eux me dévisagèrent et me crachèrent à la figure en criant tout leur mépris avec un seul mot : « Juif ! » Un autre, du bout du pied, m'écrasa les couilles. Je poussai alors de toutes mes forces pour vider mes intestins et réussis à déféquer, manquant de peu le pied du garde-chiourme. Cela eut au moins un effet salutaire : les gardiens reculèrent tous, révulsés par l'odeur et n'ayant nulle envie de se souiller dans ma merde.

C'est à ce moment-là qu'un officier supérieur qui était de faction se pointa et mit fin à cette partie de plaisir. C'était en effet le major Zharani, un de mes geôliers les plus humains. Il entreprit tout de suite d'évaluer mes blessures. Comme j'étais épuisé et que le goût de batailler m'avait momentanément passé, sa tâche fut plus facile. Je fus encore une fois ramené à l'hôpital des Forces de sécurité pour y subir un examen médical. Au moins, je n'avais pas abouti en premier à l'hôpital Shamasi. Les examens des deux jours suivants confirmèrent que je souffrais de multiples contusions, aggravées par le fait que je prenais de la ticlodipine, un anticoagulant. Résultat : presque tout mon corps, depuis le cou jusqu'aux chevilles, avait tourné au vert. J'étais devenu une curieuse ecchymose ambulante. J'avais aussi un orteil cassé. Mais, le plus grave, c'est que j'avais encore une fois le dos fracturé. Je dis « encore une fois » parce que cette fracture de vertèbre était la même que celle que j'avais subie dans un accident d'escalade plusieurs années auparavant. Sans doute, en tombant au bord du châlit, m'étais-je heurté à peu près au même endroit. Cette foutue blessure me rendit la vie nettement plus inconfortable pour quelques semaines sans autres complications, sauf que j'en ressens encore les séquelles.

Je restai presque deux semaines à l'hôpital en attendant que mes contusions se résorbent. Je devais recevoir une visite de l'ambassade vers la fin de la première semaine, mais le rendez-vous fut reporté de quelques jours pour que mes ecchymoses soient moins spectaculaires. Le consul général ne fut autorisé à me voir qu'en présence de Khaled et d'Ibrahim, bien entendu. Ils s'assirent tous autour de mon lit en prenant des airs contrits. La conversation ne fut qu'un tissu de banalités. Khaled expliqua mon état par le fait que je m'étais « tordu le dos » en tombant.

Cette explication farfelue eut l'air de satisfaire tout le monde. Je soupçonne que tout ce qu'ils cherchaient, c'était l'explication la plus rassurante. Si on considère la façon dont l'incident fut rapporté à ma famille et les déclarations que lui firent les fonctionnaires des ministère des Affaires étrangères et du Commerce extérieur, tout comme le personnel consulaire, on peut en conclure qu'ils étaient tout à fait disposés à participer à l'étouffement de l'affaire.

Quelques jours après mon retour en prison, on me ramenait de nouveau au centre des visites. C'était comme si tout le monde et son chien était venu me voir. Il y avait, en plus de Khaled et d'Ibrahim, le colonel Saïd et le gouverneur de la prison. Du côté de l'ambassade, il y avait l'ambassadeur Melvin MacDonald lui-même et un médecin que je reconnus aussitôt, un généraliste de la clinique où j'étais inscrit à Riyad. Je ne crois pas que ce dernier fut très heureux de voir que je le connaissais. Je ne puis l'en blâmer vu le nombre de personnes auxquelles j'avais été associé et qui se trouvaient maintenant entre les mains du ministère de l'Intérieur.

Khaled m'avait informé, tout juste avant, que j'allais subir un examen médical en présence de représentants de l'ambassade et m'avait incité à déclarer que ma récente hospitalisation résultait d'une tentative de suicide. Je me demandai comment j'aurais pu accomplir un tel exploit. Je me demandai aussi si j'allais pouvoir bénéficier d'un entretien privé. Je l'espérais, sans trop y compter. Une image me traversa l'esprit : j'avais tenté de mettre fin à mes jours en montant sur les cloisons qui séparaient les cabines de douches et en me jetant tête première sur le sol. Mais Khaled éclipsa mon brillant scénario en proposant plutôt que j'avais retiré les vis des portes des toilettes et les avais ensuite utilisées pour me lacérer les poignets. Scénario intéressant peut-être, mais qui ne tenait pas la route, car les vis à bois sont rarement assez longues ou assez pointues pour un tel usage. Et, détail plus important encore, les portes étaient maintenues par des boulons sans contours coupants. Mes visiteurs allaient-ils croire cette histoire absurde ? Je craignais que oui, hélas, à moins que je ne trouvasse une façon de les détromper.

Cette visite était une comédie burlesque où tout le monde rivalisait de politesse et d'obséquiosité. C'était peut-être la manière diplomatique, mais cela m'écœurait et me mettait sur les dents. L'examen médical se déroula donc en présence de tout ce beau monde, ce qui m'empêcha de m'entretenir en privé avec le médecin. Malgré tout, je tentai, par des sarcasmes, de lui mettre la puce à l'oreille sur la fausseté des allégations de mes ravisseurs. Quand il m'interrogea sur les éraflures longitudinales à mes poignets, je lui répondis simplement qu'il était tout à fait indiqué qu'il en soit ainsi. D'après ce que je comprenais, une entaille en longueur trahit une sérieuse tentative de suicide, tandis qu'en largeur elle indique une automutilation mais non une tentative de suicide. Mon allusion sarcastique à la position opportune de ma blessure avait pour dessein d'avertir le médecin de ne pas prendre tout ce qu'il voyait ou entendait comme argent comptant. J'ajoutai que les éraflures avaient apparemment été causées par les boulons des portes et que je me les étais moi-même infligées. Malheureusement, il ne pigea pas mes allusions ou les ignora, soit à cause de sa nervosité, soit parce qu'il ne les comprit pas.

L'ambassadeur me demanda directement ce qui était arrivé le soir en question. Je lui dis que j'avais «pété les plombs» et que j'avais été blessé au moment où les gardiens tentaient de me maîtriser. Cette courte explication n'était pas loin de la vérité. J'avais, en effet, «pété les plombs», sauf que ce n'était pas moi que je voulais blesser mais les autres. Malheureusement, ce n'est pas ainsi qu'on l'interpréta. Après ma libération, je pus voir le rapport d'examen du médecin: il ne mentionnait rien de ce que je lui avais dit. Par contre, le mot «suicide» y figurait en bonne place. Même chose pour le rapport des représentants diplomatiques. Les deux rapports mentionnaient que j'avais dit avoir tenté de me suicider, bien que je n'eusse jamais rien avoué de tel, malgré la consigne qui m'en avait été faite. À ma grande honte, je n'avais pas été assez direct. Cette fois-là aussi, j'aurais dû saisir l'occasion, malgré les représailles que j'encourais, de dire sans détour que j'avais été torturé.

Après le départ de la délégation de l'ambassade, je restai quelques instants seul dans la salle. Puis Khaled et Ibrahim revinrent pour le bilan qui suivait chaque visite et où ils passaient au crible tout ce que j'avais dit. Ils étaient tous deux mécontents que je n'aie pas confirmé les versions qui avaient déjà été données des événements de cette fameuse nuit. Ils me menacèrent de sanctions graves si je persistais à les défier ainsi et à ne pas faire ce qu'ils me disaient. Ils répétèrent que mon manque de collaboration allait forcer Ibrahim à demander la peine de mort pour mes crimes – ce qu'il envisageait de faire d'ailleurs –, mais qu'il était prêt à me faire grâce pour peu que je fît preuve de bonne volonté.

Je me contentai de hausser les épaules. Je n'étais pas d'humeur à répliquer et je n'avais pas envie, non plus, de provoquer chez eux un comportement encore plus sadique. Sans objectif précis sur lequel centrer mes énergies, je balançais encore entre la collaboration et la résistance. Mais une chose était claire dans mon esprit : plus jamais je ne me laisserais battre ou maltraiter sans riposter. Par ailleurs, je n'avais aucune raison de répliquer à mes geôliers pour voir ensuite mes conditions de détention se détériorer. Je me rendais bien compte que, la première fois que je m'étais effondré et dans les occasions subséquentes, ils avaient voulu empêcher que je meure en m'emmenant rapidement à l'hôpital. Ils ne voulaient surtout pas que je crève des suites des sévices physiques qu'ils m'infligeaient. J'étais conscient que, physiquement, je ne pourrais plus supporter une longue période de torture, et ils le savaient aussi. La torture ne pourrait guère dépasser quelques jours sans mettre ma vie en danger. C'était pourquoi leurs menaces m'épouvantaient moins qu'avant. Je savais que je pourrais supporter de courtes périodes de torture. Cependant, la menace de mort m'apparaissait tout à fait sérieuse. Je savais fort bien de quoi ils étaient capables, et j'étais convaincu que l'un d'entre nous allait mourir au square Dira[5], sacrifice sanglant sur l'autel des impératifs politiques des princes saoudiens. Donc, jusqu'à ce qu'une telle éventualité se produisît, je ne voyais pas la raison de me rendre la vie plus pénible qu'elle ne l'était déjà.

Depuis le début de juin 2001, à mon retour en prison, mes conditions d'incarcération s'étaient améliorées. Dans ma cellule, j'avais trouvé une pile de nouveaux livres, des cartes à jouer ainsi que des chaussettes et une paire de chaussures de course à attaches en velcro que mon père m'avait fait parvenir. (Les lacets étaient interdits.) On m'alloua une heure d'exercice quotidien dans la cour et je pus ainsi refaire peu à peu mes

---

5. Escroc, petit truand, en anglais britannique. (N.D.T.)

forces. Je commençai, les premières semaines, par marcher, puis à mesure que mes forces revenaient, je me mis à courir. Étant donné le périmètre restreint de cette cour (environ 75 mètres), je devais changer de direction après quelques tours pour éviter de me blesser aux hanches ou aux chevilles. Pour compter le nombre de tours que j'effectuais dans un sens, j'utilisais des petites pailles provenant des boîtes de jus qu'on me servait aux repas : j'en jetais une après dix tours, puis je changeais de direction. Ainsi, je pouvais savoir quelle distance j'avais parcouruew. À la fin de septembre, quand on me retira ce privilège en guise de punition, je pouvais courir sans arrêt pendant l'heure entière et parcourir une distance de treize à quatorze kilomètres. Étant donné les sévices que j'avais subis, je m'étonnai moi-même de mes progrès. Mes pieds étaient encore douloureux, tout comme mon dos et mes principales articulations. Mais j'en étais venu à pouvoir endurer ces douleurs en concentrant mon attention sur le soulagement progressif que me procurait l'exercice.

Pour tromper la morne uniformité des jours, je m'établis un véritable programme d'activités. Tout de suite après le lever, je faisais les cent pas durant une heure dans ma cellule, en changeant de direction après un certain nombre d'allers-retours et en prenant comme repères, cette fois, un livre et une carte à jouer. Après quoi je faisais une séance de gymnastique suédoise, puis je m'installais pour lire. Après quelques heures de lecture, je m'attaquais à l'un des ouvrages de mathématiques que j'avais encore en ma possession pour essayer de résoudre mentalement des problèmes, sans l'aide de papier ni de crayon (que je n'avais pas de toute façon). Parfois, je jouais au solitaire ou je me servais des cartes pour dresser sur le sol les plans de maisons que j'imaginais. De temps à autre, je m'asseyais pour méditer, pour essayer de faire le vide dans mon esprit. Ce fut difficile au début, mais au fil des années d'emprisonnement, cela me devint comme une seconde nature. Je m'étais rendu compte que, en fixant une tache sur le mur en face de moi, mon cortex visuel me jouait des tours et que ce point commençait à bouger. Je tentais alors de me détendre jusqu'à ce que le point redevînt immobile. C'était ainsi que je réussissais à exercer un contrôle conscient sur un phénomène subconscient d'adaptation neuronale. Une fois ce stade franchi, mon esprit se vidait de toute pensée, mon corps se tenait immobile, ma respiration prenait un rythme régulier et mon pouls ralentissait. Je pouvais passer des heures chaque jour dans cet état. Je réussissais à atteindre une tranquillité quasi parfaite même si les circonstances étaient loin d'être propices. Cette pratique ne s'interrompait que pour les visites quotidiennes du médecin et l'heure de marche dans la cour, en plus, de temps à autre, d'une visite chez le barbier de la prison.

Je dois expliquer que ce que j'appelle ici une «journée» diffère quelque peu de ce que l'on entend habituellement par ce terme. En effet, mes journées devinrent plus longues que la normale, à cause des changements qui se produisirent dans mon horloge biologique. Pendant toute la durée de mon incarcération, les tubes de néon de ma cellule restèrent allumés en permanence, m'inondant d'une lumière qui clignotait de façon presque imperceptible. Les néons n'étaient pas mal ajustés, mais ma vision est d'une telle acuité que je pouvais percevoir ces infimes clignotements. Le fait d'être constamment sous cet éclairage eut pour moi deux conséquences. Premièrement, les vacillements du néon me donnèrent des maux de tête. Au début, je n'eus guère de peine à endurer ce malaise: une aspirine ou un autre analgésique suffisait à le chasser. Mais plus tard, lors de ma grève de soins médicaux et de médicaments, les maux de tête devinrent atroces, durant trois ou quatre jours d'affilée, voire une semaine entière. Ils devenaient tels que ma vue s'embrouillait et que mon champ visuel rétrécissait. Pendant ces périodes, il m'était impossible de lire ni de faire mes exercices ou quelque autre activité soutenue: je devais me rabattre sur la méditation et les techniques de détente.

Le deuxième problème que provoqua chez moi cet éclairage permanent fut une adaptation de mon métabolisme à des journées plus longues. Ce ne fut que vers août 2001 que je me rendis compte du phénomène, à l'occasion d'une visite de l'ambassade, quand je découvris que mon calcul du temps était erroné. J'avais déjà remarqué que j'avais développé un rythme de sommeil fait de deux périodes distinctes, soit une première de six ou sept heures, et une seconde d'une heure ou deux. J'avais noté, en outre, que le besoin de sommeil chez moi se manifestait de plus en plus tard d'une journée à l'autre, jusqu'à faire le tour complet de l'horloge. Si je m'endormais pour la plus longue période à vingt heures, je m'éveillais très tôt dans la nuit, et la seconde période n'arrivait pas avant les onze heures le lendemain matin. Le soir suivant, la plus longue période commençait à vingt et une heures. Mon organisme s'était donc adapté à une journée de vingt-cinq heures, ce qui eut pour conséquence que mes estimations du passage du temps retardaient d'une journée entière tous les vingt-cinq jours. Je n'arrivai à confirmer cet état de choses et à retrouver la date exacte qu'en mars 2003, quand je reçus une calculatrice munie d'une fonction date et heure. Jusque-là, je n'avais pu qu'évaluer approximativement ces écarts chronologiques, en m'enquérant de la date au début de chaque visite que je recevais du personnel médical ou de chaque discussion que j'avais avec eux, puisque c'étaient les seules personnes à pouvoir y répondre. (Il est évident que mes gardiens avaient reçu l'ordre formel de ne me fournir aucune sorte d'information, pas même sur le jour qu'on était.)

Le phénomène le plus curieux était la régularité avec laquelle se produisaient ces changements dans mon rythme biologique. Dans mes derniers mois d'incarcération, quand je pus enfin m'en faire une idée précise, je découvris qu'il était resté ainsi. En effet, je n'avais pas connu des journées de vingt-quatre heures et d'autres de vingt-six. Sur le plan biologique, mes journées avaient toutes été de vingt-cinq heures. Quand ma période prolongée de sommeil avait duré sept heures, mes siestes ne duraient qu'une heure. Par contre, si mon sommeil avait duré six heures, mes siestes en duraient deux. Peu importe la fatigue accumulée durant mes périodes d'exercice ou le stress causé par les rencontres avec mes tortionnaires, je dormais toujours huit heures sur vingt-cinq. De plus, mon sommeil, y compris lors des siestes, était profond et récupérateur, sans le moindre cauchemar. Souvent j'étais épaté – et déçu aussi – de me réveiller au beau milieu de rêves agréables ou érotiques. Il était devenu clair pour moi que, malgré la rude réalité de mon incarcération qui tourmentait mes pensées conscientes, mon subconscient, lui, restait remarquablement serein. S'il y avait une chose que j'en retenais, c'est que je m'étais bien adapté aux circonstances et que je n'avais pas perdu la boule, même si la torture m'en avait trop souvent amené à la limite. Certains pourraient considérer le phénomène autrement et dire que cette adaptation aux abus et aux privations était la preuve du trouble de mon psychisme, puisque seule une personne profondément perturbée peut être aussi détachée dans une telle situation. Il est vrai que seuls les fous ne sont pas dérangés par les situations folles. J'ai souvent entendu pareille insinuation depuis ma libération, mais je ne peux qu'en rire. Ces préjugés sont le fait de gens qui ne peuvent comprendre la situation où je me trouvais ou qui s'accrochent à des théories sans rapport avec la réalité.

Durant les périodes qui étaient pour moi le soir, je lisais ou je me laissais aller à rêvasser, riant souvent des fantasmes qui pouvaient surgir dans ma tête. Mes rêveries étaient assez variées, mais certaines revenaient plus souvent que d'autres, suscitées par des livres dont les évocations me rejoignaient particulièrement. Je me voyais, par exemple, déambuler dans les rues d'Édimbourg enveloppées de brume, allant dans l'un et l'autre de mes coins préférés pour déboucher sur une vue panoramique au sommet d'Arthur's Seat. Ou bien je marchais dans Londres, de Fulham jusqu'à King's Cross, en passant par les parcs ou en longeant Regent's Canal. Je me retrouvais dans mes jours d'escalade ou de ski dans les Alpes et j'essayais de transformer ces réminiscences en d'autres escalades que je n'accomplirais jamais. Je rêvais que je construisais un bateau pour faire le tour du monde en solitaire, même si je ne savais pas piloter!

Ces fantasmes en particulier ne manquaient jamais de me faire rire à mes dépens: seul dans une cellule, privé de tout contact social, voilà que j'étais en train d'imaginer que je retournais de plein gré dans une situation d'isolement total! Voilà bien la preuve, entre toutes, de mon sens de l'absurde et de mon caractère excentrique.

Quand je sentais enfin mon corps me signaler qu'une autre journée était passée, je m'enveloppais dans les souvenirs d'une personne que j'avais déjà eue en profonde affection. Doucement je glissais dans le sommeil en me remémorant l'amour et la passion d'une femme que j'avais aimée puis perdue de vue, des années auparavant. Le souvenir du timbre de sa voix, de la douceur de sa peau, de la tendresse de nos étreintes: tout cela me comblait d'une sorte de chaleur à la fois érotique et relaxante qui m'entraînait doucement dans le sommeil. C'était ainsi que chaque soir, en m'endormant, je sortais de ma cellule pour me retrouver dans les bras de Siobhan. Durant ces quelques heures délicieuses, je redevenais un homme libre et me rendais compte à quel point le poème de Lovelace disait vrai.

Ma situation changea encore au début de juillet 2001. Pendant quelques trop courtes semaines, on m'avait épargné la présence de mes tortionnaires et les discours de propagande de Mohammed Saïd. C'était trop beau pour durer. Quand Couteau Souriant se présenta un jour dans ma cellule pour me faire un exposé sur l'impartialité du système judiciaire de l'Arabie Saoudite, je me demandai tout de suite ce qui allait suivre. Étendu sur ma couche, j'écoutai son sermon puis lui fis quelques remarques polies sur les lacunes évidentes du système judiciaire de son pays, ce qui n'eut pas du tout l'heur de lui plaire. J'étais donc convaincu qu'une fois son rapport fait, je recevrais la visite de Dopey et Acné d'un jour à l'autre.

Il survint effectivement quelque chose le lendemain : une consultation psychiatrique, si on peut l'appeler ainsi. On m'avait remis mes vêtements occidentaux en prétextant que j'allais recevoir des visiteurs, et je m'attendais à ce qu'on me fît venir d'abord dans la salle des interrogatoires pour m'informer de ce que je devrais dire. Mais on me fit passer par l'aire de réception qui se trouvait au-delà des escaliers menant à la salle d'interrogatoire, pour me conduire dans la petite salle des soins médicaux située directement en dessous. J'étais intrigué, me demandant ce que cela laissait présager. Je le sus assez vite quand on me fit entrer dans une pièce encore plus petite, située sur un côté de la salle en question. Un groupe d'officiers s'y trouvait assis le long des murs. Couteau Souriant se trouvait au fond. Et, près de lui, derrière un pupitre, un Saoudien de petite taille portant un kamis, dont la barbe et la moustache étaient bien taillées. Saïd se leva et me le présenta comme un psychiatre qu'on avait fait venir à la prison pour s'entretenir avec moi.

Ce psychiatre s'appelait Hussein al-Humaïd (je ne le sus qu'après ma libération). Il avait fait une partie de son internat au Canada. Les présentations faites, Al-Humaïd se leva et tendit le bras pour me serrer la main. Il s'adressa à moi avec un sourire fendu jusqu'aux oreilles, un sourire idiot, dépourvu de la moindre sincérité. « Allô, Bill ! J'aimerais qu'on devienne amis. » Son timbre de voix me rappela tout de suite Pee Wee Herman[6]. Je me retins beaucoup pour ne pas éclater de rire. Il ne me connaissait pas et il voulait être mon ami. Ses maîtres d'internat auraient dû lui dire qu'arborer de faux sentiments de la sorte ne pouvait guère inspirer confiance à un éventuel patient, et spécialement à quelqu'un dans ma situation. Je n'avais jamais rencontré un tel manque de professionnalisme dans des circonstances pareilles. Sans qu'on m'y invitât, je m'assis en ignorant la main qu'il me tendait et lui lançai :

– Qu'est-ce qui vous fait croire que je souhaite avoir des amis comme vous ?

Le sourire s'effaça de son visage comme si je lui avais administré une gifle. Peut-être était-il habitué à une certaine docilité de la part de ses patients, mais certainement pas à de l'insolence. En tout cas, il ne cacha pas sa contrariété. Il entreprit de m'expliquer en quoi il allait m'aider. Je l'interrompis en lui disant que la seule manière de s'assurer ma collaboration serait de me remettre à la torture. Ce qui lui inspira une question parfaitement idiote :

– Qu'entendez-vous par torture ?

Je ne sais si c'était une manœuvre de sa part pour me faire parler, mais je ne lui répondis pas. Je lui fis plutôt le résumé d'un article paru dans le *New England Journal of Medicine*. Cet article, lui dis-je, décrivait le profil des patients d'un certain nombre de cabinets de consultation psychiatrique ou psychologique et montrait que le groupe social qui y était représenté en plus grand nombre était celui des intervenants en santé mentale et leurs familles. Je lui fis donc savoir que cette découverte indiquait sans doute qu'il avait besoin plus que moi de ses propres services.

J'ignore si on a déjà publié ou même entrepris une étude semblable. Je l'avais inventée de toutes pièces, sous l'inspiration du moment, mais je dois admettre que je l'avais trouvée moi-même assez convaincante. En tout cas, cette histoire fit son effet, car Al-Humaïd perdit aussitôt ce qui lui restait de patience. Il se détourna de moi et s'adressa à Saïd sur un ton

---

6. L'un des sept nains de *Blanche-Neige*. (N.D.T.)

irrité. Je réussis à l'irriter encore davantage en lui faisant remarquer que, comme son futur patient ne parlait que l'anglais, il était impoli de sa part de parler de lui en sa présence dans une autre langue. Son regard et le ton sec de sa riposte me firent craindre une gifle de sa part. J'étais assez fier d'avoir pu déstabiliser ce type dont la formation professionnelle aurait dû lui permettre de voir clair dans mon jeu.

On resta là, assis en silence pendant quelques secondes, avant que Saïd ne s'adressât à moi pour me demander s'il y avait un psychiatre ou un médecin que j'accepterais de rencontrer. Je lui répondis que je verrais volontiers un psychiatre qui aurait reçu sa formation en Occident, qui aurait une expérience occidentale, qui serait de foi chrétienne et, encore là, que la rencontre se déroulât dans un contexte tout à fait privé. Cela réussit à les irriter encore davantage. Je me demandais quand on me ferait payer mon insolence, car je savais que je n'y échapperais pas.

J'eus ma réponse deux jours plus tard lors d'une nouvelle visite du personnel de l'ambassade. La même routine eut lieu, dans une pièce libre du centre des visites, où Khaled m'indiqua ce que je pouvais dire. Puis on m'exhiba devant le consul général. La rencontre prit une tournure étrange quand je fis un commentaire qui me valut une réprimande pour mon manque de rectitude politique. J'avais écouté le consul me transmettre les salutations de plusieurs de mes amis, dont quelques ex-maîtresses, et remarqué que Khaled prenait note attentivement des noms mentionnés. Je m'étais donc montré un peu dédaigneux, en disant que plusieurs de ces relations remontaient à très loin.

— Vous savez, comme on dit, les femmes, c'est comme les autobus : il y en a toutes les cinq minutes. Par contre, le service d'autobus, ici, est pas mal relâché.

— Vous êtes d'un sexisme ! s'offusqua le consul.

Il ajouta un bref reproche, me signifiant que je ne devrais pas être si grossier et que je devais changer d'attitude. Après s'être défoulé, il me demanda si je voulais recevoir une nouvelle visite de mon père.

J'essayais de donner le moins d'informations possible à mes bourreaux. Et je me voyais reprocher mon manque de sensibilité. J'avais dit à mon père que je ne voulais pas le revoir ici et j'en avais maintes fois averti le personnel de l'ambassade.

Et voilà que ce clown irritant et condescendant me demandait encore une fois si je voulais recevoir une visite de mon père.

Je lui dis donc :

– Je ne veux pas avoir la visite de ce vieux débile.

Cela fit dégénérer la rencontre en sinistre comédie, où le consul général prit le parti de Khaled et d'Ibrahim pour dénoncer avec colère ma mauvaise attitude et mes affreuses manières.

Après quoi on m'amena à la salle d'interrogatoire et me mit les entraves. J'attendis anxieusement l'arrivée de mes tortionnaires, fort conscient d'avoir dépassé les bornes (du moins, à leurs yeux). Je me demandais combien de temps allait durer « l'interrogatoire ». Dieu merci, il ne dura que quelques heures et les coups reçus, bien que douloureux, furent supportables, à la limite. De nouveau pieds et poings liés, je fus battu avec la canne de rotin et mitraillé d'une kyrielle de menaces que j'avais entendues si souvent qu'elles n'avaient plus aucun sens pour moi. À chaque coup, Ibrahim gueulait et Khaled traduisait. On m'avertit qu'au prochain entretien avec les gens de l'ambassade je devrais demander la visite de mon père. Ils blâmèrent mon comportement envers le docteur Al-Humaïd et m'ordonnèrent de faire tout ce qu'il me demanderait. La seule fois où je réagis à leurs menaces fut lorsqu'ils clamèrent que je pourrais faire face à la peine de mort : je leur rétorquai tout simplement d'y aller et qu'on en finît. Ils se moquèrent de ma bravade, ne pouvant croire ni comprendre que ma réaction était sincère. Ils finirent par se lasser de « me mettre dans le droit chemin » et me laissèrent regagner ma cellule en claudiquant.

Deux jours plus tard, je rencontrai de nouveau le docteur Al-Humaïd qui se montra encore plein d'affabilité et de fausse cordialité. Je restai de marbre, me contentant de répéter que je ne coopérerais pas avec lui. Il était visiblement frustré. Il mit fin à l'entrevue en disant que je finirais bien par coopérer. Je savais que c'était tout à fait possible si on m'y contraignait par la torture. Mais, en attendant, j'étais résolu à le laisser mariner dans sa frustration. Je m'attendais à des sévices en guise de représailles, mais heureusement je me trompais. Il s'ensuivit plutôt une sorte de jeu de pouvoir autour des quelques privilèges qui m'étaient accordés.

Ce fut au milieu de juillet 2001, soit à peu près 210 jours après mon arrestation, que commencèrent les punitions destinées à me montrer le pouvoir qu'avaient sur moi mes geôliers. Étant privé de toute information, je ne pouvais savoir que d'autres attentats s'étaient produits dans le pays et que les autorités saoudiennes avaient continué d'arrêter des Occidentaux, dont un certain nombre que je connaissais.

La situation était grave pour nous tous, car Nayef et ses sbires faisaient tout ce qui était en leur pouvoir pour camoufler les vrais problèmes d'insurrection dans le pays. Mes ravisseurs veillaient maintenant à ce que je fusse bien menotté et enchaîné avant chaque séance de torture parce que je commençais à réagir.

Lors de la collecte hebdomadaire des vêtements sales, on livrait en même temps ceux qu'on avait nettoyés. La fente du passe-plat s'ouvrait et je devais y mettre mon linge sale. Mais ce samedi-là, en échange du linge sale, on me passa seulement deux kamis. Aucun tee-shirt, ni caleçon, ni chaussettes que j'avais laissés la semaine précédente. Je m'en plaignis au capitaine des gardes. Il haussa les épaules et me dit de mettre un kamis. Je n'en avais pas la moindre intention.

Quand j'étais seul dans ma cellule, quand je me rendais chez le médecin ou le barbier ou quand j'allais faire mes exercices dans la cour, je me contentais de porter un tee-shirt et un short. Mais maintenant, je ne disposais que d'un kamis puisque je n'avais rien d'autre de propre. Deux jours après, j'en demandai la raison à Couteau Souriant alors qu'il me livrait une autre de ses conférences de propagande. Il me dit simplement que les règlements de la prison exigeaient que je sois vêtu en tout temps de façon correcte et que, si tout ce que j'avais à ma disposition était un kamis, alors, je devais porter un kamis. Tout autre vêtement entraînerait une punition.

Je le laissai débiter son boniment sans faire de commentaire. Mais je me dis en moi-même que les feux de l'enfer s'éteindraient avant que je porte un kamis. Ce que j'avais sur moi était déjà pas mal imprégné de sueur. Je fis ce qu'il fallait dans les circonstances. Après le sermon du colonel, je me déshabillai et m'enroulai dans une serviette afin de procéder à la lessive. Je bouchai les renvois de deux lavabos avec des boules de papier hygiénique et les remplis chacun à moitié, l'un servant à laver mes vêtements avec un pain de savon et l'autre au rinçage. Le procédé était tout à fait adéquat. Avec la chaleur qui régnait dans la cellule, mon unique tee-shirt, mon seul caleçon et ma seule paire de chaussettes séchèrent rapidement. Avant la fin de l'après-midi, je pus donc mettre mes vêtements frais lavés. J'étais propre et vêtu comme il faut. Du moins, à mes yeux. Le samedi suivant, quand on me demanda mon linge, je ne remis rien puisqu'il n'y avait rien à remettre. De leur côté, ils me passèrent deux autres kamis, mais pas mes autres vêtements.

Alors que se poursuivait ce petit jeu, je reçus une autre visite de l'ambassade. À mon arrivée au centre des visites, Khaled m'informa que mon père était là et que je devais me comporter correctement, sinon… Je hochai la tête en signe d'acquiescement. Puis on fit entrer mon père, flanqué du consul général et d'un autre fonctionnaire de l'ambassade. Je ne laissai rien voir du plaisir que j'éprouvais de revoir mon père. Au contraire, je critiquai sévèrement son entêtement et son refus d'obéir aux demandes que je lui avais faites. Je lui répétai, en termes très clairs, qu'il ne devait jamais plus venir me rendre visite et que, s'il osait encore, je le renierais. Pendant tout ce temps, mes geôliers et les gens de l'ambassade tentaient de m'interrompre en dénonçant mes mauvaises manières.

Après le départ de mon père, le consul général se mit à me faire des remontrances sur mon comportement, me disant que je rendais la vie difficile à tout le monde, y compris aux autres prisonniers. J'avais déjà commencé à m'interroger sur le personnage, mais il n'en était pas moins troublant d'entendre ce représentant officiel de mon pays parler comme mes tortionnaires et me servir les mêmes avertissements et menaces. Cette rencontre marqua le début d'une détérioration rapide de mes relations avec l'ambassade et le gouvernement du Canada. Je m'étais enfin rendu à l'évidence que les fonctionnaires de l'ambassade se préoccupaient davantage de se concilier les faveurs de mes geôliers que de me porter secours, à moi ou à ma famille.

Je l'avertis donc que, si jamais l'ambassade demandait à mon père de me rendre visite ou l'amenait ici encore une fois, je leur refuserais toute collaboration. J'ajoutai, d'un ton plein de sous-entendus, que je n'attendais rien de leur part et que je saurais bien me débrouiller sans eux. Mais il fit comme s'il n'avait rien entendu.

Je crus qu'un tel entretien me vaudrait une mise au point de Khaled et d'Ibrahim, mais par chance il n'en fut rien. Le lendemain toutefois, alors que j'étais allongé sur ma couche après avoir lavé mon linge, un garde entra dans ma cellule et saisit tout ce que j'avais pour me tenir propre : le savon, la brosse à dents et le dentifrice. Puis on m'amena à l'interrogatoire. Khaled et Ibrahim m'apprirent que mes articles de toilette et mes vêtements ne me seraient pas remis tant que je ne me plierais pas à leurs exigences. Et, à l'appui de ce diktat, ils me giflèrent violemment et me donnèrent deux coups de poing aux testicules, sans plus. Je me tenais coi, mais me réjouissais intérieurement de voir que mon comportement de même que mon apparente fragilité physique leur causaient des problèmes.

Je pouvais à peine me retenir de sourire.

Jusqu'à ce moment-là, mes relations avec les gardiens de prison s'étaient caractérisées en général par une tolérance teintée d'indifférence, sauf évidemment dans les occasions où on leur donnait l'ordre de me maîtriser. En fait, plus d'un avait cherché à faire preuve d'humanité à mon égard. Je pense notamment aux deux Saoudiens noirs, au préposé au dispensaire et au jeune caporal, auxquels j'ajouterais Moussa, un type très religieux que j'apercevais souvent en train de diriger la prière. Puis Zapata, ainsi nommé à cause de sa longue moustache, et Huey, un homme potelé souffrant d'un léger strabisme, qui me rappelait quelqu'un que j'avais connu à Glasgow. Et enfin Santa, gros comme une barrique et presque chauve, qui trouvait toujours du plaisir à m'escorter vers les cellules de dix hommes quand mes interrogatoires étaient terminés. Santa fit montre de beaucoup de courage et de respect à mon égard durant l'une de mes plus violentes crises, et je lui en saurai toujours gré. Mais, comme ma protestation commençait à prendre de l'ampleur, elle allait mettre à rude épreuve la patience de tous, y compris de ces derniers.

Ainsi s'amorça la première phase de ma protestation hygiénique. Si mes geôliers voulaient me plier à leurs volontés en m'enlevant l'usage du savon et des vêtements propres, alors je n'allais ni me laver ni porter de vêtements propres.

Je savais que je m'habituerais à mon odeur de malpropreté, mais, eux, le pourraient-ils? D'ailleurs, il ne fallut que quelques jours pour que j'empeste ma cellule.

Une semaine ne s'était pas passée qu'on m'informait qu'on laisserait du savon et d'autres articles de toilette sur le seuil extérieur de ma cellule, et qu'on me les passerait chaque fois que j'en ferais la demande. En outre, on me rapporta mes vêtements, de sorte que je disposais maintenant de tee-shirts, de caleçons et de chaussettes propres. J'en ricanais, croyant qu'ils avaient vite capitulé. Mais il s'avéra que je devais recevoir une visite de l'ambassade le lendemain, et ils ne voulaient sûrement pas que je me présente sous un aspect répugnant. J'avais cependant résolu que, si on me retirait un privilège, je n'accepterais pas qu'on le restaurât. Je remis donc tout simplement les vêtements propres dans le passe-plat, ne gardant que les kamis, auxquels je réservai un sort particulier. Je les déchirai consciencieusement et fourrai les lanières de tissu dans la cuvette des toilettes. Je savais que la scène serait dûment enregistrée par les caméras de surveillance.

On me ramena donc à la salle d'interrogatoire pour attendre l'arrivée de Khaled et d'Ibrahim. Ils se mirent tout de go à me reprocher mon manque d'hygiène personnelle et à m'avertir que cela jouerait contre moi lors de mon procès. Et maintenant, dirent-ils, Ibrahim se ferait un plaisir de recommander mon exécution. Cette menace avait été brandie si souvent qu'elle en était devenue banale.

Quand j'eus enfin l'occasion de parler, je leur lançai:

– Eh bien, allez-y! Faites-le, votre procès, et qu'on m'exécute enfin! J'en ai assez de vos conneries!

– Tu seras moins brave quand on t'emmènera au square Dira, me dit Khaled en ponctuant ses paroles de gifles, comme à l'habitude. Tu vas brailler comme un bébé!

Pour toute réponse, je lui crachai au visage, mais je manquai ma cible et la situation dégénéra vite. Il me jeta par terre, me lia les pieds et les poings et me frappa la plante des pieds à coups de canne. Minuit était passé depuis longtemps quand je pus revenir en claudiquant à ma cellule et remettre mes vêtements occidentaux aux gardiens selon la routine habituelle. Je souffrais le martyre et j'étais d'humeur massacrante: je venais de subir l'une des pires et des plus longues raclées depuis ma crise cardiaque. Dans la cellule, je trouvai un plateau de nourriture que je lançai contre le mur. Et, sous le coup de la rage et de la frustration, j'en dispersai partout le contenu.

Je décidai alors que, si c'était la propreté qu'ils voulaient, je leur offrirais exactement le contraire. J'enlevai mon tee-shirt et mon caleçon, me mettant complètement nu. Même si les préposés aux caméras de surveillance étaient les seuls à me voir, je savais que, culturellement, pour mes geôliers, ma nudité était intolérable, insultante, sinon une grave offense à Dieu. À partir de ce jour-là, je ne devais plus porter aucun vêtement dans ma cellule. Une fois déshabillé, je me dirigeai vers la porte et me mis à pisser sur le plancher, mêlant mon urine à la nourriture qui y était répandue. Pour venir dans ma cellule désormais, il leur faudrait marcher dans mes ordures. Enfin, je m'accroupis pour déféquer mais n'y parvins pas. Ce serait pour plus tard. Ma rage s'atténua. Je considérai mes dégâts et me mis à rigoler doucement.

Le lendemain matin, quand le préposé au dispensaire et les gardiens pénétrèrent dans ma cellule pour me remettre mes médicaments, je restai prostré sur ma couche au lieu de me lever pour aller chercher ma dose quotidienne d'aspirine et de vitamines. Je ne pus me retenir de sourire quand je les entendis jurer en marchant dans mes détritus. Quand je me levai, je vis leurs regards furieux, si bien que je me demandai combien de temps allait s'écouler avant que je ne sois rappelé pour une autre séance de châtiments. Mais cela n'arriva pas. On me laissa plutôt décorer ma cellule avec mes rations de nourriture et mon urine durant les deux semaines qui suivirent.

Ma cellule empestait de plus en plus la nourriture pourrie et l'urine refroidie. Mon corps aussi avait commencé à puer. J'étais parvenu à m'y habituer, mais pas mes gardes. La puanteur empirait de jour en jour et c'est en tenant leur keffieh sur leur nez qu'ils entraient dans ma cellule, tentant en vain d'éviter les vapeurs délétères. J'éprouvai un éphémère sentiment de culpabilité. Je causais des problèmes à toute la troupe, et non pas seulement à ceux qui le méritaient le plus. Mais je n'ignorais pas que les autorités carcérales et mes tortionnaires réagiraient, et que leur réaction serait loin d'être plaisante.

288

On ne permit pas que ma cellule restât dans un tel état de saleté, et on la fit nettoyer toutes les deux semaines. Cela se produisait généralement quand j'étais sorti, soit dans la cour d'exercices, soit chez le médecin. Une équipe d'entretien, des Pakistanais ou des Bengalis, pénétraient dans ma cellule pour la laver en grand. C'était pour eux que j'éprouvais du remords. Je savais qu'ils étaient souvent maltraités, et voilà qu'ils se trouvaient affectés à l'enlèvement de mes détritus. Les gardiens faisaient tout pour éviter que nous nous croisions. La direction de la prison semblait tenir coûte que coûte à ce que personne ne pusse m'identifier et savoir ainsi où j'étais détenu. Ainsi, chaque fois que je croisais ces équipes dans les couloirs, on leur ordonnait de se tourner vers le mur et de fermer les yeux. Ceux qui ne se conformaient pas assez vite aux ordres étaient giflés ou frappés. Les voir traités de la sorte me mettait chaque fois en colère. Il m'arriva même à l'occasion d'engueuler les gardiens, ce qui provoquait quelques échauffourées.

Environ une semaine après le début de ma protestation radicale, alors que j'étais dans la cour en train de faire mes exercices, les préposés à l'entretien entrèrent dans ma cellule pour la nettoyer à fond en y appliquant une abondante quantité de désinfectants. Lorsque les gardes me ramenèrent à l'intérieur, les vapeurs de chlore me brûlèrent les yeux. Je jetai un regard méprisant aux gardiens en enlevant mes vêtements pour retourner à mon indigne nudité. Je m'aperçus que l'officier en kamis qui les accompagnait affichait un petit sourire narquois.

– Quelque chose te plaît en particulier ? lui demandai-je.

Son sourire s'effaça. Il tenta d'ignorer le sous-entendu de ma question en disant :

– Tu vois, la cellule est propre !

Je ne sais s'il croyait avoir remporté une grande victoire ou m'avoir fait comprendre l'inanité de mon attitude. En tout cas, il n'avait pas pensé que je prendrais ses paroles comme un défi à poursuivre ma protestation.

– Très bien, répondis-je. Je vais pouvoir maintenant redécorer ma cellule. Cela me donne au moins quelque chose à faire.

Ce qui était tout à fait vrai. Ma vie sociale n'étant guère active, je pouvais aisément trouver un moment dans la journée pour souiller ma cellule. C'était moins long que de la nettoyer. Sans compter que ça leur coûtait plus cher en produits de nettoyage.

L'officier me dévisagea d'un air dégoûté en marmonnant tout bas, puis il lâcha le morceau : « Sale Juif ! » Pour l'épithète, je ne pouvais que lui donner raison, mais pour le nom, il se trompait. J'avais compris depuis longtemps qu'une bonne partie de l'hostilité dont j'étais l'objet provenait des convictions erronées de mes ravisseurs quant à ma religion et à mon origine ethnique. Sans réfléchir un instant à ce qui pourrait suivre, j'entrepris de retourner contre lui son attitude raciste :

– Nous sommes trois millions de Juifs en Israël. Il y a 150 millions de sales nègres comme vous dans le reste du Moyen-Orient. On réussit quand même toujours à vous botter le derrière. Alors, dites-moi qui, de nous, est le peuple élu de Dieu ?

Retourner ainsi contre lui ses propres préjugés était une des rares armes dont je disposais, mais ce fut aussi le seul de mes gestes que je regrettai vraiment. Je savais très bien qu'on me traitait de Juif pour m'insulter en m'identifiant à un groupe qui était évidemment pour eux l'ennemi. Je savais aussi que, dans le racisme inhérent à leur culture, les Africains n'étaient pas considérés comme étant dignes de respect, pas plus que les Juifs pour qui ils avaient tant d'hostilité. J'étais convaincu qu'en m'adressant à lui en ces termes je le piquais droit dans ses complexes et ses préjugés.

Les yeux de l'officier s'écarquillèrent de rage et il glapit quelque chose en arabe. Je présumai qu'il s'agissait d'une traduction de mes propos, accompagnée d'ordres. En même temps, il s'avança et me frappa le visage de son poing. Les autres gardes se précipitèrent sur moi avant même que je pusse réagir. Je tentai quand même de riposter mais fus vite submergé sous le nombre. Je me retrouvai au sol et sentis leurs pieds me frapper sur tout le corps. J'étais écrasé par terre, recroquevillé sur moi-même pour me protéger, mais la douleur des coups ne m'empêcha pas de ricaner. J'avais visé droit dans le mille. C'était là une autre arme à ma disposition.

Ayant fini de se défouler, ils quittèrent la cellule et je me relevai. J'examinai mon corps pour évaluer les dommages, mais je n'avais rien d'autre que quelques marques rouges. La raclée avait été mineure, mais elle en avait valu la peine. Je me dirigeai vers la porte pour pisser dessus. Je dirigeai le jet vers le haut, là où je pouvais distinguer les traces des mains lorsqu'on avait tiré la porte pour sortir. C'est ainsi que je recommençai mon œuvre de décoration, que j'allais reprendre chaque fois qu'on viendrait nettoyer ma cellule.

Une semaine plus tard environ, soit le 18 août, deux cent quarante cinquième jour de mon incarcération, je venais tout juste de finir de bourrer l'une des toilettes avec les restes de mon repas, quand on me convoqua pour une visite de l'ambassade. Je fis comme si de rien n'était. Quelques minutes plus tard, alors que j'étais étendu sur ma couche et que je lisais, un officier en kamis entra, accompagné de quatre ou cinq gardes. Il m'ordonna de me lever et de m'habiller pour recevoir la visite. Je levai les yeux au-dessus de mon livre, reniflai à quelques reprises et me remis à ma lecture. Les sbires tournèrent en rond une minute ou deux en réitérant leur ordre, puis ils abandonnèrent la partie et sortirent.

J'étais certain que ce n'était pas là la fin de l'affaire. Je sentais monter en moi l'adrénaline, me préparant à un affrontement plus musclé. N'arrivant pas à reprendre ma lecture, j'essayai de calmer mes esprits en méditant. Ce fut alors qu'un autre officier entra dans la cellule, tenant un stylo et du papier. Il m'ordonna de mettre par écrit les raisons de mon refus de voir les représentants de l'ambassade. Je le fis avec plaisir. Je rédigeai deux brèves déclarations, que je signai et datai après m'être assuré que la date était bonne. La première déclaration disait que je refusais dorénavant toute visite du personnel de l'ambassade canadienne. La seconde, que je renonçais à ma citoyenneté canadienne. C'étaient là des décisions radicales, mais je me sentais tout à fait justifié de les prendre.

Les fonctionnaires de l'ambassade s'étaient obstinés à me faire accepter des visites de mon père à l'encontre de ma volonté clairement exprimée. J'avais aussi constaté lors des visites que, chaque fois que j'avais parlé librement, le consul général s'était toujours rangé du côté de mes tortionnaires en critiquant mes mauvaises manières, mon attitude sexiste ou l'état de mes vêtements. Quels que fussent ses objectifs ou ceux du gouvernement canadien, ils n'étaient pas les miens. Il m'était apparu clairement que ce qui importait le plus pour eux, c'était d'éviter tout incident diplomatique et d'endosser l'argument de propagande que les visites de mon père leur donnaient. Je n'étais pas du tout d'avis que collaborer à l'hypocrisie du gouvernement saoudien représentait la meilleure solution : la suite des événements allait me donner raison. Et je ne voulais pas que mon père s'exposât à un danger en se rendant en Arabie Saoudite, ni que l'un ou l'autre gouvernement se servît de lui pour se donner bonne conscience au sujet de ma détention. Ma seule arme était d'éviter tout contact, même si je savais qu'une telle attitude augmenterait l'inquiétude à ma famille et de mes amis. Je devais absolument faire ce que je croyais être juste en la circonstance.

Au début de la soirée, la porte de ma cellule s'ouvrit pour laisser entrer Khaled et Ibrahim. J'étais presque ravi de les voir là. Ils m'avaient souvent dit, eux et Saïd, que le règlement de la prison interdisait aux interrogateurs d'aller dans les blocs cellulaires pour marquer l'indépendance des services carcéraux. Il ne faudrait pas grande provocation pour démontrer la fausseté de cette disposition, et je pris un malin plaisir à le faire. Ils étaient furieux que j'eusse refusé la visite de l'ambassade et en exigèrent la raison. Je les ignorai du mieux que je pus. Ma désinvolture les mit en furie. Ibrahim cria des ordres en arabe et des gardes se mirent à me frapper, puis me passèrent les menottes et les entraves. On m'ordonna de me lever, mais je refusai même si on me tapait dessus. Je restai immobile, tout en tâchant de contenir ma rage. On finit par me placer sur un drap tendu en guise de brancard pour m'emmener en haut, dans la salle d'interrogatoire, où je fus laissé par terre, pieds et poings liés.

Je savais ce qui m'attendait et me demandais combien de temps cela allait durer. La réponse ? Des heures. On me battait, on me laissait un moment effondré sur le plancher, puis on recommençait. Et, pendant tout ce temps, on déclinait la liste de mes péchés : ma nudité, ma malpropreté, mon refus de coopérer, mon insolence. Sous les coups qui s'abattaient, comme toutes les autres fois, je ne pouvais que crier ma souffrance atroce. Il en fut ainsi toute la nuit, jusqu'à l'appel à la prière de l'aube. On dut me ramener dans ma cellule de la même façon qu'on m'en avait sorti, car j'avais refusé obstinément de me mettre debout malgré les menaces de sévices répétés.

La cellule avait été nettoyée en mon absence. J'entrepris donc de la redécorer, ajoutant cette fois mes excréments aux saletés que j'avais répandues. La puanteur s'accrut, mais je m'en réjouissais. Un peu plus tard ce matin-là, le préposé au dispensaire (le Saoudien noir) survint avec un tube d'onguent anti-inflammatoire. Je le regardai et fit non de la tête. Son visage prit une expression suppliante comme s'il essayait en silence de me persuader de changer d'idée, mais je ne me laissai pas fléchir. Quelques instants plus tard, le toubib se présenta. Je me montrai un peu plus loquace avec lui, pour lui dire que je n'étais pas intéressé par ses services. Ce jour-là, je ne sortis pas de la cellule. Je restai couché sur le dos pour éviter toute douleur aux pieds. Mais, aussitôt après le dernier appel à la prière, je fus ramené à nouveau dans la salle d'interrogatoire. Et le manège de la nuit précédente recommença. Dans une attitude de défi que je n'éprouvais pas pleinement, je dis à mes tortionnaires d'y aller à fond, car ainsi ils m'accorderaient plus vite tout ce que je souhaitais : la liberté.

La séance finie, de retour dans ma cellule, je restai étendu sur ma couche à tenter de réfléchir en toute lucidité, malgré ma rage et ma souffrance. Les menaces de mort s'étaient multipliées cette nuit-là. J'étais donc plus sûr que jamais que l'un d'entre nous allait y passer. Faisant le point sur ma vie et ma situation, je compris que mes interrogateurs m'avaient désigné, dans leur esprit tordu, comme le chef de la bande. Je savais aussi que, d'après les renseignements recueillis sur mes codétenus, j'étais le seul prisonnier n'ayant jamais été marié et n'ayant pas d'enfants. Je me rappelai les conclusions auxquelles j'en étais venu plus tôt : personne ne dépendait de moi au-delà des murs de la prison. Si, comme je le soupçonnais, l'un d'entre nous devait être sacrifié aux besoins du régime, je serais celui-là. Et les autres seraient libérés pour montrer l'indulgence du même régime. Je décidai aussi que je devais tout faire pour que les autres fussent épargnés.

Plus tard ce matin-là, la porte s'ouvrit pour laisser entrer le préposé au dispensaire et deux gardes. Je sortis de ma somnolence et ramassai le premier livre que les autorités m'avaient remis, le Coran. De l'autre main, je pris mes médicaments, puis me dirigeai vers le cabinet de toilette. Je fourrai les médicaments dans ma bouche puis j'ouvris le livre avec un grand geste du bras, en déchirai quelques pages pour m'en essuyer le derrière, puis les jetai dans la cuvette. Les trois intrus me dévisagèrent avec un air d'incrédulité qui se transforma vite en colère. L'énormité de mon geste venait de les frapper. Je me tins debout à les dévisager, le Coran à la main, attendant de voir ce qu'ils feraient. Allaient-ils me confisquer le livre ? Ils marmonnèrent quelques jurons, puis me laissèrent tranquille. Je savais fort bien qu'ils allaient fidèlement rapporter mon premier geste de profanation. Je me plaisais à imaginer le mécontentement que cela causerait.

Mes visiteurs partis, donc, je déchirai encore deux pages du livre et les posai sur le plancher du cabinet de toilette. Je m'accroupis et déféquai sur les feuilles, pour ensuite malaxer de mes mains les étrons avant de me badigeonner le corps avec cette pâte malodorante. En premier, je concentrai mes gestes sur mes poignets et mes chevilles parce qu'ils seraient les premiers endroits dont les gardes se saisiraient pour me passer les menottes et les entraves puis, avec le reste, je continuai sur mes bras, mes jambes et mes épaules. Je puais tellement que j'avais peine à me retenir de vomir, mais après quelques minutes, mon odorat commença à s'accommoder de mon nouveau parfum. Comme il faisait très chaud dans ma cellule et que l'air était dépourvu d'humidité, en quelques minutes à peine l'enduit merdeux sécha en une croûte feuilletée. J'en restai tout à fait sali, sans paraître grotesque au point que je l'aurais cru.

La mesure punitive suivante me fut imposée au début de septembre 2001, en partie pour mon refus de me laver et en partie pour ne plus vouloir recevoir de visite de l'ambassade. Les règlements de la prison stipulaient que les détenus avaient droit à dix riyals par jour, une allocation qu'on leur remettait une fois par mois lors de la visite du comptable de l'établissement. Celui-ci se présentait dans la cellule accompagné de deux gardes, remettait l'argent et demandait de signer un accusé de réception dans un grand livre de comptabilité. Ces petites sommes, en plus de l'argent que mon père m'envoyait, me suffisaient pour m'acheter des livres et profiter de la cantine. Ce service de cantine était assuré par un employé de la prison qui passait dans chaque cellule tous les deux jours pour prendre les commandes de nourriture, de journaux (auxquels je n'avais pas droit), de cigarettes, d'articles de toilette, et ainsi de suite. Il livrait ces articles à la visite suivante et prenait alors les nouvelles commandes.

Un matin, comme je marchais en rond dans ma cellule, faisant une partie de mes exercices quotidiens, j'entendis le cantinier qui faisait sa tournée et je songeai à ce que j'allais commander. Quand la porte s'ouvrit enfin, deux gardiens entrèrent et se dirigèrent tout droit vers l'endroit où je dormais et où je gardais mes livres et mon argent. Ils fouillèrent dans les livres pour trouver ce qu'ils cherchaient et s'emparèrent de tout mon argent. Je les regardai, étonné. Mais en même temps, je m'efforçai de ne pas les affronter. Je savais que la confiscation de mon pécule signifiait qu'on m'enlevait le droit à la cantine et à l'achat de livres. J'étais furieux. Comme il passait à côté de moi pour sortir, celui qui avait pris l'argent se retourna et, en riant, s'adressa à moi en arabe. Je n'ai aucune idée de ce qu'il me dit, mais j'en perçus la raillerie. Je sentis le mépris monter en moi devant le plaisir mesquin que son supposé pouvoir lui procurait et je fis ce qui me vint aussitôt à l'esprit : je lui crachai à la figure.

C'était maintenant à leur tour d'être étonnés. Ils se retournèrent vers moi d'un air menaçant, comme s'ils voulaient se venger. Je ne bougeai pas d'un pouce, leur montrai les poings et les provoquai. Mes hurlements eurent pour effet de les intimider et ils reculèrent jusqu'à la porte. Je les suivis en les mettant au défi de se battre. Je passai le reste de la matinée à faire les cent pas dans ma cellule en attendant un autre affrontement ou de quelconques explications, tout en essayant de me calmer. Personne ne se présenta avant le lendemain, quand un officier qui parlait anglais m'informa que, si je prenais une douche et portais des vêtements propres, mes privilèges me seraient rendus. Pour toute réponse, je lui crachai au visage, lui aussi. Il n'en fut guère ravi, mais la chose n'alla pas plus loin.

Encore au début de septembre, on m'informa que j'allais recevoir une autre visite du personnel de l'ambassade et je décidai d'y acquiescer, tout simplement parce que l'événement briserait la monotonie des jours et me donnerait l'occasion d'embêter mes tortionnaires. Cette visite se passa comme toutes les autres: encore des avertissements de la part de Khaled et d'Ibrahim au sujet de mon comportement et des plaintes analogues de la part du consul général. Le seul point digne d'intérêt fut la déclaration du consul selon laquelle le gouvernement canadien ne pouvait, dans les circonstances, accepter ma demande de renonciation à la citoyenneté. Je trouvai cela curieux. La procuration qu'on m'avait soutirée de force avait facilement été acceptée par l'ambassade. En outre, comme j'allais le découvrir plus tard, mes aveux, qui m'avaient été soutirés avec autrement plus de coercition, avaient eux aussi été acceptés sans discussion. Alors, l'acceptation de ma renonciation à la citoyenneté causerait-elle plus d'embarras diplomatique que celle de mon aveu de culpabilité?

Le consul se montra plus conciliant que d'habitude. Quand je lui reprochai ses critiques, il fit amende honorable. Il m'assura qu'on lui avait fait part de ma volonté de ne plus recevoir de visite et que je ne serais plus importuné à ce propos. Je n'ajoutais guère foi à ses promesses, mais au moins mon refus de recevoir des visites avait été pris au sérieux. Rien d'autre ne résulta de cette rencontre. Même pas une séance de châtiments aux mains de mes tyrans. Je me retrouvai donc dans ma cellule sans avoir été l'objet d'autres railleries haineuses.

Le soir du 3 septembre, jour 261, un groupe de gardiens me tira de ma sieste en m'ordonnant de m'habiller pour un interrogatoire. Je les ignorai et restai au lit, me demandant s'ils apprécieraient le traitement que j'avais donné à mon épiderme. Je n'avais aucune intention de leur obéir de bon gré. Quand je me retrouvai dans la salle d'interrogatoire, transporté là par une troupe écœurée et de méchante humeur, Khaled et Ibrahim m'informèrent que j'allais subir mon procès le lendemain. Ils m'enjoignirent de plaider coupable et d'implorer la clémence du tribunal. Leur sermon ennuyeux et interminable fut ponctué de gifles et de coups de poing de la part d'Ibrahim. Je me demandai s'il savait ce qu'il touchait quand il me frappait à l'abdomen. Revenu à ma cellule, je passai le reste de la soirée dans l'attente anxieuse de la comparution, en réfléchissant à la déclaration que je voulais faire et en espérant que j'aurais le lendemain la présence d'esprit et la force morale nécessaires. Je finis par m'endormir et ne fus réveillé que par le bruit du plateau du petit-déjeuner. Peu de temps après la réception de mes médicaments, un groupe de gardiens se présenta dans ma cellule avec mes vêtements. Je m'habillai tout de suite, sans un mot échangé de part et d'autre. Puis on me mit les menottes et les entraves, et on me banda les yeux. Dans la salle d'interrogatoire, on m'enleva mon bandeau et Khaled répéta les avertissements qu'il m'avait servis la veille. Durant tout ce temps, je me bornai à fixer le mur derrière lui. Mon attitude insolente le mit de nouveau en colère. Il termina en me menaçant sans ambages de la peine de mort tandis que je continuais de fixer le mur.

On me mena ensuite à l'aire d'embarquement sans me bander les yeux. On m'installa à l'arrière d'un fourgon cellulaire pour me conduire au tribunal. La première chose que je vis en descendant du véhicule fut l'arrière du bâtiment avec son aire de débarquement couverte. Mon escorte, qui comptait maintenant six gardes dont deux armés de revolvers, me fit traverser un étroit couloir pour arriver à l'ascenseur. C'est alors que se déroula le premier incident comique de la matinée : l'ascenseur était trop petit pour contenir toute la troupe, ce qui ne fut découvert que quand ils essayèrent d'y entrer tous à la fois. On arriva enfin à l'étage où je devais comparaître et on me fit attendre dans une petite pièce à l'écart. Je pus voir par la fenêtre que je me trouvais aux abords du quartier sud-est de la ville : j'apercevais quelques rares édifices bordant des terrains vagues et le désert qui s'étendait jusqu'au secteur industriel.

Après trois quarts d'heure environ, on vint me chercher. On m'ôta mes menottes et mes entraves pour me mener dans la salle du tribunal, au fond de laquelle il y avait une estrade où siégeaient trois magistrats. Devant eux, à droite, un homme était assis à un pupitre bas, occupé à écrire dans un gros cahier relié : c'était le greffier. Debout à côté de lui, le traducteur interprète. Puis des rangées de bancs pour le public et l'accusé, où se trouvaient à gauche Khaled et Ibrahim. On me fit asseoir à côté d'eux. Non seulement Ibrahim était-il l'officier qui avait procédé à mon arrestation, ainsi que mon interrogateur et tortionnaire en chef, mais il s'avéra aussi le procureur !

Ce fut alors que la farce commença. On me demanda d'abord d'établir mon identité en déclinant mon nom, ma religion et ma nationalité. Ensuite, quand un des juges l'y invita, Ibrahim se leva et fit son plaidoyer. L'interprète s'était rapproché de moi pour traduire ses propos, mais il ne les traduisit pas en entier. Son plaidoyer, qui dura deux à trois minutes, me fut résumé en vingt secondes. À vrai dire, je n'avais pas besoin de traducteur interprète, car ce qui était dit n'avait aucune pertinence pour moi. J'avais mon plan personnel.

Ibrahim ne fit appel à aucun témoin et ne présenta aucune expertise médico-légale. Tout ce qu'il déposa fut un seul cahier de mes aveux. En outre, mes coaccusés étaient absents. C'était la façon de procéder du système judiciaire dans ce pays : pas étonnant que chaque procès finît par une condamnation. On me passa le cahier des aveux pour que j'identifiât formellement mon écriture et disse que j'avais rédigé ces aveux de plein gré, sans contrainte. En l'examinant, j'eus envie de demander ce qu'il était advenu des autres cahiers, mais je me contentai de refuser d'authentifier celui qu'on me présentait, niant l'avoir écrit, ce qui m'attira les regards courroucés de Khaled et d'Ibrahim, tout comme des juges.

Ibrahim ayant terminé sa déposition, on me demanda si j'avais quelque chose à déclarer. Durant l'intervention précédente, j'avais senti monter en moi la tension, de minute en minute. J'avais l'estomac noué, la bouche sèche. En me levant pour parler, je ressentis un besoin urgent d'aller aux toilettes. Mes jambes flageolaient tandis que je répétais mentalement ce que j'allais dire. Puis, enfin, je livrai la déclaration que j'avais préparée :

– Je refuse de reconnaître ce tribunal qui ne tient sa légitimité que des enseignements et préceptes d'un faux prophète et d'un faux Dieu, qui ne tire son autorité que d'une culture et d'un pays politiquement corrompus, socialement rétrogrades, moralement ruinés et complètement dégénérés.

Je venais, avec ces mots, de cracher sur la culture de l'Arabie Saoudite et, pis encore, de proférer les pires blasphèmes devant les juges d'un tribunal censé juger en fonction d'un code de loi religieux (la charia). Ce code stipule que blasphémer ainsi est un crime punissable de mort. Donc, à la place des fausses accusations pour lesquelles je me trouvais là, je venais de leur fournir le parfait prétexte pour m'exécuter. J'avais jeté le gant. Ma tension nerveuse commença à se relâcher.

Le traducteur interprète me dévisagea d'un air sidéré avant de commencer à traduire mes paroles. Il me sembla maintenant s'acquitter de sa tâche avec une exactitude qu'il n'avait pas eue en traduisant le plaidoyer qu'Ibrahim avait prononcé contre moi. Il n'aurait pas dû se donner tant de mal. J'avais vu, en effet, un des juges prendre un air apoplectique pendant que je faisais ma déclaration. Il était clair qu'il comprenait l'anglais. Je n'avais pas aussitôt terminé qu'il se penchait vers ses collègues pour leur traduire ce que j'avais dit avant même que l'interprète ne leur en donne en tremblant une version tronquée. Puis, on me demanda de signer le registre de la cour avant de sortir.

Je revins à la prison un peu après midi. Tout ce périple, y compris l'audience, avait duré moins de trois heures. J'avais la chance d'être revenu à temps pour pouvoir aller dans la cour de récréation, où j'évacuai ce qui me restait de tension nerveuse en faisant des tours de piste en plein soleil de midi. Plus tard ce soir-là, comme je m'y attendais, on me ramena au centre d'interrogatoire. Plutôt que de subir une correction en règle, on me présenta, à ma surprise, une série de pages où apparaissaient des photos d'identité pour que j'identifiât les visages qui y apparaissaient. En y regardant de plus près, mon œil fut attiré par des caractères imprimés en haut de deux de ces pages, dans une écriture que je ne connaissais pas. Ce n'étaient pas des caractères romains, cyrilliques ou arabes. Ce ne fut que plus tard, dans ma cellule, que je le découvrirais : il s'agissait de caractères hébreux, ce qui m'intrigua encore davantage. J'avais reconnu deux visages sans le dire, me demandant ce que pouvaient bien faire là les photos de deux infirmières canadiennes. Puis Khaled m'escorta jusqu'à un autre bureau, où Ibrahim m'attendait. J'eus droit encore à de vertes remontrances pendant une heure ou deux. Il était manifeste que ma prestation à la cour avait fait scandale. Mes tortionnaires ne cessèrent de me répéter que je ne quitterais pas le pays vivant.

Mon procès s'était tenu un mardi, ce qui ne laissait plus que trois jours avant le vendredi, journée des exécutions. J'avais délibérément fait mon lit en insultant le tribunal. J'étais sûr maintenant d'en payer le prix, et j'attendais le vendredi avec quelque anxiété. Je passais des heures à me dire que j'allais leur montrer comment on meurt : c'était mon ultime objectif. Le vendredi arriva. Une dizaine de gardiens entrèrent dans ma cellule avant la distribution du petit-déjeuner. Je m'habillai, puis on me mit les fers et me banda les yeux. On me conduisit dans la salle d'interrogatoire, où Khaled m'accueillit en me disant qu'on allait procéder à mon exécution. Curieusement, cette annonce ne me troubla pas. J'en fus, au contraire, plus calme, plus résigné. Tout était fini, il ne manquait plus que les applaudissements : j'allais enfin être libéré.

Toujours entravé et les yeux bandés, on m'amena à l'aire d'embarquement où on me fit monter dans un fourgon. Pendant le trajet qui dut prendre environ une heure, je me préparai mentalement à ce qui allait se passer. Je me disais qu'il ne fallait surtout pas donner satisfaction à ces salauds. Tous mes sens étaient à l'affût pour saisir le moindre détail, et je m'efforçais d'interpréter tout ce que mon ouïe et mon odorat pouvaient capter. Le véhicule s'arrêta. On me fit franchir une porte pour entrer dans un vestibule à air climatisé. J'essayais de deviner s'il s'agissait d'un des édifices situés derrière le square Dira. Comme j'avançais avec mon escorte, je commençai à sentir quelque chose de familier dans cet environnement, une ambiance sonore que je croyais reconnaître. Quand on passa par une deuxième série de portes contrôlées par air comprimé, je compris enfin que je ne me trouvais pas au square Dira, mais que j'étais bel et bien revenu à la prison d'Al-Ha'ir.

Je ne fus donc pas étonné, quand on m'ôta mon bandeau, de me retrouver dans ma cellule. J'avais été la victime d'une comédie plutôt sadique et cruelle : un autre ajout à la liste des brutalités que j'avais eu à subir jusque-là. Je me mis à faire les cent pas pour calmer la rage qui m'avait envahi quand je m'étais rendu compte du manège. Je marchai ainsi en rond pendant des heures jusqu'à ce que, à bout de forces, je m'assisse et commence à méditer, avant de m'endormir enfin.

Quand je me réveillai le lendemain matin, juste avant l'appel à la prière de l'aube, je constatai que j'avais bien dormi malgré le bouleversement psychologique de la veille. J'étais d'un calme presque irréel. La journée se déroula selon la routine habituelle, et j'agissais comme si j'étais détaché de tout. Les commentaires désobligeants de l'un ou de l'autre de mes gardiens ne m'atteignaient pas. Je ne me donnais même pas la peine de leur répondre. Et je ne pris pas la peine, non plus, d'ajouter au désordre de ma cellule. Ce ne fut que le lendemain que mon humeur revint à la normale : je me secouai de mon état de mort vivant et me remis à mes protestations.

La seule véritable nouvelle que je reçus du monde extérieur me parvint lors de la visite suivante de l'ambassade, soit le 12 septembre 2001, jour 270. Au préalable, Khaled m'avait averti comme d'habitude de ne rien dire à propos du procès. Quand on m'amena voir le consul général, Ibrahim me montra la première page d'un journal arabe. En regardant la photo en même temps qu'il la commentait, j'appris qu'un grave attentat terroriste avait été commis aux États-Unis. Ayant été complètement privé de nouvelles jusque-là, je me demandais pourquoi on me montrait cela. Mais je fus encore plus intrigué par ce qu'il m'apprit. Les premiers éléments de la nouvelle m'apparaissaient tout à fait plausibles : des détournements d'avions s'étaient produits aux États-Unis ; on s'était servi de ces avions comme missiles contre leurs cibles, dont une était le World Trade Center à New York ; ces attaques avaient, selon toute vraisemblance, été commandées par Oussama ben Laden. Ce fut, en tout cas, ce que j'en déduisis à la vue de la photo à la une du journal. Par ailleurs, il m'apprit, étrangement, qu'il me faudrait faire preuve de patience puisque mon cas désormais serait plus long à résoudre. Pourquoi donc ma situation était-elle dorénavant reliée à des attentats terroristes qui s'étaient déroulés à des milliers de kilomètres d'où j'étais ? Sur le moment, je me demandai si mes ravisseurs allaient aussi essayer de m'impliquer de quelconque façon dans cette affaire lointaine. Cette idée peut paraître insensée, mais ne l'est certainement guère plus que les scénarios des aveux que j'avais été contraint de rédiger. Chose certaine, mes ravisseurs s'agitèrent quelque peu à la mention du nom d'Oussama ben Laden, allant même jusqu'à déclarer qu'il n'était pas impliqué. Ce ne fut que plus tard, après ma libération, que je sus combien le gouvernement saoudien avait mis d'efforts pour nier toute implication de ressortissants du pays dans l'attentat. L'insinuation que mes collègues détenus et moi pouvions y être reliés de quelque façon montre bien la volonté désespérée de ce gouvernement d'effacer toute trace de complicité de sa part.

Presque toute la visite se passa à discuter de ce qui s'était passé à New York et à Washington, mais à la fin, je commis l'impair habituel et gâchai la soupe. Je dis tout haut que j'avais subi un procès huit jours auparavant. Khaled et Ibrahim s'interposèrent aussitôt avec véhémence. Le visage du consul avait pris un air horrifié tandis que mes interrogateurs s'acharnaient à démentir mes propos. Ma déclaration avait jeté un pavé dans la mare, mettant du même coup un terme à la rencontre. Je m'attendais à être châtié tout de go pour mon audace, mais rien ne suivit. Je retrouvai donc ma cellule et mon isolement habituel.

Le lendemain, lors du repas du midi, je mastiquais un morceau de poulet caoutchouteux quand j'aperçus du coin de l'œil quelque chose qui se déplaçait sur le sol. En regardant attentivement, je vis une créature à huit pattes jaune paille et au corps blanchâtre, qui agitait ses pinces et sa queue en courant çà et là. J'avais déjà eu affaire à des scorpions dans le désert et je m'étais montré prudent, car ceux qu'on trouve communément en Arabie sont assez venimeux, bien que leur piqûre ne soit pas mortelle normalement, sauf parfois pour de jeunes enfants ou des gens de santé précaire, des cardiaques par exemple. Je pus mieux en discerner la taille et l'apparence quand il s'approcha à quelques mètres de moi. L'insecte devait faire six ou sept centimètres de long, mais il avait l'air franchement anémique en comparaison de ceux que j'avais vus dans la nature. En tout cas, je n'en avais jamais vu dont le corps fût si pâle.

Je restai assis là, à contempler mon nouveau compagnon, et un sourire me vint aux lèvres à la pensée que son régime alimentaire devait être aussi maigre que le mien. Mais je ne jouais pas de chance puisque je souffrais d'une légère phobie des araignées et autres arachnides et qu'un des représentants les moins présentables de l'espèce avait pris l'initiative de me rendre visite. Je me demandai comment réagir devant cet importun qui s'approchait de moi. J'allais appeler les gardiens quand l'idée me vint que ce scorpion pouvait représenter un cadeau idéal. Ne le quittant pas des yeux, je passai le bras par-dessus la demi-cloison centrale et saisit un livre dont j'arrachai la couverture. Je pris ensuite un de mes gobelets de plastique, dont les dimensions étaient à peine suffisantes pour contenir la bestiole. Je risquais donc de me faire piquer. Peu à peu, avec précaution, je m'approchai du scorpion, qui avait heureusement décidé de ne pas bouger. Non sans inquiétude (ce genre de bête me donne la chair de poule), je rabattis prestement le gobelet pour le coincer tout en glissant la couverture du livre par-dessous.

Le scorpion se débattit férocement pendant quelques instants, et la force de ses contorsions dans cet espace étroit me surprit. Une fois assuré qu'il s'était suffisamment calmé, je déposai le gobelet de plastique avec son prisonnier sur mon plateau de nourriture. Quand j'entendis le chariot roulant s'approcher pour reprendre le plateau, je me dirigeai vers le passe-plat avec mon cadeau. Là, je retirai le gobelet et rapidement je couvris le scorpion avec un pain pita desséché en espérant que son dard ne le perçât pas. J'attendis pendant un moment qui me sembla interminable : quelques secondes, quand vous essayez de maîtriser un scorpion enragé, c'est une éternité ! Puis la fente s'ouvrit.

Je glissai rapidement le plateau dans les mains du garde qui attendait de l'autre côté, en soulevant en même temps le pita. C'était maintenant aux gardiens d'affronter la furie du scorpion qui avait recouvré sa liberté de mouvement. Ce fut un tohu-bohu des plus réjouissants. J'entendis des cris et des hurlements, des plateaux de nourriture qui s'écrasaient sur le plancher et des bruits d'agitation frénétique. Je suis convaincu que mes gardiens ne s'étaient jamais empressés autant de toute leur vie. J'avais le fou rire en attendant leur réaction. Elle n'allait pas tarder. Moins de deux minutes plus tard, la porte s'ouvrit violemment alors que s'engouffrait dans ma cellule ce qui me sembla être la troupe entière des gardiens de faction à ce moment-là. Je réussis tout de même à donner quelques coups de poing avant que cette masse humaine ne parvînt à m'écraser au sol. Je réussis aussi à m'accrocher à une des jambes qui me rouaient de coups et y mordis à pleines dents. Les hurlements de douleur de mon tortionnaire me récompensèrent de ma peine. On me donna une volée de coups de pied et de poing à la tête pour me faire lâcher prise. Finalement, les gardes quittèrent la cellule. J'avais subi une autre raclée, mais elle en avait valu la peine. Dans mes longues journées de solitude en prison, le souvenir de l'événement allait me procurer des heures de délectation enfantine.

Seul à nouveau dans ma cellule, je décidai de poursuivre sur l'élan de la journée et cherchai quelque chose à démolir. Deux mois auparavant, j'avais arraché les portes des toilettes et des cabines de douche, mais on ne les avait pas remplacées, ce qui me privait du plaisir de recommencer. Je grimpai donc sur les lavabos en acier et tentai de les disloquer en sautant dessus à pieds joints à plusieurs reprises. Peine perdue. J'examinai alors les tabourets d'acier qui entouraient le comptoir servant de table pour voir si je pouvais, en y mettant la force nécessaire, en arracher un de sa fixation au sol. Ce ne fut pas une mince tâche. Après deux heures d'efforts, je sentis enfin le siège pivotant d'un des tabourets commencer à se déboîter. Je regardai dessous et vis que la soudure de l'articulation entre le pied et le siège lui-même avait commencé à céder. Je redoublai donc d'efforts pendant encore une heure et j'eus enfin ma récompense : le siège finit par se détacher.

Je tenais maintenant dans mes mains un disque d'acier inoxydable d'environ trente centimètres de diamètre, pesant trois ou quatre kilos. Je m'en servis comme d'une masse pour démolir les lavabos et leur encadrement, mais je ne réussis qu'à faire quelques cabossages. Las de frapper les lavabos, je concentrai mes efforts sur les pentures de la porte de la cellule, mais elles résistèrent. Ma cellule résonnait dans toute sa profondeur comme une grosse caisse, ce qui faisait un vacarme épouvantable. Les gardiens finirent par se lasser de ce concert impromptu et vinrent me confisquer mon nouveau jouet. Je pensai résister et me battre, mais je réalisai vite que, si je matraquais quelqu'un avec ce disque, je le tuerais sûrement. Plusieurs de ces gardiens ne méritaient sans doute que mépris, mais pas au point d'être frappés à mort. Je balançai le disque à leurs pieds et les vis s'écarter prestement pour l'éviter. Leurs regards pleins de rage laissaient voir qu'ils avaient cru que je voulais effectivement les frapper. En tout cas, je réussissais assez bien à embêter mes geôliers.

Quelques heures plus tard, une autre troupe de gardiens vint perturber ma période de méditation pour m'annoncer que j'allais déménager. Comme d'habitude, on dut me traîner hors de ma cellule et me tirer dans un drap sur le plancher pour arriver à m'installer dans une nouvelle cellule. Je remarquai tout de suite que celle-ci comptait un jeu complet de portes de cabines. Je comptais bien m'en servir, mais pas tout de suite: j'avais déjà eu ma partie de plaisir. Je me contentai donc de la décorer un peu à ma manière avant de m'étendre et de m'endormir.

Dix jours après, quand vint le temps de nettoyer ma nouvelle cellule, je refusai d'en sortir. Le groupe de gardiens qui avait été dépêché à cette fin n'avait aucune envie d'écouter le flot constant d'injures que je leur lançais. La saleté et la puanteur qui les agressaient n'avaient rien non plus pour les mettre de meilleure humeur. Ils essayèrent de me convaincre de bouger en tirant le matelas sur lequel j'étais étendu jusqu'au sol, puis ils commencèrent à m'administrer des coups de pied pour que je me lève. Rien n'y fit. Ils me passèrent alors les chaînes aux chevilles et les menottes aux poignets pour me traîner dans une autre cellule vacante. Une fois ma cellule nettoyée, on m'y ramena de la même façon, me déposant sans cérémonie à l'intérieur. J'avais, pendant tout ce temps, réussi à contenir mon agressivité et à n'offrir qu'une résistance passive à leurs ordres et à leurs provocations.

Une fois seul, je me défoulai sur les deux portes des cabines. Je réussis à les arracher de leurs gonds et à démolir les lattes de leurs contours. Je coinçai des morceaux de bois dans les interstices de la porte pour la bloquer. Évidemment, je ne pourrais pas sortir, mais les gardes ne pourraient pas entrer non plus. Je poursuivis mon œuvre en fabriquant encore plus de fragments de bois pour les caler dans le cadre de la porte. Les gardes qui me surveillaient à travers les caméras mirentr bien du temps à comprendre mon manège. Quand ils se présentèrent à la porte, je redoublai d'ardeur pour la bloquer comme il fallait tout en me moquant de leurs imprécations. Pendant qu'ils frappaient à grands coups dans la porte, je retournai m'étendre sur mon matelas et me mis tranquillement à lire. Après quelques heures de vaines tentatives pour ouvrir, ils se retirèrent momentanément. Ils revinrent frapper de nouveau dans la porte avec ce qui était sans doute une lourde masse. Petit à petit les cales de bois commencèrent à céder et à s'effriter. La porte se mit à bouger, centimètre par centimètre. Elle s'ouvrit juste assez pour laisser passer un seul garde. Si j'avais été vraiment d'humeur violente, j'aurais pu les empêcher d'entrer en utilisant les nombreux éclats de bois pointus que j'avais en ma possession. Je suis certain que les gardiens pensèrent la même chose puisqu'ils prirent quelques minutes à se glisser dans la cellule et à désencombrer le cadre de la porte.

La porte finit par s'ouvrir davantage, et plusieurs gardiens se précipitèrent pour me traîner jusqu'à ma première cellule. En examinant les lieux, je remarquai qu'il n'y avait plus de portes aux cabines ni de tabourets autour du comptoir. Mes geôliers avaient enlevé toutes les installations dont j'aurais pu me servir pour faire de la casse. Du moins, c'est ce qu'ils croyaient. Mon regard tomba sur une petite pièce de plomberie. Je découvris vite que je pourrais facilement la démonter. Un petit sourire me vint en pensant à leur manque d'attention, et je me promis bien d'utiliser cet objet à bon escient. C'était maintenant le temps de « redécorer », de faire mes exercices physiques et de méditer, bref de me préparer pour les longues journées de harcèlement et d'interdictions qui allaient venir. À en juger par les regards haineux de tant de mes gardiens et les mauvais traitements que j'avais subis aux mains de ceux qui n'avaient pu contenir leur hostilité ou retenir leur frustration, je savais que je les exaspérais. Je savais aussi que mes tortionnaires et le tribunal étaient mis au courant de tous ces incidents. Je ne voyais pas comment on pourrait adoucir mon régime, et je ne le souhaitais pas non plus. Indirectement, je commençais à avoir une certaine emprise sur la situation, ce qui rendait mon incarcération plus tolérable, sans qu'on pusse pour autant la qualifier d'idyllique.

Ce fut à cette époque qu'on m'enleva l'autorisation d'aller faire mes exercices dans la cour. J'y serais autorisé à nouveau, quand je me serais lavé, me dit-on. C'était une punition non seulement pour ma saleté, mais aussi pour mon comportement devant le tribunal. On en rajouta en me confisquant mes chaussures de course. Ma cellule était le seul endroit, maintenant, où je pouvais faire mes exercices. S'y ajouta le problème que les sandales que je chaussais encore ne convenaient pas du tout pour courir, pas plus qu'elles n'offraient de protection pour mes pieds quand je faisais mes tours sur le plancher de béton. J'appris donc à marcher pieds nus.

Je réorganisai ma routine quotidienne pour adapter mes exercices aux dimensions limitées de ma cellule, que je ne quittais d'ailleurs que tous les deux ou trois jours pour aller voir le toubib.

À force de marcher ainsi, mes pieds développèrent des durillons épais comme du cuir, si bien que peu après ma libération, quand une petite broquette s'enfonça au bout de mon pied gauche, je ne la remarquai pas tout de suite. Je ne pouvais toutefois pas marcher sans incommodité. Mes pieds ne pouvaient endurer qu'un peu moins de trois heures de marche à la fois, ce qui équivalait, selon mes estimations (tout à fait justes, d'ailleurs), à une distance d'environ 16 kilomètres. Je devais alors faire une pause parce que le contact du béton et la friction avaient rendu mes pieds brûlants et endoloris. Je les baignais dans l'eau tiède qui coulait d'un des robinets des toilettes. Mes pieds devenaient ainsi, pendant quelque temps, la partie la plus propre de mon corps. Après une heure environ, la douleur avait suffisamment diminué pour que j'entreprisse une autre période de marche. Je pouvais ainsi parcourir de 16 à 30 kilomètres par jour, en tournant en rond comme un animal en cage. Ce que je devenais peu à peu, en fait.

Au début d'octobre, on m'autorisa de nouveau à aller faire mes exercices dans la cour. Mais je ne voulais rien savoir de ce privilège qu'on m'accordait. Alors qu'il me remettait mes vêtements propres et mes souliers de course, un officier de la garde me demanda si je voulais aller faire mes exercices. Je l'ignorai. Quand il fut parti, j'essuyai le plancher avec les vêtements qu'il venait de m'apporter, puis je les fourrai dans le passe-plat. Je conservai cependant les kamis et, pour le bénéfice de mes surveillants, d'un geste théâtral je les mis en lambeaux. Mes chaussures de course restèrent dans un coin et je ne les touchai plus du reste de mon incarcération. Je n'en avais plus besoin.

Deux jours plus tard, les autorités décidèrent de me rendre un autre privilège, soitcelui de l'accès à la cantine. Le comptable, accompagné des gardes, vint dans ma cellule pour m'annoncer que j'allais à nouveau recevoir mon salaire de prisonnier pour pouvoir faire mon «shopping». Je fis mine d'accepter. En souriant à l'idée qu'ils ne perdaient rien pour attendre, je m'avançai vers le comptoir près du passe-plat où ils se tenaient tous. Je pris les 300 riyals, soit un mois d'argent de poche. Comme d'habitude quand j'étais dans ma cellule, j'étais nu et, au surplus, sale. Ma présence physique et ma mauvaise odeur les firent reculer quand je m'avançai pour signer le livre de comptabilité. Mais au lieu de signer, je pris les billets et la feuille du registre, les repliai et m'en torchai le derrière. Ce geste les cloua sur place. Avant même qu'ils eussent le temps de réagir, je courus vers les toilettes, déchirai la feuille du registre et les billets de banque et les jetai dans la cuvette. Puis je me tournai vers eux avec un grand sourire. Ils partirent en me maudissant.

Ce fut la dernière fois qu'on m'offrit ce privilège, même si les autorités, deux semaines après, commencèrent à m'encourager à acheter des livres. Pendant les deux semaines qui suivirent, j'ignorai l'officier qui venait me mettre sous le nez une liste de livres. Puis un jour, je décidai de lui manifester tout mon mépris. Je pris la liste et refis ce que j'avais fait avec la feuille comptable et les billets de banque, avant de la fourrer dans la cuvette. Ce fut, là aussi, la dernière fois qu'on m'offrit cet autre privilège.

Les choses se passèrent ainsi durant environ quatre semaines. Une période qui s'avéra presque agréable puisque me furent épargnées les séances avec mes tortionnaires. Cette quasi-quiétude fut interrompue le soir du 9 octobre, soit au deux cent quatre-vingt-dix-septième jour de ma captivité, quand on vint me prendre pour me traîner jusqu'à la salle d'interrogatoire. J'y retrouvai Dopey et Acné. Comme ils étaient arrivés quelques minutes avant moi, pour une fois je n'eus pas à attendre avant qu'ils commençassent à dénoncer mon comportement. Ils parlaient et je restais coi. Mais je dévisageais Ibrahim avec un regard qui n'exprimait qu'une chose : une haine féroce et absolue. Je sais que cela dérangeait les deux sbires, car Khaled me dit à plusieurs reprises de cesser de fixer ainsi son collègue. Je n'en fis rien, évidemment, me délectant par trop de pouvoir déstabiliser ceux-là mêmes qui voulaient me détruire. J'avais là une preuve plus que suffisante de leur lâcheté. À mes yeux, ils étaient devenus tout petits, et plus jamais ils n'auraient sur moi le même pouvoir ou la même autorité qu'auparavant.

Quand Ibrahim enfin perdit patience, on me remit encore une fois pieds et poings liés et, pendant quelques minutes, on me soumit à la bastonnade tout en me prescrivant l'attitude que je devrais adopter lors de ma prochaine comparution en cour. On me dit qu'on m'accordait une seconde chance et que j'allais retourner devant les juges pour plaider coupable et implorer leur clémence. Pendant que les coups de canne m'arrachaient des cris, une seule pensée furieuse me tournait dans la tête : «Vous pouvez toujours aller vous faire foutre, bande d'enculés!» Las de frapper, Ibrahim me détacha et m'empoigna, tout sale que j'étais, pour me remettre debout. Il me plaça dos au mur et continua de me donner des coups de poing et des gifles pendant que Khaled me tenait un discours sur les conséquences qu'aurait pour moi tout acte d'insoumission ou tout écart de conduite par rapport au scénario du lendemain. Il ajouta que, si j'osais désobéir d'une manière ou d'une autre, cela entraînerait mon exécution tout comme celle de mes collègues. Khaled finit par épuiser ses menaces et les gifles cessèrent aussi. Alors, en fixant Dopey avec toute la haine que je pouvais exprimer, je lui dis :

– Il vaudrait mieux que tu m'exécutes. Sinon, tu vivras avec la peur collée au ventre, parce que si jamais je recouvre ma liberté, je te traquerai, toi et ta famille, où que vous soyez. Je commencerai par tuer tes enfants sous tes yeux. Puis tes épouses. Puis je t'émasculerai et te casserai l'échine pour te laisser, seul et impotent, marqué à jamais du sceau de ma vengeance.

En parlant ainsi, je sentis le timbre de la voix de Khaled changer à mesure qu'il traduisait mes propos. Sa voix laissait poindre de l'incrédulité et, quand il eut fini de traduire, le silence s'installa entre nous. Ibrahim et lui me dévisagèrent avec une sorte de curiosité mêlée de dégoût. Ils semblaient avoir peine à croire ce qu'ils venaient d'entendre, puis leur attitude finit par trahir de l'appréhension, ce qui me réjouit tout à fait. Avant même qu'ils eussent le temps de répliquer, je crachai au visage d'Ibrahim. Sa réaction vint comme un réflexe : il me frappa en plein visage avec la canne de rotin qu'il tenait encore à la main. Puis les deux se précipitèrent sur moi pour voir si j'avais été blessé. Ils s'inquiétaient maintenant que je portât des marques qui pourraient perturber le déroulement de la comédie prévue le lendemain. Ils étaient encore assez près de moi, de sorte que je pus leur cracher de nouveau dessus. Décidément, cette séance ne se passait pas du tout selon leur plan. Sans dire un mot de plus, ils appelèrent les gardes pour me ramener à ma cellule.

Si les menaces proférées à l'endroit d'Ibrahim vous choquent et si vous vous demandez si je les aurais mises à exécution, je vous assure que non. J'ai dit tout ça pour déstabiliser mes interrogateurs en tablant sur la culture de la vendetta, si répandue dans leur pays encore aujourd'hui. Ma haine et ma guérilla avaient quelque chose de personnel, qui exigeaient de me venger à mort. Je voulais m'insinuer dans leurs esprits et tourner le fer dans la plaie. C'était exactement ce qu'ils avaient tenté de faire envers moi. De telles déclarations et un tel comportement pouvaient-ils avoir une quelconque efficacité, ou bien ne servaient-ils qu'à soulager ma frustration et à me délester de ma rage? Je répondrai les deux. Quand, plus tard, j'en discutai avec l'un de mes codétenus, il me dit que Khaled lui avait parlé de mes menaces et lui avait demandé si j'étais capable de mettre à exécution une telle vengeance. Sa réponse avait été très simple: «Oui.» Il avait confirmé les craintes de Khaled, non pas parce qu'il me croyait capable d'une telle vendetta, mais parce qu'il avait senti la peur que l'autre en éprouvait.

Cette nuit-là, malgré la douleur dans mes pieds, je dormis bien. J'avais hâte au lendemain. L'aube me trouva déjà réveillé, faisant ma promenade du matin dans ma cellule en sifflant l'air de *La Grande Évasion* (et riant de m'entendre siffloter un air aussi banal). Quand les gardiens m'apportèrent mes vêtements, je profitai de l'occasion pour faire un autre geste de défi. Je leur tournai le dos pour aller prendre mon exemplaire du Coran près du lit. D'un pas nonchalant, je me rendis aux toilettes, où je déchirai quelques pages du livre saint pour les jeter dans la cuvette. Puis, consciencieusement, je déféquai dessus, complétant le rituel en me torchant avec d'autres pages déchirées. Enfin, je pris mes vêtements et m'habillai en jouissant des regards furibonds que les gardes me lançaient.

Le trajet jusqu'au tribunal se passa sans incident. Je ne sentais plus la nervosité que j'avais éprouvée la première fois. Je n'avais plus besoin de mantra pour fixer mon esprit sur ma résolution. Je m'aventurais maintenant en terrain connu et je savais que je n'avais rien à craindre, ni du procès ni de ma propre faiblesse. Je savais ce que j'avais à faire et je savais ce que je voulais faire. Je me retrouvai dans une salle d'audience différente de la précédente, mais la comédie et ses personnages étaient les mêmes. Encore une fois, Ibrahim y alla de ses divagations, et encore une fois j'eus à écouter une version abrégée de ses savoureuses déclarations. Encore une fois, je refusai de reconnaître le cahier qui contenait mes aveux. La seule chose qui ne se passa pas comme la première fois fut le moment où l'on me demanda de me nommer. Je répondis: « Lord Lucan. » Quand on me demanda mon nom une deuxième fois, je répétai la même chose. Arriva enfin le temps où je pus faire ma déclaration. Je me levai et répétai exactement ce que j'avais dit lors du premier procès:

— Je refuse de reconnaître ce tribunal qui ne tient sa légitimité que des enseignements et préceptes d'un faux prophète et d'un faux Dieu, qui ne tire son autorité que d'une culture et d'un pays politiquement corrompus, socialement rétrogrades, moralement ruinés et complètement dégénérés.

En me levant pour livrer mon discours, je n'éprouvai rien de l'anxiété de la première fois. J'étais ferme dans ma résolution de leur cracher métaphoriquement au visage. Je ne me sentais plus du tout comme leur prisonnier puisque j'étais libre sur le seul terrain où on puisse l'être. Cela avait été pour moi un itinéraire plein d'embûches et j'avais pris beaucoup de temps pour arriver à ramener au niveau du sentiment ce que je savais déjà au plan intellectuel. Je puis dire toutefois que tout, depuis mon viol jusqu'à ma crise cardiaque, m'avait préparé à ce geste de défi. Je me tenais donc devant ceux qui allaient me condamner et qui savaient fort bien que j'étais innocent, et je savourais ce moment où j'apercevais tous ces visages indignés autour de moi, sauf un: celui du traducteur interprète. Le pauvre, il avait l'air de quelqu'un qui aurait préféré se couper les veines plutôt que de traduire mes paroles. Ibrahim me regardait avec des yeux exorbités, et Khaled vint me souffler à l'oreille:

— On va se revoir bientôt.

— Est-ce qu'on joue à « rira bien qui rira le dernier »? lui répliquai-je calmement.

Khaled ne saisit pas mon sous-entendu. Il parut intrigué, mais son regard était chargé de colère.

Je signai le compte rendu d'audience et on me conduisit vers la sortie. En passant devant les juges, celui que je soupçonnais de parler anglais se pencha pour me parler. Ce qu'il me siffla entre ses dents confirma mon opinion sur cette cour et ceux qui en faisaient partie.

– Vous ne savez pas ce qu'on peut vous infliger, vous ne le savez pas. Où est Christopher Rodway? Vous ne savez donc pas ce qu'on peut vous infliger?

– Il est là où vous l'avez mis! répondis-je à cette brute corrompue qui se donnait le titre de juge.

– Et c'est là qu'on va *vous* mettre, riposta-t-il pendant que je sortais de la salle.

Cette fois, ma performance ne me valut pas une fausse exécution. S'ensuivirent toutefois les brutalités habituelles. De retour à la prison, on m'amena directement à la salle d'interrogatoire où l'on me demanda à nouveau d'examiner des feuilles de photos d'identité sur la même sorte de papier à en-tête mystérieux. Malgré les insistances de Khaled sur le fait que je devais sûrement pouvoir identifier quelques visages, je n'en reconnus aucun. Je lui disais la vérité, mais j'étais curieux de savoir pourquoi on me montrait ces photos. Je n'en saurai cependant jamais la raison, ni d'ailleurs la langue utilisée dans ces pages. Khaled finit par sortir de la pièce pour se faire remplacer par un garde. Je ne pouvais aller nulle part pourtant, car j'étais encore menotté et entravé. Je passai le reste de l'après-midi assis, passant le temps à dormir tranquillement. À son retour, Khaled était accompagné d'Ibrahim, et la soirée se passa encore une fois sous les coups. Quand je fus enfin ramené à ma cellule, j'étais furibond. On avait dû me traîner de force, crachant et me débattant comme un diable. On me libéra de mes entraves et tout de suite j'entrepris de me calmer en faisant les cent pas malgré mes pieds endoloris. Les deux jours qui suivirent, je fus reconduit dans la salle d'interrogatoire où, en silence, ils s'acharnèrent à me battre jusqu'au soir. À la fin de la dernière séance, ils m'informèrent que j'allais deux jours plus tard recevoir la visite d'une personne de l'ambassade et ils me menacèrent d'autres représailles si j'osais mentionner quoi que ce soit à propos de mon dernier procès.

Quand, le 15 octobre, jour 303, on m'emmena au centre des visites, j'étais déjà décidé à ne pas obéir à Khaled et à parler de bien plus que de mon procès. Je ne m'attendais pas à ce que les fonctionnaires de l'ambassade m'écoutassent ou croient ce que j'allais leur dire, mais j'allais au moins brouiller un peu la relation par trop amicale et passive qu'ils avaient développée avec mes tortionnaires. Ce qui me surprit cependant, ce fut que le consul général me dit d'entrée de jeu qu'on pouvait commencer à discuter de ma situation. Puis il me répéta que je pourrais bénéficier des services d'un avocat. Je lui appris alors que, la semaine précédente, j'avais eu à subir un autre procès. Il écarta la chose du revers de la main, disant que je ne comprenais rien au système judiciaire du pays. Je trouvais cela un peu gros de la part de quelqu'un qui jugeait l'Arabie Saoudite semblable au Rwanda, et je protestai d'autant plus que cette opinion venait de son empressement à prendre pour argent comptant les allégations de mes geôliers. Je lui réitérai ma position au sujet d'une assistance juridique : je n'avais aucune envie de collaborer de plein gré pour conférer une quelconque respectabilité à la justice de ce pays. Je l'avais déjà dit lors des visites précédentes pour me voir chaque fois réprimandé tant par les représentants de l'ambassade que par mes brutes de tortionnaires. Ces rencontres m'avaient donc nettement convaincu que le gouvernement canadien ne s'intéressait nullement à la justice de ma cause, mais plutôt à la mascarade qui lui donnerait un semblant de réalité juridique. Le consul me l'avait bien fait sentir. Quand je lui dis que j'étais heureux de voir qu'enfin il essayait de prouver mon innocence, il me répondit :

— Il ne nous intéresse pas de savoir si vous êtes coupable ou non. Notre seule préoccupation est que vous subissiez un procès impartial.

Je rétorquai qu'il était un peu tard pour me donner cette assurance, mais il choisit d'ignorer mes paroles.

Jusque-là, mes ravisseurs avaient gardé le silence, se contentant de me jeter des regards furieux pour avoir dépassé les bornes. Ibrahim se leva et alla vers la porte appeler un garde. Je croyais qu'il allait mettre fin brusquement à l'entretien, mais non. Il demandait au garde d'aller chercher du thé. J'en profitai alors pour ouvrir une autre brèche en dévisageant Khaled :

— On peut donc parler de ma cause, n'est-ce pas ? Alors, on va aussi parler des tortures que ces deux-là m'ont infligées, non ? dis-je en les désignant, lui et Ibrahim.

La réaction ne se fit pas attendre. Khaled m'ordonna de la fermer et le consul ajouta que de tels commentaires n'étaient

313

ni utiles ni appropriés. J'aurais cru pourtant que l'emploi de la torture était une question pertinente pour la légitimité des procédures intentées contre moi et la recevabilité de mes aveux. Mais j'avais oublié que des questions du genre étaient des grains de sable ennuyeux dans les engrenages bien huilés des relations diplomatiques. Ce fut, en tout cas, ce qu'on me démontra par les faits et gestes de toutes les autorités gouvernementales associées à mon cas.

Quand Ibrahim revint, Khaled lui traduisit ce que j'avais dit. Ibrahim entreprit alors de dénoncer ce qu'il appelait mes mensonges et mes petits jeux. Cela me fit sourire. Je me demandais s'il croyait vraiment ce qu'il disait. En tout cas, il jouait de mieux en mieux la comédie. Effectivement, je jouais des petits jeux, mais au moins les miens ne visaient pas à tuer quelqu'un pour des crimes qu'il n'avait pas commis. Ces jeux étaient mes seuls moyens de rendre les coups au milieu de la tyrannie que je subissais. Les jeux que jouaient mes geôliers, eux, entraînaient l'immolation de la personne qui leur tombait sous la patte. Ils assuraient aussi le maintien de la fiction hypocrite qui prétendait que les problèmes de leur pays résultaient de l'influence dépravée des *khawajas* et que leur système judiciaire était indépendant et exempt de corruption. Pour les autres gouvernements concernés par mon affaire, l'Arabie Saoudite était un État client beaucoup trop important pour qu'ils songeassent à lui brasser la cage un tant soit peu. Bel exemple d'éthique en politique étrangère.

À la fin de la rencontre, le consul m'informa que l'ambassade allait me trouver un avocat et que je recevrais bientôt la visite d'un psychiatre canadien. Je ne dis mot. Je refusai même de lui serrer la main quand il se leva pour partir. Ses propos m'avaient laissé une assez piètre impression à son sujet. Il était à peine sorti de la pièce qu'on me remettait les menottes et me giflait. Au moins, Khaled et Ibrahim avaient appris à prendre leurs précautions quand ils me traitaient de la sorte. Leurs remontrances furent brèves et sans fioritures: mon comportement avait garanti que jamais je ne recouvrerais la liberté et que je mourrais en braillant comme une fillette. Crachant sur eux comme d'habitude, je leur répondis avec toute l'agressivité dont j'étais capable, leur rappelant qu'ils étaient mieux de s'assurer que je mourusse, parce qu'autrement je saurais «les retrouver et leur montrer comment demander grâce».

Je pouvais à peine me retenir de rire de la bravade insensée de mes paroles parce que cela me rappelait l'idiotie des scénarios des superproductions hollywoodiennes. Elles firent quand même leur effet puisque mes deux inséparables cessèrent de me parler, détournant de moi leurs regards en appelant les gardes. Je fus étonné d'être amené directement à ma cellule, et encore plus surpris de ne pas me retrouver devant mes tortionnaires avant la prochaine visite, qui survint dix jours plus tard.

Ce long hiatus m'avait laissé tout le temps pour réfléchir aux remarques du consul. Je comprenais que le gouvernement canadien, soit par opportunisme politique, soit par acceptation pure et simple de la propagande saoudienne, avait tenu pour acquises ma culpabilité et celle de mes codétenus. En l'occurrence, la seule chose que l'ambassade (et le gouvernement canadien) pouvait faire était de servir de point de contact, plutôt dérisoire, entre ma famille et moi. Pour quoi que ce soit d'autre, qu'il s'agît de représentations auprès du gouvernement saoudien ou des services d'un avocat, je ne pouvais nullement m'y fier. Je savais que je ne pouvais compter que sur mon propre jugement et mon acuité d'esprit. Même si ni l'un ni l'autre n'étaient infaillibles, je savais qu'au moins ils n'allaient pas me trahir. Je n'allais coopérer avec les laquais du service diplomatique que le temps strictement nécessaire, ce qui ne pouvait pas durer encore longtemps.

Quelques mois auparavant, à la suite d'une autre tentative en vue de me remettre sur le droit chemin, j'avais refusé de prendre mes médicaments. J'avais aussi refusé d'aller à d'autres consultations médicales. La réparation temporaire d'une de mes molaires s'était soldée par un échec et la dent s'était fracturée jusqu'à la racine, ce qui avait provoqué une inflammation et un peu d'enflure. On avait dû extraire la dent à l'hôpital des Forces de sécurité. Pendant le temps où l'on me garda dans la section de l'hôpital réservée aux prisonniers, on m'imposa une visite de l'ambassade au cours de laquelle on discuta de mon état de santé.

J'avais, à l'époque, cessé de prendre l'antihypertenseur qui m'avait été prescrit après mon opération au cœur. Mais j'avais

315

continué de prendre l'aspirine prescrite et d'inclure dans mon régime un supplément multivitaminé. J'avais décidé de ne plus prendre l'antihypertenseur parce que j'estimais qu'il n'était pas nécessaire. Sous l'effet de cette médication, ma pression artérielle se situait en effet à 95/60, ce qui me faisait souffrir d'hypotension orthostatique : si je me levais trop vite, j'avais des étourdissements et, à deux reprises, je m'étais évanoui. Sans l'antihypertenseur, par contre, ma pression était de 105/68, ce qui est assez bas pour dire que je ne souffrais pas d'hypertension. Néanmoins, le personnel médical et les fonctionnaires de l'ambassade avaient passé deux mois à me harceler pour que je reprisse le médicament, même si personne ne pouvait m'en donner une raison valable. J'avais aussi refusé toute visite de l'ambassade. Malgré tout, encore une fois dans cet hôpital, j'eus à subir les pressions des fonctionnaires de l'ambassade, à qui justement je ne voulais plus avoir affaire. Il n'y avait pas de quoi me mettre de bonne humeur, et je fus des plus soulagés quand cette visite prit fin et que je pus retourner à la liberté relative de ma cellule.

Le lendemain, ma réserve de vitamines était épuisée. Les vitamines avaient été décrétées inutiles, mais elles avaient commencé à faire partie de mon régime quotidien quand j'en avais demandé à l'ambassade. Puis, embarrassées par ma requête, ce qui avait fait piquer une colère à Khaled et Ibrahim, les autorités carcérales avaient fini par m'en fournir. Comme mes rations de nourriture étaient fades et toujours trop cuites, je considérais ces vitamines comme essentielles. Et elles l'étaient devenues encore plus depuis que mon privilège d'accès à la cantine m'avait été retiré. Je m'en passai pendant deux jours, sans m'inquiéter, car de telles interruptions se produisaient parfois, même pour les médicaments.

Le jour où la livraison de vitamines reprit, j'examinai le comprimé avec suspicion. Il n'avait pas la forme habituelle : rectangulaire et arrondie. Il s'agissait plutôt d'une capsule blanche hexagonale, de forme presque ovoïde. Je me méfiais, mais je n'avais aucune raison de douter de sa provenance. Je l'avalai donc, en plus de l'aspirine. Il ne fallut que quelques minutes pour que je commençasse à le regretter. Je me sentis étourdi, la tête embrouillée. Chaque mouvement que je faisais me semblait étrange. C'était comme si l'air était soudain devenu plus dense, et qu'il fallait me forcer un chemin à travers. Je m'étendis sur ma couche, oubliant tout ce qui pouvait se passer autour, incapable de mettre de l'ordre dans mes pensées plus de quelques secondes à la fois. Je ne m'aperçus même pas de l'arrivée de Couteau Souriant, qui vint s'asseoir près de moi.

Dans les minutes qui suivirent, j'eus encore à subir un discours de propagande. Je ne pouvais rien dire. Les mots que j'entendais me parvenaient comme du fond d'un long tunnel. Une expérience bizarre, qui n'avait rien d'agréable. Saïd s'éclipsa et je restai là sans bouger, dans un étrange état de suspension. Je me sentais incapable de faire quoi que ce fût. Même pas de dormir. Je demeurai dans cet état de léthargie jusqu'après minuit, où je me forçai à me lever. Pour essayer de me remettre d'aplomb, je me mis à marcher en rond dans ma cellule. Les heures me parurent interminables avant que ne se dissipât le brouillard qui avait envahi tous mes sens.

Le lendemain matin, un des préposés au dispensaire vint m'offrir un autre comprimé de vitamines. Je le refusai en lui indiquant que je ne prendrais que l'aspirine. Il me signala, à son tour, que si je ne prenais pas les deux comprimés, je n'en aurais aucun. Je choisis donc de n'en prendre aucun. Puis je demandai à voir le médecin pour qu'il me montrât l'emballage dans lequel se trouvait le comprimé. Lorsque je fus en sa présence, le toubib refusa. Avec véhémence, je l'accusai d'imposture, lui disant que dans tout pays civilisé, administrer un médicament sous une fausse étiquette constituait un abus de confiance qui pouvait entraîner l'emprisonnement du médecin, et non pas du patient comme c'était mon cas. Il était clair qu'on m'avait administré une forme d'hypnotique ou d'anxiolytique et que lui et ses supérieurs étaient complices de l'affaire.

Je quittai son bureau pour revenir dans ma cellule. Je résolus alors de ne plus accepter de traitement médical d'aucune sorte, quelle qu'en fût la nécessité. Ce fut ainsi qu'avait débuté cette grève de médicaments, qui s'ajoutait à la liste de mes protestations. Dans les jours qui suivirent, je refusai donc tout médicament qu'on me présentait. Je refusai aussi d'aller voir le toubib. Au bout d'une semaine, celui-ci vint me voir dans ma cellule.

Dans des termes non équivoques, je l'avertis :

– Si tu oses me toucher, fils de pute, je te tords le cou !

317

Je peux dire que, d'une manière ou d'une autre, lui et ses collègues comprirent le message. Fin, donc, des visites, et fin des pressions pour que je subisse des examens médicaux. Mon nouvel esprit récalcitrant me valut quand même une visite de Khaled et d'Ibrahim. Leurs arguments et leurs menaces ne furent d'aucun effet. Ils ne pouvaient se rendre compte qu'en toute logique, s'ils voulaient que je fusse condamné à mort, il n'y avait aucune nécessité pour moi d'accepter des traitements. Et s'ils voulaient me maîtriser avec une matraque chimique, alors pourquoi devrais-je collaborer? Ils ne s'en prirent pas à moi physiquement à ce moment-là, et l'on ne m'imposa pas d'autres restrictions. Il leur restait, faut-il le dire, bien peu de chose à m'enlever. Je ne me lavais plus et je restais nu. Je n'allais pas non plus chez le barbier, je n'achetais plus rien à la cantine, je ne demandais plus de lectures. Je continuais toutefois de recevoir, par l'entremise de l'ambassade, des livres de mes amis. (J'allais découvrir plus tard que, sur cinq livres qu'on m'envoyait, un seul me parvenait.)

Le 24 octobre, jour 312, on m'amena au centre des visites pour rencontrer un psychiatre canadien, rencontre qui avait été organisée par les ministères des Affaires étrangères et du Commerce extérieur. Selon les instructions préliminaires données par Khaled, je ne devais pas mentionner les moyens par lesquels j'avais été « mis dans le droit chemin » et je devais confirmer que j'avais tenté de me suicider. Ces instructions me faisaient rigoler. Je trouvais du plus haut comique que mes tortionnaires me sermonnassent sur l'utilisation légitime et justifiée de la torture mais craignassent de l'appeler par son nom et surtout de la voir mentionnée devant les représentants d'un gouvernement étranger.

L'entrevue avec le docteur Neil Oliver, du Service correctionnel du Canada, eut lieu en présence du docteur Al-Humaïd, le psychiatre saoudien dont les rapports sur ma conduite non coopérative m'avaient valu d'autres châtiments corporels, et de mes deux tortionnaires, Khaled et Ibrahim. Cette rencontre n'était guère propice à la confidence, car chacune de mes paroles pouvait ensuite d'être utilisée contre moi. Je répondis du mieux que je pus aux questions mais restai sur mes gardes, tâchant d'en révéler le moins possible sur moi.

Durant cette entrevue et celle qui suivit trois jours plus tard, les seules questions auxquelles je répondis plus en détail furent celles qui me permettaient de renforcer ma nature solitaire et mon peu de souci pour ma propre sécurité. Plusieurs évocations de ma vie antérieure étaient, de fait, des allusions allégoriques à ma situation actuelle. Je savais qu'en parlant trop directement, Ibrahim mettrait fin à l'entrevue. Aussi tentais-je autant que possible de me servir de supposés épisodes antérieurs de ma vie pour fournir des indices sur ma situation présente, en espérant que le docteur Oliver vérifierait ces informations auprès des membres de ma famille et en comprendrait alors le sens caché. Je racontai notamment les conflits que j'avais eus avec un enseignant aux convictions religieuses très rigoureuses. Comme jamais personne du genre ne m'avait enseigné, j'espérais que le psy saisirait l'allusion et verrait qu'une partie de mon comportement en prison était la réaction aux préjugés et à l'endoctrinement religieux auxquels me soumettaient mes geôliers. Durant ces entrevues, je ne cessai de discréditer les institutions économiques et gouvernementales de l'Arabie Saoudite, au grand dam de Khaled, d'Ibrahim et d'Al-Humaïd, qui néanmoins n'essayèrent pas de me faire taire au départ.

L'algarade commença quand, à la fin des deux entrevues, je soulevai des sujets litigieux. Au docteur Oliver qui m'interrogeait sur ma tentative de suicide, je répétai que rien du genre ne s'était produit et racontai en détail les coups que j'avais reçus aux mains des gardiens ce soir-là. Ibrahim et Khaled me coupèrent la parole, mais je n'en continuai pas moins de parler malgré leurs protestations en les traitant de menteurs chaque fois qu'ils essayaient de me contredire. Le docteur Oliver intervint pour calmer le jeu et changer le sujet de la conversation, mais je me demandais comment il interpréterait les tentatives de mes tortionnaires de m'empêcher de parler librement. La même confrontation se répéta à la fin de la deuxième entrevue quand j'accusai mes ravisseurs d'être responsables de la torture qui avait presque entraîné ma mort. Encore une fois, je me demandai ce qu'on ferait de mes déclarations. Chose certaine, je n'accordais aucune crédibilité à ces entrevues psychiatriques, compte tenu des conditions dans lesquelles elles étaient faites et de l'information qui en ressortait. En prenant congé du docteur Oliver, je lui demandai de passer à mon père le message suivant: «Dites-lui que mon sort est scellé, que c'en est fini pour moi. Qu'il prenne soin de sa femme et m'oublie!» En disant ces mots, je soupçonnai que leur ton fataliste me serait préjudiciable dans l'analyse de ma condition mentale. Mais l'analyse erronée et sans fondement d'un psychiatre d'État était le moindre de mes soucis à ce moment-là.

Après ma libération, je pus voir le rapport de ces entrevues et je ne fus pas étonné de le trouver aussi fallacieux que je l'avais supposé. J'y étais, en effet, décrit comme une personne déprimée au moment des entrevues, malgré mes démentis les plus énergiques. Mes déclarations n'étaient pas mentionnées, donc tous les messages implicites en avaient été ignorés. Par ailleurs, les affirmations de mes tortionnaires et du docteur Al-Humaïd sur mon comportement se trouvaient dans le rapport et avaient été acceptées telles quelles. Ma protestation par la malpropreté, mes propos obscènes et mon attitude violente avaient été présentés au docteur Oliver comme des gestes délibérés ne résultant d'aucune provocation.

Un peu plus d'une semaine plus tard, je fus conduit à la salle d'interrogatoire pour me faire dire par Khaled que j'aurais une autre visite de l'ambassade le lendemain et que je rencontrerais alors l'avocat assigné à ma défense. On exigeait ma pleine coopération, sinon on menaçait de me le faire payer cher. Khaled n'ajouta rien de plus et je revins à ma cellule. Lors d'une visite précédente, quand la question de me faire représenter par un avocat était venue sur le tapis, les représentants de l'ambassade m'avaient prévenu que je pourrais être représenté par le cheikh Salah al-Hejaïlan ou par le docteur en droit Ahmed al-Tuwaïjeri. Une telle représentation ne m'intéressait pas, car je savais qu'elle ne servirait qu'à légitimer la corruption et l'inhumanité foncières du système judiciaire saoudien. Mais je savais aussi que je devrais jouer un rôle dans la farce du lendemain soir. Je pris donc la peine de bien réfléchir à ce que je dirais aux avocats et à ce que je leur demanderais.

Le lendemain soir, on m'amena dans l'une des pièces du centre des visites, où le premier consul et un autre représen-tant de l'ambassade m'attendaient. Avec eux se trouvait un grand Saoudien à l'air distingué, portant son plus beau bisht ainsi que le kamis et le keffieh de rigueur. On me le présenta comme étant maître Al-Tuwaïjeri, et nous échangeâmes une poignée de main avant d'entrer en conversation. Khaled et Ibrahim étaient encore présents, de sorte qu'il n'était pas question d'échanger des propos confidentiels, comme il se doit entre un client et son avocat. J'avais, de fait, espéré rencontrer le cheikh Salah al-Hejaïlan, car j'avais déjà fait affaire avec des membres de sa famille et je les avais trouvés relativement honnêtes, ce qui me mettait en terrain plus connu, disons. Quant à l'avocat saoudien qui se tenait devant moi, il m'était parfaitement inconnu, ce qui suscita aussitôt ma méfiance.

Je savais que mon apparence physique, avec mes cheveux et ma barbe hirsutes, mon tee-shirt sale et l'odeur que je devais dégager, ne contribuait pas à donner une impression favorable de moi aux représentants de l'ambassade et à l'avocat. J'exprimai néanmoins avec détermination mes vues sur la corruption et le manque d'impartialité qui prévalaient dans le système judiciaire du pays, décrivant les membres du tribunal et mes interrogateurs comme des bouffons et des laquais criminels, guère plus édifiants dans leur conduite que des animaux – opinion que je maintiens encore. Je mis aussi au courant tous ceux qui étaient là des déclarations que j'avais faites lors de mes deux comparutions en cour. Ces paroles prononcées devant le tribunal équivalaient à un crime d'apostasie. Comme je leur rapportais cette histoire, je voyais l'inquiétude gagner le visage de mes interlocuteurs à mesure qu'ils comprenaient la pleine signification de mon geste. Je n'avais pas fini de parler que déjà fusaient les exclamations de réprobation de la part de mes interrogateurs et du premier consul, tandis que l'avocat se tenait coi.

À la fin, l'avocat s'adressa à moi, disant qu'il était prêt à me représenter dans toutes les procédures suivantes, et que le cheikh Salah al-Hejaïlan allait représenter les détenus britanniques. Il demanda ensuite si j'avais des questions à lui poser. Je lui demandai à quoi tenaient mes deux premiers procès et pourquoi on m'avait refusé les services d'un avocat. Il me dit qu'il ne s'agissait pas de procès mais d'audiences préliminaires. Je savais qu'il mentait, car, à ma connaissance, mes comparutions en cour s'étaient déroulées exactement comme dans les autres procès menés en Arabie Saoudite. Je savais aussi que l'audience préliminaire avait déjà eu lieu avec des magistrats des tribunaux islamiques en janvier 2001, dans les bureaux d'interrogatoires de la prison d'Al-Ha'ir. Mais je ne jetai pas cet os dans la conversation. Cependant, je déclinai l'offre d'assistance juridique de maître Al-Tuwaïjeri, à la plus grande consternation du premier consul qui continua d'exiger que je reconsidérasse ma décision. Je sais qu'on a rapporté, à propos de cette réunion, que j'avais prétendu connaître davantage la charia que l'avocat, mais ce ne fut pas ainsi que je formulai mon refus. J'avais dit simplement que l'avocat savait, autant que moi, que mes comparutions n'avaient pas été des audiences préliminaires. Et c'était à cause de cette supercherie de sa part que j'avais refusé ses services. La rencontre se termina avec le départ de l'avocat, suivi des représentants de l'ambassade. Je dis à ces derniers que, s'ils revenaient encore avec de tels avocats, je refuserais de les voir.

Il importe de noter ici qu'en avril 2002 Al-Tuwaïjeri a été cité dans la presse pour avoir informé le gouvernement canadien que j'avais été reconnu coupable et condamné à mort lors d'un procès qui avait eu lieu en octobre 2000, avec un appel subséquent, entendu en janvier 2001 (en mon absence), qui avait confirmé la sentence. Cette sentence avait été ratifiée en mars 2001, et le gouvernement canadien en avait été finalement informé le 17 avril 2001, jour de mes 42 ans. On ne peut que se demander pourquoi Al-Tuwaïjeri, la seule fois où il me parla en novembre 2001, avait nié que mes comparutions en cour eussent bel et bien été mon procès, alors qu'il devrait plus tard contredire publiquement ce qu'il m'avait avancé.

Quelques jours plus tard, on me prévint d'une autre visite de l'ambassade. Les apostrophes violentes de Khaled et d'Ibrahim furent brèves et limitées, car ils se bornèrent à me dire que je n'avais pas d'autre choix que d'accepter Al-Tuwaïjeri comme avocat. Je pensai sans le dire que la terre s'arrêterait de tourner avant que je me pliasse à cette exigence, mais j'étais curieux de voir pourquoi mes tortionnaires insistaient tant pour m'imposer, au lieu d'Al-Hejaïlan, Al-Tuwaïjeri, qui représentait les autres détenus. Je me demandais si je n'étais pas trop soupçonneux dans cette affaire, mais j'appris par la suite que les détenus étaient représentés par des avocats différents selon leur nationalité. Opposer les uns aux autres les intérêts différents des gouvernements belge, canadien et britannique faisait partie, semblait-il, de la stratégie du ministère de l'Intérieur.

Donc, le soir du 12 novembre, jour 331, je fus conduit à une autre rencontre où, à part Ibrahim et Khaled, ne se trouvait que le premier consul. Je trouvai la chose un peu suspecte. J'y ai été admonesté à la fois par mes deux tortionnaires et par le consul pour avoir refusé l'assistance juridique. Je les écoutai me presser de part et d'autre d'accepter Al-Tuwaïjeri comme avocat. Il était assez étrange d'entendre un représentant du gouvernement canadien faire les louanges du système judiciaire saoudien, me fustigeant pour mon attitude agressive à l'égard des représentants carcéraux et enjoignant que je me conformasse aux exigences parfaitement justifiées de mes ravisseurs. Il termina enfin sa harangue en disant:

– Bill, vous me décevez. Si vous n'acceptez pas maître Al-Tuwaïjeri comme avocat, le gouvernement canadien ne pourra rien faire de plus pour vous.

Et voilà où on en était: une menace de me retirer toute aide, chose que j'aurais normalement souhaitée par suite de mes rapports avec les représentants du Canada, mais l'ambassade de ce pays représentait mon seul moyen efficace de communiquer avec ma famille. Je me conformai donc à leur volonté. Je n'ai pas encore compris pleinement le sens de cette capitulation, compte tenu de la résistance que j'avais manifestée jusque-là. Je sais que lors de cette rencontre, ma détermination avait fléchi. Ma résistance m'apparaissait futile. J'avais toujours à l'esprit la supercherie de l'avocat. Mais malgré toute ma lucidité, l'état émotif vulnérable dans lequel je me trouvais me fit accepter les exigences du premier consul. Mes deux tortionnaires parurent fort étonnés en me voyant confirmer par écrit que j'acceptais de prendre Al-Tuwaïjeri comme avocat. Je me sentais trop fatigué, trop seul, accablé et meurtri pour faire autrement. Je manquai de fermeté, à ma plus grande honte, et concédai ainsi à mes geôliers une autre victoire. Sur cette capitulation qui venait d'être signée sur papier, l'entrevue prit fin et je repris le chemin de ma cellule.

Au cours du trajet de retour dans le souterrain conduisant à ma cellule, la colère commença à m'envahir. Une colère qui n'était pas tournée contre mes geôliers mais contre moi-même, pour ma faiblesse et ma stupidité, car j'avais accepté d'être représenté par quelqu'un qui n'avait pas été honnête avec moi, parce que j'avais fléchi et capitulé devant les exigences d'au moins deux systèmes politiques qui faisaient tout en leur pouvoir pour détruire des gens innocents au nom des impératifs politiques. Ce fut l'une de mes plus grandes trahisons de moi-même lors de mon incarcération. Ma première trahison était plus compréhensible, car les aveux étaient inévitables dans les circonstances. Cette fois, ce n'était pas le cas. J'aurais pu empêcher l'affaissement de ma volonté si j'avais fait preuve de la force de caractère nécessaire. Je me fustigeai moi-même pour ma stupidité et mon manque de fibre morale. En arrivant dans ma cellule, j'avais déjà décidé de refuser de coopérer avec Al-Tuwaïjeri ou même de le rencontrer. J'espérais que je m'en tiendrais à cette nouvelle résolution – et cela, seul le temps le dirait. De fait, je réussis à maintenir cette détermination jusqu'à ma libération, en refusant désormais toute occasion de rencontre avec Al-Tuwaïjeri et la moindre collaboration aux procédures juridiques hypocrites qui seraient intentées contre moi dans les années suivantes.

Au cours des deux semaines suivantes, en arpentant ma cellule et en méditant, je repassai maintes fois dans ma tête les affirmations qui avaient été faites par le premier consul, pour en déduire que le gouvernement canadien était convaincu de ma culpabilité ou bien, à tout le moins, se satisfaisait de la version des événements telle que l'avait décrite le ministère de l'Intérieur. Je ne pouvais sonder pleinement les raisons d'une telle forfaiture et, bien que je fusse persuadé d'avoir été sacrifié aux intérêts diplomatiques, je ne tirai de conclusion définitive que quelque temps après ma libération.

Je participai à deux autres rencontres où le premier consul était le seul représentant de l'ambassade. La première eut lieu vers le 19 novembre, jour 338. J'eus alors droit aux mêmes avertissements de me conformer et de coopérer, et, à la fin, à une déclaration que je me promis bien de ne pas oublier:

– Considérant ce que vous avez fait, vous devez collaborer pleinement avec les autorités saoudiennes, sinon il n'y a rien de plus que nous ne puissions faire pour vous aider.

Une fois encore, on me remettait sur le nez l'admission de fait de ma culpabilité et on me menaçait de me retirer toute assistance. Il m'était difficile de croire qu'on m'avait fourni quelque assistance digne de ce nom. Je peux comprendre qu'aux premiers jours de mon incarcération on ne put faire grand-chose pour moi, mais, après cette période initiale, aucune sorte d'intervention des gouvernements occidentaux n'avait empêché la torture qui avait abouti à ma crise cardiaque ni la poursuite des mauvais traitements. Alors, qu'avait-on fait, au juste, pour moi et que ferait-on?

La rencontre suivante m'offrit une preuve encore plus évidente à la fois de la perfidie et de la naïveté du premier consul. La discussion initiale se déroula entre le consul, Khaled et Ibrahim, tandis que j'y assistais en spectateur amusé. Le premier consul félicitait mes tortionnaires et se félicitait lui-même des bonnes relations qu'ils avaient développées ensemble. Il évoqua les affrontements qui s'étaient produits entre les membres de l'ambassade britannique et mes tortionnaires au cours des visites à mes codétenus. J'étais fort tenté de souligner que de tels affrontements étaient meilleurs pour le moral des prisonniers que son attitude lâche devant ceux qui m'avaient torturé, mais je retins ma langue, le laissant parler sans l'interrompre.

Après avoir évoqué les difficultés auxquelles s'était butée la délégation britannique et sa réussite apparente à me rendre plus docile, le premier consul se réjouit de la vie confortable qu'il menait dans le Royaume avec sa femme, ajoutant que celle-ci avait obtenu le poste de chef du marketing au Specialist Hospital. En entendant cela, j'eus peine à contenir ma surprise, car j'en savais davantage à ce sujet qu'il n'aurait jamais pu le deviner.

Dans le cadre de mon emploi au Fonds, un collègue canadien m'avait remis un c.v. de la femme du premier consul en disant qu'il fallait aider une compatriote canadienne à obtenir du travail en Arabie Saoudite. Étant donné la nature de l'emploi qu'elle cherchait, un poste de cadre dans les secteurs des soins de santé et de la pharmacie, elle avait peu de chance d'obtenir ce genre de poste qui n'était normalement échu qu'à des hommes et rarement, sinon jamais, à des expatriés; aussi rangeai-je le c.v. en promettant de m'y pencher, mais je n'en fis rien sur le coup. Cela s'était passé peu de temps avant ma première arrestation, en octobre 2000: à ce moment-là, je travaillais à analyser la viabilité d'un centre de laboratoires au sein du Specialist Hospital, qui fournirait ses services sur une base commerciale à tous les autres hôpitaux des secteurs public et privé. À l'époque où je préparais mon rapport, certains tests diagnostiques médicaux étaient fournis par des laboratoires à l'extérieur du pays, à des coûts considérables. Il était donc opportun de fournir un tel service à l'intérieur d'une même entité dans le pays. Mon rapport établissait qu'un tel projet s'avérerait nécessaire à long terme, à mesure que le secteur des soins de santé à l'intérieur du pays se développerait et se perfectionnerait. Au moment de mon arrestation, le projet n'était pas allé au-delà de la phase de proposition. Mais voilà que, en entendant le premier consul jubiler de satisfaction, j'apprenais que l'hôpital en question avait créé un nouveau poste – celui de directeur du marketing –, qui n'existait pas en décembre 2000. Et non seulement un tel poste n'existait pas à ce moment-là, mais à cause de la façon dont ces postes étaient pourvus, il aurait normalement dû échoir à un homme saoudien bien pistonné, avec un expatrié occidental pour remplir le poste de directeur adjoint qui ferait en fait tout le travail. Il faut ajouter le fait que la réglementation à l'époque stipulait que les épouses de diplomates n'étaient pas autorisées à travailler en Arabie Saoudite (sauf comme membre du personnel de l'ambassade), ce qui rendait encore plus suspecte une telle nomination (depuis lors, le gouvernement saoudien a changé ses règlements). J'apprenais donc quelque chose qui représentait au moins un important conflit d'intérêts, sinon une corruption pure et simple, et ce fut alors que je commençai à comprendre pourquoi on reconnaissait ma culpabilité. Mais ce ne fut que plusieurs mois après ma libération, quand je pris connaissance de l'affaire *Marc Lemieux contre le ministère des Affaires étrangères*, qui concerne des cas de corruption au sein de l'ambassade du Canada à Riyad, que je compris que le traitement de mon cas avait probablement été affecté par le malaise profond qui régnait à l'ambassade canadienne.

À la fin de la visite, j'eus droit encore à une déclaration mémorable, qui eut un effet immédiat sur moi, particulièrement quand on la reliait aux révélations inouïes qui avaient précédé.

– Nous savons que la situation est difficile, mais nous nous sommes arrangés pour faire améliorer votre condition. Alors, coopérez ! Puisque vous êtes coupable, vous devez collaborer complètement ou alors nous ne pourrons vous aider.

Quand ces mots me furent adressés, mon idée était déjà faite. Je n'accepterais plus aucune assistance d'individus comme le premier consul ni d'ailleurs du gouvernement pour lequel il travaillait. Si cela voulait dire que ma famille n'aurait plus les moyens de communiquer avec moi, même de la façon restreinte qui était permise, alors tant pis. Je savais ce que j'avais à faire, et ces gens n'auraient qu'à subir les conséquences de ma conduite qui, pour moi, était justifiée. Il était temps de me battre seul, car mes intérêts n'étaient pas défendus par ceux qui disaient m'apporter de l'assistance. Leur acceptation tacite de ma culpabilité n'était guère ce qu'il me fallait, sans compter leur besoin politique de collaborer avec le gouvernement corrompu d'Arabie Saoudite. L'effet cumulatif de cette réalité et des allégations successives du premier consul, en plus d'autres révélations, m'amena à conclure que le gouvernement canadien était tout autant mon ennemi que le gouvernement saoudien. Je savais que la seule personne sur qui je pouvais compter était celle que je voyais en face de moi dans les plaques d'acier poli montées au-dessus des lavabos de ma cellule.

Certains pourraient dire que cette conclusion était le fait d'une présomption arrogante ainsi que de la paranoïa inhérente aux traitements que j'avais subis, mais ce n'était pas le cas. Je ne cessais de remettre en question et de passer au crible mes moindres sentiments et pensées pour voir si j'avais des raisons de minimiser ce que j'avais observé et pour vérifier si mes conclusions ne s'expliquaient pas par les effets émotionnels de la torture et de la séquestration solitaire. Et plus j'y réfléchissais, plus je me sentais justifié de croire que les gouvernements occidentaux impliqués ne travaillaient pas dans les meilleurs intérêts de leurs ressortissants, mais pour préserver leurs relations avec l'Arabie Saoudite, sans égard à ce qu'il en coûtait à ceux qui étaient détenus. Alors même que j'en arrivais à ces conclusions, j'appris que des membres de ma famille et certains de mes amis en contact constant avec les gouvernements impliqués étaient scandalisés des déclarations qu'on leur faisait.

J'étais maintenant entré dans une protestation radicale qui me mettait sans cesse aux prises avec les autorités carcérales qui, de leur côté, prenaient des mesures pour maintenir leur emprise sur moi. J'ai déjà parlé des diverses étapes de ma protestation. Vers décembre 2001, je ne me lavais plus ni ne prenais de douche ; je ne portais plus de vêtements, ne quittais plus ma cellule pour faire des exercices, n'utilisais plus les services de la cantine, n'allais plus voir le toubib ni ne prenais mes médicaments. Je dois ajouter que d'autres restrictions m'avaient été imposées en guise de représailles pour mon comportement.

Parmi les commodités fournies dans ma cellule, il y avait une bouteille de plastique de 20 litres contenant de l'eau potable et une glacière pour l'entreposage de la nourriture achetée à la cantine. Des cubes de glace étaient livrés chaque jour pour assurer la fraîcheur des aliments ou des jus de fruits entreposés, la température ambiante de la cellule baissant rarement, l'été, sous les 35 degrés Celsius. À cette époque, on avait enlevé la climatisation dans ma cellule et on ne la remit plus, de sorte que les températures se rapprochaient de celles de l'extérieur, ce qui signifiait une chaleur cuisante de 45 degrés l'été, et des températures fraîches de 8 à 10 degrés au cœur de l'hiver. Pendant une brève période de quelques mois, au printemps et à l'automne, la température dans ma cellule était confortable compte tenu du fait que j'y vivais nu. Le reste du temps, j'étais en sueur même en restant étendu sur ma couche, ou bien je devais m'envelopper dans ma couverture pour garder ma chaleur. Cependant, je m'étais habitué à ces écarts de température, car les quelques mois de transition d'un extrême à l'autre permettaient à mon corps de s'adapter peu à peu au changement des saisons. Si le refus de m'accorder du chauffage ou de la climatisation se voulait une forme de punition, ce fut l'une des moins efficaces, car je n'en ai pas souffert, contrairement à d'autres commodités qui m'avaient été enlevées.

Quant à la glacière, elle m'avait été confisquée depuis longtemps. Lorsqu'on m'avait privé de l'accès à la cantine, je n'avais plus eu besoin de ce contenant isolant, aussi commençai-je à laisser les cubes de glace dans le passe-plat, où ils fondaient et coulaient à l'extérieur, dans le couloir. Après quelques jours, les gardiens en eurent assez et la glacière disparut, comme tant d'autres commodités. Ce qui m'étonna, ce fut que mon récipient à eau fût remplacé comme il se devait sans autre conséquence, même si je l'avais parfois renversé dans le passe-plat, causant une cascade d'eau dans le couloir. Je me demandais si ce privilège allait être maintenu, en présumant qu'il le serait puisqu'ils devaient me fournir de la nourriture et de l'eau potable.

Des petits cartons de 250 ml de jus de fruits étaient livrés d'habitude avec le repas du midi, ainsi que des fruits frais, surtout des pommes et des oranges. Au petit-déjeuner, des petits cartons de 125 ml de lait UHT étaient aussi fournis tous les deux jours. Je faisais un usage particulier de ces cartons vides. Je les ouvrais à leur pleine grandeur pour les remplir de mon urine et de mes défécations, puis je brassais vigoureusement le contenu pour en faire un mélange assez dégoûtant. Je déversais ensuite cette mixture putride par la fente du passe-plat pour la répandre dans le couloir. Les gardes tolérèrent la chose un certain temps, jusqu'à ce que je trouvasse un autre usage à ces cartons.

On m'avait traîné hors de la cellule pour la nettoyer en m'assénant des coups de poing et de pied pour me rendre plus docile, ce qui n'avait pas eu l'effet escompté. Quand on me ramena, on me traîna jusqu'à la cloison basse au milieu de la cellule pour ensuite m'enlever les menottes et les chaînes. En me levant et en maudissant les gardiens qui se dirigeaient vers la sortie, je remarquai que deux cartons remplis de mes excréments étaient restés sur le comptoir de la cloison. Comment avait-on pu les oublier là au cours du nettoyage? Je n'en savais rien. Mais j'en fis aussitôt usage, les projetant dans le dos des gardiens qui sortaient. J'avais visé deux gardiens en particulier, à cause à leur ardeur particulière à me taper dessus, et je fus ravi de voir les cartons atteindre leur cible, souillant le dos et les épaules des gardiens visés et éclaboussant leurs collègues. Je m'attendais à être châtié pour ce geste, mais les gardiens pressèrent plutôt le pas pour sortir de la cellule en faisant claquer la porte derrière eux. Quelques instants après, avant que j'eusse pu remplir à nouveau les contenants, les gardiens revinrent et l'un d'eux, portant des gants de plastique jetables, confisqua les objets du délit. Depuis lors jusqu'à ma libération, je ne reçus plus de jus de fruits, bien que, quelques mois avant ma libération, du lait UHT réapparut dans le plateau de mon petit-déjeuner.

Quant aux fruits, je les mis à contribution autrement. J'étais heureux de manger des oranges, mais comme je n'ai jamais beaucoup aimé les pommes, celles-ci s'accumulaient peu à peu dans ma cellule. Après en avoir ramassé environ deux douzaines, je me demandai ce que je pourrais en faire, et la réponse m'apparut aussitôt. Après une autre dispute au sujet du nettoyage de ma cellule, je réussis à lancer avec assez de force un fruit derrière la tête d'un gardien. Quand l'un de ses camarades se retourna pour foncer sur moi, il reçut à son tour un projectile entre les deux yeux tandis qu'une autre pomme que je lançais allait éclater contre le mur à côté de la porte. Debout à l'extrémité du châlit, avec mes munitions à portée de main, j'aurais pu faire mouche trois ou quatre fois encore avant d'être maîtrisé, mais les gardes jugèrent bon de battre vite en retraite.

En considérant les éclaboussures produites sur le mur par l'explosion de mes projectiles improvisés, j'eus l'idée d'un autre emploi que je pourrais faire des pommes avant qu'elles me fussent confisquées, comme j'étais sûr qu'elles le seraient. J'en pris quelques-unes et les lançai en direction du réceptacle des caméras en circuit fermé, situé à plus de dix mètres au-dessus du sol. Après avoir lancé une demi-douzaine de pommes, j'avais réussi à couvrir d'éclaboussures le réceptacle des caméras, ce qui brouillait les objectifs des appareils. Je dirigeai alors mes tirs vers la caméra nichée dans l'autre coin, finissant par la couvrir aussi de pulpe de pomme. Inutile de dire que deux jours plus tard je fus tiré de ma cellule une fois encore. Alors que l'on me traînait sur le sol vers l'extrémité du couloir, je vis une grue roulante partiellement assemblée, qui manifestement serait utilisée pour nettoyer les caméras en circuit fermé. La présence de cette grue expliquait le temps que l'on avait mis à réagir au sabotage des caméras, car un tel appareillage devait être démantelé pour être transporté dans le bloc cellulaire et ensuite y être réassemblé. Ce fut la dernière fois que l'on me servit des fruits frais.

La disposition de ma couche fut une autre source de bras de fer entre le autorités carcérales et moi au cours du mois de décembre 2001. Selon leurs exigences, ma couche devait être placée sur un châlit particulier qui était visible des deux caméras en circuit fermé. J'avais choisi plutôt de placer le matelas sur le plancher entre les deux châlits les plus proches du mur extérieur. J'avais aussi rangé mes livres sur l'un des châlits pour faire écran. Conséquence de ce réaménagement, quand j'étais étendu sur ma couche, j'échappais au champ de vision de l'une des caméras; tandis que l'autre ne pouvait voir que mes pieds qui ressortaient au bout des châlits. Cela me procurait un peu d'intimité, et j'aurais cru qu'ainsi mes geôliers seraient ravis de ne pas avoir à contempler ma nudité. Cependant, tel ne fut pas le cas, car aussitôt le réaménagement fait, les gardiens se ruèrent dans ma cellule, me tirèrent d'entre les châlits et me ramenèrent sur le châlit prescrit. Ma réaction fut tout aussi immédiate et je remis aussitôt les choses dans l'ordre que je voulais. Le jeu se poursuivit au cours de la première nuit du réaménagement, jusqu'à ce que je tombe endormi entre les châlits, quelque temps après l'appel de la prière de l'aube. Quand je me levai au moment où le repas du midi était servi, je découvris qu'on ne m'avait pas déplacé. Je me demandais si on me laisserait continuer de dormir de cette façon plus intime, mais j'en reçus la réponse assez vite, ce soir-là, quand le même manège recommença. La chose se poursuivit durant dix à douze jours, avant que les gardiens finalement abandonnent et me laissent l'aménagement que je voulais, car ils pouvaient au moins voir mes pieds bouger, même si le reste de mon corps n'était pas visible.

Avec le temps, le nombre de livres augmenta dans ma cellule ainsi que la hauteur de l'écran qu'ils formaient. Je découvris qu'en me serrant contre le châlit et en repliant les genoux, je pouvais me soustraire complètement à la vue des caméras. Et quand je le faisais, un groupe de gardiens était dépêché dans ma cellule pour voir si j'étais toujours là et toujours vivant (bien qu'ils eussent été ravis du contraire, j'en suis sûr). Je m'en amusais beaucoup, car chaque fois que les gardiens s'amenaient dans ma cellule, ils devaient patauger dans les détritus que j'avais répandus partout. Je m'adonnais à ce jeu la nuit seulement, dans les périodes où mon cycle de sommeil m'amenait à dormir durant le jour. La raison en était que la plupart des gardiens en faction la nuit avaient l'habitude de somnoler dans le poste de contrôle, tandis qu'un ou deux seulement restaient éveillés pour surveiller les moniteurs des caméras. Je savais donc que mes gestes les forceraient non seulement à entrer dans le repaire immonde que j'avais fait de ma cellule, mais aussi à se tirer du sommeil pour le faire. Je pouvais ainsi leur créer deux irritants au moyen d'un simple

331

petit geste. Cela ne manquait jamais de m'amuser, mais, à ce moment-là, un rien m'amusait.

Le plus grand sujet de dispute avec les gardiens était mon refus de quitter la cellule, quel que soit le motif évoqué. Chaque fois que les gardiens entraient dans la cellule pour m'en faire sortir, soit pour une visite ou pour un interrogatoire, ou encore pour la nettoyer, je les ignorais ostensiblement, levant à peine la tête de mon livre ou de mes cartes pour flairer la nouvelle odeur, fort déplaisante, qui envahissait ma cellule. S'ils m'agressaient verbalement, je répliquais de la même façon, ce qui avait pour effet de les irriter plus que moi. Leurs frustrations devant mon refus de me soumettre à ce qu'ils concevaient comme leur autorité légitime étaient visibles sur leurs visages, ce qui risquait souvent d'entraîner des affrontements violents, particulièrement quand un officier était à la tête de la troupe. Quand ils étaient déterminés à me sortir de ma cellule, ils me mettaient les menottes et les chaînes et me tiraient à l'extérieur. J'essayais alors d'opposer une résistance passive, les forçant à manipuler directement mon corps nauséabond. Je contenais mon agressivité quand les gardiens ne faisaient que me tirer à l'extérieur. Cependant, à plus d'une occasion, l'officier de commande ordonna aux gardiens de me forcer à me lever et à marcher, ce qu'ils essayaient de faire à coups de poing et de pied.

Comme par hasard, les altercations se produisaient toujours quand on devait nettoyer la cellule et qu'un officier dirigeait l'opération. La sortie de ma cellule en vue de rencontrer des visiteurs de l'ambassade se faisait selon un rituel spécifique. Les sorties pour les interrogatoires se faisaient rares désormais, mais, dans ce cas, il semblait que des officiers spéciaux étaient dépêchés pour veiller à ce que je fusse amené auprès de Khaled et d'Ibrahim avec un minimum d'affrontement. Cependant, le nettoyage de la cellule était une tout autre affaire.

L'intervalle de temps entre chaque nettoyage de ma cellule s'allongea au cours de mon incarcération, augmentant de deux à quatre semaines autour du printemps 2002, probablement parce que mes geôliers ne voulaient pas s'embarrasser davantage des problèmes que leur causait le seul fait de m'extirper de mon antre. Vers la fin de 2002, on ne me retirait plus de ma cellule pour effectuer cette opération : à la place, une équipe de nettoyage entrait dans les lieux, et les gardiens formaient une sorte de barrage, pour me garder isolé dans le coin où j'étais étendu sur ma couche. La politique d'isolement radical vis-à-vis de tous les travailleurs étrangers détenus dans la prison avait manifestement était abandonnée, de sorte que les tentatives pour maintenir quelque propreté dans mon antre devenaient moins conflictuelles. Jusqu'à ce moment cependant, l'exercice avait été semé de difficultés pour les autorités carcérales.

Deux altercations en particulier me viennent à l'esprit. La première se produisit à la mi-février 2002, durant la matinée. Les gardiens étaient entrés dans ma cellule, commandés par un officier en kamis, un homme replet portant lunettes et moustache fine, une lueur malicieuse dans ses yeux bridés. Chaque fois que cet officier était à la tête des gardiens, la violence physique était à l'ordre du jour. À cette occasion, on s'empressa de me passer menottes et chaînes, et on tira mon matelas (avec moi dessus) pour le jeter sur un châlit. Sur un signe de l'officier, le gardien à ma droite m'empoigna par les cheveux pour me redresser. C'était l'un des jumeaux Saddam, tous deux particulièrement brutaux. Quand la moindre violence était exercée contre moi, ils étaient toujours là et toujours avides de taper.

En me tenant d'une main, le jumeau Saddam entreprit de me gifler de l'autre, tandis qu'un autre gardien me criait de me lever. Le reste de la troupe – une douzaine environ – était planté là autour, à observer ce qui allait se passer. Mon sang ne fit qu'un tour et, poussant un cri sauvage, je portai un coup au jumeau. Mais juste à ce moment-là, le gardien que j'avais surnommé Zapata intervint en poussant le jumeau hors de ma portée. La cible s'étant déplacée, je ne pus qu'enfoncer les dents dans le bras de Zapata – l'un des gardiens les plus corrects de la prison, malheureusement – en y appliquant toute ma force. Je me souciais peu de qui je mordais, tout ce que je voulais c'était redonner un peu de ce qu'on m'avait servi. Les gardiens s'affolèrent. Les jumeaux Saddam et d'autres me martelèrent de coups sur la tête pour me faire lâcher prise. Ils finirent par y arriver, et je fus roulé sur le ventre et pressé contre le châlit. Au cours du combat, le matelas avait été déplacé, ce qui me laissait

333

sur la surface dure du châlit, alors qu'on m'empoignait par les cheveux et me tournait la tête de côté. À ce moment-là, l'officier s'avança pour me frapper de toutes ses forces sur l'oreille. Je reçus ainsi six, sept coups, qui me plaquèrent chaque fois la tête sur la surface dure. Je sentis tout à coup quelque chose éclater dans mon oreille, suivi d'une douleur aiguë. Toute volonté de résistance m'abandonna alors que j'étais étourdi et assommé sous l'effet des coups reçus. Comme je ne pouvais plus lutter davantage, on me tira en bas du châlit, ma tête heurtant le sol, et on me traîna hors de la pièce jusque dans le salon du barbier, où je restai le temps du nettoyage de ma cellule.

Quand on me remit dans ma cellule, je me sentais encore un peu sonné, songeant qu'on m'avait presque mis knock-out. Je sentais un bourdonnement dans mon oreille gauche, et tout ce que j'entendais semblait déformé. Je palpai ma tête pour sonder les parties endolories et enflées, et je touchai quelque chose d'encroûté autour de l'oreille. En vérifiant de plus près en face des plaques d'acier au-dessus du lavabo, je vis que mon oreille avait saigné. Je savais que mon tympan avait été perforé, et je me demandais s'il n'y avait pas d'autres blessures. Heureusement, le saignement semblait minime, bien que j'eusse souffert de troubles de l'audition dans cette oreille durant quelques mois. En fin de compte, la blessure guérit, mais j'ai gardé une légère perte d'audition de ce côté.

Des mois plus tard, en août 2002, une autre altercation du genre se produisit. Encore là, c'était l'officier binoclard qui dirigeait la troupe. Aucune violence ne fut employée quand on m'extirpa de la cellule, bien qu'on me retournât sur le ventre et me tirât par les chaînes des chevilles, face contre terre. Cette fois, au lieu de m'amener dans le salon du barbier, on me traîna tout le long jusqu'à la cour de la prison en me faisant rebondir sur les quelques marches à franchir avant d'y arriver. Quand on m'avait sorti de la cellule, j'avais réussi à attraper une couverture, car j'avais envie de me donner un peu de confort là où me mettrait à l'écart. Je n'étais pas fâché de l'avoir fait quand mon corps entra en contact avec la surface de béton de la cour, car j'en sentis aussitôt la chaleur cuisante sur ma peau. Comme on était au mois d'août, dans la canicule de l'été, toute surface exposée quelque temps au soleil devenait assez brûlante pour y cuire un œuf. Quand les gardes lâchèrent les chaînes, je me relevai en prenant la couverture pour la placer sous mes pieds. Mais on me l'arracha aussitôt. J'avais la plante des pieds qui cuisaient sur le béton brûlant. Un officier survint et jeta un kamis devant moi. Un gardien qui l'accompagnait tenait une paire de sandales dans ses mains. Il me dit que je pourrais les avoir si je m'habillais. L'offre était tentante, car la chaleur devenait insupportable. J'attrapai aussitôt le kamis, ce qui tira un sourire à ceux qui étaient devant moi, mais ce sourire disparut vite quand ils me virent déchirer le kamis et aller me poster au centre de la cour. Je sentais mes pieds brûler non seulement à cause de la douleur mais aussi de l'odeur de chair rôtie qui s'en dégageait. C'était une odeur étrange, plus déconcertante que désagréable. Je restai là à dévisager agressivement l'officier, qui tourna bientôt les talons et disparut. Le gardien qui tenait les sandales resta sur place quelques instants, ahuri, avant de partir à son tour. Les gardes affectés à ma surveillance marmonnèrent quelque chose entre eux, comme si mes gestes leur confirmaient bel et bien que j'étais fou. Après quelques minutes, des gardiens se détachèrent du groupe pour ramasser la couverture et la lancer à mes pieds. Je la pris pour la rejeter ostensiblement derrière moi, gardant mes pieds en contact direct avec le béton. Je m'habituais à la douleur, et j'étais curieux de voir combien de temps je pourrais tenir.

Après vingt minutes environ, on m'intima de revenir dans ma cellule. J'étonnai beaucoup les gardiens en décidant d'y aller de bon gré en boitillant sur mes pieds brûlés, boursouflés de cloques. Revenu dans mon antre, je me dirigeai aussitôt vers l'un des cabinets de toilette pour baigner mes pieds dans l'eau fraîche du robinet avant de revenir à ma couche. Une inspection sommaire me permit de constater que j'avais la plante des pieds brûlée presque d'un bout à l'autre, avec des cloques qui s'étaient formées à divers endroits. Mais grâce à leur épaisse callosité, acquise à force de marcher pieds nus, les dommages étaient limités. Quelque temps après, le toubib entra dans ma cellule et voulut voir mes pieds, ce que je refusai avec véhémence. Il repartit en secouant la tête d'incrédulité devant ma folle obstination. Il me fallut plus d'une semaine avant de pouvoir reprendre mes exercices routiniers. Durant les jours qui suivirent, je restai étendu sur ma couche, me déplaçant seulement pour prendre ma nourriture et aller aux toilettes.

Mon refus de rencontrer les gens de l'ambassade ou l'avocat eut des conséquences étranges. Les gardiens, commandés normalement par un officier parlant anglais, entraient dans ma cellule et annonçaient que je devais me rendre à une visite. Ma seule réponse était de les ignorer. Les gardiens sortaient alors de la cellule pour revenir peu après en apportant divers messages sous forme de lettres ou de télécopies qui me demandaient instamment d'accepter les visites. Parfois, on agitait les feuilles en face de moi en me disant que je pourrais en prendre connaissance si je m'habillais et quittais la cellule. Inutile de dire que j'y opposais une fin de non-recevoir. D'autres fois, on me remettait les feuilles, mais je les déchirais et me torchais le derrière avec, ce qui ne manquait jamais de les faire grimacer et rager. On brandissait les feuilles ou me les tendait d'une façon exagérément théâtrale. D'abord, cette attitude ne me frappa pas particulièrement, jusqu'à ce jour où, en plus des feuilles, un officier agita une cravate devant moi en réitérant l'offre peu intéressante de me dire à qui elle appartenait si je consentais à me vêtir et à quitter la cellule. Alors qu'il brandissait cette cravate devant moi, j'observais l'officier qui riait de ses propres gestes, jusqu'à ce que je réalise qu'il était en train de jouer cette comédie à l'intention des caméras en circuit fermé. Je compris alors que l'on filmait mes gestes, ce qui me fit me demander au bénéfice de qui cela était fait. J'étais presque certain que ces enregistrements étaient destinés aux dirigeants de l'ambassade étant donné les commentaires formulés sur ma conduite lors de la dernière visite que j'avais acceptée. Dommage que mes geôliers ne leur aient offert que ce choix particulier d'enregistrements sur ma vie en prison. Car il aurait été beaucoup plus édifiant pour les diplomates concernés de voir des vidéos de mes séances d'inter-rogatoire s'ils avaient eu la force d'en soutenir le spectacle.

Le soir du 25 février, jour 436, le téléviseur encastré dans le mur de ma cellule s'alluma tout à coup, ce qui me tira du sommeil. C'était la première fois qu'il s'allumait, ce qui confirmait au moins qu'il fonctionnait. Le volume avait été manifestement mis au maximum, car le son était à la fois assourdissant et déformé. Je n'allais certainement pas me rendormir dans ces conditions, et ce qui était diffusé n'avait guère de chances de m'intéresser. Le congé annuel du *hadj* battait son plein, et la télévision saoudienne diffusait de longues séances de prières dont on m'assaillait maintenant. Je pressai le bouton à côté de la porte pour appeler les gardiens. Quand ils arrivèrent, je leur demandai d'éteindre ce vacarme. On opposa un non catégorique à ma demande. Celui qui était à la tête de l'équipe de nuit avait manifestement décidé qu'il me fallait une séance d'éducation religieuse forcée.

Étant maintenant pleinement réveillé et incapable de me rendormir dans ces conditions, je parcourus la cellule de long en large pour trouver quelque chose qui puisse mettre fin au boucan. En inspectant les toilettes, je vis que je pouvais dévisser une partie de la pédale qui actionnait le robinet et en retirer un petit disque d'acier inoxydable d'environ cinq centimètres de diamètre. Alors je me rendis à l'autre bout de la cellule et lançai le disque contre l'écran protecteur en verre armé derrière lequel se trouvait le téléviseur. Après cinq tentatives, le verre commença à craquer et, quelques minutes plus tard, l'écran était complètement zébré de fêlures.

Alors que je poursuivais mes efforts pour briser l'écran, le téléviseur s'éteignit aussi soudainement qu'il s'était allumé. Content de mon coup, je revenais à ma couche quand la porte de la cellule s'ouvrit pour laisser entrer un groupe de gardiens, conduit par le moins détestable des officiers. Celui-ci me demanda poliment le disque. J'acquiesçai à sa requête en lançant le disque aux pieds des gardes-chiourmes, mais sans y mettre de force ni viser quelqu'un en particulier. Cependant, les gardiens s'écartèrent aussitôt, ce qui me procura encore un malin plaisir. Après avoir pris le disque, l'officier et les gardiens partirent, mais ils revinrent quelques minutes plus tard pour me demander de sortir de la cellule. À ce moment-là, j'étais étendu sur ma couche, ce qui les força à me transporter à l'extérieur. Quand on me fit revenir, le téléviseur et son écran protecteur avaient disparu. À la place, on avait posé un simple panneau de contreplaqué. Au moins, maintenant, mon sommeil ne serait pas perturbé par cet appareil. Hélas, environ deux semaines plus tard, le foutu machin était remis en place, bien qu'au moins, à l'avenir, il ne servirait plus à me mitrailler avec les braillements cacophoniques de la télévision saoudienne.

Le 15 mars, jour 454, j'étais étendu avec un livre de mathématiques à la main, essayant de résoudre un problème assez ardu sans crayon ni papier, quand le téléviseur se ralluma. Cette fois, on m'offrait le curieux spectacle d'une course dans un vélodrome, diffusée sur ESPN. Je me demandais ce que cela laissait pressentir quand la porte de la cellule s'ouvrit pour laisser passer la brigade habituelle d'une quinzaine de gardiens, conduite par un officier parlant anglais. Comme j'essayais de les ignorer, on m'informa que je pourrais maintenant déménager de ma cellule pour aller loger avec certains de mes codétenus. L'offre me fut répétée à plusieurs reprises, mais je refusai obstinément de l'entendre. Exaspérée, la troupe quitta la cellule et le téléviseur s'éteignit. Je me demandais ce qui allait suivre, et cette inquiétude m'empêcha de me concentrer sur mon livre. Je me mis donc à marcher de long en large dans la cellule pour me calmer les nerfs. Heureusement, rien ne se produisit dans les deux semaines suivantes, ce qui me laissa amplement le temps de décider du parti à prendre si jamais la proposition m'était faite de nouveau.

Dans la matinée du 27 mars, jour 466, le téléviseur s'alluma de nouveau. Vu ce qui était arrivé les fois précédentes, je m'assis pour attendre l'arrivée des gardiens. Je ne fus pas déçu, car à peine quelques minutes plus tard, ils arrivaient avec, à leur tête, Mohammed Saïd alias Couteau Souriant. Cette fois, on ne me demanda pas si je voulais me joindre à d'autres prisonniers. Couteau Souriant me dit, sans ambages, que, peu importe ce que j'en pensais, je serais transféré avec les autres détenus. Cette menace ne me permettait pas d'ignorer davantage sa présence. Je rétorquai que je ne pouvais les empêcher de mettre ce projet à exécution, mais que je tuerais quiconque serait en cellule avec moi. Voulaient-ils vraiment prendre un tel risque? demandai-je. Pour toute réponse, ils sortirent de la cellule, me laissant à ma solitude habituelle. Dans les minutes qui suivirent, le téléviseur s'éteignit, me privant de la compagnie de ce bruit de fond. Plus tard dans la soirée, on vint me tirer de ma cellule pour m'amener à l'hôpital. J'avais d'abord pensé que mon bluff ne serait pas pris au sérieux et que j'allais me retrouver avec un compagnon de cellule.

J'étais en cellule isolée depuis plus d'un an à ce moment-là. On aurait donc pu croire que j'aurais accueilli avec plaisir la compagnie d'un autre être humain. À vrai dire, j'avais trouvé l'offre fort alléchante et très difficile à écarter. Mon régime de protestation était très ardu à maintenir, et mon isolement dur à supporter. Ma résolution était donc ébranlée par cette proposition. Cependant, je savais que, si je partageais une cellule avec un autre détenu, je devrais ou cesser mes protestations, car je ne pourrais pas soumettre un autre à de telles conditions, ou convaincre mon compagnon de cellule de se joindre à mes diverses formes de protestation. Aucun des deux scénarios ne cadrait avec ce que je voulais. De fait, j'essayais de provoquer les Saoudiens pour qu'ils rejetassent toute leur colère sur moi, de sorte que s'ils avaient besoin d'un bouc émissaire ils me choisiraient forcément. Mettre fin à ma protestation aurait sabordé cet objectif, comme d'ailleurs le fait d'entraîner un autre dans cette protestation. Ce fut pourquoi je décidai que mon seul recours était de rester seul. Ce n'était pas une décision facile à prendre, mais c'était celle que je trouvais nécessaire même si l'idée d'avoir de la compagnie fut, à certains moments, presque irrésistible dans l'état d'épuisement et de harassement où j'étais.

Quelques mois après mon refus d'accepter les visites de l'ambassade, mes geôliers trouvèrent finalement une solution efficace au problème. Les gardiens surgissaient dans ma cellule, me mettaient les entraves, puis m'étendaient de force sur une civière pliante à roulettes. Avec force courroies et sangles, on m'immobilisait complètement puis, après avoir jeté un drap blanc sur moi, on me transportait rigide et anonyme comme un cadavre destiné à la morgue vers une ambulance, qui filait vers l'hôpital des Forces de sécurité. Et là, j'aboutissais dans une chambre de la section réservée aux prisonniers où on me mettait bien enchaîné dans un lit. Alors, les autorités saoudiennes pouvaient maintenir l'illusion que je subissais un examen médical de routine et que, par hasard, il serait commode que les représentants de l'ambassade vinssent me visiter à cet endroit. Le fait était que les médecins ne faisaient leur apparition que lorsque les représentants de l'ambassade étaient présents, et alors seulement pour bien montrer que je refusais les soins médicaux. C'était tout juste un autre épisode du spectacle de foire que mon emprisonnement était devenu.

La première visite eut lieu tout juste après la deuxième tentative de me tirer de mon isolement. Ce soir-là, on vint me chercher de la manière décrite pour m'emmener à l'hôpital où, le lendemain, une délégation de l'ambassade se pointa. À la tête de cette délégation, il y avait une figure inconnue qu'on me présenta comme le nouveau consul général. J'aurais dû savoir quelle était sa fonction étant donné son apparence. Il était la réplique exacte du consul précédent : petit, mince et gagné par la calvitie, portant un veston à carreaux et une cravate à rayures. Tout, de son apparence physique et de ses manières jusqu'à son mauvais goût, était si semblable à l'autre qu'il me vint à l'esprit qu'il devait y avoir, quelque part, un laboratoire secret de l'État, qui produisait des clones.

La rencontre n'augurait rien de bon, car le consul entreprit de me faire la leçon de façon agressive et sur un ton impérieux. Je pris le parti de l'ignorer. Il laissa entendre clairement que j'étais responsable de ce qui m'arrivait et que mon comportement, notamment mon refus de rencontrer mon avocat, ne nuisait pas seulement à moi mais aussi aux autres prisonniers. Il me tança vertement aussi pour la stupidité de ma grève de soins, me disant que je n'avais pas idée des conséquences d'un tel geste. Je me demandais s'il croyait que son arrogance lui ferait obtenir autre chose de moi qu'une réponse sur le même ton, ce que je lui épargnai de prime abord. Je commençai par réitérer que je n'étais nullement intéressé par une intervention de son gouvernement dans mon affaire, et que je n'avais pas la moindre intention de rencontrer l'avocat, que je considérais d'ailleurs comme une vulgaire marionnette des hommes de main de Nayef. Enfin, je lui dis que je connaissais fort bien les conséquences de ma grève de soins, et que c'était justement la raison pour laquelle je la faisais. Comme le consul commençait à répliquer à mes propos, je lui coupai la parole d'un véhément « *Fuck off!* » (Va te faire foutre). Il resta bouche bée au milieu de sa harangue et sortit de la pièce pour aller s'entretenir à part avec ses nouveaux amis, Ibrahim et Khaled. Le terme « amis » me semble indiqué étant donné que tous les représentants de l'ambassade semblaient s'entendre beaucoup mieux avec mes tortionnaires qu'avec moi. Leur conciliabule terminé, tout le monde revint dans la chambre, et le consul exigea de nouveau que j'autorise les médecins à m'examiner. Je répliquai vertement :

– Vous pouvez vous le mettre où je pense, votre examen !

Cela lui cloua le bec et la réunion prit aussitôt fin. On m'annonça alors la visite, quelques jours plus tard, d'un éminent député canadien. Tout le monde, semblait-il, participait à la comédie, et tous les gouvernements concernés essayaient de tirer parti de la situation pour je ne sais quelles fins de propagande. C'était du moins ce qu'il me semblait. Deux jours plus tard, tout juste après qu'on eut enlevé le plateau du petit-déjeuner, tout un remue-ménage commença. Des gardiens en uniforme entraient et sortaient de ma chambre, en succession régulière, apportaient des pièces de mobilier, puis les enlevaient et les rapportaient encore. D'abord, on apporta un tapis circulaire frappé aux armes du Royaume, puis on vint l'enlever. Ensuite, des fauteuils apparurent avec le tapis, puis on ressortit le tapis pour le rentrer encore avec un palmier en pot. On enleva alors les fauteuils pour les rapporter peu après, tandis que le palmier en pot disparaissait à son tour. Cette activité incessante avait quelque chose de drôle et d'ennuyeux à la fois. On était déjà arrivé à l'heure du repas du midi, et il me vint à l'esprit qu'il serait bon d'ajouter à la décoration des lieux. Alors, quand l'aménagement fut complété et qu'on m'apporta le repas, je répandis la nourriture partout et pissai sur les fauteuils. Quand un gardien revint chercher le plateau, la découverte de mes ajouts au décor fit en sorte qu'on enleva prestement ce qui avait été placé dans la chambre et qu'on ramassa une partie de la nourriture éparpillée, mais la flaque d'urine resta intacte, comme une large nappe jaune sur le plancher.

Quand la délégation de l'ambassade arriva, suivie du dignitaire de passage, elle tomba sur le spectacle malpropre de ma chambre d'hôpital, bien qu'ils ne manifestèrent aucune surprise, mes geôliers les ayant déjà mis en garde. Avec les quatre représentants de l'ambassade, il semblait que toutes les autorités de la prison et de l'hôpital, ainsi que Khaled et Ibrahim, étaient sur place. Le coup d'envoi de cette audience forcée fut donné par le consul, qui commença par dire que j'avais refusé l'offre d'être hébergé avec les autres prisonniers et que je refusais tous soins médicaux, ce qui confirmait que tout cela m'était offert mais que ma conduite récalcitrante était de fait le vrai problème.

On me présenta alors au dignitaire en visite, monsieur Stéphane Bergeron, député du Bloc québécois pour la circonscription de Verchères-Les Patriotes. Il m'apprit que certains de ses commettants, des amis d'antan, l'avaient alerté sur mon cas et avaient insisté pour qu'il s'en mêlât. Étant membre du comité des Affaires étrangères au Parlement canadien, il s'était arrangé pour faire inclure une visite en Arabie Saoudite dans la dernière étape d'une mission à l'étranger. Il avait ainsi obtenu l'autorisation de me voir. Je dois avouer que j'ai été étonné d'entendre le nom des amis qu'il mentionnait. Ma réaction fut d'abord d'en rire. Cependant, ce simple message d'amitié eut sur moi un effet profond. Les mots se gravèrent en moi, renforçant du coup ma résolution. J'eus l'impression qu'on m'infusait de l'acier dans la colonne vertébrale. Ma détermination s'en accrut plus que jamais de poursuivre ce que je considérais comme la juste voie à prendre, sans égard aux conséquences. Et cela voulait dire poursuivre ma protestation.

À certains égards, je suis sûr que le sens de ce message était de me prouver qu'il y avait des gens hors du cercle infernal de ma captivité, qui se souciaient beaucoup de moi et qui espéraient que je ne ferais rien qui pût aggraver mon sort. Je ne cherchais pas à me nuire directement, mais à l'intention de mes ravisseurs, je mentionnai que mes amis devraient m'oublier parce que j'étais pratiquement déjà mort.

Suivit alors une discussion sur ma santé, menée par l'un des cardiologues de l'hôpital : discussion un peu surréaliste, car il posait les questions aux représentants consulaires, qui ensuite me les relayaient. Je finis par en avoir marre de cette aberration et je fis remarquer au médecin qui se tenait à moins d'un mètre de mon lit qu'il serait plus commode de s'adresser à moi directement. En réponse aux diverses questions qui m'étaient posées pour savoir si j'étais bien conscient de mon état de santé, je fis comprendre clairement à mes visiteurs que j'étais conscient des conséquences de ma grève de médicaments, mais que je n'avais pas l'intention de me raviser. Je leur expliquai que ma condition était la conséquence du traitement que j'avais reçu depuis mon arrestation.

– J'ai eu une crise cardiaque à force d'être torturé par deux hommes ici présents dans le but de m'extorquer des aveux : ces deux-là ! fis-je en désignant Khaled et Ibrahim.

Cette déclaration choqua mes tortionnaires, comme on peut l'imaginer. Quand Ibrahim comprit la pleine signification de ce qu'on lui avait traduit, il s'écria aussitôt « *Halas !* » (ce qui veut dire « fini », en arabe). En même temps, il fit signe à la délégation de sortir.

L'un des représentants de l'ambassade répliqua aussitôt, sur un ton ferme :

– Non, non, la rencontre n'est pas terminée.

Cette soudaine démonstration de fermeté m'étonna de la part du diplomate, mais en y repensant bien, elle avait sa raison d'être. Elle n'était pas exprimée pour moi, mais pour le politicien qui se trouvait là. C'était une tentative cynique de montrer à quel point ils se battaient pour moi.

Néanmoins, la réunion fut suspendue. Ils sortirent tous pour débattre du tour désagréable que la mention de torture avait donné à la rencontre. À mon étonnement, ils revinrent pour la suite. On me remit alors une lettre que m'apportait Stéphane Bergeron de la part d'un de mes amis. Elle me fut tendue assez obséquieusement par Ibrahim, qui cherchait à montrer par pure hypocrisie toute l'attention et le respect qu'il m'accordait. Cependant, en lisant cette lettre, le sentiment que j'avais ressenti plus tôt revint en force. Je remis la lettre dans l'enveloppe et la donnai à un représentant de l'ambassade en mentionnant qu'elle n'avait pas de sens pour moi. Dans mon for intérieur, il n'y avait rien d'autre qu'une fin de non-recevoir.

Une autre série de questions sur ma santé s'ensuivit, et je consentis finalement à me soumettre à un examen médical complet plus tard dans la journée. Cette première évaluation terminée et tout le monde étant satisfait de mon attitude apparemment plus coopérative, la rencontre prit fin, me laissant à ma contemplation solitaire du plafond.

Quelques minutes après le départ des visiteurs, Khaled et Ibrahim revinrent me voir. En s'approchant du lit, ils commencèrent à m'engueuler pour avoir parlé de la torture. Je restai de marbre. Alors ils changèrent de tactique et se mirent à proférer des insultes à l'endroit de ces amis qui m'avaient adressé des messages d'appui et à cracher leur venin sur la moralité occidentale. En entendant cela, j'attrapai une orange sur la table de chevet et la lançai à Ibrahim, qui la reçut en plein front. En même temps, je sautai du lit pour me jeter sur eux, car on avait oublié de fixer mes chaînes aux montants du lit. Stupéfaits au départ par la soudaineté de l'attaque et par mon habileté à atteindre ma cible avec l'orange, les deux brutes tournèrent les talons pour prendre la fuite aussi vite qu'ils purent, tandis que je courais pour les attraper. J'allais presque mettre la main sur Ibrahim quand il parvint de justesse à refermer la porte derrière lui et à la verrouiller pour sa propre sécurité. Une fois de plus, j'avais eu la preuve de leur lâcheté, et je revins dans mon lit avec un large sourire de satisfaction. Ils me feraient sûrement payer cette dernière effronterie, mais comment?

La porte se rouvrit. Quelques gardiens entrèrent et s'approchèrent avec précaution pour assujettir mes chaînes aux montants du lit. Je restai donc ainsi jusqu'à mon retour en prison, deux jours plus tard. Il n'y eut pas de changement à mon régime et aucune autre restriction n'y fut apportée. Quand le toubib revint au début de la soirée, je refusai l'examen médical convenu, disant que ma coopération n'avait eu pour objectif que de clore la discussion sur mon état de santé. Plus tard, je dus subir l'interrogatoire usuel avec Khaled et Ibrahim, mais dans des conditions qui étaient beaucoup moins dangereuses pour eux, car j'étais pleinement entravé avec une escouade de gardiens pour me retenir. La séance fut brève, et on me ramena à ma cellule, où je rongeai mon frein en me demandant ce qui allait suivre.

Cinq mois plus tard environ, autour du 10 septembre 2002, six cent trente troisième jour de mon incarcération, je fus conduit à l'hôpital de la façon habituelle et informé que j'aurais un entretien avec un autre dignitaire de passage. Comme pour la visite précédente, la chambre d'hôpital fut aménagée avec soin, mais je remarquai un changement dans le décor, soit l'ajout d'une caméra en circuit fermé. Peu à peu au cours de ma détention, mes geôliers saoudiens avaient donné aux chambres un aspect plus conforme au milieu hospitalier afin d'accueillir des invités aussi importants que mes codétenus et moi. Une fois tout l'ameublement en place et les ajouts nécessaires apportés, on me laissa seul à attendre le traitement spécial qui m'était réservé. On ne m'avait servi aucun repas ce jour-là, de sorte que je ne pouvais projeter aucune nourriture dans le décor. De toute évidence, le visiteur était trop important aux yeux de mes geôliers pour qu'ils prissent un tel risque. Le seul rafraîchissement que je pus m'offrir fut de l'eau du robinet, que je bus en allant à quelques reprises aux toilettes, sous bonne garde comme il se devait. Une fois bien assuré qu'aucun autre changement ne serait apporté au décor de la chambre, je m'installai comme il faut au bord du lit – un pied par terre et le genou de l'autre jambe posé sur le matelas – pour me vider la vessie sur les chaises rembourrées qui avaient été placées à côté. À tout le moins, mon humour acide pourrait se délecter de voir quelqu'un poser le derrière inopinément sur les coussins bien imbibés des sièges.

Finalement, j'entendis un branle-bas à l'extérieur, le bruit de plusieurs pas et une voix qui montait en direction de la chambre : la visite était imminente. Quand la porte s'ouvrit, les premières personnes à entrer furent les membres du personnel carcéral, notamment mes tortionnaires, le gouverneur de la prison et Mohammed Saïd, Couteau Souriant. Je tournai la tête vers eux et leur lançai un « *Fuck off* » bien senti.

Personne ne tint compte de mon imprécation. La délégation de l'ambassade suivit les Saoudiens d'un air grave et solennel. Parmi eux, il y avait une figure que je ne connaissais pas. Quand tout le monde se fut disposé autour de mon lit, les présentations commencèrent. On me dit que j'avais la chance d'avoir un visiteur éminent. Il s'agissait de Don Boudria, un député important du Parti libéral au pouvoir au Canada. Ce nom ne me disait rien et, franchement, je m'en souciais comme d'une guigne. Les présentations faites, Boudria s'assit et commença à me haranguer. En l'écoutant, je ris dans ma barbe en pensant à ce sur quoi il avait posé son noble postérieur. La première partie de sa harangue était davantage un discours politique que des propos pertinents sur mon cas, et je me demandai qui il voulait impressionner. Je l'écoutai me dire à quel point j'avais de la chance de pouvoir compter sur tant de gens travaillant pour moi, en plus d'être représenté par un avocat aussi compétent que maître Al-Tuwaïjeri et de voir mon sort préoccuper des gens d'aussi hautes instances gouvernementales. Il ajouta que mon cas était maintenant devant la plus haute cour du pays, et il espérait que l'affaire serait résolue bientôt.

– Je suis citoyen britannique, lançai-je avec véhémence, et je ne ferai pas affaire avec les représentants d'un semblant d'État bâtard.

345

Durant quelques secondes, Boudria resta à court de mots, chose assez inhabituelle pour un politicien. Après un moment, il dit qu'il verrait ce qu'il pourrait faire pour transférer mon cas aux Britanniques. La rencontre se conclut là-dessus, et tout le monde s'apprêta à partir, les représentants canadiens raccompagnés par leurs hôtes saoudiens. Le dernier quittait la chambre quand je lançai une dernière pointe : « Qu'avez-vous fait pour arrêter la torture ? » Le seul à réagir visiblement à ces mots fut Khaled, qui se tenait juste sur le seuil, laissant passer le dernier dignitaire avant de refermer la porte. La chambre évacuée, je me recouchai dans mon lit, soulagé que l'exercice fût terminé et impatient de revenir dans ma cellule, où, au moins, je pourrais faire quelques exercices.

La porte se rouvrit quelques minutes plus tard, et un jeune officier de la garde carcérale entra. Comme tous les agents en uniforme ayant assisté à la rencontre, il portait tous les ceinturons et sangles réglementaires, avec un revolver dans un étui sur la hanche. Il enleva les fauteuils, les poussant dans le couloir, puis revint inspecter la chambre pour chercher je ne sais quoi. Durant un moment, il resta immobile, le dos tourné vers moi, semblant absorbé dans ses pensées. Je remarquai que le fermoir de son étui était ouvert, le revolver se trouvant opportunément à la portée de ma main. En fixant l'arme, je me disais que je pourrais m'en saisir d'un geste rapide, mais le risque d'échec était élevé.

L'idée de m'évader me tentait. J'en avais examiné la possibilité de toutes les façons et en avais conclu que ma seule chance d'y parvenir serait lorsqu'on me transportait à l'hôpital ou lorsque j'y étais ; et là, se présentait une occasion plus favorable que jamais. Saisir le revolver et essayer de m'échapper à la pointe du canon étaient ce que je pouvais espérer de mieux, mais les risques d'être tué étaient grands. Je ne croyais pas vraiment pouvoir réussir à m'évader, mais le simple fait de le tenter, avec les risques qui y étaient associés, créerait une grande perturbation et un embarras majeur. À vrai dire, si je devais mourir, comme je le croyais, sans doute valait-il mieux que ma mort entraînasse le plus de problèmes possible. Alors que je soupesais ces possibilités et calculais ce qu'il me faudrait faire pour saisir l'occasion qui m'était offerte, l'officier fut appelé à l'extérieur par un autre garde.

346

Trois jours plus tard, quand on me ramena à ma cellule, je découvris que le matelas et le récipient d'eau potable avaient été enlevés. On ne m'avait laissé que deux couvertures. Quand je fis remarquer la chose aux gardiens, ils haussèrent les épaules. L'un d'eux me dit que le «Capitaine» avait ordonné de les enlever. Je compris que ce nom de «Capitaine» désignait Ibrahim, et qu'il s'agissait d'une autre punition. Donc, je m'étais trompé: il y avait autre chose qu'on pouvait me confisquer pour rendre mon incarcération encore plus inconfortable. Désormais, je devrais dormir à même le sol et boire l'eau du robinet. Je ne me souciais guère de dormir sur le sol et, d'ailleurs, je m'y adaptai sans problème, mais l'eau était une autre affaire.

Les lavabos de la cellule étaient pourvus d'un robinet central sous forme de fontaine. L'eau avait un goût prononcé de rouille, et je me demandais s'il n'était pas risqué de la boire. Le seul autre liquide dont je disposais était le thé servi aux repas; et comme il était assez fort pour tordre une cuillère, il était davantage diurétique que désaltérant, ce qui ajoutait au problème de déshydratation. Si le goût de l'eau du robinet était tolérable, ses effets furent inquiétants pour mon système digestif. Durant les premiers jours, je souffris de diarrhée; heureusement, cela semblait provenir de la haute teneur minérale de l'eau. À la fin de la semaine, mon estomac s'était rétabli.

Alors que je m'habituais à ces nouvelles restrictions, je me demandais ce qu'on pouvait faire de plus pour rendre ma vie déplaisante. Et, tout à coup, je le découvris en lisant. J'avais développé une véritable dépendance à cette activité, attendant avec plaisir la livraison irrégulière des livres envoyés par des amis et des sympathisants. Je serais effondré si ce privilège m'était retiré. Sans doute ne pourrais-je pas le supporter. D'instinct, je sus alors ce qu'il me fallait faire. Je rangeai tous mes livres ensemble derrière une grande cloison hors de ma portée et je cessai de lire. À l'exception du livre qui me servait à marquer le passage des jours, je n'ouvris aucun livre durant les quelques semaines suivantes.

Ce fut la privation la plus difficile que j'eus à endurer. Les livres que j'avais avec moi étaient mes compagnons de solitude. La lecture m'aidait à passer les longues journées et me fournissait un univers dans lequel je laissais mon esprit errer. Les livres étaient, en effet, ma principale source de soutien émotionnel extérieur, comme ils l'avaient été au cours des périodes les plus difficiles de mon enfance. Et maintenant, je les rejetais, ne voulant plus dépendre que des ressources de mon propre esprit en tirant profit de mon imagination et de mes aptitudes récentes pour la méditation. Ce fut là une expérience étrange mais fort instructive. Vers la fin de la troisième semaine, il ne me fallait plus un acte incessant de volonté pour maintenir ma résolution.

Au cours de la quatrième semaine, à la fin de laquelle j'avais prévu mettre fin à cette épreuve que je m'imposais, je reçus une autre livraison de livres. D'habitude, je commençais à me jeter sur ces nouvelles sources de lecture dès qu'elles arrivaient. Mais je les mis alors de côté, n'éprouvant aucune tentation. Quand le temps vint de mettre fin à ma folle entreprise, je la prolongeai d'une semaine encore, pour l'unique raison que je le pouvais, renforçant ainsi ma constatation que je pouvais vivre avec les seules ressources de mon esprit, de mes souvenirs et de mon imagination. Étrangement, je commençais à avoir hâte au moment où Ibrahim ordonnerait la confiscation de mes livres.

Un soir, peu de temps après que j'eus recommencé à lire, les gardiens entrèrent dans la cellule en apportant un matelas et un contenant de vingt litres d'eau potable, qu'ils déposèrent juste à côté de la porte. Manifestement, la punition était terminée, mais ma seule réaction fut de mettre le matelas en pièces et de pisser sur les débris de mousse. Quant à l'eau, je la renversai à travers le passe-plat avant de fourrer le contenant en plastique dans l'une des toilettes. Cela fait, je repris ma position entre les châlits et me remis à ma lecture. Aucune autre tentative ne fut faite pour m'apporter un nouveau matelas ou de l'eau potable durant tout le temps de mon incarcération. Il ne leur restait rien pour me punir, sinon m'enlever les livres ou me soumettre à la torture dans toute sa violence.

Je passai les quelques mois suivants dans l'attente de la prochaine visite forcée, car j'étais sûr qu'il y en aurait d'autres. Je déclinais toutes les offres de visites de l'ambassade ou de consultations avec mon supposé avocat, Al-Tuwaïjeri, ce qui était devenu un exercice rituel. Le Nouvel An passa, marquant la troisième année de mon incarcération. Tout était devenu d'un calme ennuyeux. Les seuls changements furent du côté de mon régime alimentaire : tous les deux jours, on m'apportait au petit-déjeuner une boîte de céréales, habituellement une production locale de son en flocons. Une fois par semaine, on me donnait du rôti de bœuf et du riz, avec de la sauce aux piments très épicée ; et, certains soirs, des hamburgers ou de la pizza m'étaient servis. Si le rôti de bœuf était un ajout bénéfique à mon régime, ce n'était pas le cas pour les hamburgers et la pizza. Il s'agissait de deux mets congelés préparés en usine, puis réchauffés avant d'être servis et à peu près aussi savoureux que du carton, mais cela apportait quelque variété au régime.

Le 4 mars 2003, jour 808 de ma captivité, on vint me chercher et je me retrouvai de nouveau enchaîné à un lit à l'hôpital des Forces de sécurité, à me demander de qui on m'imposerait la visite cette fois-là. Deux jours plus tard, j'eus la réponse à ma question : la porte s'ouvrit pour laisser passer un groupe de visiteurs. Comme de raison, Khaled, Ibrahim et Mohammed Saïd étaient du groupe. Le plus étonnant était la présence de mon avocat, M^e Al-Tuwaïjeri, et celle de l'ambassadeur du Canada, Melvin MacDonald. Cependant, ce qui me choqua vraiment fut de voir mon père. Avec la même obstination que j'avais mise à lui interdire de remettre les pieds en Arabie, il y était revenu. Dire que j'étais furieux contre lui serait un euphémisme : j'étais vert de rage devant ce que je considérais comme de la stupidité, même si sa conduite était compréhensible. En s'approchant de mon lit, alors que le reste du groupe se plaçait autour, il me salua.

– Salut, Bill !

– Va-t'en, va-t'en tout de suite ! lui dis-je sèchement.

– Non, je ne partirai pas. Il faut se parler.

Comme il était tout juste à côté de moi, je lui décochai un direct dans la poitrine, sachant bien que, avec tous les porte-feuilles et passeports qu'il avait dans son veston, il ne ressentirait guère de douleur ; en outre, le geste le choquerait ainsi que le reste de la délégation et il aurait pour effet, je l'espérais, de mettre fin à l'entrevue. Cela ne se produisit pas, car mon père ne se démonta pas et plusieurs membres de la délégation me demandèrent de me calmer en s'approchant du lit pour me retenir.

Me calmer! J'étais calme, même si j'étais en colère, mais je n'allais pas m'arrêter là pour conclure l'affaire et livrer mon message à mon père. Je leur ferais une démonstration de fureur extrême, du genre qu'ils n'avaient jamais vue auparavant. Je sautai à bas du lit, avec un pied non enchaîné et l'autre attaché au montant du meuble. Je poussai alors mon père vers la porte en vociférant: «Fous le camp d'ici tout de suite!»

Malheureusement, en reculant, il s'éloigna de la porte au lieu de s'en rapprocher. Tirant le lit derrière moi, je continuai d'avancer vers lui tandis que la panique s'emparait de l'assistance. Tout le monde parut se précipiter vers la sortie en même temps, personne n'essayant de m'arrêter, ni les gardiens sur place, ni mes tortionnaires, ni mon avocat, ni même Mohammed Saïd. Ils couraient tous dans une seule direction: la sortie. C'était une scène digne d'un dessin animé, chacun essayant presque de monter sur l'autre pour s'enfuir le plus vite possible. Se heurtant les uns aux autres et presque coincés dans la porte, les premiers à quitter la pièce furent Khaled, Ibrahim et l'ambassadeur, dont je vis le doigt se coincer dans la porte alors qu'il s'y agrippait désespérément pour pouvoir sortir. Les autres le suivaient de près, tâchant de s'éloigner le plus possible de moi. Le seul qui faisait exception était un gardien que j'avais surnommé Santa, l'un des plus corrects du groupe, qui se plaça entre mon père et moi pour le protéger et entreprit de le faire sortir. Je fus touché sur le coup par son souci de protéger mon père, mais je n'avais pas la moindre intention de faire montre d'un tel sentiment au moment où je donnais libre cours à ma fureur.

J'attrapai la table du lit, la jetant par terre et en brisant du coup l'abattant que je projetai dans le dos des fuyards. Je me tournai alors vers le montant du lit et ma chaîne de cheville qui s'y trouvait fixée. J'avais constaté longtemps auparavant que le barreau auquel j'étais attaché d'habitude n'était qu'emboîté dans la structure principale du montant, donc qu'on pouvait l'enlever. Je le saisis et l'arrachai à ses fixations, détachant ainsi la chaîne qui retenait ma cheville. Je n'étais plus maintenant amarré au lit et je tenais dans ma main un tube d'acier creux de 75 centimètres de long. Une de mes chevilles portait encore la chaîne, mais l'autre bout n'était plus fixé à rien. Je m'élançai vers la dernière personne en train de sortir, brandissant le tube et frappant le mur. Le dernier fuyard réussit finalement à s'engouffrer à l'extérieur. La porte claqua derrière lui et fut verrouillée.

J'étais seul à nouveau, libre de toute entrave, avec le pouvoir de créer le plus de dommages possible. J'entrepris aussitôt de détruire les fixations et le mobilier de la pièce, m'attaquant au téléviseur suspendu au plafond et à la caméra en circuit fermé, mettant en pièces les restes de la table de lit et du montant du lit, frappant les murs et la porte en laissant des brèches profondes dans cette dernière, jusqu'à ce qu'il ne reste plus rien à saccager. Ma fureur s'apaisant quelque peu, je ne pus m'empêcher de sourire: j'avais causé des dommages de quelques milliers de dollars, fait la preuve de la lâcheté de mes ravisseurs devant leurs invités étrangers et montré à tout le monde jusqu'où pouvait aller ma colère. Diable que c'était bon, aussi puéril et immature qu'une telle pensée pût paraître! Je savais qu'on ne me laisserait pas seul très longtemps. Je me demandais comment ils tenteraient de me maîtriser et quels châtiments me seraient réservés. Je savais fort bien que l'incident serait rapporté comme une preuve de mon instabilité mentale ou, du moins, de mon extrême récalcitrance. Si j'avais été vraiment hors de moi, comme on l'a laissé entendre par la suite, il y aurait eu plus que quelques pièces de mobilier et d'appareils électroniques ravagés.

J'étais debout au centre de la chambre à contempler les dégâts lorsque la porte finit par s'ouvrir. Le premier à entrer fut Mohammed Saïd qui brandissait une chaise devant lui comme un dompteur de lions. D'autres suivaient derrière avec précaution. Je brandis le tube d'acier devant lui alors qu'il m'intimait de le jeter par terre. Quand il fut à ma portée, je donnai un coup sur la chaise, le forçant à reculer. Il m'aurait été facile de le frapper directement mais, bien que le coup eût été mérité, ce n'était pas mon intention. Couteau Souriant m'ordonna à son tour de laisser tomber mon arme improvisée et, cette fois, j'obéis. Couteau Souriant et les gardiens se ruèrent sur moi pour me jeter au sol et me passer les menottes et les chaînes. Derrière eux se tenait Al-Tuwaïjeri, un air de mépris sur le visage:

– Vous êtes un immonde animal et vous méritez ce qui vous est arrivé, me jeta-t-il avant de tourner les talons.

– Regarde-toi dans le miroir si tu veux voir un animal immonde! lui criai-je avant qu'il ne fût sorti.

Au moins, je venais de découvrir son vrai visage. J'avais eu raison de ne pas me fier à lui. Après ma libération, dans une correspondance échangée avec mon père, j'appris que celui-ci avait eu une conversation avec Al-Tuwaïjeri en se rendant à l'hôpital pour me voir. Voici ce qu'en dit mon père: «En marchant le long des couloirs de l'hôpital, Al-Tuwaïjeri s'est tourné vers moi et m'a dit: "Au fond, nous ne sommes pas certains qu'il n'a pas commis ces crimes." Il se mit ensuite à se plaindre de la conduite de Bill en prison. Je me rendis compte alors qu'il travaillait pour la famille royale saoudienne, et non pour mon fils, et qu'il devait maintenant envisager la libération des prisonniers. Il était en train de perdre la face, ce qu'il n'aimait guère. Il raconta aussi certaines habitudes de Bill, destinées à embêter les gardiens. À partir de ce qu'il me raconta, il n'était pas étonnant que Bill soit parvenu à ses fins. À moins qu'ils n'aient été sous-doués intellectuellement, il a dû paraître évident à l'ambassadeur du Canada et à d'autres membres de son personnel qu'Al-Tuwaïjeri n'avait pas le moindre intérêt à aider Bill, mais avait seulement l'intention d'aider les autorités saoudiennes. L'hypocrisie, la malhonnêteté et la perfidie évidentes du ministère canadien des Affaires étrangères sont effrayantes. Ils ont dû savoir quel était le rôle de l'avocat, mais n'ont rien fait pour le faire remplacer ou dénoncer sa perfidie.»

Je n'étais pas le seul à avoir trouvé suspectes les motivations d'Al-Tuwaïjeri. Lors d'entretiens avec James Lee, un codétenu, je découvris qu'Al-Tuwaïjeri avait servi d'intermédiaire pour l'amener à reprendre ses aveux et à plaider coupable. Vers la fin de 2001, après avoir rencontré leurs avocats nommés d'office, tous les détenus étaient revenus sur leurs aveux en plaidant la non-culpabilité. De fait, j'étais le seul qui ne l'avais pas fait, car j'avais refusé de rencontrer l'avocat. Cependant, on a présumé que mon refus de reconnaître le système juridique du pays était un plaidoyer *de facto* de non-culpabilité. À l'été 2002, un certain nombre de détenus furent ramenés de la prison d'Al-Ha'ir au centre d'interrogatoire d'Al-Ulaysha. Là, ils furent soumis à des séances d'interrogatoire qui, même si elles ne comportaient pas de tortures physiques, mirent encore une fois les détenus en état de privation de sommeil durant une période de dix jours. Le but de ces interrogatoires était de forcer au moins un détenu de chaque groupe à plaider coupable pour garantir la condamnation de tous ceux qui étaient impliqués. Les détenus étaient effectivement classés en deux groupes par nos geôliers : ceux qui étaient tenus responsables des deux premiers attentats – Mitchell, Schyvens et moi-même – et ceux qu'on reliait aux attentats subséquents : Brandon, Cottle, Lee et Walker, avec Ballard ajouté par la suite.

Au cours de ces nouveaux interrogatoires, James Lee fut l'un de ceux à subir des pressions pour revenir sur ses aveux. Des menaces furent faites à l'encontre de sa petite amie, Gillian Barton, restée à travailler dans le pays, fournissant de l'aide aux prisonniers. Khaled et Ibrahim menacèrent de la jeter en prison et de la violer. Vu ce qui s'était déjà passé, ces menaces étaient des plus crédibles et extrêmement inquiétantes pour James.

Comme par hasard, l'avocat de James était Al-Tuwaïjeri qui, entre les séances d'interrogatoire, était venu voir Lee et l'avait questionné sur la franchise de son plaidoyer de non-culpabilité. En fin de compte, quand James ne put supporter davantage la pression, il céda à Khaled et à Ibrahim et accepta de reprendre ses aveux. S'ensuivit alors une série de tentatives ridicules de la part des deux sbires pour amener James à récrire complètement ses confessions en présence d'Al-Tuwaïjeri. Étant donné que James ne pouvait guère se rappeler ce qu'on l'avait forcé à écrire plus d'un an auparavant, l'idée fut abandonnée. À la place, James rédigea une lettre d'excuses à l'intention du gouvernement saoudien et récrivit entièrement sa confession, sous la supervision de Khaled, sauf pour ce qui concernait les dernières phrases. Plus tard, on fit entrer Al-Tuwaïjeri dans le bureau pour voir Lee écrire les dernières phrases de sa confession, sans contrainte apparente. Ainsi, l'avocat put déclarer que les aveux avaient été faits de plein gré. Lors de la rencontre suivante, Al-Tuwaïjeri apprit à James que, après s'être rendu au ministère de l'Intérieur vérifier les faits contenus dans sa confession, il savait maintenant qu'il était coupable et qu'il pourrait se charger de sa défense. Si j'avais accepté de traiter avec Al-Tuwaïjeri, il m'aurait moi aussi pressé de plaider coupable. Et voilà ce qu'il en était des services d'un conseiller juridique « approprié ».

353

Une fois Al-Tuwaïjeri parti, je m'adossai à l'un des murs pendant qu'on nettoyait la pièce et qu'on enlevait tout le verre brisé. Ensuite, on me traîna dans une autre chambre où on me jeta sur le lit et m'enchaîna. Cette fois, les gardiens s'assurèrent que j'étais attaché à une partie plus solide du lit et, le lendemain, on me ramenait en prison.

Je m'attendais à une rencontre avec le Midget et Acné ou à une punition quelconque, mais rien ne se produisit. Durant les jours suivants, je restai dans cette attente jusqu'à ce que les gardiens fissent à nouveau irruption dans ma cellule pour me transporter à l'hôpital en vue d'une autre audience forcée. Je ne le savais pas alors, mais ce serait la dernière fois que je quitterais la prison avant ma libération. Alors que j'étais couché dans mon lit d'hôpital, dans la même chambre que j'avais saccagée moins d'une semaine auparavant et qui était maintenant tout à fait restaurée, je n'eus pas à attendre longtemps mes visiteurs. Leur arrivée fut précédée par un officier en kamis qui parlait anglais pour avoir étudié au Royaume-Uni. Il entra dans la chambre pour me placer des entraves que je qualifierais de quadruples, car mes poignets et mes chevilles étaient tous rattachés solidement au montant du lit. Cette fois-là, au moins, je n'aurais pas l'occasion de terroriser mes visiteurs. Quand le groupe entra finalement, il comprenait le docteur Oliver, le psychiatre canadien que j'avais rencontré auparavant, le docteur Al-Humaïd, le psychiatre saoudien, ainsi que Khaled et Ibrahim.

Le docteur Oliver essaya de me convaincre du fait que mes gestes n'étaient pas appropriés, m'interrogeant sur mes motifs pour agir de la sorte. Je lui répondis en tentant de le provoquer, lui expliquant que mes motifs étaient une question d'intégrité personnelle et ajoutant: « Ce n'est pas quelque chose que vous connaissez ou que vous pourriez comprendre. »

Le docteur Oliver était trop professionnel pour se laisser dérouter par l'insulte délibérée véhiculée par mes paroles, mais je vis des éclairs de colère dans les yeux d'Al-Humaïd et des autres. Je cessai d'essayer de faire sortir le docteur Oliver de ses gonds, écoutant plutôt ce qu'il avait à dire. De la façon qu'il parla, disant que je m'étais bien fait comprendre et que mes protestations n'étaient plus nécessaires, j'étais persuadé qu'il y avait un sens sous-jacent dans ses propos. Mais je pris le parti de l'ignorer. Je fis remarquer que j'avais été torturé par Khaled et Ibrahim et que le docteur Al-Humaïd le savait fort bien. M'attendant à ce que mes tortionnaires mettent fin sur-le-champ à l'entretien, je fus étonné de voir qu'ils se contentaient de me jeter des regards furibonds. La rencontre ne dura guère plus longtemps et le docteur Oliver me souhaita bonne chance, ajoutant encore que mes protestations n'étaient plus nécessaires.

Après leur départ, l'officier en kamis revint pour enlever certaines de mes entraves, me laissant avec une seule attache au lit. En faisant cela, il tâchait de ridiculiser la folie de ma conduite. Je lui coupai la parole en lui demandant :

— Qu'auriez-vous fait si on vous avait contraint sous la torture à avouer des crimes que vous n'avez pas commis ?

— Vous devriez en parler aux enquêteurs. Je n'ai rien à voir là-dedans, répondit-il.

— Ah ! si, vous avez quelque chose à y voir ! Vous avez la responsabilité de m'avoir à plusieurs reprises amené au bureau des interrogatoires, où vous saviez qu'on me torturait.

— Et alors ? Je ne faisais que mon boulot. Je n'ai pris aucune part à la torture que vous prétendez avoir subie, affirma-t-il.

— Ce n'est pas parce que vous n'avez pas manié le bâton que vous n'êtes pas responsable. Vous avez aidé les tortionnaires en veillant à ce que je leur sois amené à cet effet. C'est un principe de droit international, établi depuis longtemps, qu'obéir aux ordres n'est pas une excuse pour avoir trempé dans des gestes illégaux ou y avoir contribué. La torture est illégale et vos gestes de complicité sont tout aussi illégaux que ceux des enquêteurs eux-mêmes.

Le sourire s'effaça de sa figure et il me fixa avec un regard proche de la révulsion. J'enfonçai le clou en disant :

— Tout ce que vous devez espérer, c'est que je ne sorte pas d'ici, car je trouverai un moyen de vous traîner devant la justice. Je connais votre nom et je sais où vous avez étudié. Je pourrais vous identifier sans hésitation.

Cette dernière affirmation était un bluff de ma part, car je n'avais pas la moindre idée de son nom ni de l'endroit exact où il avait étudié. Néanmoins, cela fit son effet, car sans mot dire, il tourna les talons et sortit de la chambre.

Tôt le lendemain matin, on me ramena en prison. Peu après le repas de midi, alors que je réfléchissais à d'autres gestes de défi que je pourrais faire, la porte de la cellule s'ouvrit et un groupe de gardes entrèrent pour m'apporter des cadeaux. Je fus quelque peu étonné par le trésor qu'ils me livrèrent: il y avait des exemplaires du magazine *Wired* et quelques anciens numéros de la revue *The Economist*, envoyés par Gillian Barton, qui se trouvait encore dans le Royaume pour aider James Lee et les autres détenus, un geste courageux de sa part. Il y avait aussi plus du double du nombre habituel de livres, des carnets de notes, plusieurs stylos, une demi-douzaine de crayons et une calculatrice. Cette dernière allait m'être des plus utiles, car elle était dotée d'une fonction de date et d'une horloge, de sorte que j'avais maintenant les moyens de connaître le jour exact. Grâce à cette calculatrice, je pus déterminer comment mes rythmes de sommeil et mon sens de la durée du jour avaient été affectés par les conditions de mon incarcération. Elle constituait aussi le seul moyen de vérifier un aspect spécifique de ma condition physique: mon pouls. En soi, une telle information ne disait pas grand-chose; cependant, en notant les variations de mon pouls avec le temps, je pouvais avoir des indicateurs plus évolués concernant toute détérioration de mon système cardiovasculaire.

Après ma libération, je découvris que tous ces articles étaient censés m'avoir été livrés plus d'un an auparavant, et que les Saoudiens avaient prétendu que c'était le cas. Sur le coup, je me demandai ce qui m'avait valu cette démonstration de générosité, mais je ne trouvai pas de réponse. Quelques minutes après que j'eus pris connaissance de tout cela, la fente du passe-plat s'ouvrit et un exemplaire du *Arab News* y fut glissé. C'est un quotidien en anglais qui paraît en Arabie Saoudite. Je demandai au gardien s'il s'agissait bien du journal du jour, et il me répondit par l'affirmative. Il portait la date du 12 mars 2003. Après 817 jours de captivité, je recevais enfin des nouvelles du monde extérieur. Je me demandai quels nouveaux développements en rapport avec notre incarcération avaient rendu la chose possible.

Arab News publiait des articles de journalistes saoudiens ainsi que des nouvelles parues les jours précédents dans divers journaux d'Arabie Saoudite, des États-Unis, de l'Inde et des Philippines. Les nouvelles étaient très censurées et ne contenaient rien qui n'eût été approuvé par le ministère de l'Intérieur. Maintes fois, des articles étaient découpés dans le journal. Je présumais qu'il s'agissait de choses en rapport avec notre emprisonnement ou d'activités terroristes dans le Royaume, et j'avais raison de le croire. Spéculer sur le genre de nouvelles qui avaient été retirées du journal m'aidait à passer le temps.

Tout le reste de mon temps d'incarcération, ce journal me serait livré chaque jour, du samedi au mercredi. Les éditions du week-end, celles publiées le jeudi et le vendredi, m'étaient livrées avec le journal du samedi. Cependant, il y eut une petite interruption dans la livraison. J'avais reçu le journal pour la première fois le mercredi 7 mai et, comme le week-end allait commencer, je ne m'attendais pas à recevoir l'édition suivante avant le samedi. Ce ne fut pas le cas, et la livraison ne recommença que le 19 mai. Encore une fois, je présumai que la livraison avait été suspendue parce que quelque chose de catastrophique s'était produit dans le pays. De fait, le 10 mai, on avait découvert trois engins explosifs posés à plusieurs sorties d'un centre commercial de Jeddah. Au cours des jours suivants, le journal fit paraître des articles sur la recherche des auteurs de cette attaque. Puis, le soir du 12 mai, quatre attentats suicides à l'explosif frappèrent Riyad et le journal fut rempli d'articles sur la ferme résolution du gouvernement de mettre la main sur les auteurs de ces attentats. Mes geôliers n'avaient pas voulu que je visse ces nouvelles. Il leur avait alors été plus facile de ne pas me fournir les journaux que de découper les nombreux articles qui en parlaient. Pourtant, dans les semaines suivantes, malgré la censure vigilante à laquelle on soumettait le journal, je pus lire un certain nombre d'articles ayant échappé aux ciseaux des censeurs et pus donc rassembler les pièces du puzzle m'apprenant qu'un grave attentat terroriste s'était produit.

La nouvelle sans doute la plus amusante que je pus lire dans ce journal fut publiée le 5 juin. À la une se trouvait une interview avec l'un des bourreaux officiels du Royaume, dont une photo affichait le visage tout souriant. Je songeai que ce n'était qu'en Arabie Saoudite qu'on pouvait trouver une telle chose à la une d'un quotidien. Au moins, les autorités du pays n'essayaient pas de cacher leur prédilection pour la peine de mort, même si elles dissimulaient leur goût pour la torture.

L'article contenait trois perles : « Moi ? Je dors très bien. Mon sabre est très tranchant. Les gens sont étonnés de voir avec quelle rapidité il peut séparer la tête du corps. J'ai entraîné mon fils Musaëd, qui a 22 ans, à être bourreau lui aussi ; il a reçu l'approbation officielle. Je traite les membres de ma famille avec bonté et amour. Ils ne sont pas effrayés quand je reviens d'une exécution. Parfois, ils m'aident à nettoyer mon sabre. »

Cet article me fit rigoler par son humour noir involontaire. Je me demandai s'il avait un objectif particulier. Peut-être visait-il à menacer les cellules terroristes en action, mais pourquoi alors le publier dans un quotidien anglophone ? Peut-être visait-il à rassurer la communauté des expatriés occidentaux pour leur montrer l'efficacité du système pénal saoudien et apaiser leurs craintes au sujet des menaces terroristes ? Peut-être était-il conçu à l'intention de mes collègues de détention et de moi-même, en guise de menace ou d'avertissement ? Et peut-être n'était-ce qu'un article normal, paraissant au moment opportun. Franchement, je n'en avais aucune idée, mais je m'en amusai beaucoup.

Un soir, quatre jours après la première livraison du journal, alors que je lisais un article sur la cuisine, mes idées se fixèrent sur la phase suivante de ma protestation. J'avais fait à peu près tout ce que je croyais possible, sauf une : la grève de la faim. En y pensant bien, je vis qu'il me serait extrêmement difficile de m'y adonner. Je n'étais pas sûr d'avoir la discipline nécessaire pour m'engager dans une telle aventure, car si j'annonçais mon intention de le faire et manquais mon coup, cela pourrait tourner à l'avantage de mes ravisseurs. Je ne craignais pas la mort, car j'en étais venu depuis longtemps à la conclusion qu'elle n'était qu'une autre forme de liberté. Ce qui me préoccupait, par contre, c'était ma capacité de surmonter ma faim. Je fis alors un pari avec moi-même. D'abord, j'essaierais de cesser de manger pour une période de cinq semaines, en n'annonçant pas mon intention. Si j'y parvenais, alors, à l'approche du troisième anniversaire de mon arrestation, j'accepterais une visite de l'ambassade et annoncerais brusquement à mes visiteurs que j'allais faire usage de ma liberté de la seule façon qui me restait.

Le lendemain matin, n'ayant pas touché au petit-déjeuner, je demandai à voir le toubib. Les gardiens en furent des plus étonnés. Ils revinrent à plusieurs reprises au guichet pour se faire confirmer ma requête. Finalement, après que je me fus vêtu des seuls shorts sales qu'il me restait dans la cellule, on accéda à ma demande. J'entrai dans le cabinet du médecin. Il me fit asseoir et commença à préparer son sphygmomanomètre. L'ignorant tout à fait, je montai sur la balance pour vérifier mon poids, découvrant qu'il s'établissait à 72 kilos. Après quoi je signifiai à mes gardiens mon intention de retourner à ma cellule, laissant le toubib fort perplexe.

Puis ma grève commença. Durant les cinq semaines suivantes, je ne mangeai rien, ne touchant même pas au thé sans sucre servi d'habitude, me contentant de boire l'eau du robinet. Chaque fois qu'un repas était servi, je me rendais immédiatement au passe-plat pour le remettre aux gardiens. Si la nourriture m'était apportée quand j'étais endormi et que le plateau était encore là quand je m'éveillais, je le vidais aussitôt dans les toilettes. Il était difficile pour les gardiens de ne pas remarquer mon manque apparent d'appétit; à quelques occasions, les plus préoccupés d'entre eux se rendirent en délégation dans ma cellule pour me demander pourquoi je ne mangeais pas. Même le médecin vint me voir pour m'interroger à ce propos. Je faisais la sourde oreille, poursuivant mon régime.

Au départ, je notai peu de changements chez moi, mais après plusieurs jours, mon urine était devenue presque incolore. Les semaines passant, ma transpiration et mon urine avaient pris une odeur légèrement parfumée, ce que je pris pour des signes de cétose. Par la suite, je commençai à remarquer que ma figure devenait plus émaciée et que les protubérances osseuses de mon corps commençaient à transparaître. Le premier jour, la faim ne fut pas trop difficile à supporter. Cependant, le troisième jour, le combat fut âpre pour maintenir ma résolution, et ce, pour deux raisons. Tout d'abord, la faim est une pulsion très forte, contre laquelle je n'étais pas immunisé. Mon estomac grondait, j'avais des rampes et le goût de la nourriture me hantait. Ensuite, étant dans un environnement qui me privait tant de ce qu'on pourrait appeler des sensations normales, le simple fait de manger était quelque chose que j'attendais avec hâte, non seulement pour apaiser ma faim, mais aussi à cause du plaisir sensuel qu'il me procurait et qui venait rompre la monotonie de mon existence. Je me retrouvais donc à lutter contre l'envie de manger sur deux fronts, soit physique et psychologique, pour des raisons différentes. Ce qui m'étonna, ce fut qu'après environ dix jours, la hantise de la faim commença à se relâcher, disparaissant tout à coup au bout de deux semaines, en même temps que mon besoin émotionnel de manger. L'épreuve que je m'étais imposée de ne pas lire avait été finalement plus difficile à supporter.

Quelques jours après mon 42e anniversaire, le matin du 21 avril, la date que je m'étais fixée pour recommencer à manger, je demandai à voir le médecin. Comme lors de ma dernière visite, cinq semaines auparavant, je vérifiai mon poids mais ne permis pas qu'il m'examine. Je retournai à ma cellule pour reprendre mes calculs et attendre le repas que j'allais dévorer sans en laisser une miette. Mon poids était tombé à 54 kilos. J'avais donc perdu 18 kilos au cours de cette période, soit 3,6 kilos par semaine en moyenne. Je calculai que si, au cours des quelques mois suivants, je faisais remonter mon poids à environ 65 kilos, à ce rythme de perte de poids, il faudrait de huit à neuf semaines avant l'apparition de sérieux problèmes de santé; avec mon système cardiovasculaire affaibli, un effondrement physiologique complet ne serait alors pas loin à l'horizon.

Cette expérience m'apprit que j'avais la discipline personnelle nécessaire pour entreprendre une grève de la faim. Je me mis donc à réfléchir à la façon de tirer le maximum d'effets dramatiques de ma déclaration ultime. Si, comme je le prévoyais, j'annonçais mes intentions le 17 décembre 2003 et les mettais à exécution, cela soulèverait une indignation qui serait suivie de panique et du plus grand embarras chez les diplomates comme chez mes ravisseurs. Je ruminais tous les problèmes que je causerais ainsi, constatant le soulagement de mes geôliers qui me voyaient manger à nouveau. Ce fut dans cet état d'esprit et dans des conditions devenues plus faciles à supporter que j'envisageai l'arrivée prochaine de mon anniversaire d'incarcération, à quelques mois seulement de là.

CHAPITRE 5

LA LIBÉRATION

Un soir, vers vingt heures trente, je fus réveillé par le cliquetis du mécanisme de la porte, qui m'avertit que quelqu'un allait entrer dans ma cellule. Je me souviens de l'heure parce que je l'avais vérifiée peu auparavant sur l'afficheur de ma calculatrice et que je venais de procéder au rite du contrôle vespéral de mon pouls, avant de m'installer le plus confortablement possible. Puis, à demi enveloppé dans une couverture, je m'étais allongé sur le sol entre les bois de lit; un livre à la main, prêt à glisser dans le sommeil. Je me demandai ce qu'il y avait au programme ce soir-là.

Les jours précédents, les gardes étaient venus dans ma cellule m'informer de visites qu'ils disaient provenir de mon ambassade et de mes avocats. J'avais refusé d'y assister. Huey, le sergent gardien-chef, fit irruption. Il était seul, et c'était insolite, car toutes les entrées sur mon territoire exigeaient d'habitude un minimum de six gardiens pour une conversation et de quinze, ou davantage, pour un déplacement.

Je me redressai et l'observai tandis qu'il s'approchait en silence. Il avançait en ligne droite, car il n'avait pas à éviter les habituels détritus. Ma cellule avait en effet été nettoyée deux jours plus tôt et, à part quelques taches de nourriture sur les murs et la chasse d'eau des toilettes pas tirée, je n'avais pas encore entrepris de la « redécorer ». Lorsqu'il fut à peu près à un mètre de là où j'étais couché, il me lança:

– Toi habiller, voir docteur.

361

Je me recouchai et me remis à lire, l'ignorant ostensiblement. Cela faisait dix-huit mois que je n'avais pas obéi à l'ordre de voir le docteur et je n'allais pas commencer.

– Toi lever, habiller, voir docteur, me répéta-t-il.

Je l'ignorai à nouveau, même si je commençais à sentir monter une tension et à me demander s'il ne se préparait pas un affrontement d'envergure.

– Toi lever, habiller, voir docteur, dit-il pour la troisième fois, avec exaspération et résignation.

Je ne pris même pas la peine de lever les yeux de mon livre, jouant le jeu selon les règles que j'avais moi-même fixées. Huey n'ajouta rien et se retourna pour quitter la cellule. J'entendis la porte se fermer et le clic-clac électronique confirmer son verrouillage. Quoi qu'il dût arriver, j'avais gagné le premier round et dès lors me préparai de nouveau à dormir. Dix ou quinze minutes s'écoulèrent, et j'étais déjà en train de somnoler quand le cliquetis se fit entendre de nouveau.

Cette fois, il me tira complètement de ma torpeur, et je sentis mon pouls et ma pression artérielle s'élever. J'étais sûr maintenant qu'un affrontement important allait se produire et je me préparai en conséquence. Mais au lieu de la bande habituelle, Huey entra seul dans la cellule, cette fois en apportant une petite boîte de carton.

Une fois de plus, il s'approcha à un mètre de mon corps étendu avant d'ouvrir la bouche. Ses paroles me dressèrent tout de suite sur mes ergots, car je crus que la dernière des sanctions ou confiscations possibles était en train de se produire. Je m'y étais préparé, mais je savais aussi que cela rendrait ma survie plus pénible, comme rien d'autre n'avait pu le faire auparavant. Je sentis une poussée d'adrénaline, ce qui me donna plus de mal à retenir ma colère.

– Toi lever, mettre livres dans boîte, voir docteur, dit-il.

C'était ce que je craignais. Ils étaient en train de s'emparer de la seule chose qu'ils ne m'avaient pas encore confisquée : mes livres. Oui, je m'étais préparé à cela, mais je le craignais aussi. Mes vêtements m'avaient été enlevés. Ma médication était chose du passé. Je n'avais pas été dans la cour de récréation depuis septembre 2001. Je dormais sur le béton, sans matelas. Les articles d'hygiène personnelle avaient disparu, et je devais boire l'eau au goût de métal qui sortait des robinets du lavabo.

362

Pourtant, rien de cela ne m'avait affecté. Je l'avais accepté avec équanimité, sachant qu'un refus de ma part les embêterait plus que moi. Mais les livres, c'était tout autre chose, car ils étaient la seule stimulation externe que j'avais et à l'égard de laquelle j'avais développé une certaine dépendance. L'épreuve que je m'étais imposée des mois auparavant semblait avoir été une stratégie judicieuse, car je devrais désormais compter uniquement sur mes propres ressources intellectuelles.

— Non, je ne vais pas voir le docteur, dis-je avec détermination.

— Toi lever, mettre livres dans boîte, voir docteur, répéta-t-il.

— Si tu veux mes foutus bouquins, répartis-je, prends-les toi-même, espèce d'enculé! Prends-les et va te torcher le cul avec!

J'avais d'abord pensé l'ignorer, mais la menace que représentait la confiscation des livres me rendait agressif. À ma grande surprise, au lieu de ramasser les livres, il tourna les talons et sortit. La porte se referma derrière lui avec les déclics habituels de verrouillage, et je tentai de revenir à ma lecture. Malheureusement, j'étais déjà assez stressé, sentant mon pouls s'accélérer, ce qui sapait toute possibilité de relaxation ou de sommeil. J'étais incapable de me concentrer.

Ce qui survint ensuite, je n'aurais jamais pu le prédire. Pour moi, cette cellule était ma dernière demeure. La liberté physique était devenue un souvenir lointain, quelque chose dont je ne jouirais plus. Je résolus, à ce moment-là, que s'ils venaient confisquer mes bouquins, je tenterais d'infliger une blessure durable à l'un ou l'autre des gardiens plutôt que de résister passivement. Tandis que cette idée s'imposait dans mon esprit, j'entendis à nouveau le cliquetis familier de la serrure, et les pas de plusieurs personnes qui s'approchaient de la porte. Je me dressai sur mon séant, les muscles tendus, regardant à gauche et à droite pour voir s'il y avait à portée de main quelque volume à reliure épaisse pouvant servir de projectile.

Quand la porte s'ouvrit, Huey entra comme d'habitude. Mais l'homme qui le suivait était Sandy Mitchell, en survêtement blanc et chaussures de sport. Dire que j'ai été ébahi ou estomaqué serait un euphémisme. Je n'avais pas revu Sandy depuis le jour où je l'avais vu subir la torture. Les seuls signes qui m'avaient depuis lors indiqué sa présence avaient été sa signature sur le registre du tribunal et ses médicaments déposés sur une étagère à l'extérieur de sa cellule. Je ne savais rien de sa situation ni de sa santé physique et mentale.

Le voir s'approcher de moi me comblait de bonheur. Il était rasé de près et avait l'air assez bien physiquement, à peu près comme il était avant notre arrestation. Mais lui dut ressentir un choc en me voyant. Mes cheveux étaient hirsutes et sales et tombaient presque sur mes épaules. Ma barbe était aussi hirsute, longue et sale. Mon corps était émacié, ayant à peine récupéré de mes expériences de privation alimentaire, et il était encroûté de crasse et d'excréments séchés. L'odeur pestilentielle que dégageaient ma cellule et ma personne devait être des plus pénibles pour lui.

Je ne sais qui commencea. Dans mon souvenir, nous parlâmes en même temps. Je le saluai comme si je le rencontrais à l'improviste au pub. «Allô, Dinky, qu'est-ce que tu fais ici?» demandai-je, pendant qu'il me disait: «Habille-toi, on rentre chez nous.»

Ces mots me frappèrent de plein fouet. Je n'en saisis pas tout de suite la portée tellement j'étais ébahi. Ce n'était pas ce contre quoi je m'étais endurci ni ce que je m'étais entraîné à affronter. Entendre dire cela de but en blanc, je n'en croyais pas mes oreilles; mon cerveau essayait de donner un sens à ces quelques mots. Sandy s'assit au bout du châlit et se pencha vers moi. Il répéta ce qu'il venait de dire et enchaîna avec les quelques informations qu'il avait sur notre départ. Nous allions tous partir dans notre pays, nous étions censés quitter Riyad par le premier vol du lendemain matin. Mais je devais m'habiller et voir le médecin de la prison d'abord.

Je remarquai qu'en me parlant il avait peine à réfréner son dégoût de l'odeur fétide qui émanait de la cellule et de ma personne. Je m'étais depuis longtemps habitué à ma propre puanteur et, manifestement, certains gardiens avaient fini par s'y accoutumer ou avaient appris à maîtriser leurs réactions. Mais sa physionomie me disait à quel point mon apparence devait être répugnante. Il me demanda à plusieurs reprises si j'allais bien, et je lui répétai que je n'avais rien qu'une bière de malt et un bain chaud ne pourraient redresser. Ce n'était pas tout à fait exact. Moralement, j'étais tendu jusqu'à la corde et j'avais une foule de problèmes physiques. Néanmoins, à ce moment-là, je me sentais tout à fait bien.

Je levai la tête vers Huey, le sergent-chef de la garde. Il tenait toujours la boîte de carton. Derrière lui, un autre sergent, celui que j'appelais Zapata, apportait quelques-uns de mes vêtements, bien disposés sur un cintre. Il avait l'air aussi tendu que toutes les fois qu'il se trouvait en ma présence. Je l'avais mordu une fois. Les deux gardiens observaient la scène d'un air circonspect. Je compris à ce moment-là à quoi servait la boîte : pour y mettre les livres que j'emporterais avec moi. L'imminence de mon départ expliquait qu'on n'eût envoyé qu'un gardien. Quelqu'un avait dû penser qu'un tel événement me rendrait plus commode. Mais comme personne n'avait pris la peine de m'informer de la chose avant l'arrivée de Sandy, mon manque de coopération jusque-là était bien compréhensible compte tenu de mes antécédents. Je n'y aurais probablement pas cru si la nouvelle m'avait été annoncée par les gardiens ou même par leurs supérieurs.

Comme il s'avérait maintenant que nous allions être relâchés, je me levai et dis simplement : «Allons-y !» J'étais complètement nu, et j'avais l'intention de quitter le pays dans le même état que j'avais été contraint de vivre durant les deux dernières années.

Les gardiens hochaient la tête. Sandy me regardait avec incrédulité. Il insista à nouveau pour que je m'habille. Je m'obstinais à refuser, pour la plus grande exaspération de tout le monde. Finalement, je cédai en partie, étendant la main pour prendre les seuls articles vestimentaires restés dans ma cellule. C'est-à-dire le t-shirt et des boxeurs, lavés la dernière fois en juillet 2001 et portés en septembre de la même année. Je les avais utilisés pour sécher mes pieds après mes marches quotidiennes autour de la cellule et ils étaient aussi sales et puants que moi. Je les mis, ce qui couvrait au moins ma nudité mais ne me rendait guère présentable.

Les gardiens refusèrent ce compromis. Même Sandy montra des signes de frustration devant mon obstination, et il ne s'y était frotté que depuis quelques minutes. Sandy et les gardiens me laissèrent là-dessus, disant qu'ils allaient téléphoner au brigadier Mohammed Saïd. Ils revinrent quelques minutes plus tard pour me dire que je devais me changer et prendre une douche. Une fois de plus, je refusai obstinément.

C'était l'impasse. Je n'allais pas faire la moindre concession à mes geôliers. S'ils voulaient me voir propre et bien vêtu pour une raison quelconque, il faudrait qu'ils procédassent avec la force. De nouveau, les trois partirent frustrés, Sandy me disant qu'il parlerait encore au brigadier. Je me demandai alors s'ils allaient me laisser là. Aussi étrange que cela puisse paraître, cette perspective ne me déconcerta pas. La lutte contre les salauds qui m'avaient mis en taule me soutenait, me donnait un but qui remplissait mes jours. Incarcéré comme je l'étais, je trouvais une sorte de liberté dans cet entêtement extravagant. J'étais donc prêt à risquer de rester où j'étais.

Sandy finit par revenir et prononça les quelques mots qui me permirent de coopérer :

– L'ambassade dit que tu dois prendre une douche et t'habiller.

– Quelle ambassade ? demandai-je.

– L'ambassade britannique.

– Dans ce cas, c'est un ordre que je peux accepter.

À ce moment-là, j'étais prêt à acquiescer à la demande des autorités britanniques mais non des canadiennes, dont la conduite et la stupidité m'avaient écœuré. Mais si j'avais su ce que je sais maintenant sur la façon dont le gouvernement britannique a traité notre affaire, je n'aurais pas accédé à leur demande non plus. À cette époque, cependant, je ne disposais que de brèves informations de la part de Sandy. Il m'avait appris que les représentants de l'ambassade britannique avaient tenu tête aux Saoudiens lors des visites aux prisonniers, un geste qui contrastait fort avec le comportement des représentants canadiens, qui m'avaient dit en pleine face, à plus d'une occasion, que j'étais coupable. Aussi coopérai-je, enlevant les haillons que j'avais mis et demandant une serviette et du savon.

Zapata, qui semblait stupéfait de ma rapide volte-face, partit aussitôt et revint avec du savon, du shampooing, une brosse à dents et de la pâte dentifrice, tous des articles qui étaient restés inutilisés à l'extérieur de ma cellule. Je m'installai dans une cabine de douche et tournai les robinets. Même tiède, l'eau était revigorante : c'était ma première douche depuis deux ans. Durant tout ce temps, dans ma cellule, j'avais lorgné la cabine avec envie, sachant qu'il serait si facile de me procurer ce petit plaisir, mais j'avais résisté, tirant plus de plaisir encore à voir l'embarras et l'emmerdement que je créais à mes geôliers. À mesure que l'eau coulait sur mon corps et que je me frottais avec le savon, la crasse se détachait en flocons gris brunâtre qui allaient s'agglutiner en mousse épaisse sur le plancher de la douche. En poursuivant le reste de ma toilette, je m'entretins sans relâche avec Sandy sur nos expériences respectives en prison.

Il m'apprit que Zapata, le gardien que j'avais déjà violenté et dont la conduite à mon égard avait été strictement professionnelle – non amicale mais jamais abusive –, avait été, de fait, très clément avec les autres prisonniers. Probablement l'aurait-il été avec moi aussi si je n'avais pas été aussi intransigeant et si ne je l'avais pas mordu jusqu'au sang. En apprenant sa gentillesse, j'eus un vif regret de l'avoir insulté et violenté. Après tout, il n'avait rien à voir avec l'incarcération et la torture qui m'avaient été infligées. Il n'était qu'un simple gardien dont la tâche était de contenir et de surveiller ceux que ses maîtres jetaient en prison. Certains prisonniers étaient coupables, d'autres non, mais il n'avait aucun moyen de le savoir. Comme nombre d'autres, il remplissait ses fonctions avec toute l'humanité possible dans les circonstances. J'étais désolé pour lui. Huey, Moussa, l'aide-soignant, le jeune caporal qui n'avait pas voulu me laisser par terre, le jeune agent qui m'avait remis mon chandail et les autres comme eux n'étaient pas des ennemis.

Zapata était resté debout près de la porte de la cellule pendant que je prenais ma douche, mais maintenant que j'avais fini, que je me séchais et que je mettais des vêtements propres, il était revenu dans la cellule. Je m'avançai vers lui pour lui dire ce que Sandy venait de m'apprendre, le remerciant pour sa gentillesse avec mes amis et le priant de m'excuser pour tout ce que je lui avais dit et fait, à lui et à certains autres.

– J'espère que tu comprendras, lui dis-je à la fin, il me fallait faire ce que j'ai fait. Pour des raisons personnelles. Mais je tiens à te dire que je suis désolé d'avoir agi comme ça avec toi.

Zapata écoutait d'un air éberlué ces paroles conciliantes et raisonnables. L'instant d'avant, j'étais une bête imprévisible, qu'on ne pouvait maîtriser que par la force ou en lui

367

administrant des calmants. Et tout à coup, j'exprimais des sentiments parfaitement inattendus. J'étais encore imprévisible, d'une autre façon. En m'entendant parler ainsi, en voyant la sincérité de ce que je disais, le gardien changea d'expression et tout son corps se détendit. Quand j'eus terminé, il dit simplement :

– Je suis désolé, moi aussi.

Zapata nous accompagna, Sandy et moi, au cabinet du médecin pour un dernier examen médical, qui n'était qu'une simple formalité. Je vis que mon poids n'était que de 62 kilos, trente-quatre kilos de moins qu'avant mon arrestation. Je portais maintenant la chemise que j'avais lors de l'arrestation, avec les déchirures héritées des premiers interrogatoires, ainsi qu'un pantalon kaki que mon père avait apporté lors de sa première visite. Je flottais dans ces vêtements comme s'ils avaient appartenu à un autre. J'avais dû replier la taille du pantalon. Et même là, celui-ci tenait tout juste en place alors que la dernière fois que je l'avais porté il était presque trop étroit.

De retour à la cellule, je commençai à empaqueter certains des livres que j'avais reçus. De grands sacs à bagage m'avaient été fournis à cet effet. Mais je laissai là la plupart des bouquins, ne prenant que ceux que j'avais parcourus je ne sais combien de fois : *Fortune's Rocks*, *Great Expectations*, *The Strange Last Voyage of Donald Crowhurst*, quelques traités de mathématiques, et les romans de la série « Discworld » de Terry Pratchett, qui m'avaient servi à marquer les jours. Ces bouquins avaient été mes amis et mes compagnons. Ils m'avaient aidé à passer le temps en captivant mon imagination par la trame de leurs intrigues ou en engageant mon intellect à résoudre les problèmes posés. Comme dans mon enfance, la littérature m'avait été d'une grande consolation durant ma détention, d'où ma tristesse à me séparer d'un certain nombre de livres, y compris les prolixes romans d'espionnage.

Je me retrouvai ensuite dans le passage à attendre que Sandy terminât de rassembler ses affaires. Debout à côté de Zapata, je le vis allumer une cigarette et je lui en demandai une. Ce n'était pas une idée géniale, car j'étais à ce moment-là libéré du tabac, mais comme d'habitude je tentais le diable. Il accéda généreusement à ma requête, et tout le temps que je restai en sa compagnie, chaque fois qu'il prenait une cigarette, il m'en offrit une. Cela pourrait sembler un détail anodin ou peu intéressant compte tenu de ce qu'on pense actuellement du tabac. Mais, pour moi, c'était important, car nous nous traitions l'un l'autre en êtres humains, chose que je n'avais pas connue depuis trop longtemps.

Quand Sandy finit par nous rejoindre, nos bagages furent chargés sur une table roulante, puis nous sortîmes tous les trois du bloc cellulaire avant de nous arrêter au bureau des gardiens dans le grand vestibule pour remplir d'autres papiers. Notre arrivée suscita quelque nervosité chez les gardiens qui faisaient relâche, et la plupart se levèrent. Deux jeunes gardiens prirent des menottes et des chaînes et, suivis de quelques autres, s'avancèrent vers nous. Nous nous hérissâmes, Sandy et moi, devant la perspective d'être garrottés de nouveau et lançâmes des injures aux gardiens qui s'approchaient.

Je me préparai au combat avant de me tourner vers Zapata pour lui dire que nous ne nous laisserions pas enchaîner sans nous battre. Il hocha la tête, puis invectiva copieusement les deux jeunes gardiens en arabe, et ceux-ci répliquèrent aussi vivement. À la fin de l'altercation, Zapata s'éloigna de quelques pas tout en continuant de jeter des regards furieux aux deux jeunes sbires. En même temps, les autres gardiens se retirèrent, laissant isolés ceux qui s'étaient avancés avec les entraves. Quelle que soit leur raison de vouloir nous enchaîner, elle se dissipa quand ils virent que leurs collègues plus âgés (et plus sages) ne leur prêteraient pas main-forte, ce qui les laissait en face de deux hommes plutôt mécontents, dont l'un n'était pas réputé pour sa soumission. Les menottes et les chaînes furent donc remises où elles étaient, et les documents furent signés pour notre sortie. De là, nous nous rendîmes dans la zone de réception, où mes empreintes et ma photo furent prises pour la dernière fois. Puis nous dûmes revenir au bloc cellulaire pour attendre, car il semblait que notre transport n'était pas prêt.

Finalement, le moment de notre départ arriva. Sandy et moi refîmes le parcours pour sortir du bloc cellulaire et atteindre le vestibule principal. Nous débouchâmes dans l'aire de chargement, à la lumière du jour. L'aube était déjà passée depuis un bout de temps. Notre libération avait pris, en effet, toute la nuit, mais elle ne m'avait pas paru si longue. Je notai alors quelque chose d'étrange. Mon sens de l'observation n'avait pas perdu de son acuité dans l'euphorie du moment, et je notais encore mentalement tout ce que je voyais. Il y avait dans l'aire de chargement des gardes armés qui ne portaient pas l'uniforme du ministère de l'Intérieur mais celui de la Garde nationale. Ils avaient des mitraillettes SMG 9 mm, mais c'était leurs chèches à carreaux rouges qui avaient d'abord attiré mon attention. Au bord du quai, il y avait quelques fourgons cellulaires mais, au-delà du débarcadère, j'aperçus deux véhicules 4 x 4 aux couleurs de la Garde nationale.

Que faisaient-ils là? On était sur le territoire du prince Nayef et du ministère de l'Intérieur. Et, avec le strict partage du pouvoir et les divisions afférentes, qui étaient caractéristiques de la politique interne du Royaume, il était assez significatif que nous fûmes escortés au sortir de la prison par les soldats de la Garde nationale du prince héritier Abdallah.

Installés à l'arrière d'un fourgon manifestement escorté jusqu'à l'aéroport, Sandy et moi échangeâmes sur nos expériences réciproques. Ce fut à ce moment que j'appris que j'avais été officiellement condamné à mort par *al-haad*, un moyen d'exécution barbare qui consiste à attacher la victime à deux poteaux, à la décapiter partiellement pour la laisser agoniser durant des heures. C'est la sanction ultime en vertu de la charia, la loi islamique en vigueur dans le Royaume. Elle est réservée à des meurtres particulièrement haineux et à des attentats terroristes.

On s'arrêta finalement et la porte arrière du fourgon s'ouvrit. Nous sautâmes sur la surface bétonnée de la voie de circulation en face de l'aéroport. Des soldats de la Garde nationale formaient un cordon à une distance respectueuse, avec un ou deux employés en uniforme du ministère de l'Intérieur. Je notai encore une fois la discordance, car la sécurité des aéroports relevait du ministère. Il semblait que la Garde nationale était là pour garantir la sécurité de notre départ.

À environ cinq mètres en face de nous, j'aperçus Couteau Souriant, le brigadier Mohammed Saïd. La tentation de profiter de cette chance ultime pour lui casser la gueule était forte. Je le fixais intensément en me rapprochant de lui, serrant les poings. Le langage du corps dut me trahir, car il cessa d'avancer et se retourna pour nous conduire dans l'aérodrome. Comme nous marchions à la queue leu leu, Saïd à deux pas devant Sandy et Sandy à deux pas devant moi, je commençai à siffloter en douce «Colonel Bogey March», un des airs que j'avais sifflotés durant des heures en marchant dans ma cellule. Et j'allai jusqu'à réciter les paroles que j'avais composées pour accompagner cet air:

«Abdallah n'a qu'une couille.
Pour Nayef, c'est pareil.
Khaled est comme Mohammed
Car Mohammed n'a pas de couilles.»

Saïd m'entendit, comme c'était mon intention. Il tourna la tête vers moi. Il avait l'air fort mécontent. Il semblait sur le point de me dire quelque chose, mais il se ravisa quand il croisa mon regard déterminé. Pas question que j'exprimât la moindre fausse gratitude pour la liberté qui m'était octroyée. Car c'était une chose qui m'appartenait de plein droit, au départ, et qui m'avait été enlevée par les brutes corrompues et sadiques du régime saoudien, dont Saïd était. Je n'allais pas leur faire des courbettes ou leur lécher les sandales comme ils l'auraient souhaité. Je voulais bien m'excuser auprès de ceux qui m'avaient traité décemment, mais jouer les obséquieux avec le brigadier et les autres qui avaient été complices de la torture ou y avaient pris part, c'était une tout autre affaire. J'étais encore en guerre contre eux, et j'allais le rester jusqu'à ce que j'eusse obtenu justice.

Discrètement, à l'abri des regards, on nous conduisit vers les salons VIP. Dans le long couloir qui nous y menait, en traversant quelques passages, j'aperçus la première personne de la délégation qui devait nous accueillir. Appuyé contre le mur, il y avait un grand type bien vêtu: c'était le consul de l'ambassade britannique. J'entrevis sur sa figure l'esquisse d'une grimace ou d'un sourire quand j'arrivai assez près de lui pour qu'il pût reconnaître l'air que je sifflais. Il ne faisait pas de doute qu'il m'aurait demandé d'arrêter, et ce fut ce que je fis en arrivant à sa hauteur, mon besoin d'irriter Saïd étant satisfait pour le moment.

Après les présentations d'usage, on nous fit entrer dans un petit vestibule, à droite, rempli de divers représentants des ambassades britanniques et canadiennes ainsi que du cabinet d'avocats Al-Hejailan. Je n'en connaissais pas la plupart. Des deux côtés du vestibule se trouvaient de spacieuses salles d'attente. Sandy et moi fûmes conduits dans l'une d'elles, à gauche. En y entrant, j'aperçus Les Walker. Mes soupçons sur son arrestation étaient bien fondés. Je fus étonné de voir d'autres visages familiers. Assis sur les canapés qui longeaient les murs de la pièce, il y avait Pete Brandon, tout juste derrière Les, et à gauche, James Cottle, que je reconnus tout de suite. Ils avaient tous les deux l'air hagard et étaient amaigris. Les premiers mots que j'adressai à Cottle furent sur son apparence:

– Salut, Cottle, t'as perdu du poids! Tu ressembles à Jack Duckworth (un personnage de *Coronation Street*).

Sa réponse fut lapidaire et ponctuée de jurons, mais plutôt enjouée. Il était manifestement soulagé de quitter le pays, comme nous l'étions tous.

Dans les minutes qui suivirent, survinrent deux autres personnes que je connaissais. Le premier était James Lee, qui était aussi beaucoup amaigri. L'autre était Sharon Ballard, la femme de mon ami Glenn. Pourquoi se trouvait-elle là? Je présumai que c'était parce qu'elle était infirmière. En lui parlant, j'appris que son mari avait été le dernier à être arrêté. Quelques instants plus tard, il venait se joindre à nous. Le groupe était maintenant complet, semblait-il. Mais il en manquait deux: Raf Schyvens et Carlos Duran.

En parlant avec chacun de mes codétenus, je commençai à me faire une idée de ce qui était arrivé depuis mon arrestation. L'ampleur du terrorisme, malgré tous les efforts déployés par le gouvernement saoudien pour cacher ce phénomène en arrêtant des Occidentaux, était plus grande que je le croyais. Les attentats contre des entreprises et des ressortissants occidentaux s'étaient poursuivis en 2001 et 2002. J'appris alors que neuf d'entre eux avaient été arrêtés, mais ce chiffre a grimpé de beaucoup quand j'ai entrepris plus tard mon enquête sur les circonstances entourant mon arrestation. Raf Schyvens, Sandy Mitchell et moi-même avions été arrêtés en décembre 2000. Les Walker, Carlos Duran, Pete Brandon, James Lee et James Cottle avaient été arrêtés dans la première moitié de 2001, et Glenn Ballard à la fin de 2002. Tous ceux arrêtés avaient été soumis à la torture psychologique (ou interrogatoire coercitif, comme on le qualifie par euphémisme), et six d'entre nous avions aussi subi plusieurs formes de torture physique que nos ravisseurs se délectaient à appliquer.

Je pressais mes codétenus de questions. Savaient-ils ce qu'il était advenu de Carlos et de Raf ? Ils l'ignoraient. Un représentant de l'ambassade britannique m'appris que Raf avait été expulsé la nuit précédente et qu'il devait maintenant être à Bruxelles. Quant à Carlos, c'était la première fois qu'il entendait parler de notre codétenu philippin. Quelques semaines plus tard, j'allais apprendre qu'il avait été relâché sain et sauf.

Alors que j'étais en train d'offrir mes excuses à Les pour le rôle que j'avais joué dans son arrestation, un fonctionnaire de l'ambassade britannique m'interrompit pour dire :

– Vous n'allez pas frapper des Saoudiens, n'est-ce pas ?

Cette question posée abruptement était le premier signe qui m'était donné que les autorités de l'ambassade britannique me surveillaient avec inquiétude.

– Non, pourvu qu'ils ne s'approchent pas trop près de moi.

J'étais sarcastique, mais sérieux. Je n'allais pas provoquer un affrontement, mais je n'aurais sûrement pas hésité à me battre avec n'importe lequel d'entre eux. Je trouvai assez drôle que la question ne fût posée qu'à moi.

Le deuxième incident se produisit quelques instants plus tard. J'étais debout dans le vestibule, à l'extérieur du salon, quand un consul de l'ambassade canadienne s'approcha de moi et m'entraîna à part. Il voulait que je signasse divers papiers.

– Je ne veux traiter avec aucun représentant du gouvernement canadien, lui dis-je. Seulement avec des représentants du gouvernement britannique.

– Vous êtes sous ma responsabilité, et vous allez faire ce que je vous dis. Il faut que vous signiez ces documents, vous m'entendez !

Je ne sais pourquoi il pensait pouvoir m'intimider. Après deux ans de rébellion contre l'oppression de mes tortionnaires, ce n'était pas un petit fonctionnaire canadien imbu de son importance qui allait m'impressionner. Quant à la responsabilité, il aurait dû revoir sa conception des pouvoirs d'arrestation et de détention associés à son poste. En Arabie Saoudite, j'étais sous la responsabilité du ministère de l'Intérieur, qui avait pouvoir d'arrestation et de détention en vertu des lois qui ont cours dans ce pays. Aurais-je été au Canada, j'aurais pu éventuellement être assujetti au contrôle de diverses autorités légitimes, chargées de l'arrestation et de la détention de suspects ou de criminels. Mais le drôle qui se tenait devant moi était un diplomate, donc non investi d'une telle autorité, ni en Arabie Saoudite ni au Canada. Pourtant, il pensait détenir un tel pouvoir sur moi, même si l'ambassade n'avait exercé aucun pouvoir pour me protéger de la torture.

– Je suis citoyen britannique, lui dis-je, et je traiterai seulement avec des représentants du gouvernement britannique. Si vous continuez de me harceler et de chercher à m'imposer quoi que ce soit, je vous jure que j'intenterai une poursuite contre vous, et vous allez vous retrouver si vite devant les tribunaux que vous en tremblerez dans vos culottes.

Je vis l'homme se dégonfler. Saïd et deux agents du ministère de l'Intérieur qui se trouvaient là s'avancèrent vers nous. Le consul de l'ambassade britannique intervint pour prendre en main la situation. Le consul canadien se retira, laissant à son homologue britannique les documents qu'il brandissait. Je les remplis alors et fus surpris de recevoir un montant assez élevé d'argent de la direction des prisons saoudiennes : une partie était l'argent qui m'avait été confisqué lors de mon arrestation, et l'autre le salaire carcéral que je n'avais pas touché depuis deux ans. Les Saoudiens s'étaient sûrement donné du mal pour être corrects sur ce point. Dommage qu'ils ne l'eussent pas été dès le départ.

Je remarquai, du coin de l'œil, que les autres membres de la délégation canadienne, qui se trouvaient maintenant dans le hall, s'éloignaient encore plus de moi. J'en reconnus un parmi eux : Neil Oliver, un psychiatre canadien. Il avait manifestement été amené là par suite des questions qu'on se posait sur ma santé mentale. Est-ce que ça ferait l'affaire de tout le monde si j'étais déclaré mentalement inapte ? Mon accès de colère avait-il contribué à aggraver les choses ? J'étais vite passé de la colère à la pleine coopération avec le consul britannique. Je suppose que le fait de passer aussi vite d'une humeur à l'autre pouvait être considéré comme symptomatique d'un trouble mental. J'étais condamné, d'une façon ou d'une autre.

Je revins au salon et m'assis sur un canapé où on vint m'apporter un colis, envoyé par mon père dans l'éventualité de ma libération. Comme j'en inspectais le contenu, vint s'asseoir à côté de moi un membre de l'équipe médicale militaire britannique, chargée de nous évaluer et de nous accompagner. C'étaient des spécialistes de l'aide aux victimes et de leur rapatriement en Grande-Bretagne, et, à bien des égards, nous correspondions à leurs descriptions de tâches. On nous avait avisés que nous serions soumis à une évaluation médicale avant le départ afin de voir quels pourraient être nos besoins au cours de ce vol de longue durée. Fait notable, bien qu'ils fissent partie des forces armées britanniques, ils n'étaient pas en uniforme, par discrétion, pour éviter toute manifestation visible d'une présence militaire étrangère sur le sol saoudien, ce que le gouvernement du pays n'aurait pas toléré.

Le type qui s'était assis à mes côtés était un infirmier psychiatrique. Je ne fus guère surpris de me voir lier d'amitié avec le «psy» de l'équipe. Quand il m'apprit sa spécialité, je lui demandai s'il m'avait abordé de son propre chef ou si on l'avait assigné à s'occuper de moi. Même s'il nia avoir été affecté à moi, je sentis que ce n'était pas vrai. Quelque temps après, j'allais apprendre que j'étais, de fait, son affectation principale, à cause de ce que les autorités canadiennes avaient dit de moi à leurs homologues britanniques. Néanmoins, il engagea la conversation. Je savais que j'étais en observation, en quelque sorte, mais la façon dont c'était mené ne me dérangeait pas. Cela m'amusait.

C'étaient les premières conversations sans contrainte que j'avais depuis presque trois ans de séquestration solitaire. Je ne pouvais m'arrêter de parler, ne m'interrompant que pour reprendre haleine, et je ne pouvais rester immobile.

– Jouez-vous aux échecs? me demanda à brûle-pourpoint mon compagnon.

Je lui dis que j'avais déjà participé à des compétitions, mais pendant une brève période, ajoutant: «En quelque sorte, j'ai joué aux échecs chaque jour depuis deux ans.»

Jusque-là, je n'avais eu aucun contact avec des représentants britanniques. Leur information sur mon état d'esprit avait dû leur venir du gouvernement saoudien ou canadien. Les Saoudiens préféraient sûrement me considérer comme fou à

375

lier. Et je sais maintenant que les informations fournies par le gouvernement canadien indiquaient que je souffrais de troubles psychotiques. Compte tenu des circonstances, était-ce un diagnostic approprié? S'agissait-il d'une opinion bien établie ou d'une manœuvre politique à partir d'un diagnostic plus équivoque, je ne saurais dire, mais cela expliquait la nervosité de plusieurs représentants britanniques rencontrés ce jour-là.

S'il s'agissait d'une opinion médicale établie, on peut se poser des questions sur la validité des diagnostics psychiatriques établis dans des circonstances douteuses. J'étais quelqu'un qu'on avait incarcéré pour un crime qu'il n'avait pas commis. Je m'étais vu refuser l'accès à tout ce qui pouvait ressembler à un traitement honnête ou à un procès en bonne et due forme, et je vivais constamment sous la menace de mort. Les brèves entrevues destinées à évaluer mon état mental avaient été menées en présence de mes tortionnaires. Quelle conclusion pouvait-on tirer du comportement de ceux qui sont injustement incarcérés? Si l'on considérait mes faits et gestes durant ma séquestration, plusieurs pourraient sembler déments à la plupart des gens. Mais tous les faits et gestes accomplis avaient pour objet de susciter une réaction, et à cet égard ils atteignirent leur but, au risque d'être perçu comme un être désaxé et dangereux. Je n'essaie pas de donner l'impression que je suis tout à fait normal, sans aucun tic ni excentricité, mais je remets en question l'aptitude des spécialistes de la santé mentale à définir ce qu'est un comportement normal ou acceptable dans les circonstances où je me suis retrouvé.

Le comportement que les détenus présentent à la suite de leur traitement reflète probablement en partie les caractéristiques latentes ou sous-jacentes de leur personnalité, du plus passif au plus agressif. Je m'en voudrais de ne pas redire ici qu'il m'a été naturel de me comporter comme je l'ai fait. Je sais que, dans les premiers temps de mon incarcération, un article publié dans le quotidien *Vancouver Sun* me décrivait comme dangereusement agressif sur la foi d'une bataille à laquelle j'avais été mêlé à seize ans. Mais c'était là une déformation de la vérité qui a servi d'atouts à mes ravisseurs au moment où je ne pouvais donner ma version des faits.

En écrivant ce livre, j'ai examiné les cas de nombreuses personnes injustement emprisonnées et trouvé des ressemblances troublantes avec ma propre situation en ce qui concerne les évaluations psychiatriques faites durant leur incarcération et pour les fins de libération conditionnelle. Robert Brown, de Glasgow, en est un exemple. Emprisonné pour meurtre en 1977, il protesta de son innocence jusqu'à ce que sa sentence soit renversée par une cour d'appel en 2002. Il aurait pu obtenir une libération conditionnelle avant cette date, mais il aurait dû alors «reconnaître» sa culpabilité, ce qu'il n'a pas fait. Or, son refus d'accepter la responsabilité d'un crime qu'il n'avait pas commis influença négativement les évaluations des conseillers psychiatriques de la prison. Si les spécialistes de la santé mentale sont incapables de distinguer ceux qui sont coupables et se disent innocents de ceux qui sont vraiment innocents, alors on doit aussi remettre en question leur capacité de déterminer ce qui est ou n'est pas un comportement acceptable dans des conditions d'incarcération d'une extrême dureté.

Je ne suis pas en train de dire que les services psychiatriques ne sont pas utiles ou opportuns, loin de là. Après ma libération, j'ai moi-même recouru à ces services, car mes conditions d'incarcération m'avaient laissé des séquelles psychologiques, et je savais qu'il me faudrait de l'aide pour y faire face. Mais cela n'a rien à voir avec le fait de se faire évaluer contre son gré en prison, et sur la base de fausses suppositions. Pourtant, des évaluations erronées, fondées sur des préjugés, se produisent trop souvent. Demandez-le à toute personne non coupable ayant été relâchée après une longue période d'incarcération injuste.

Mon comportement à l'aéroport donna des inquiétudes du fait qu'on me considérait comme dangereusement perturbé. D'abord, mon apparence devait être dérangeante, avec mes cheveux longs, ma barbe, mon visage émacié et mes yeux à fleur de tête. Je m'étais qualifié moi-même de membre vieillissant de l'équipe de *Jesus-Christ Superstar*. En vérité, je ressemblais plutôt à Charles Manson. Et, comme je l'ai dit, je n'arrêtais pas de parler. J'étais bien conscient que ma grande volubilité posait problème à tout le monde, y compris à moi-même. J'essayais de me taire, mais n'y arrivais pas. Je ne pouvais pas non plus rester immobile. Je déambulais çà et là en jacassant. À un moment donné, je sortis dans le hall et me dirigeai vers la partie principale de l'aérodrome, dans la simple intention de trouver des toilettes. Ce geste eut l'heur de mettre tout le monde aux abois, pensant que j'allais chercher à m'échapper.

Mes allées et venues soulevaient une autre inquiétude. Ibrahim et Khaled se trouvaient à l'aéroport, pour une dernière démonstration de leur pouvoir et de leurs minables ego. Heureusement, les diplomates avaient insisté pour que mes ex-tortionnaires restassent assis derrière les portes fermées d'un autre salon. Comme je les avais déjà attaqués et que j'avais menacé de les tuer, on craignait ce que je pourrais tenter de faire. Il y avait au moins un avantage à être considéré comme dangereux. Pour dire la vérité, si je les avais vus, la haine intense que je leur portais aurait pu m'amener à les agresser. C'était bien compréhensible mais tout à fait inacceptable, et cela aurait entraîné un problème diplomatique. Heureusement, personne ne me parla de leur présence jusqu'à notre arrivée à Heathrow. Je m'étonne encore de la témérité de ces deux lascars.

Je m'étais mis à boire du jus de fruits dès mon arrivée dans le salon de l'aéroport, et j'en consommais en abondance. Certains de mes compagnons de voyage semblaient stupéfaits par la quantité de jus que j'ingurgitais, mais je survivais au thé noir et à l'eau du robinet depuis si longtemps que je me délectais inlassablement du goût du jus, et mon organisme de ses éléments nutritifs. L'effet de tant d'ingurgitation était prévisible. Aussi, peu après ma brève incursion dans le hall, l'infirmier psychiatrique dut me conduire aux plus proches toilettes. Et là, en me lavant les mains, je me vis enfin dans un vrai miroir. Plus pour moi-même que pour mon surveillant, je m'exclamai : « Je n'ai pas aussi mauvaise mine que je pensais ! »

N'ayant eu à ma disposition, dans ma cellule, que des plaques d'acier inoxydable qui reflétaient une image déformée, je n'avais pu voir les détails précis de ma physionomie. Maintenant, je pouvais m'examiner plus en détail, noter ma pâleur, mes joues creuses et mes yeux hagards. L'incarcération avait laissé sa marque, mais je m'étais attendu à pire. Ce trait d'autoperception ne manqua pas d'intéresser le psy qui avait alors commencé à me juger de commerce moins difficile qu'on ne lui avait fait croire.

L'un de mes souvenirs les plus vivaces du moment se rapporte à quelque chose d'assez banal. J'étais arrivé à l'aéroport chaussé des sandales prises dans ma cellule. Le paquet envoyé par mon père contenait, entre autres choses, des chaussettes et mes vieilles bottes de cowboy, pour mon plus grand plaisir. Je m'empressai d'enlever les sandales pour enfiler les chaussettes. J'en sentis tout de suite la fraîcheur et la douceur : un délice inouï pour mes pieds cornés et calleux. Mon expression de ravissement ne passa pas inaperçue.

L'infirmier, devenu mon compagnon de tous les instants, me souffla : « J'aurais bien aimé avoir un appareil-photo ! »

J'enfilai les bottes, étonnamment confortables étant donné que mes pieds n'avaient pas été enfermés dans de telles chaussures depuis longtemps. Ce n'étaient que de petites choses simples, mais remplies de plaisir et de signification pour moi. Elles constituaient une autre étape dans mon retour à la civilisation, dans ce que je considérais comme ma « réhabilitation ».

Nous passâmes à tour de rôle un examen médical et fûmes tous jugés aptes pour le voyage. On m'offrit un sédatif pour le vol. Je le refusai, disant que tout ce que je voulais était une bière de malt. Je dis à mes examinateurs que quatre choses combleraient mes vœux, quatre choses qui étaient officiellement défendues en Arabie Saoudite : boire un whisky, manger un sandwich au bacon, faire un pari et faire l'amour. Les trois premiers vœux étaient facilement réalisables. Quant au quatrième, il devrait être remis à plus tard étant donné mon état et mon apparence, d'autant plus qu'il n'y avait pas d'amoureuse qui m'attendait. On m'avisa qu'on imposait une limite de deux consommations d'alcool durant le vol, ce que je trouvai très raisonnable vu notre abstinence prolongée. De toute façon, il m'en fallait seulement une : c'était symbolique avant tout.

Il se produisit bientôt un mouvement de précipitation et de cohue au moment où quelques-uns de nos biens personnels, qui avaient été confisqués lors de nos arrestations, arrivèrent et furent vérifiés, puis rassemblés pour être placés dans l'avion. Comme je n'avais pas de liste de ce qui m'avait été enlevé, au départ, ce fut un exercice pour la forme, bien que ce qui fut retourné fût moins important que ce qui avait été pris. Aucun de mes papiers personnels ne s'y trouvait ni aucun des livres saisis chez moi, seulement les débris de mon ordinateur et quelques disquettes de fichiers informatiques, avec les livres que j'avais rapportés de la prison. Au milieu des ces échanges, mon passeport me fut finalement remis, avec une carte d'embarquement. Nous fûmes alors conduits à la hâte au bout de l'aérodrome jusqu'à l'avion, sous les regards éberlués des expatriés et des Saoudiens qui attendaient d'embarquer dans le même appareil.

On nous installa dans le compartiment de la classe affaires, qui nous avait été réservé en exclusivité. Nous étions un groupe assez nombreux, soit sept ex-détenus, l'équipe médicale et les représentants des ambassades canadienne et britannique. La seule qui n'embarqua pas fut Sharon Ballard, à la grande déception de son mari Glenn. Elle n'était pas autorisée à partir avant deux semaines, et je me suis souvent demandé si le délai mis pour la libérer de ses obligations au Specialist Hospital n'était pas une autre de leurs tactiques.

Je retrouvai mon «chien de garde» assis à côté de moi. J'étais ravi d'être en sa compagnie, car mon babillage ne le dérangeait pas, comme cela aurait pu être le cas avec d'autres personnes du groupe. Ne croyez pas que j'accorde un sens péjoratif au terme «chien de garde». C'était le rôle qu'on avait assigné à cet infirmier psychiatrique, mais il s'avéra un homme fort aimable, et j'ai gardé des liens avec lui qui durent encore depuis ma libération.

Fait notable, je n'ai pas dormi au cours de ce vol, même après avoir bu un whisky, d'ailleurs un peu déçu que ce ne fût qu'un Jack Daniel's. Je n'avais pas dormi depuis la nuit précédente, mais n'avais pas sommeil. J'étais rempli d'adrénaline, le stress sortant de moi à mesure que je parlais de tout ce que j'avais subi en prison, de mes tactiques de survie, de mes projets. Le psy à côté de moi écoutait attentivement, glissant un conseil ici et là quand il pouvait placer un mot. Je voyais bien qu'il se rendait parfois à l'arrière pour négocier de ma part avec les représentants canadiens qui se trouvaient là. Je m'étais entretenu avec lui de mon refus de traiter avec eux. Il finit par me convaincre d'être plus pragmatique dans mon approche et d'accepter tout ce qui pouvait ressembler à une offre. Avant l'arrivée, j'avais bien voulu qu'il acceptât pour moi l'offre des représentants du ministère des

Affaires étrangères, soit l'hébergement temporaire dans un hôtel pour le week-end, ainsi que des traitements médicaux pour les blessures et autres maux résultant de mon incarcération (une promesse qui ne fut remplie qu'en partie).

Et justement, comme cette promesse de traitements médicaux n'a été que partiellement remplie, on peut y voir la confirmation que ces offres n'étaient faites qu'à des fins de propagande, et non par souci de ma condition ni pour reconnaître d'une certaine façon que j'avais été torturé. Quand l'étendue des dommages que j'avais subis devint plus évidente et que les factures commencèrent à monter en conséquence, la « générosité » canadienne cessa brusquement – la veille même où je devais subir une angioplastie pour les dommages causés à mon système cardiovasculaire. Mes protestations et la menace de poursuites judiciaires (avec ses conséquences embarrassantes) entraînèrent au moins le paiement de l'opération. Mais la plupart des autres soins, notamment une chirurgie orthopédique bien nécessaire, furent annulés. Ces factures de soins médicaux devraient être payées par le gouvernement saoudien. Si le gouvernement canadien et ses représentants avaient eu le moindre courage, ils auraient présenté la note au gouvernement qui avait causé tout ces torts à une personne qu'ils reconnaissent comme leur ressortissant. Mais cela ne s'est pas produit et n'a guère de chance de se produire, car il appert que la complaisance à l'égard de l'Arabie Saoudite est l'une des plus grandes priorités politiques du Canada, ainsi d'ailleurs que de la Grande-Bretagne et de la Belgique.

Je me suis souvent demandé comment l'équipage de l'avion avait accueilli notre groupe. Je sais maintenant qu'ils s'étaient préparés à transporter un passager potentiellement dangereux, souffrant de désordres psychotiques. J'imagine à quel point cela a pu les mettre sur les dents, et mon apparence physique n'avait rien pour les rassurer. Pourtant, je me souviens d'avoir été enveloppé de prévenances, si je puis dire. Le capitaine est venu en personne nous accueillir et nous féliciter, puis il nous a offert le champagne au nom de tous les membres de l'équipage, juste avant l'arrivée à Londres. Ce fut une touchante démonstration de compassion et de sympathie, qui a rendu ce retour à la liberté d'autant plus mémorable.

381

Malgré le fait que j'avais été remis entre les mains des représentants diplomatiques et que j'étais à bord d'un avion à destination de Londres, je gardais encore une certaine incertitude, comme si tout cela était trop beau pour être vrai et qu'il s'agissait d'un rêve dont j'allais me réveiller dans ma cellule. Quelque part au fond de moi, je craignais que tant que je ne serais pas arrivé sain et sauf à destination, ce vol vers la liberté ne tournât court et que la prison ne se refermât à nouveau sur moi. Je savais que c'étaient là des pensées paranoïdes, provenant de l'état de méfiance perpétuelle dans lequel j'avais trop longtemps vécu, mais je ne pouvais pas les écarter.

Enfin, en arrivant à Londres, je pus m'en départir pour de bon. On nous fit débarquer en premier. Et en sortant de l'avion, je sentis mes derniers doutes s'évaporer en sentant l'humidité lourde de l'air et l'odeur de carburant qui flottait sur le tarmac de l'aéroport. Londres était aux prises avec une vague de chaleur, qui me rappelait le climat du pays que je venais de quitter, mais l'aéroport qui se trouvait devant moi ne laissait place à aucun doute. La liberté était là, bien réelle, et il n'y aurait pas de retour en arrière.

On nous fit monter à bord d'un car qui nous déposa à un centre de réception VIP, réservé d'habitude aux dignitaires en visite et situé à bonne distance de l'aérodrome. Là, nous fûmes happés par le tourbillon d'émotions de l'accueil des familles. Je restai seul dans mon coin, observant mes codétenus et prenant plaisir à la joie des retrouvailles. Étrangement, je n'avais pas pensé que quelqu'un serait là pour m'accueillir puisque je n'avais jamais envisagé la possibilité d'être libéré. La seule pensée qui m'était venue à l'esprit, la nuit auparavant, avait été de prendre tout mon argent et de m'éclipser.

Je fus alors abordé par un représentant de l'ambassade du Canada à Londres, qui m'apprit que James et Nelia, mon père et ma belle-mère, m'attendaient dans une pièce à part. Qu'ils soient parvenus jusqu'ici dans un si court délai est une saga en soi. Ils avaient appris ma libération, moins de vingt-quatre heures auparavant, par les familles des autres détenus et non par le gouvernement canadien, qui aurait pu les avertir beaucoup plus tôt. Ils étaient partis de Vancouver à la hâte et avaient attrapé de justesse un vol qui les avaient amenés à Londres quelques heures seulement avant mon arrivée.

Les autorités ne savaient pas comment j'allais me comporter envers mon père. Quand j'étais en prison, j'avais dit le renier à cause de ses visites répétées contre mon gré. Mes geôliers m'avaient cru et avaient cessé d'utiliser nos liens pour faire pression sur moi, mais le problème qui se posait maintenant était de savoir si j'avais été sincère, car il semblait que j'avais convaincu tout le monde, sauf mon père. Les autorités ne voulaient pas qu'une scène désagréable se produisît au milieu de ce moment émouvant pour les autres détenus, aussi avait-on prévu une rencontre avec les miens à l'écart du groupe.

Quand j'entrai dans la pièce où se trouvaient James et Nelia, je vis tout de suite l'émotion contenue et l'inquiétude dans les yeux de mon père. Comme à l'accoutumée, les retrouvailles furent assez réservées : les démonstrations affectives exubérantes n'ont jamais fait partie de nos rapports et ne le feront jamais. Ce que je dis d'abord à mon père fut de préciser ce que serait son rôle maintenant que j'étais revenu et ce que je comptais faire. Je n'avais pas l'intention de revenir directement au sein de la famille. Je voulais plutôt prendre quelques jours pour me retrouver avant d'affronter les émotions intenses des retrouvailles. Certains pourraient trouver cette façon de procéder bizarre, mais ce serait mal nous connaître, mon père et moi.

J'ai toujours eu tendance au départ à chercher en moi les ressources pour affronter des difficultés ou des problèmes personnels avant de me tourner vers l'extérieur pour chercher de l'aide, et c'est ce que je faisais à ce moment-là. Si égoïste que cela pût paraître dans les circonstances étant donné ce qu'avait enduré ma famille, c'était quand même moi qui avais souffert le plus et me trouvais le plus ravagé. L'ouverture aux besoins des autres viendrait en son temps, il fallait d'abord que je m'occupe de moi. Heureusement, mes proches le comprirent et acceptèrent ce trait d'indépendance. En ce qui concernait mon père, il était nécessaire de bien définir son rôle dans tout cela, car si je ne l'avais pas fait, il aurait eu tendance à s'activer frénétiquement pour régler tous les problèmes qui se posaient, en deux temps, trois mouvements, sans même me consulter. Il aurait agi ainsi avec les meilleures intentions du monde, car c'est un homme d'une grande bonté, mais la précipitation et l'orientation de ses initiatives auraient pu ne pas être opportunes. Cela ne l'empêcha de s'en mêler, mais au moins je le ralentis quelque peu. Cette mise au point faite avec mon père, je me tournai vers Nelia et l'enveloppai dans mes bras. Des larmes jaillirent de ses yeux, et elle enfouit sa tête dans mon épaule tandis que je lui disais simplement : « Ne t'en fais pas, c'est fini maintenant ! »

C'était drôle, il sembla un moment que c'était moi qui réconfortais au lieu d'être réconforté. Bien sûr, je n'avais pas besoin de réconfort alors, car j'étais porté par l'euphorie de la libération. Le besoin de réconfort viendrait plus tard, quand je commencerais à faire face aux émotions que la cruauté de ma captivité avait inscrites au fond de moi. Pour l'instant, je me sentais tout simplement heureux et calme à l'intérieur. Au bout d'un moment, j'entraînai James et Nelia à l'extérieur de la pièce pour nous mêler aux autres familles et les présenter à mes codétenus. Nous fûmes aussitôt emportés dans un tourbillon de présentations et de conversations, d'où se dégageait une émotion palpable.

Alors que nous nous trouvions là avec les autres familles, mon père essaya de savoir ce que je voulais faire des choses que j'avais entreposées dans son garage. Cela ne m'importait guère à ce moment-là, mais comme il insistait, je lui dis que si ces choses l'encombraient, il fallait les jeter, car j'avais d'autres chats à fouetter. Cette réponse lui fit comprendre pour de bon mon état d'esprit, et il me laissa m'organiser seul. La plupart de mes affaires sont toujours dans son garage, ce qui a mis sa patience à l'épreuve, il faut le dire, mais il a su rester compréhensif.

Peu à peu, les représentants qui nous avaient accompagnés commencèrent à se retirer une fois leur tâche accomplie. Les ex-détenus et leurs familles échangèrent leurs coordonnées, et finalement, cette petite cérémonie d'accueil arriva à son terme.

Durant le vol, nous avions décidé, d'un commun accord et sans contrainte, de ne pas tenir de conférence de presse ni de parler aux médias. Nous préférions que le Foreign and Commonwealth Office publie un communiqué de presse pour exprimer notre gratitude de l'appui obtenu lorsque nous étions en prison et faire part de notre volonté de rester hors des projecteurs, dans l'intimité de nos familles respectives. C'était là un désir sincère de notre part. Cependant, une autre considération joua : Sharon Ballard était toujours en Arabie Saoudite. Nous pensions que nous ne devions pas faire la moindre déclaration aux médias tant qu'elle ne serait pas sortie saine et sauve du pays. Mais les médias rapportèrent que notre manque d'accessibilité nous avait été imposé, une chose qui m'irrita sur le coup.

Je pris congé de James et de Nelia et rejoignit un groupe de représentants de l'ambassade canadienne qui avaient pris les arrangements nécessaires pour mon séjour au Heathrow Hilton, à quelques kilomètres de là. Comme nous nous préparions à partir, un officier de la division antiterroriste de la Metropolitan Police londonienne vint nous saluer et nous laissa ses coordonnées au besoin. C'est là que je découvris qu'on m'avait enregistré à l'hôtel sous mon propre nom. Tout le monde, sauf moi, paniqua un moment devant un éventuel harcèlement des journalistes. Cela pouvait bien inquiéter les fonctionnaires, mais pas moi. Je leur rappelai qu'après tout ce que j'avais vécu les journalistes ne pouvaient guère me créer de problèmes. Les problèmes seraient probablement plus pour eux. Quand j'y repense maintenant, ces représentants s'inquiétaient sans doute de ce que je pouvais déclarer aux journalistes. Fait intéressant, les médias rapportèrent que nous avions tous conservé l'anonymat, même si la plupart d'entre nous étaient retournés dans leurs familles, dont les adresses étaient bien connues. Quant à moi, je n'étais guère incognito en séjournant sous ma véritable identité trois nuits durant dans un hôtel où on pouvait observer mes allées et venues.

Ce soir-là, dans ma chambre d'hôtel, je pus m'adonner à nouveau au plaisir du libre choix. Certaines décisions furent faciles à prendre, d'autres moins. La première chose que je fis fut de capter les nouvelles de la BBC à la télévision et d'ingurgiter avidement toutes les informations. Je goûtais pleinement la liberté d'accéder à ce que je voulais. Depuis ce jour, l'indicatif musical des nouvelles de la BBC me donne toujours un frisson de plaisir, car il est resté pour moi l'indicatif de la liberté, en quelque sorte. Un autre délice fut de rester des heures à barboter dans la baignoire. Je dus changer l'eau quatre fois, en me frottant et me grattant pour faire disparaître la crasse accumulée que ma dernière douche n'avait pu déloger.

À la fin, l'émail blanc de la baignoire avait pris une teinte grisâtre dégoûtante malgré mes efforts pour bien rincer. Mais, au moins, je commençais à me sentir propre et quelque peu régénéré.

Appeler des amis et des parents fut mon autre priorité. Je passai des heures au téléphone au cours des soirées suivantes, parlant à plusieurs personnes avec qui je n'avais pas été en contact depuis des années mais qui m'avaient apporté leur soutien. Le plus difficile fut de choisir quoi manger. Je passai plus d'une heure à lire et à relire le menu avant de prendre finalement un curry de légumes et une salade. Mais la chose la plus éprouvante fut de sortir de la chambre d'hôtel. J'étais devenu une sorte de bête confinée à sa cage à la suite de ma longue séquestration. Je sentais instinctivement que je devais chercher de l'aide à cet égard, pour me donner le prétexte de rompre un isolement qui risquait de devenir un mode de vie. À cette fin, j'appelai Neil Oliver qui restait à l'hôtel pour le week-end. J'avais d'abord évité sa compagnie, comme je l'avais fait avec tous les membres de la délégation canadienne, mais, des échanges avec la famille m'avaient amené à reconsidérer ma position, à son sujet du moins. J'en vins donc à conclure un marché avec lui: je lui servirais de guide touristique à travers Londres, une ville que je connaissais bien pour y avoir étudié; et lui, en retour, serait une sorte d'accompagnateur qui me ferait part de ses observations et de ses recommandations.

Ma dernière initiative, le premier soir, fut de regarder un des films présentés à l'hôtel. Mon critère de choix avait été Al Pacino, car je m'étais dit qu'un film où cet acteur était en vedette ne pouvait être mauvais. Ce fut ainsi que je tombai sur le film *The Recruit (La Recrue)* sans savoir quel en était le sujet. Or, il s'agissait d'une histoire d'espionnage, assez bien menée, axée sur le recrutement et l'entraînement d'agents de la CIA. Il présentait cependant des scènes d'interrogatoire et de torture, qui, étrangement, ne me troublèrent pas. On peut s'en étonner, mais j'avais toujours eu une façon très distanciée de considérer ce qui m'arrivait, donc je ne trouvais pas toujours aussi troublant que d'autres le fait de voir des images qui rappelaient la torture que j'avais subie.

Je ne dis pas que ce film m'a laissé parfaitement indifférent. Je racontai à des amis qu'après l'avoir vu une fois je ne pensais pas pouvoir le regarder de nouveau. Mais, un mois plus tard, je me retrouvai encore devant. J'étais allé à New York pour une interview et, sur le vol de retour, le film présenté n'était autre que *The Recruit*. J'aurais pu simplement fermer l'écran sur le siège en face de moi et lire un bouquin, mais je ne le fis pas. J'en étais venu à penser que le fait de le regarder de nouveau pourrait me perturber, au point que c'était devenu une crainte en moi. Et, pour une raison ou une autre, j'ai toujours eu l'habitude d'affronter directement mes peurs. Ma passion pour l'alpinisme est venue d'un besoin de vaincre ma peur de l'altitude. En passant de longues heures sur les pentes des glaciers, j'en étais venu à l'apprivoiser. Je ne l'ai jamais vaincue complètement, car lorsque je suis au bord d'un précipice ou au sommet d'un gratte-ciel et que je regarde en bas, j'ai encore des papillons dans l'estomac, mais la peur ne me submerge pas. Comme j'étais maintenant aux prises avec quelque chose qui prenait la forme d'une nouvelle peur – en fait, l'incapacité éventuelle d'affronter ou de maîtriser ce qui m'arrivait –, je fis d'instinct ce que j'avais toujours fait : prendre le taureau par les cornes. Je me forçai donc à regarder le film et, bizarrement, j'y pris encore plus de plaisir que la première fois malgré ce qu'il contenait. Je m'étais inquiété outre mesure.

Le samedi, lendemain de mon arrivée à Londres, j'amorçai le processus que j'allais appeler «réhabilitation». Neil ayant accepté ma proposition, nous explorâmes, à pied et en autobus, le centre-ville de Londres. Neil s'arrêtait parfois pour acheter des objets souvenirs et, de mon côté, j'achetais de menus articles comme de l'eau de Cologne et des lunettes de soleil. Je pris résolument la direction des magasins Harrods, non dans l'intention d'y faire des achats mais seulement pour voir les étalages alimentaires. Pour quelqu'un dont les sens avaient été privés si longtemps de stimulation, cet endroit était des plus enivrants. Dans la cohue du samedi, les vastes étalages de denrées alimentaires et surtout les odeurs qui en émanaient comblèrent mes sens. Je restai là de longs moments, immobile, à humer profondément les divers arômes, savourant tous les souvenirs qu'ils évoquaient. Nous sortîmes de là, finalement, pour poursuivre la visite de ce qu'on pourrait appeler «mon» Londres. Il ne s'agissait pas de la tournée des attractions touristiques connues, sauf Harrods, mais plutôt d'une sorte de pèlerinage dans des lieux que j'avais déjà hantés. Et chaque pas soulevait des souvenirs d'autrefois, des images de lieux et d'événements qui me rappelaient ce que j'avais été. Je savais précisément ce que je faisais en retrouvant exprès un environnement qui avait imprégné la fin de mon adolescence et le début de ma vie adulte, période où j'avais connu pour la première fois une véritable indépendance. Ce rituel faisait partie de la réhabilitation d'une personnalité presque anéantie dans une cellule de prison, et Neil suivait de bonne grâce en écoutant les évocations de ma folle jeunesse. Accablés de chaleur et le pied un peu endolori, nous entrâmes dans un pub que j'avais fréquenté autrefois, puis nous revînmes à l'hôtel pour le dîner, à la fin de la journée. Ce fut pour moi une sortie plaisante et profitable, car je ne me sentais plus aussi confiné et vulnérable.

La sortie du lendemain, dimanche, ne fut pas aussi plaisante, mais me parut, à certains égards, plus instructive. J'avais passé la soirée de la veille au téléphone et n'avais dormi qu'une heure environ. J'avais trop peu de sommeil à mon actif et trop de caféine dans les veines, de sorte que je me sentais dans un état second quand nous commençâmes les visites de la journée. Nous nous dirigeâmes tout droit vers le British Museum, comme Neil l'avait voulu, et j'avais hâte de voir les expositions. Cependant, en me trouvant au milieu de la foule du musée, avec la chaleur étouffante et l'enfermement, je sentis monter en moi une telle anxiété que je dus sortir. Je laissai Neil faire le tour des salles d'exposition, et je cherchai un coin plus frais et plus tranquille pour l'attendre et pour surmonter mon angoisse. Je compris alors qu'il me faudrait y aller doucement pour réintégrer la société. Neil vint me retrouver et nous retournâmes à l'hôtel, où je passai la soirée à regarder la télévision en laissant se dissiper peu à peu les effets de cette crise.

Le lundi matin, le temps était venu pour moi de reprendre contact avec ma parenté. Mon cousin William, qui était venu me chercher à l'hôtel, prit le petit-déjeuner avec moi. Il fut quelque peu ébahi, à la fois par mon apparence et par mon comportement, surtout quand il me vit replié sur mon assiette, mangeant mes céréales avec mes doigts. Il ne dit rien de prime abord, mais, Dieu merci, il m'en fit l'observation quelques jours après, me laissant savoir que j'avais peut-être oublié les règles de la bienséance. L'accueil que me réserva ma parenté fut cordial et enjoué, et deux aspects en ressortirent particulièrement. Les jeunes enfants de William, qui étaient bien en deçà de l'âge où mes tribulations auraient pu signifier quelque chose pour eux, se jetèrent sur moi pour accaparer mon attention. Malgré le fait que lorsqu'ils me virent pour la première fois j'avais encore l'apparence sauvage de ma sortie de prison, je devins vite pour eux un objet d'amusement et une sorte de perchoir mobile où se jucher. Tout à leur innocence enfantine, ils me sortirent de moi-même avec leurs cabrioles et leurs cris de plaisir et de protestation au milieu de leurs jeux et de leurs bousculades.

Le lendemain, je rendis visite à Helga, une vieille tante que j'aimais bien. Elle se relevait à l'hôpital d'un traitement pour le cancer, une maladie qui allait malheureusement l'emporter un an plus tard. À près de quatre-vingts ans, Helga était l'une des fortes matriarches de la famille, une femme qui avait des opinions bien tranchées et n'avait pas peur de les exprimer. J'avais passé mon temps à ferrailler avec elle. Elle s'amusait souvent à passer des commentaires sur ma vie nomade et dissolue. Je me souviens d'une conversation portant sur une promesse de mariage que j'avais rompue.

– Il faudra bien que quelqu'un te mette sous le harnais, mon garçon! avait-elle lancé sans ambages.

– Mais je ne suis pas un cheval de trait.

– C'est bien dommage! avait-elle répliqué.

J'entrai dans sa chambre d'hôpital et passai la tête à travers le rideau du lit. Elle avait l'air plus vieille et plus frêle, comme je m'y attendais. Mais elle n'avait rien perdu de sa vigueur d'esprit et de son franc-parler. J'avais coupé mes cheveux et ma barbe la veille au soir, de sorte que je paraissais un peu plus civilisé que sur les photos parues dans les journaux quelques jours auparavant et qui étaient sans doute tout ce qu'Helga avait vu de moi. Quand elle aperçut mon visage souriant au pied de son lit, ses premiers mots furent: «Dieu merci, t'as enfin coupé cette foutue crinière!»

Exprimé à sa manière brusque, cela m'indiquait plus que toute autre parole que j'étais de retour et que les choses reprenaient leur cours. J'avais passé 984 jours emprisonné, confiné dans une cellule solitaire, pour un crime que je n'avais pas commis. J'avais été torturé, violé, brutalisé jusqu'à en faire une crise cardiaque, et je me retrouvais devant une myriade de problèmes orthopédiques et dentaires. Dans les jours qui avaient suivi ma libération, j'avais reçu une leçon sur mes limites psychologiques, ce qui m'avait fait comprendre qu'il me faudrait plus que quelques jours ou quelques semaines pour me remettre de toutes ces années d'isolement. Cependant, j'étais revenu et il était temps de reconstruire ma personnalité et de réintégrer la civilisation. Je savais que j'avais la force de le faire, de même que j'avais trouvé la force de supporter ce que j'avais vécu, mais j'aurais besoin de toute la patience que j'avais développée. En une phrase lapidaire, Helga avait résumé toutes ces espérances. Je n'aurais pu le dire autrement.

CHAPITRE 6

LA RÉHABILITATION

J'attendais anxieusement dans la zone des arrivées de l'aéroport de Heathrow. Cela faisait des années que je n'avais pas vu mon amie Siobhan. Je savais que le temps m'avait changé, et je craignais que ces changements ne parussent trop. Mon corps restait encore très amaigri, car je pesais à peine soixante-six kilos, mais ce qui frappait davantage, c'était mon visage. Il était émacié et tiré, comme si la peau était collée sur les os. Et mes yeux restaient creusés dans leurs orbites, ce qui leur donnait encore un air lointain et caverneux.

La tension de l'attente était presque insupportable. Me reconnaîtrait-elle? La reconnaîtrais-je? Devrais-je l'embrasser? Et si elle n'était pas prête ou même intéressée à cela? Des questions stupides d'adolescent ajoutaient à la tension. J'attendis ainsi plus d'une heure. Son avion était arrivé, mais elle n'apparaissait pas encore. Je l'appelai en vain chez elle et sur son cellulaire. Avait-elle raté l'avion? Dans ce cas, elle aurait sûrement appelé. J'allai aux renseignements et on me dit que l'avion était arrivé mais qu'un encombrement aux barrières avait retardé le débarquement des passagers et des bagages. Je revins à mon poste d'attente et l'aperçus enfin. Je ne sais qui reconnut l'autre d'abord. Ça se passa en même temps, je pense. Je fouillais du regard une mer de visages anonymes, et l'instant d'après, nos yeux se croisaient. La reconnaissance fut instantanée et profondément émouvante. Elle se précipita au-devant de moi, aussi vite qu'elle le put avec sa valise.

Petite et svelte, la chevelure différente – non plus raide, mais légèrement bouclée –, portant un simple chemisier blanc et un pantalon noir, elle était un ange incarné. Ses grands yeux et ses traits fins, à la fois angéliques et mutins, illuminèrent les lieux. Tout s'estompa autour de moi, je ne voyais qu'elle : aussi belle qu'elle était restée dans mon souvenir, aussi belle que j'avais pu l'imaginer dans mes rêves.

Quand nous tombâmes dans les bras l'un de l'autre, ses mains s'agrippèrent à moi, ses doigts pressant mon dos comme si elle voulait se rassurer sur la réalité de ma présence. Je la pressai contre moi, l'enveloppant dans mes bras, la tenant ferme comme une bouée de sauvetage. Je resserrai mon étreinte, glissant ma main le long de son cou pour tenir sa tête tandis qu'elle enfouissait son visage dans mon épaule et que ses larmes coulaient. Ces larmes de joie et de soulagement qui roulaient sur ses joues vinrent tremper ma chemise, et j'en sentis l'humidité sur ma peau : c'était rafraîchissant, revigorant et apaisant comme une pluie tombant sur une terre desséchée. Je marmonnais des inepties, des choses qui ne valent pas la peine d'être redites. À court de mots, chose qui m'arrive rarement, j'étais perdu dans l'intensité du moment : un moment d'éternité.

Quand nous relâchâmes notre étreinte, je lui demandai si je pouvais l'embrasser. Nerveusement, elle me dit « pas encore ». Cette réponse augmenta sur le moment mon impatience et mon désarroi. Aujourd'hui, je sais qu'elle était aussi anxieuse et craintive que moi. Nous avions tous deux besoin d'intimité pour vaincre les inhibitions que le temps et les circonstances avaient créées. Nous avions le temps : une semaine ensemble pour nous retrouver l'un l'autre.

Lentement, nous marchâmes de l'aéroport jusqu'au métro. Assis dans le wagon qui nous emportait vers le centre de Londres où j'habitais, nous parlâmes assez peu, nous contentant de nous tenir la main et de rester absorbés par la présence de l'autre. Le trajet fut long, mais il ne fit qu'accroître la joie que j'éprouvais. J'étais comblé par la présence de celle qui apportait la lumière au sein de mes ténèbres. Nos yeux se croisaient fréquemment. Et à mesure que je m'immergeais dans la douceur de son regard, mes tensions et mes craintes s'estompaient. J'étais prêt désormais à accepter tout ce qui pouvait arriver entre nous. Je pouvais laisser les choses évoluer à leur propre rythme.

À la station King's Cross, j'entraînai Siobhan à travers la foule puis dans les rues sales des alentours. Malgré toutes les tentatives de rénovation urbaine qui y avaient été faites, ce quartier restait tel que je l'avais connu autrefois : délabré, miteux et peuplé des déshérités de la société londonienne, en somme la version contemporaine d'un décor à la Dickens. Mon appartement se trouvait au milieu de cette décrépitude, mais le balcon surplombait Regent's Canal, où des bateaux étroits glissaient le long des péniches transformées en domiciles à la mode. C'était une oasis de paix au milieu du chaos urbain.

La valise de Siobhan déposée dans sa chambre, j'entrepris un peu cérémonieusement de lui faire faire le tour de l'appartement, en terminant par le salon avec sa large fenêtre en baie qui donnait sur le canal et les entrepôts reconvertis en face. Encore une fois, nous nous serrâmes l'un contre l'autre. Pour moi, chaque sensation était une révélation. Il y avait si longtemps que je n'avais éprouvé un tel plaisir sensuel. La chaleur et la douceur de la femme que je tenais dans mes bras étaient irrésistibles.

Craintivement, je lui redemandai si je pouvais l'embrasser, tout en étant prêt à accepter un autre refus sans m'en formaliser, tellement sa présence me comblait. Elle leva la tête vers moi, ses lèvres s'entrouvrirent, et sans un mot nous nous embrassâmes, doucement, délicatement. Puis les baisers se firent plus ardents, éveillant un désir que nous éprouvions tous deux mais que nous hésitions à exprimer. Nous échangeâmes bientôt des étreintes passionnées. Je ne sais ce qu'en pensèrent les gens dans les bureaux d'en face, mais j'espère que leur journée en a été ensoleillée. Au comble de l'excitation, je lui murmurai à l'oreille une invite qu'elle accepta d'un signe de tête, et je l'entraînai dans ma chambre.

J'étais à la fois tremblant de désir et de peur. Je souhaitais ardemment ce qui arrivait, mais la perspective de l'intimité physique m'inquiétait beaucoup. Je craignais que ce que j'avais vécu ne m'ait rendu impuissant. C'était la première fois que j'échangeais des caresses sensuelles et faisais l'amour depuis des années. La première fois aussi que j'étais aussi physiquement près de quelqu'un depuis le viol que j'avais subi. Mais mon inquiétude n'avait pas de raison d'être. La tendresse du moment, la beauté inspirante de Siobhan et l'amour que j'avais pour elle vainquirent toutes mes peurs. Mes hantises et inhibitions fondirent dans le feu de la passion qui nous consumait. Il est impossible de décrire un pareil moment. Comme jadis, avec les quelques mots qu'elle m'avait fait remettre en prison par mon père et par l'ambassade canadienne, Siobhan maintenant me raffermissait et me libérait. Toute barrière psychologique et physique qui avait pu nous retenir était maintenant disparue.

Nous dînâmes ce soir-là dans un petit restaurant italien, près de Russell Square. J'avais découvert l'endroit il y a vingt-cinq ans, alors que j'étais encore étudiant et que j'habitais dans le voisinage. Le Cosmoba appartenait à une famille d'immigrants italiens, et il était maintenant passé aux mains de la troisième génération. Il avait toujours été mon restaurant de prédilection quand je pouvais me le permettre, chaque fois que je revenais à Londres. C'était une agréable trattoria, un peu hors des sentiers battus, avec un service chaleureux, une bonne table et une atmosphère cordiale. Au cours de ce séjour prolongé à Londres, j'y dînai plus souvent que mes moyens limités me le permettaient, mais les repas y avaient alors une plus grande signification. Je m'octroyais cette gratification, car elle constituait un élément essentiel de mon rétablissement, en quelque sorte. Donc, c'est là que nous allâmes dîner, Siobhan et moi, et que nous établîmes les plans de la semaine à venir et de ce que nous souhaitions faire ensemble. Mais les plans, comme toujours, ne se réalisent jamais comme on les conçoit. Le temps passé ensemble et nos pérégrinations à travers Londres confirmèrent ma liberté retrouvée et auraient pu faire l'objet d'un autre volume.

Curieusement, nous n'avions pas prévu de détour par le zoo de Londres même si nous avions résolu d'explorer Regent's Canal. Le balcon de l'appartement surplombait un vieux quai qui avait été autrefois un centre commercial d'importance sur le canal. Siobhan m'avait interrogé à ce sujet, ainsi que sur l'étendue du canal. Mes explications avaient piqué sa curiosité, et nous avions prévu une promenade en conséquence. Comme le zoo est situé en bordure du canal, il s'imposa bientôt à nous alors que nous envisagions une autre promenade, deux jours plus tard.

Ce jour-là, nous sortîmes de l'appartement pour nous retrouver dans une atmosphère typiquement londonienne. Jusqu'à l'arrivée de Siobhan, la ville avait été plongée dans une vague de chaleur qui s'était prolongée bien au-delà des limites habituelles d'un été anglais. Avec ses embouteillages, ses rues étroites et ses vieux édifices, Londres est mieux adaptée pour les temps frais. De fait, par rapport à tous les endroits que j'ai vus sur la planète, je trouve que cette ville est celle qui sied le moins aux climats torrides. C'est peut-être en partie à cause d'attentes et de préjugés sur ce que doit être le climat anglais, mais je souhaite toujours de la pluie quand Londres est restée trop longtemps à cuire sous la canicule. J'étais donc heureux que le temps ait changé juste avant l'arrivée de Siobhan. Il faisait encore soleil, mais une forte brise soufflait, des nuages s'amoncelaient et la température était revenue à la normale saisonnière de l'automne. C'était le temps parfait pour une promenade à pied dans une vieille ville de l'Europe du Nord.

Nous prîmes le sentier du canal pour aller en direction de l'ouest vers Regent's Park. Ce sentier longe le canal à partir de l'extrémité est de Londres, contournant l'extrémité nord du parc, avant de se diriger vers l'ouest et le vieux réseau des canaux, qui était le centre des opérations commerciales au début de la révolution industrielle. Aujourd'hui, ce coin a perdu son importance commerciale, avec le transport fluvial qui a cédé le pas devant le trafic routier. Le sentier a trouvé un nouvel usage comme lieu de jogging et de promenade à pied, offrant un parcours tranquille à l'écart de la circulation automobile.

Nous déambulâmes en goûtant la quiétude des lieux, interrompue seulement par les cris des oiseaux aquatiques, qui s'ébattaient sur le canal, et par le battement cadencé des drôles de bateaux étroits qui transportaient des touristes sur le canal. Main dans la main, nous arrêtant de temps à autre pour nous embrasser, nous étions remplis de la joie sereine d'être ensemble. Les émotions passionnées des jours précédents nous avaient fait découvrir le côté sublime de ces moments ordinaires. Après quelques heures de promenade où nous nous étions arrêtés seulement pour prendre un curry thaï, des fraises et du chocolat belge à Camden Lock, nous arrivâmes à l'extrémité nord du parc, où le canal s'élargit et où on peut apercevoir un coin

395

de volière du zoo. C'est un peu à regret que je m'éloignai du canal avec Siobhan, car j'avais adoré l'atmosphère de cette promenade.

Enfant, j'aimais beaucoup les jardins zoologiques, car ils satisfaisaient ma curiosité pour tout ce qui était exotique et inusité. Mais plus tard, cet intérêt avait été réfréné par la conscience de la cruauté qu'il y avait à garder des animaux en captivité pour l'amusement du public. Étant resté si longtemps en captivité comme ces animaux, je ruminais ces idées quand nous franchîmes les tourniquets du zoo.

En marchant le long des enclos, mon attention fut plus attirée par les visiteurs que par les occupants des lieux. J'observais particulièrement la surprise et l'émerveillement des enfants. Je devais avoir l'air un peu bébête, au bras d'une femme, à sourire béatement devant toutes les expressions de la fascination enfantine. J'étais si détendu en compagnie de Siobhan que je commençais à prendre plaisir à jouer au touriste.

À l'enclos des hippopotames, je remarquai le brun calleux du cuir de l'animal et dis à Siobhan que certaines parties de mon corps avaient été d'une couleur semblable après que je les eus couverts de mes excréments. Elle écarquilla les yeux et se mit à me poser des questions avant de comprendre enfin à quoi rimait ma remarque scatologique. Son étonnement se transforma en air amusé quand je lui expliquai la raison de ce geste. Elle dit qu'avec la peau douce que j'avais maintenant, il y avait sans doute eu des avantages tangibles à m'induire ainsi, et nous éclatâmes tous deux de rire.

En arrivant dans la zone des primates, nous nous dirigeâmes vers l'enclos des chimpanzés. Nous arrivâmes devant un gros mâle à dos argenté, qui semblait indifférent à la foule. Ses grands yeux sombres semblaient tristes et ennuyés, et je trouvai assez pénible de le voir ainsi en cage. Mais lui, ne se doutant guère de mes réflexions anthropomorphiques, entreprit de faire sa toilette d'une main tout en se tenant sur les jointures de l'autre. Il se gratta lentement le derrière, avec un soin minutieux. Puis il examina ses doigts et les huma consciencieusement avant de les lécher.

La plupart des gens qui l'observaient manifestèrent leur dégoût, ce qui m'amena à faire un commentaire sur l'intelligence plus ou moins grande de l'animal. Une femme à ma gauche me remit à ma place, en exprimant une opinion un peu plus appropriée. Qui était le plus stupide, le chimpanzé qui se comportait ainsi, ou nous qui le regardions avec une fascination perverse? En plein dans le mille, pensais-je. Comment pouvais-je juger ce qu'il faisait, surtout après mon comportement en prison? Je me tournai vers Siobhan et lui dis, pour la rassurer que, si les gestes de ce chimpanzé rappelaient les miens peu de temps auparavant, je n'étais tout de même pas allé aussi loin que lui. Elle me regarda d'un air amusé en me donnant la nette impression qu'elle n'aurait pas été étonnée si j'avais agi de la sorte pour dégoûter ceux qui me surveillaient dans ma cage. En quelque sorte, elle comprenait ce qui avait été, pour tant de gens une conduite inexplicable de ma part.

Nous nous éloignâmes, laissant le chimpanzé à ses occupations, et rejoignîmes un autre groupe qui regardait d'un air captivé une famille de gorilles. J'avoue que je n'ai pas une connaissance très poussée de l'organisation sociale des gorilles. Comme nous étions là à observer le plus petit et le plus jeune de la famille, un gros mâle se précipita vers nous et vint frapper violemment avec ses paumes sur la cloison en verre armé qui nous séparait de lui. Tout le monde autour s'exclama en reculant d'un pas. Mais, presque aussitôt, le choc que le gorille avait causé se transforma en amusement. En regardant l'animal s'éloigner nonchalamment vers la partie extérieure de sa prison, je sentis une tristesse inopinée m'envahir. Siobhan se pencha vers moi et me dit avec son air mutin que cela aussi ressemblait à mes comportements de prisonnier. Oui, c'était vrai, hélas. Peut-être mon incarcération m'avait-elle rendu trop sensible, mais je ne pouvais m'empêcher de ressentir toute la frustration de ce curieux cousin de l'homme. Un sentiment de honte et de dégoût m'avait envahi. J'expliquai que le comportement du gorille était à la fois semblable au mien et tout à fait compréhensible étant donné l'espace restreint dans lequel il était forcé de vivre, condamné à l'oisiveté toute la journée.

C'était là une triste illustration du traitement que les humains réservent aux créatures avec lesquelles ils partagent la planète. Notre rapacité est telle que la seule chance de survie, sans doute, pour ce gorille et son espèce, est d'être mis en cage dans un environnement loin d'être naturel pour eux. En disant cela, je me tournai vers Siobhan avec une affliction qui devait se refléter sur tout mon être car elle me prit doucement la main, comme pour me consoler. La chaleur de ce contact m'apaisa. Étrangement, cet épisode nous rapprocha encore davantage, et il me fit comprendre encore plus la valeur de ce que j'avais découvert en prison.

Je projetais un voyage à Édimbourg depuis ma libération. D'abord, une batterie de tests médicaux m'avait retenu à Londres, les médecins m'examinant sur toutes les coutures pour évaluer toutes les séquelles des sévices subis. Puis, quand Siobhan s'était enfin décidée à venir me voir, j'avais reporté le voyage pour consacrer tout mon temps à ma nouvelle flamme. Prendre la décision d'aller à Édimbourg marqua donc un autre changement notable dans ma vie. Je ne comptais plus nécessairement agir en solitaire comme je le faisais auparavant. C'était un miracle que nous nous soyons retrouvés, Siobhan et moi, après avoir perdu contact aussi longtemps, et surtout que l'amour ait ressurgi entre nous. Aussi, trois jours après son arrivée à Londres, nous nous préparions maintenant à partir pour l'Écosse, le seul endroit au monde que j'ai toujours considéré comme ma patrie.

Dans mon enfance, j'avais vécu au nord du pays, dans une petite ville appelée Nairn. Mes souvenirs d'enfance les plus vivaces sont liés à cette localité et à la région de la côte Moray. Une tendresse spéciale, un sentiment d'attachement est toujours resté dans mon cœur. Adulte, j'avais eu la chance d'étudier et de travailler à Édimbourg et à Glasgow durant huit ans. Il n'y avait pas un coin de ce pays que je n'avais pas exploré dans des excursions d'escalade de montagne en hiver. C'était sur ces rivières que je m'étais découvert une passion pour le kayak. C'était là aussi que j'avais noué mes plus grandes amitiés. Dans mes longues heures d'incarcération, c'était à la beauté de ces montagnes que je revenais en esprit. Maintes fois, je m'étais revu avec plaisir assis au sommet du Arthur's Seat dans Holyrood Park, un flacon de whisky dans une main et un livre dans l'autre, contemplant paisiblement Édimbourg étalée devant moi. Pour moi, c'était là le véritable retour au pays, plus que mon arrivée à Londres ou nulle part ailleurs. C'était un projet que je caressais depuis que j'avais monté dans un avion à Riyad, deux mois auparavant.

Le jour de notre départ de Londres, nous prîmes la destination d'Édimbourg à bord d'un petit jet régional bondé. Je n'avais pas réussi à trouver un siège près du hublot. J'étais donc assis au milieu, essayant de ne pas trop me pencher au-dessus de la passagère à mes côtés, qui, elle, avait obtenu le hublot. Siobhan, qui était à ma droite, dû sentir ma nervosité, car elle redoubla d'attentions à mon endroit. J'avais été impatient et tendu durant le trajet jusqu'à l'aéroport et durant l'embarquement. Maintenant que nous étions dans les airs, l'inéluctabilité de notre arrivé là-bas ne me calma guère, et mon anxiété s'accrut à l'approche d'Édimbourg.

Puis, à travers les hublots, la ville apparut en bas, alors que l'avion décrivait un cercle au-dessus de Firth of Forth. Je sentis l'émotion monter en moi. Je pris la main de Siobhan et la pressai tandis que des larmes roulaient sur mes joues. Je n'y pouvais rien, c'était plus fort que moi. Dans le temps que mit l'avion à se poser, j'avais déjà le visage ruisselant de larmes. Je laissais couler ces pleurs qui me faisaient du bien, car ils n'étaient pas de douleur, mais de joie et de délivrance. Ma voisine assise près du hublot me jetait des regards inquiets, se demandant ce qui m'arrivait. Je ne m'en souciais guère alors, mais en y repensant aujourd'hui, j'ai un peu honte de cet accès de sentimentalité. Je suis bien content cependant d'avoir gardé et développé cette aptitude à exprimer mes émotions. En sortant de l'avion, je sentis que je touchais enfin la terre natale. Mais il restait encore une chose à faire.

Le lendemain après-midi, après avoir passé la matinée à montrer à Siobhan une autre ville chargée de souvenirs personnels, je l'amenai en promenade à Holyrood Park. Le centre de ce parc, de même que la cité autour, est dominé par les hauteurs du Arthur's Seat, qui m'avait hanté l'esprit depuis ma libération. Arrêtant à une boutique de touristes sur Royal Mile, j'achetai deux petits verres de cristal destinés à accompagner le flacon de Macallan que j'avais glissé dans mon sac à dos. Descendant Royal Mile, nous entrâmes dans le parc par Holyrood Palace en passant devant le chantier de construction du nouveau parlement écossais. Alors, devant, nous apparurent les Salisbury Crags et, derrière, Arthur's Seat. Le parcours n'était guère long ni difficile, mais certaines parties plus abruptes pouvaient être exténuantes pour moi. Je me sentais un peu inquiet, car mon angine de poitrine était réapparue. Je devais être opéré bientôt pour ce problème qui s'était aggravé au cours des semaines précédentes, m'amenant à restreindre mes activités. Et au moment où j'y pensais, je sus que je devrais y faire face ce jour-là.

Nous traversâmes la route, passant par les ruines de l'église St. Anthony's dans la cuvette de Hunter's Bog. Le terrain un peu marécageux qui s'étendait sous la montagne montait en pente douce jusqu'au sommet des Salisbury Crags à droite, et de Whinny Hill à gauche. Une fine pluie tombait par intermittence alors que nous cheminions vers le col entre les rochers escarpés et le sommet de la montagne. Nous décidâmes alors d'emprunter un sentier plus à pic à travers les rochers de Gutted Haddie. Sur le terrain plus facile en contrebas, tout alla bien, mais maintenant, en gravissant la pente, je sentis la fatigue dans mes jambes. J'avais marché des distances considérables dans ma cellule, mais c'était toujours sur un sol plat. Je compris que mes jambes demanderaient grâce sur des longues distances en pente, au moment où des muscles qui n'avaient pas été employés depuis longtemps s'en ressentaient d'être tout à coup sollicités. En continuant de marcher, je sentis un malaise dans la poitrine et dus m'arrêter un peu. Je savais que ça passerait. Je décidai donc de ne pas en parler à Siobhan pour ne pas l'inquiéter et gâcher notre plaisir.

Si idiot que cela puisse sembler, j'étais déterminé à atteindre le sommet. J'avais un vague sentiment d'absurdité et de honte à la fois, car c'était un sentier que je montais en courant autrefois. Et aujourd'hui, au même endroit, je haletais et transpirais comme si je gravissais l'Himalaya. Ll'effort en valait-il la peine ? Pour moi, cela ne faisait pas de doute. Alors, je poursuivis la montée lentement en restant attentif à la moindre recrudescence de mes malaises.

Avec Siobhan en tête, nous atteignîmes finalement la plate-forme au sommet et nous dirigeâmes vers le cairn. Je m'assis sur la pierre grise humide, sentant mon angine s'estomper, appréciant la fraîcheur de la bruine qui nous imprégnait doucement. À mes pieds s'étalait à nouveau le panorama d'Édimbourg, avec la pierre granitique de ses édifices, comme il était resté dans mon souvenir et comme je l'avais vu la première fois. Subrepticement, je pressai sous ma langue l'aérosol de trinitrine pour chasser les derniers malaises. Ils s'évanouiraient vite, il n'y avait pas lieu de s'inquiéter.

Avec un petit air solennel, j'ouvris le sac à dos pour en retirer le whisky et les verres. En silence, nous nous portâmes un toast, à Siobhan et moi. En dégustant l'odorante boisson, nous échangeâmes un regard intense, passionné. Jamais je n'avais ressenti autant d'amour dans ma vie. J'étais heureux de la présence amoureuse de Siobhan, heureux qu'elle eusse fait ce voyage de retrouvailles avec moi.

En me rasseyant sur la pierre douce du cairn, je réfléchis sereinement à tous les événements qui m'avaient amené à cet endroit. Les jours et les semaines de torture, l'ennui abrutissant de la séquestration solitaire, l'avilissement du viol ; et mes réactions à tout cela, la violence que j'avais moi-même retournée contre mes geôliers. J'avais enduré beaucoup, mais je n'avais pas enduré seul. La beauté que j'avais connue et l'amour qui m'avait été donné m'ont accompagné tout au long de mes tribulations. La traversée de cet enfer m'avait abîmé, physiquement et moralement. La vie me serait plus difficile désormais, car il fallait que je me refisse, en quelque sorte. Il y avait des séquelles physiques qui resteraient comme un rappel permanent de ce que j'avais subi, mais, sur le plan psychologique, je savais que je guérirais. Au milieu de toute l'inhumanité dont j'avais souffert, j'avais trouvé ma propre humanité. Dans mon for intérieur, je me sentais devenu meilleur. À mes côtés, il y avait Siobhan, dont le souvenir m'avait tant apporté auparavant et dont la présence maintenant me comblait. En la regardant, je savais plus profondément que jamais que je pouvais aimer et être aimé. J'étais béni. J'étais réhabilité.

GLOSSAIRE

Agal – Cordon qui retient la chèche ou le keffieh et qui provient des cordes du licou du chameau. Les Bédouins se servent encore de ces cordes à cette fin.

Bisht – Habit plus large et ample que le kamis.

Charia – Loi islamique.

Chèche (ou ghutra) – Couvre-chef arabe, sorte de voile (habituellement blanc) retenu sur la tête par un cordon de tissu.

Choukran – Merci, en arabe.

Djellaba – Longue robe à manches longues et à capuchon.

Falanga – Torture qui consiste à suspendre la victime et à lui frapper la plante des pieds à l'aide d'un bâton. Le mot arabe signifie « poulet suspendu ».

Iqama – Carte d'identité.

Kamis – Longue tunique portée par les hommes arabes.

Keffieh – Coiffure saoudienne traditionnelle, à carreaux rouge et blanc.

Khawaja – Littéralement « étranger », mais souvent utilisé dans un sens péjoratif.

Mabaheth – Division du renseignement au ministère de l'Intérieur.

Mutawa – Conseil pour la promotion de la vertu et la prévention du vice.

Shawarma – Viande de poulet ou de mouton, souvent servie en sandwich dans du pain pita avec des oignons, des tomates, de la laitue ou autre.

Sid – Boisson alcoolisée de fabrication domestique.

Sidiqi – Ami.

Wasta – Influence.

TABLE DES MATIÈRES

Transcontinental
IMPRESSION
IMPRIMERIE GAGNÉ